Directeur de collection
Philippe GLOAGUEN

Cofondateurs
Philippe GLOAGUEN et Michel DUVAL

Rédacteur en chef
Pierre JOSSE

assisté de
**Benoît LUCCHINI, Florence BOUFFET,
Solange VIVIER, Yves COUPRIE,
Olivier PAGE, Véronique de CHARDON,
Amanda GAUMONT, Isabelle DURAND
et Anne-Caroline DUMAS**

LE GUIDE DU ROUTARD

1996/97

MAROC

Hachette

Hors-d'œuvre

Le G.D.R., ce n'est pas comme le bon vin, il vieillit mal. On ne veut pas pousser à la consommation, mais évitez de partir avec une édition ancienne. D'une année sur l'autre, les modifications atteignent et dépassent souvent les 40 %.

Chaque année, en juin ou juillet, de nombreux lecteurs se plaignent de voir certains de nos titres épuisés. A cette époque, en effet, nous n'effectuons aucune réimpression. Ces ouvrages risqueraient d'être encore en vente au moment de la publication de la nouvelle édition. Donc, si vous voulez nos guides, achetez-les dès leur parution. Voilà.

Nos ouvrages sont les guides touristiques de langue française le plus souvent révisés. Malgré notre souci de présenter des livres très réactualisés, nous ne pouvons être tenus pour responsables des adresses qui disparaissent accidentellement ou qui changent tout à coup de nature (nouveaux propriétaires, rénovations immobilières brutales, faillites, incendies...). Lorsque ce type d'incidents intervient en cours d'année, nous sollicitons bien sûr votre indulgence. En outre un certain nombre de nos adresses se révèlent plus « fragiles » parce que justement plus sympa ! Elles réservent plus de surprises qu'un patron traditionnel dans une affaire sans saveur qui ronronne sans histoire.

Spécial copinage

– *Restaurant Perraudin* : 157, rue Saint-Jacques, 75005 Paris. ☎ 46-33-15-75. Fermé le samedi midi, le dimanche, le lundi midi et la 2e quinzaine d'août. A deux pas du Panthéon et du jardin du Luxembourg, il existe un petit restaurant de cuisine traditionnelle. Lieu de rencontre des éditeurs et des étudiants de la Sorbonne, où les recettes d'autrefois sont remises à l'honneur : gigot au gratin dauphinois, pintade aux lardons, pruneaux à l'armagnac. Sans prétention ni coup de bâton. D'ailleurs, c'est notre cantine, à midi.

– *La Nostalgie est derrière le comptoir* : éd. Critérion. Parution fin février 1996. Une balade en photos, nostalgique, douce-amère, poétique mais jamais triste, dans les derniers troquets, rades, Bagdad Cafés de tous les continents. Photos de Pierre Josse commentées en belles dérives littéraires et humoristiques par Bernard Pouchèle, l'auteur heureux de « L'Étoile et le vagabond » et de « La Flamande ».

– Un grand merci à *Hertz*, notre partenaire, qui facilite le travail de nos enquêteurs, en France et à l'étranger.

> **IMPORTANT** : le 36-15, code ROUTARD, a fait peau neuve ! De nouvelles rubriques pour vous aider à préparer votre voyage : présentation des nouveaux guides ; « Du côté de Celsius » pour savoir où partir, en quelle saison ; un point santé avec « Quoi de neuf, docteur ? » ; une boîte à idées pour toutes vos remarques et suggestions ; une messagerie pour échanger de bons plans entre routards.
> Et toujours les promos de dernière minute, les voyages sur mesure, les dates de parution des GDR...

Hôtels, pensions, restos... mode d'emploi

En raison de l'inflation galopante dans une majorité de pays, il n'est plus possible d'indiquer les prix des hôtels et des restos. Souvent, en moins d'un an, la différence entre les prix relevés et ceux en vigueur au moment de la première diffusion du guide peut être très importante. Aussi avons-nous adopté le système des fourchettes de prix en instituant des catégories : bon marché, prix moyens et plus chic. Ces catégories varient selon les pays. Si les hôtels pas chers d'un pays se situent autour de 15 F, ceux qui s'affichent à 50 F appartiendront bien sûr à la rubrique « Prix moyens », et ceux qui coûtent 100 F et au-delà à celle « Plus chic ». Il est évident que pour un pays débutant à 100 F pour ses hôtels les moins chers, les autres rubriques seront décalées d'autant.

Avantage : l'inflation étant la même pour tout le monde, s'il y a élévation globale du coût de la vie, les prix augmentent simultanément. La seule chose imprévisible, c'est qu'un hôtel ou un restaurant change de standing (en bien ou en mal) et passe donc dans une autre catégorie. Dans ce cas de figure, assez rare il faut le dire, nous sollicitons bien sûr l'indulgence légendaire de nos lecteurs.

Le contenu des annonces publicitaires insérées dans ce guide n'engage en rien la responsabilité de l'éditeur.

LES GUIDES DU ROUTARD
1996-1997

(dates de parution sur le 36-15, code ROUTARD)

France

- Alsace-Vosges
- Aventures en France
- Bretagne
- Châteaux de la Loire
- Corse
- Hôtels et restos de France
- Languedoc-Roussillon
- Midi-Pyrénées
- Normandie
- Paris
- Poitou, Charentes, Vendée
  (mars 1996)
- Provence-Côte d'Azur
- Restos et bistrots de Paris
- Sud-Ouest
- Tables et chambres
  à la campagne
- Week-ends autour de Paris

Amériques

- Brésil
- Canada Ouest et Ontario
- Chili, Argentine et île de Pâques
- États-Unis
  (côte Est et Sud)
- États-Unis
  (côte Ouest et Rocheuses)
- Guadeloupe **(nouveauté)**
- Martinique, Grenadines, Dominique,
  Sainte-Lucie **(nouveauté)**
- Mexique, Belize, Guatemala
- New York
- Pérou, Équateur, Bolivie
- Québec et Provinces maritimes

Asie

- Birmanie, Laos, Cambodge
- Égypte, Yémen
- Inde du Nord, Népal, Tibet
- Inde du Sud, Ceylan
- Indonésie
- Israël
- Jordanie, Syrie
- Malaisie, Singapour
- Thaïlande, Hong Kong et Macao
- Turquie
- Vietnam

Europe

- Allemagne
- Amsterdam
- Angleterre, pays de Galles
- Autriche
- Belgique **(nouveauté)**
- Écosse
- Espagne du Nord et du Centre
- Espagne du Sud, Andalousie
- Finlande, Islande
- Grèce
- Irlande
- Italie du Nord
- Italie du Sud, Rome, Sicile
- Londres
- Norvège, Suède, Danemark
- Pays de l'Est
- Portugal
- Prague
- Venise

Afrique

- Afrique noire
  Sénégal
  Mali, Mauritanie
  Gambie
  Burkina Faso (Haute-Volta)
  Niger
  Togo
  Bénin
  Côte-d'Ivoire
  Cameroun
- Maroc
- Réunion, Maurice
- Tunisie

et bien sûr...

- L'Agenda du Routard
- Le Manuel du Routard

Carte France Télécom.
Téléphonez de partout comme si vous étiez chez vous.

Les 4 avantages de la Carte France Télécom :

- Elle permet d'appeler à partir de n'importe quel téléphone chez un particulier ou d'une cabine téléphonique, partout dans le monde.
- Communications directement reportées sur votre facture téléphonique.
- Plus de problèmes de monnaie.
- Elle permet d'appeler partout dans le monde depuis 52 pays par France Direct.

Emportez-la quand vous partez.

Pour plus de renseignements ou pour commander votre carte, appelez gratuitement le **N°Vert 05 202 202** *APPEL GRATUIT*

TABLE DES MATIÈRES

FÈS, MEKNÈS ET LE MOYEN ATLAS

MARRAKECH ET LES MONTAGNES DU HAUT ATLAS

VERS LE GRAND SUD

L'ANTI-ATLAS

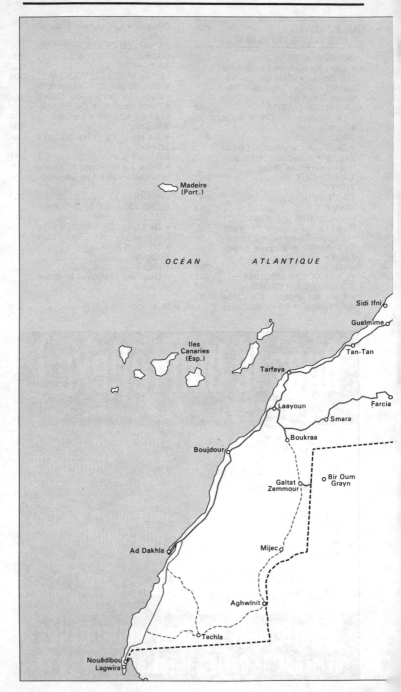

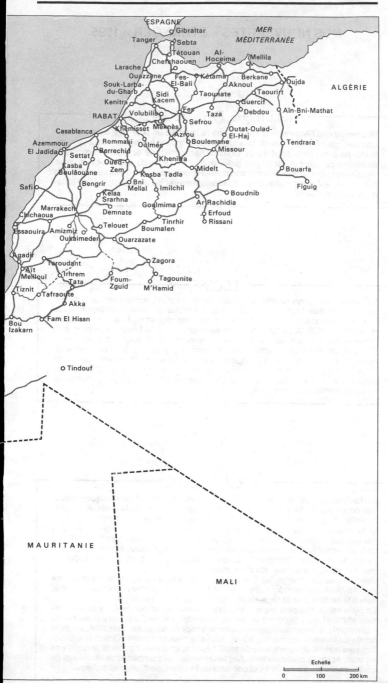

NOS NOUVEAUTÉS « ÉTRANGER » 1995

ANGLETERRE, PAYS DE GALLES

Maintenant que l'Angleterre n'est plus une île, profitez-en pour faire du shopping à Londres, guincher (dignement, cela va sans dire !) dans les boîtes « destroy », sillonner les petits ports de pêche de Cornouailles, cette terre de légendes celtiques, ou encore parcourir la campagne galloise à la rencontre de ses habitants. Vous découvrirez alors un pays à la fois traditionnel et précurseur, où cohabitent chapeau melon et minijupe, les modes les plus extravagantes et les vieux aristos. C'est justement tout son charme !

ÉCOSSE

L'Écosse est un pays rebelle aussi bien par son esprit guerrier que par la nature sauvage de ses Highlands. Ses longues bandes de terres verdoyantes qui entourent ses châteaux (hantés, bien sûr !), ses légendes, fantômes et autres monstres du loch Ness appartiennent au charme et à la beauté d'un pays qu'il convient d'apprivoiser lentement mais sûrement. D'Edinburgh, la culturelle, à Glasgow, l'ouvrière, sans oublier Saint Andrews, berceau du golf, ou encore l'île de Skye, l'Écosse se déguste à l'image de son célèbre nectar (et de son non moins fameux *haggis*). Quant aux Écossais, pas radins pour un sou (contrairement à l'idée reçue), ils possèdent un sens de l'hospitalité et de l'humour qui vous convaincront de revenir hanter les lieux.

JORDANIE, SYRIE

La Jordanie, un petit pays aux trois quarts envahi par le désert, ne manque pourtant pas de sel (la mer Morte), ni de couleurs (la mer Rouge, Pétra la Rose, Ammân la Blanche...), ni de sites splendides parmi les plus importants du Proche-Orient : la ville romaine de Jerash, les forteresses des croisés et, bien sûr, Pétra, incroyable cité creusée dans la roche. La Jordanie offre en prime un bel itinéraire sur les traces de Lawrence d'Arabie, de superbes initiations à la plongée sous-marine à Aqaba et toutes les traditions du monde arabe : narguilé, danses du ventre, appel du muezzin et promenades à dos de chameau...
Avec un peu de chance, les Bédouins vous inviteront sous leur tente en poil de chèvre. Vous comprendrez alors ce que hospitalité veut dire : cérémonie du thé, café à la cardamome et orgie de *mensef* (de l'agneau au yaourt !).
La Syrie est un des plus anciens foyers de civilisation au monde. On y créa le premier alphabet, on y découvrit la première note de musique écrite, on y perfectionna l'astronomie. L'impression de retrouver ses racines est totale. En prime, un pays vierge du tourisme de masse, sûr et incroyablement hospitalier. Des sites archéologiques sortent chaque année de terre. Les jambes n'auront guère le temps de se reposer. Après le désert ou les riches terres fertiles, des centaines de kilomètres de souks, parmi les plus animés et odorants du Proche-Orient, vous attendent...

NOS NOUVEAUTÉS 1996

ALSACE-VOSGES

Malmenée par les guerres et, malgré cela, miraculeusement conservée, l'Alsace n'a pas vendu son âme au diable de l'uniformisation européenne. Voici un joyau de la civilisation rhénane. Combien de gens chaleureux, d'auberges et de winstubs conviviaux, de bons crus enjoués, de paysages croquignolets, de villages adorablement nichés entre deux rangs de vignes, de maisons à colombage amoureusement fleuries, de bonnes petites adresses pas chères ! De plus, l'Alsace ne se réduit pas aux illustrations d'Hansi ni à ses fastes gastronomiques. N'oubliez pas qu'elle possède aujourd'hui le réseau de pistes cyclables le plus développé de France. Les Vosges, quant à elles, couvertes de forêts et de brumes propices à exciter l'imagination, sont une terre de légendes. D'ailleurs Jeanne d'Arc y est née... Deuxième département le plus boisé de France (après les Landes), les Vosges se présentent avant tout comme un paradis naturel. Peu d'endroits proposent à la fois un air aussi pur, des eaux aussi vitalisantes (Vittel, Contrex...) et des forêts si belles. En ces temps de retour aux sources, voilà une destination rêvée, avec ses lacs, ses petites routes de montagne, ses chaumes et ses tourbières. Les Vosges, c'est l'anti-tourisme de masse : du ski sans frime, des randonnées sans rang d'oignons et du folklore sans chlore. On y sort vite des sentiers battus. Et une gastronomie paysanne on ne peut plus authentique, des coutumes qu'on croyait disparues (le schlittage, les sabotiers), et des personnalités locales taillées dans le sapin.

BELGIQUE

Un pays, trois régions, trois communautés linguistiques. Pour ne pas se perdre dans ce pays si surprenant, suivez le guide !
Il vous mènera bien au-delà du périmètre d'arrosage du Manneken-Pis, bien plus loin que les ors de la Grand-Place : au cœur du quartier des Marolles à Bruxelles où l'on chante dans les cafés le dimanche matin après les puces, dans le dernier théâtre de marionnettes à tringles... pour continuer à rêver. Car notre petit (de taille) voisin est plein de richesses.
« Vlaanderen », les Flandres, que l'on découvre à vélo en suivant les méandres alanguis de ses cours d'eau, puis Bruges et Gand qui ont su conserver leurs merveilles ciselées dans la pierre.
En Wallonie, un soir d'insomnie, passez donc à Liège, où les rues sont pleines de joyeux étudiants toujours prêts à partager le verre de l'amitié. A Binche, les jours de carnaval, on se lance des oranges...
Décidément ce plat pays a bien du relief, car si la France produit plus de 300 fromages, n'oublions pas que la Belgique fabrique plus de 1 000 bières !

POITOU - CHARENTES - VENDÉE

Trois régions en une, entre littoral et bocage, dunes d'herbes folles et marais, qu'ils soient salants ou Poitevin... A sillonner à vélo ou en barque, avant d'y faire la fête, grâce à tous ses spectacles : Francofolies de La Rochelle, festival de BD d'Angoulême...
La Vendée est une terre de contraste, où se mêlent le granit et la tourbe, les forêts et les plaines, les plages et les collines. A l'image de sa géographie, une histoire mouvementée. Ici retentissent les chants des chouettes et des chouans. Un pays de passion, qui n'a pas choisi pour rien le cœur comme emblème...
On le sait grâce à Charles Martel, le Poitou est une importante terre d'histoire. D'où ses abbayes multiséculaires, ses châteaux héroïques et ses bonnes vieilles traditions : le chabichou (un fromage), les lumas (des escargots), le baudet (un âne)... Mais on sait aussi y regarder l'avenir en face, comme le prouve le Futuroscope ! Les Charentes sont connues pour leur merveilleuse lumière, leur pineau, leur cognac, leur coup de Jarnac, leurs huîtres, leurs Ventrachoux et... leurs charentaises. On n'oubliera pas non plus la maison-palais de Pierre Loti, le musée Mitterrand, l'île de Ré, les adorables églises romanes de la Saintonge... et le reste !

Et pour cette chouette collection, plein d'amis nous ont aidés :

Albert Aidan
Véronique Allaire
Catherine Allier et J.-P. Delgado
Pierre-Loic Assayag
Michel Athenour
Fabienne Batorski
René Baudoin
Lotfi Belhassine
Nicole Bénard
Laurent Benkiewicz
Estelle Berranger
Cécile Bigeon
Philippe Bonfils
Philippe Bordet et Edwige Bellemain
Gérard Bouchu
Hervé Bouffet
Florence Breskoc
Thierry Brouard
Laurent Brouazin
Jacques Brunel
Danièle Canard
Jean-Paul Chantraine
Bénédicte Charmetant
François Chauvin
Thierry Clerc
Maria-Elena et Serge Corvest
Roland et Carine Coupat
Sandrine Couprie
Marie-Clothilde Debieuvre
Cécile Domens
Jean-Pierre Dubarry
Cécile Dubeau
Stéphane Dunand et Sébastien Pillet
Élisabeth Durant
Sophie Duval
Didier Farmache
Alain Fisch
Jean-Louis Galesne
Bruno Gallois
Alain Garrigue
Cécile Gauneau
Michèle Georget
Bernard Gicq
Hubert Gloaguen

Jérôme de Gubernatis
Jean-Marc Guermont
Christian Inchauste
Marc Jacheet et Laurent Drion
Guillaume Jaubert et
Guillaume Martineau
Pierrick Jégu
François Jouffa
Christelle Lagrange
Jacques Lanzmann
Alexandre Lazareff
Denis et Sophie Lebègue
Ingrid Lecander
Raymond et Carine Lehideux
Martine Levens
Jenny Major
Anne-Marie Minvielle
Bernard-Pierre Molin
Fanny Monnoyeur
Jacques Muller
Jean-Paul Nail
Jean-Pascal Naudet
Olivia Nemitz
Sabine Nourry
Caroline de Panthou
Martine Partrat
Frédéric Patard
Odile Paugam et Didier Jehanno
Bernard Personnaz
Jean-Sébastien Petitdemange
Jean-Michel Piquard
Jean-Alexis Pougatch
Anne-Christie Putégnat
Michel Puysségur
Patrick Rémy
Jean-Pierre Reymond
Roberto Schiavo
Jean-Luc et Antigone Schilling
Gilles de Staal
Régis Tettamanzi
Christophe Trognon
Yvonne Vassart
Cécile Verriez
Marc et Shirine Verwhilgen
François Weill

Nous tenons à remercier tout particulièrement **Patrick de Panthou** pour sa collaboration régulière.

Direction : Isabelle Jeuge-Maynart
Secrétariat général : Michel Marmor et Martine Leroy
Direction éditoriale : Isabelle Jendron, Catherine Marquet et François Monmarché
Édition : Françoise Dupont et Yankel Mandel
Préparation-lecture : Jean-François Lefèvre
Cartographie : Alain Mirande
Documentation : Florence Guibert
Fabrication : Gérard Piassale et Françoise Jolivot
Direction des ventes : Marianne Richard et Anne Bellenger
Direction commerciale : Michel Goujon et Dominique Nouvel
Informatique éditoriale : Catherine Julhe et Marie-Françoise Poullet
Relations presse : Catherine Broders, Danielle Magne, Cécile Dick, Martine Levens, Maureen Browne et Anne Chamaillard
Régie publicitaire : Delphine Bouffard et Monique Marceau
Service publicitaire : Frédérique Larvor et Marguerite Musso

Le plein de campagne.

TABLES CHAMBRES à la CAMPAGNE

1996

NOUVEAU :
DES CENTAINES DE REDUCTIONS

le guide du **ROUTARD**

HACHETTE

448 pages.

*1400 adresses dont 180 inédites de fermes-auberges,
chambres d'hôte et gîtes sélectionnés dans toute la France.
Un certain art de vivre qui renaît.*

Le Guide du Routard.
La liberté pour seul guide.

Hachette Tourisme

COMMENT ALLER
AU MAROC ?

EN AVION

✈ **AIR FRANCE**
Air France relie Paris au Maroc au départ d'Orly avec 27 vols hebdomadaires vers Agadir, Casablanca, Oujda, Marrakech et Rabat.
Au départ des régions françaises, *Air Inter* assure des liaisons Bordeaux-Toulouse-Casablanca, Lyon-Marseille-Casablanca et Marseille-Oujda.
INTÉRESSANT : Air France propose toute une gamme de tarifs très attractifs. Exemple : *Jeunes* (pour les moins de 25 ans), mais aussi *Le Kiosque,* accessible à tous, tarifs les plus intéressants du moment. Pour consulter les destinations proposées, Minitel : 36-15, code AF ou ☎ 36-68-10-48 et dans les agences de voyages.
• *Air France à Casablanca :* 15, av. de l'Armée-Royale. ☎ (212-2) 29-30-30. Du lundi au vendredi de 8 h 30 à 12 h et de 14 h à 19 h, le samedi de 8 h 30 à 12 h.
• *Air France/Air Inter à Paris :* 119, Champs-Élysées, 75008. M. : George-V. Réservation-vente : ☎ 44-08-22-22. Minitel : 36-15, code AF. Et dans toutes les agences de voyages.

✈ **ROYAL AIR MAROC :** 38, av. de l'Opéra, 75002 Paris. Renseignements : ☎ 44-94-13-30 et 44-94-13-10 pour les réservations. M. : Opéra. Dessert tous les aéroports marocains au départ des principales villes françaises.

LES ORGANISMES DE VOYAGES

– Encore une fois, un billet « charter » ne signifie pas toujours que vous allez voler sur une compagnie charter. Bien souvent, même sur des destinations extra-européennes, vous prendrez le vol régulier d'une grande compagnie. Vous aurez simplement payé moins cher que les ignorants pour le même service en vous adressant à des organismes spécialisés.
– Nous ne faisons plus de distinction, comme les années précédentes, entre les organisateurs de « charters », les vols réguliers à prix réduits ou les associations pour étudiants. En effet, les agences qui suivent proposent un peu de tout, pour tous les voyageurs. Ce n'est pas un mal : ça va dans le sens de la démocratisation du voyage.
– Ne pas croire que les vols à tarif réduit sont tous au même prix pour une même destination à une même époque : loin de là. On a déjà vu, dans un même avion pour Lima partagé par deux organismes, des passagers qui avaient payé 40 % plus cher que les autres... Authentique ! Donc, contactez tous les organismes et jugez vous-même.
– Les organisateurs cités sont classés par ordre alphabétique, pour éviter les jalousies et les grincements de dents.

▲ **ACCESS VOYAGES**
– *Paris :* 6, rue Pierre-Lescot, 75001. ☎ 40-13-02-02 et 42-21-46-94. Fax : 42-21-44-20. M. : Châtelet-Les Halles.
– *Lyon :* tour Crédit Lyonnais, 129, rue Servient, 69003. ☎ 78-63-67-77. Fax : 78-60-27-80.
– *Lyon :* 55, place de la République, 69002. ☎ 72-56-15-95. Fax : 72-41-85-75.
Vendu aussi dans les agences de voyages. Access Voyages est spécialiste depuis 10 ans maintenant du vol régulier à prix réduit. Pourquoi subir les inconvénients des charters, face aux tout petits prix proposés par ce professionnel du vol régulier : 500 destinations sur 50 compagnies ? Sa destination vedette, l'Amérique du Nord, avec une énorme palette de vols directs ou avec escale. De très nombreuses promotions. Des prestations à la carte, location de voitures, motorhomes, circuits... Autres destinations, tous les long-courriers et une production intense sur l'Europe. Access offre de nombreux départs de province vers le Mexique, le Canada, l'Océanie, l'Afrique, l'Europe, etc.
Le petit plus d'Access : la vente par correspondance, très intéressant pour les provinciaux qui utilisent le service de « paiement à la carte ».

▲ **ALLIBERT MONTAGNES ET DÉSERTS DU MONDE :** 14, rue de L'Asile-Popincourt, 75011 Paris. ☎ 48-06-16-61. Fax : 48-06-47-22. M. : Saint-Ambroise. Et route de Grenoble, 38530 Chapareillan. ☎ 76-45-22-26. Fax : 76-45-27-28.
Cette équipe de guides de montagne est l'un des meilleurs spécialistes français des régions les plus « fortes » de la planète. Depuis deux décennies, les guides Allibert sont de véritables créateurs d'itinéraires de trekkings, de randonnées à pied ou à ski, etc., sur les cinq continents (plus de 250 actuellement). Voir leurs circuits inédits au Maroc, sur les montagnes méditerranéennes, en Asie centrale (C.E.I.), au Népal, en Patagonie...
Pour les guides Allibert, les marcheurs ne sont pas des sportifs forcenés, mais de vrais voyageurs qui ont trouvé le moyen idéal de découverte d'une région « en profondeur ».

▲ **ANY WAY :** 46, rue des Lombards, 75001 Paris. ☎ 40-28-00-74. Fax : 42-36-11-41. M. : Châtelet. Ouvert du lundi au vendredi de 10 h à 19 h et le samedi de 11 h à 18 h.
Une équipe sympathique dirigée par de jeunes Québécois. Rompus à la déréglementation et à l'explosion des monopoles sur l'Amérique du Nord, leur champ d'action s'étend aujourd'hui à toutes les grandes destinations du globe. Leurs ordinateurs dénichent les meilleurs tarifs (180 000 tarifs spéciaux sur 700 destinations, sur plus de 60 000 vols par semaine au départ de Paris et de 40 villes de province : un record international !). Des prix charters sur vols réguliers. Les tours-opérateurs leur proposent leurs invendus à des prix défiant toute concurrence.
Any Way permet également de réserver vol, séjours, hôtels et voitures dans le monde entier. Les Routards « chic » ou « bon marché » sauront sûrement trouver chaussures à leurs pieds parmi de nombreuses possibilités et promotions. Précurseurs dans le domaine de la vente à distance, recherche et commande par Minitel ou auprès de l'équipe de réservation par téléphone ou bien à l'agence. A noter que, quel que soit votre achat, Any Way vous fait cadeau des frais de dossier.
Intéressant : « J-7 » est une formule qui propose des vols, des séjours et des circuits à des prix super discount, de 7 à 15 jours avant le départ.
Réservations par fax également. Sympa : les clients qui viennent tôt le matin se voient offrir le café. Incontestablement une bonne adresse.

▲ **CLUB AQUARIUS :** ☎ 42-96-13-13. Minitel : 36-15, code AQUARIUS. En vente dans toutes les agences Club Med Voyages, Forum Voyages, Havas Voyages et agences agréées.
Créé en 1979, repris en 1991 par le Club Méditerranée, le Club Aquarius poursuit son développement et bénéficie du savoir-faire de son grand frère.
Fort de ses 8 villages à la mer, de ses 11 villages à la montagne (dont 2 Clubs Junior) et de trois nouvelles destinations : à la campagne à Rodez, à Montpezat en Provence et au bord de la mer au Lavendou ; le Club Aquarius, qui offre un des meilleurs rapports qualité-prix sur le marché français, propose également des circuits en Grèce, en Tunisie, au Maroc, sans oublier sa croisière en Égypte et de nombreuses excursions au départ de tous ses villages.

▲ **COMPTOIR DES DÉSERTS :** 23, rue du Pont-Neuf, 75001 Paris. ☎ 40-26-19-40. Fax : 42-21-47-07. M. : Châtelet-Les Halles ou Pont-Neuf.
Une équipe de mordus inconditionnels de sable, de glace et de tout ce que l'on appelle les « déserts ». A leur actif, déjà plus de 40 destinations proposées dans leur brochure, mais aussi leur capacité de monter « sur mesure » n'importe quel type de voyage. Leur agence est exclusivement tournée vers le voyage dans les déserts : cartographie, salle de projection, bibliothèque et, de ce fait, une équipe de véritables professionnnels est là pour vous aider à construire vos rêves.
Destinations : déserts sahariens (Libye, Mauritanie, Maroc, Tunisie, Algérie, Niger, Égypte) ; déserts du Moyen-Orient (Égypte, Jordanie, Syrie, Yémen, Oman) ; déserts d'Asie (Iran, Mongolie, Chine, Kazakhstan, Turkmenistan, Inde) ; déserts nord-américains ; déserts austraux (Chili, Atacama, Namibie, Australie, Antarctique) ; Islande.

▲ **CONTINENTS INSOLITES (A.S.B.L.) – ACCENTS DU MONDE :** 4, rue henri Barbusse, 94600 Choisy-le-Roi (pour courrier uniquement). ☎ 48-84-89-17. Fax : 48-84-89-34. Ouvert du lundi au vendredi, de 10 h à 18 h.
Association créée en 1978, dont l'objectif est de promouvoir un nouveau tourisme à visage humain. Continents Insolites regroupe plus de 10 000 sympathisants, dont le point commun est l'amour du voyage des sentiers battus.
L'encadrement personnalisé de vos voyages par des guides spécialisés des régions visitées. La totalité des voyages proposés par l'association regroupe une centaine de destinations différentes dans plus de 60 pays. Parmi leurs points forts, le Maroc.

▲ **DÉGRIFTOUR-RÉDUCTOUR :** leader du voyage à prix dégriffés, Dégriftour propose sur le 36-15, code DT, chaque jour en moyenne 900 voyages et séjours en France ou dans le monde entier, avec des réductions jusqu'à 40 %. Ces offres proviennent d'invendus et sont consultables quelques jours avant le départ. Sur le 36-15, code RT, Réductour, l'autre voyagiste en direct par Minitel, propose des voyages et séjours à tout moment sur toutes les destinations, de 8 mois à la veille du départ.

▲ **DIRECTOURS :** uniquement par téléphone, fax ou Minitel. ☎ 45-62-62-62. Fax : 40-74-07-01. Minitel : 36-15, code DIRECTOURS ou 36-15, code LA REDOUTE.
Un tour-opérateur qui présente la particularité de s'adresser directement au public, sans passer par les agences et autres intermédiaires, en vendant ses voyages exclusivement par téléphone ou Minitel. La démarche est simple : on appelle pour demander l'envoi d'une brochure à consulter et l'on se procure ensuite tous les renseignements et conseils nécessaires en contactant les spécialistes de DirecTours par téléphone ou Minitel. Ainsi sont supprimés les coûts souvent élevés exigés par les points de vente et les intermédiaires.
DirecTours propose sur ses brochures une grande variété de destinations, dont le Maroc. Noter que toutes les combinaisons de voyages sont possibles.

▲ **DJOS' AIR VOYAGES :** bâtiment le Bonaparte, 20, centre d'affaires Paris-Nord, 93153 Le Blanc-Mesnil Cedex. ☎ 48-67-15-60. Fax : 48-67-15-61. Et dans les agences de voyages.
Composée d'une équipe franco-égyptienne spécialiste des voyages en Égypte et au Proche-Orient (Syrie, Jordanie, Yémen, Oman et le Liban), Djos' Air propose des séjours pour les groupes et les individuels avec des départs de Paris, Bruxelles, Genève, Bâle et certaines villes de province. Possibilité pour ces voyages d'être, de plus, fabriqués sur mesure avec des activités différentes. Djo's Air organise également ces voyages au Maroc.

▲ **ESPACES DÉCOUVERTES VOYAGES**
– *Paris :* 38, rue Rambuteau, 75003. ☎ 42-74-21-11. Fax : 42-74-76-77. M. : Rambuteau ou R.E.R. Châtelet-Les Halles.
– *Paris :* 377 bis, rue de Vaugirard, 75015. ☎ 45-33-81-87. Fax : 45-35-26-61. M. : Convention.
Deux équipes jeunes, souriantes et dynamiques à votre service, vous accueillent tous les jours du lundi au samedi.
Espaces Découvertes vous offre un vaste choix de tarifs aériens exceptionnellement compétitifs, ainsi qu'un éventail de séjours et de circuits sélectionnés pour leur rapport qualité-prix. De nombreuses formules, « nuit d'hôtel à l'arrivée » et location de voitures, toujours à prix réduits, sont proposées en complément des vols. Également un service de réservation et de vente par téléphone (paiement par carte bleue) : ☎ 42-74-21-11. Pour tous les groupes de collectivités, clubs, associations, un service spécialisé s'appuyant sur un réseau de réceptifs locaux, propose « à la carte » des séjours, circuits, week-ends d'un excellent rapport qualité-prix. Devis rapide personnalisé sur demande : ☎ 42-74-21-11 ; ou par fax : 42-74-76-77.

▲ **EXPLORATOR :** 16, place de la Madeleine, 75008 Paris. ☎ 42-66-66-24. Fax : 42-66-53-89. M. : Madeleine.
Le spécialiste le plus ancien et le plus célèbre des voyages à caractère d'expédition : à pied, en voiture tout-terrain, bateau, radeau, etc. Plus qu'une agence, une solide équipe de spécialistes qui vous emmèneront par petits groupes, dans la plus pure tradition du voyage, découvrir l'authenticité des hommes et des sites demeurés à l'écart du tourisme, où culture et histoire riment avec nature et bien-être.
Toujours attentifs à l'ouverture ou à la réouverture d'un pays (ils furent les premiers à retourner au Tchad, en Éthiopie, en Érythrée ou sur l'île de Sakhalin), ils n'oublient pas pour autant que les enfants sont de futurs grands voyageurs et des conditions spéciales leur sont offertes sur certaines destinations, dont le Maroc.
Au sommaire de leur brochure, on trouve notamment : le Sahara (de l'Atlantique à la mer Rouge ; Mauritanie, Maroc, Algérie, Niger, Soudan, Libye, Tchad, Égypte). En tout 60 pays et 120 itinéraires. Que vous faut-il de plus ? Attention, pas de vols charters ni de vols secs.

▲ **FORUM-VOYAGES**
– *Paris :* 11, av. de l'Opéra, 75001. ☎ 42-61-20-20. Espace Luxe moins cher : ☎ 42-61-86-66. Fax : 42-61-39-12. M. : Palais-Royal.
– *Paris :* 28, rue Monge, 75005. ☎ 43-25-54-54. Fax : 44-07-36-20. M. : Cardinal-Lemoine.

– *Paris :* 39, rue de la Harpe, 75005. ☎ 46-33-97-97. Fax : 46-33-10-27. M. : Saint-Michel.
– *Paris :* 81, bd Saint-Michel, 75005. ☎ 43-25-80-58. Fax : 44-07-22-03. M. : Luxembourg.
– *Paris :* 1, rue Cassette (angle avec le 71, rue de Rennes), 75006. ☎ 45-44-38-61. Espace Luxe moins cher : ☎ 45-44-56-48. Fax : 45-44-57-32. M. : Saint-Sulpice.
– *Paris :* 140, rue du Faubourg-Saint-Honoré, 75008. ☎ 42-89-07-07. Fax : 42-89-26-04. M. : Saint-Philippe-du-Roule.
– *Paris :* 55, av. Franklin-Roosevelt, 75008. ☎ 42-56-84-84. Fax : 42-56-85-69. M. : Franklin-Roosevelt.
–– *Paris :* 11, rue Auber, 75009. ☎ 42-66-43-43. Fax : 42-68-00-81. M. : Opéra.
– *Paris :* 69-69 *bis*, rue du Montparnasse, 75014. ☎ 42-79-87-87. Fax : 45-38-67-71. M. : Edgar-Quinet.
– *Paris :* 49, av. Raymond-Poincaré, 75116. ☎ 47-27-89-89. Fax : 47-27-24-00. M. : Victor-Hugo.
– *Paris :* 75, av. des Ternes, 75017. ☎ 45-74-39-38. Fax : 40-68-03-31. M. : Ternes.
– *Neuilly :* 120, av. Charles-de-Gaulle, 92200. ☎ 46-43-71-71. Fax : 46-43-71 75. M. : Sablons ou Pont-de-Neuilly.
– *Amiens :* 40, rue des Jacobins, 80000. ☎ 22-92-00-70. Fax : 22-91-05-72.
– *Caen :* 90-92, rue Saint-Jean, 14000. ☎ 31-85-10-08. Fax : 31-86-24-67.
– *Lyon :* 10, rue du Président-Carnot, 69002. ☎ 78-92-86-00. Fax : 78-38-29-58.
– *Melun :* 17, rue Saint-Étienne, 77000. ☎ 64-39-31-07. Fax : 64-39-86-12.
– *Metz :* 10, rue du Grand-Cerf, 57000. ☎ 87-36-30-31. Fax : 87-37-35-69.
– *Montpellier :* 41, bd du Jeu-de-Paume, 34000. ☎ 67-52-73-30. Fax : 67-60-77-34.
– *Nancy :* 99, rue Saint-Dizier, 54000. ☎ 83-36-50-12. Fax : 83-35-79-46.
– *Nantes :* 20, rue de la Contrescarpe, 44000. ☎ 40-35-25-25. Fax : 40-35-23-36.
– *Reims :* 14, cours J.-B.-Langlet, 51072. ☎ 26-47-54-22. Fax : 26-97-78-38.
– *Rouen :* 72, rue Jeanne-d'Arc, 76000. ☎ 35-98-32-59. Fax : 35-70-24-43.
– *Strasbourg :* 49, rue du 22-Novembre, 67000. ☎ 88-32-42-00. Fax : 88-75-99-39.
– *Toulouse :* 23, place Saint-Georges, 31000. ☎ 61-21-58-18. Fax : 61-13-76-49.
Dans sa brochure « Vols Discount Réguliers », Forum-Voyages propose plus de 1 500 destinations sur 50 compagnies aériennes régulières.
Forum Voyages à travers 6 brochures : « Les Amériques », « Trek America », « Royal Orchid Holidays », « L'Inde », « Les Passions »... et celle qui nous intéresse ici, la brochure « Mers et soleils » qui propose des séjours et circuits dans le bassin méditerranéen et notamment au Maroc.
Sont déclinés quatre grands types de séjours et circuits :
• *Le voyage à la carte :* ce sont des séjours ou itinéraires en départ quotidien que vous construisez avec l'un de nos vendeurs et avec l'aide de nos milliers d'hôtels, des locations diverses et autres prestations de la brochure.
• *Le voyage individuel organisé :* ce sont des itinéraires individuels, départ garanti pré-programmé avec une voiture, parfois un chauffeur, des guides, des hôtels, des excursions et une documentation très complète de ce que vous allez découvrir ;
• *Les circuits groupes accompagnés :* de Paris ou de la ville de votre destination, qui offrent un départ garanti à dates fixes, l'encadrement d'un accompagnateur-guide parlant le français, des hôtels de qualité, un car ultra moderne, un circuit très étudié et la convivialité des passagers qui partagent cette découverte.
• *Les voyages à thème ou l'aventure :* ce sont soit des moyens différents de voyager et/ou des finalités de découvertes particulières.
Le Club Forum-Voyages présente un certain nombre d'avantages : des assurances valables un an quel que soit le nombre de voyages, des réductions sur certaines brochures de Forum-Voyages et d'autres tours-opérateurs, la possibilité de payer son voyage en 4 fois, sans intérêt, liste de mariage (avec un cadeau offert par Forum-Voyages), vente par téléphone (règlement par carte bleue, sans se déplacer)... Une centrale de réservation : ☎ 46-43-71-72, fax : 46-43-71-74, du lundi au vendredi de 9 h à 19 h et le samedi de 10 h à 18 h ; Minitel : 36-15, code FV.

▲ **FRAM**
– *Paris :* 120, rue de Rivoli, 75001. ☎ 40-26-30-31. Fax : 40-26-73-58. M. : Châtelet.
– *Toulouse :* 1, rue Lapeyrouse, 31000. ☎ 62-15-16-17. Fax : 62-15-17-17.
L'un des tout premiers tours-opérateurs français pour le voyage organisé, FRAM programme désormais plusieurs formules qui représentent « une autre façon de voyager ». Ce sont :
• les *auto-tours* (en Andalousie, au Maroc, en Tunisie, en Sicile, en Italie, à Malte, en Israël, en Grèce, en Guadeloupe, à la Réunion, aux États-Unis et au Canada, entre autres) ;
• les *locations d'appartements* (aux Baléares, en Andalousie, au Maroc, à Chypre, en Guadeloupe, en Martinique et à la Réunion) ;

Vous voulez savoir comment je fais pour proposer des billets d'avion à des prix pareils ? Secret professionnel !

• des *avions en liberté* ou vols secs ;
• des *circuits aventures* (comme la saharienne en 4 × 4 en Tunisie, ou l'aventure tropicale en Guadeloupe) ;
• les *FRAMISSIMA* : c'est la formule de « Clubs Ouverts ». Marrakech, Andalousie, Djerba, Monastir, Tozeur, Baléares, Grèce, Turquie, Sénégal, Canaries... Des sports nautiques au tennis, des jeux, des soirées qu'on choisit librement et tout compris, ainsi que des programmes d'excursions pour visiter la région.

▲ FUAJ

Paris : 9, rue Brantôme, 75003. ☎ 48-04-70-40. Fax : 42-77-03-29. M. : Rambuteau.
– *Paris* : 10, rue Notre-Dame-de-Lorette, 75009. ☎ 42-85-55-40. Fax : 42-80-25-92. M. : Notre-Dame-de-Lorette.
– *Paris* : 27, rue Pajol, 75018. ☎ 44-89-87-27. Fax : 44-89-87-10. M. : Porte de La Chapelle.
– Et dans toutes les auberges de jeunesse et les points de vente en France.
La FUAJ (Fédération Unie des Auberges de Jeunesse), ce sont 189 auberges de jeunesse en France et 6 000 dans le monde. Mais ce sont aussi des voyages et des activités sportives !... Plus de 50 destinations à travers le monde sur les 5 continents vous sont proposées et à des prix toujours très étudiés. Pour une expédition, un circuit, un séjour ou un week-end, demandez la brochure FUAJ « Voyages »... Pour les activités sportives, demandez la brochure « Activités été ou hiver » et pour les hébergements, le « Guide français ». Tous ces documents sont disponibles dans les agences ci-dessus.

▲ GO VOYAGES

– *Informations et réservations :* dans toutes les agences Go Voyages, FNAC Voyages, Sélectour et dans les agences de voyages agréées ainsi qu'au ☎ (16-1) 49-23-26-86. Partir au moindre coût, telle est la devise du tour-opérateur à l'enseigne de la grenouille. Le catalogue « Pocket vols charters et vols réguliers » offre plus de 350 destinations sur le monde entier à des tarifs discount.
Le catalogue « Prestations conseillées » est indépendant de celui des vols et propose chaque produit séparément, permettant de construire le séjour que désire le voyageur. La sélection d'hôtels, pied-à-terre et villas est destinée à une clientèle individuelle avec des hébergements de type familial qui favorisent l'accueil personnalisé. Une formule orginale : les produits « Ambiance Nature » qui proposent un hébergement pour des vacances en toute tranquillité dans un environnement « Nature » et plein de charme. Sans oublier les locations de voitures, motorhomes et camping-cars (Antilles, États-Unis, Réunion, île Maurice, Madagascar, Chypre, Malte, Espagne, Crète, Grèce, Sénégal, Maroc, Canada...).

▲ JET TOURS – JUMBO

– *Paris* : 38, av. de l'Opéra, 75002. ☎ 47-42-06-92. Fax : 49-24-94-47. M. : Opéra.
– *Paris* : 31, quai des Grands-Augustins, 75006. ☎ 43-29-35-50. M. : Saint-Michel.
– *Paris* : 62, rue Monsieur-le-Prince, 75006. ☎ 46-34-19-79. Fax : 46-34-12-55. M. : Odéon.
– *Paris* : 113, rue de Rennes, 75006. ☎ 45-44-53-10. Fax : 42-84-08-41. M. : Rennes.
– *Paris* : 19, av. de Tourville, 75007. ☎ 47-05-01-95. Fax : 47-05-98-55. M. : École-Militaire.
– *Paris* : 40, av. George-V, 75008. ☎ 42-99-21-80. Fax : 42-99-21-88. M. : George-V.
– *Paris* : 2, rue Parrot, 75012. ☎ 44-68-80-35. Fax : 44-68-80-07. M. : Gare-de-Lyon.
– *Paris* : 112, av. du Général-Leclerc, 75014. ☎ 45-42-03-87. M. : Alésia.
– *Paris* : 165, rue de la Convention, 75015. ☎ 42-50-83-83. M. : Boucicaut ou Convention.
– *Paris* : 2, place de la Porte-Maillot, 75017. ☎ 44-09-51-25. Fax : 44-09-51-28. M. : Porte-Maillot.
– *La Défense* : 2, place de la Défense, BP 337, 92053 Cedex. ☎ 46-92-28-87. Fax : 40-81-03-07.
– *Nogent* : 140, rue Charles-de-Gaulle, 94130. ☎ 48-73-25-18.
– *Versailles* : 26, rue de Montreuil, 78000. ☎ 39-49-98-98.
– *Aix-en-Provence* : 7, rue de la Masse, 13100. ☎ 42-26-04-11.
– *Angoulême* : 5 *bis*, rue de Périgueux, 16000. ☎ 45-92-07-94.
– *Annecy* : 3, av. de Chevènes, 74000. ☎ 50-45-44-80.
– *Avignon* : 7, rue Joseph-Vernet, 84000. ☎ 90-27-16-00. Fax : 90-27-94-15.
– *Besançon* : 15, rue Proudhon, 25000. ☎ 81-82-85-44. Fax : 81-81-87-63.
– *Brest* : 14, rue de Lyon, 29200. ☎ 98-46-58-00.
– *Caen* : 143, rue Saint-Jean, 14000. ☎ 31-50-38-45. Fax : 31-85-12-52.
– *Cagnes-sur-Mer* : 64, bd du Maréchal-Juin, 06800. ☎ 93-20-76-44.

– *Chambéry* : 7, rue Favre, 73000. ☎ 79-33-17-64.
– *Clermont-Ferrand* : c/o Jaude, 8, bd d'Allagnat, 63000. ☎ 79-93-29-15.
– *Dinan* : 76, Grande-Rue, 22105 Cedex. ☎ 96-39-12-30.
– *Limoges* : 3, rue Jean-Jaurès, 87000. ☎ 55-32-79-29.
– *Lorient* : 4, av. du Faoudic, 56000. ☎ 97-21-17-17.
– *Lyon* : 9, rue du Président-Carnot, 69002. ☎ 78-42-80-77. Fax : 78-42-42-66.
– *Lyon* : 16, rue de la République, 69002. ☎ 78-37-15-89.
– *Marseille* : 6, place du Général-de-Gaulle, 13001. ☎ 91-55-50-51. Fax : 91-33-91-32.
– *Marseille* : 276, av. du Prado, 13008. ☎ 91-22-19-19.
– *Mulhouse* : 12, rue du Sauvage, 68100. ☎ 89-56-00-89. Fax : 89-66-42-62.
– *Nice* : 8, place Masséna, 06000. ☎ 93-80-88-66. Fax : 93-80-74-20.
– *Nîmes* : 18, rue Auguste, 30000. ☎ 66-21-18-83. Fax : 66-67-47-34.
– *Orléans* : 90, rue Bannier, 45000. ☎ 38-62-75-25.
– *Quimper* : 2, rue de l'Amiral-Ronarc'h, 29000. ☎ 98-95-40-41.
– *Rennes* : 30, rue du Pré-Botté, 35000. ☎ 99-79-58-68.
– *Rennes* : 23, rue du Puits-Mauger, 35000. ☎ 99-35-07-00. Fax : 99-30-54-74.
– *La Roche-sur-Yon* : 48, rue de Verdun, 85000. ☎ 51-36-15-07.
– *Rouen* : 15, quai du Havre, 76000. ☎ 35-89-88-52. Fax : 35-71-86-56.
– *Saint-Brieuc* : 4, rue Saint-Gilles, BP 4321, 22043. ☎ 96-61-88-22.
– *Saint-Étienne* : 26, rue de la Résistance, 42000. ☎ 77-32-39-81.
– *Saint-Jean-de-Luz* : 9, av. de Verdun, 64500. ☎ 59-51-03-10.
– *Toulouse* : 19, rue de Rémusat, 31000. ☎ 61-23-35-12. Fax : 62-27-19-04.
– *Tours* : 8, place de la Victoire, 37000. ☎ 47-37-54-30. Fax : 47-37-64-73.
L'exigence Jet Tours, filiale tourisme d'Air France : offrir le plus grand choix de séjours, circuits, ou vacances à composer. Une production de qualité, à des prix compétitifs, adaptée au style de chacun, et qui couvre le monde entier.
Jet Tours, c'est aussi la liberté du voyage individuel sans les soucis d'organisation. Grand choix d'hôtels toutes catégories, location de voitures, séjours-plage ou dans des hôtels de charme, location d'appartements et de villas, itinéraires individuels en voiture avec étapes dans des hôtels... Autre point fort : les représentants Jet Tours accueillent les voyageurs sur place et leur procurent des réservations complémentaires.
A vous de choisir selon vos envies : vols et transferts, nuits d'hôtels, location de voitures, itinéraires individuels... Dans sa brochure « Jumbo Charter », Jet Tours propose également des prix charter très compétitifs, sans aucune prestation sur place. Consultez les brochures Jet Tours dans votre agence de voyages.

▲ **JEUNES SANS FRONTIÈRE (J.S.F.) – WASTEELS**
– *Paris* : 5, rue de la Banque, 75002. ☎ 42-61-53-21. M. : Bourse.
– *Paris* : 8, bd de l'Hôpital, 75005. ☎ 43-36-90-36. M. : Gare-d'Austerlitz.
– *Paris* : 113, bd Saint-Michel, 75005. ☎ 43-26-25-25. M. : Luxembourg.
– *Paris* : 6, rue Monsieur-le-Prince, 75006. ☎ 43-25-58-35. M. : Odéon.
– *Paris* : 12, rue La Fayette, 75009. ☎ 42-47-09-77. M. : Le Peletier.
– *Paris* : 91, bd Voltaire, 75011. ☎ 47-00-27-00. M. : Voltaire.
– *Paris* : 58, rue de la Pompe, 75016. ☎ 45-04-71-54. M. : Pompe.
– *Paris* : 150, av. de Wagram, 75017. ☎ 42-27-29-91. M. : Wagram.
– *Paris* : 3, rue Poulet, 75018. ☎ 42-57-69-56. M. : Château-Rouge.
– *Paris* : 146, bd de Ménilmontant, 75020. ☎ 43-58-57-87. M. : Ménilmontant.
– *Aix-en-Provence* : 5 *bis*, cours Sextius, 13100. ☎ 42-26-26-28.
– *Angoulême* : 49, rue de Genève, 16000. ☎ 45-92-56-89.
– *Béziers* : 66, allée Paul-Riquet, 34500. ☎ 67-28-31-78.
– *Bordeaux* : 65, cours d'Alsace-Lorraine, 33000. ☎ 56-48-29-39.
– *Bordeaux* : résidence Étendard, 13, place Casablanca, 33000. ☎ 56-91-97-17.
– *Chambéry* : 44, faubourg Reclus, 73000. ☎ 79-33-04-63.
– *Clermont-Ferrand* : 69, bd Trudaine, 63000. ☎ 73-91-07-00.
– *Dijon* : 20, av. du Maréchal-Foch, 21000. ☎ 80-43-65-34.
– *Grenoble* : 50, av. Alsace-Lorraine, 38000. ☎ 76-47-34-54.
– *Grenoble* : 20, av. Félix-Viallet, 38000. ☎ 76-46-36-39.
– *Grenoble* : 3, rue Crépu, 38000. ☎ 76-85-06-13.
– *Lille* : 25, place des Reignaux, 59800. ☎ 20-06-24-24.
– *Lyon* : 5, place Ampère, 69002. ☎ 78-42-65-37.
– *Lyon* : 162, cours Lafayette, 69003. ☎ 78-62-00-65.
– *Lyon* : Centre d'échanges de Lyon-Perrache, 69002. ☎ 78-37-80-17.
– *Marseille* : 87, la Canebière, 13001. ☎ 91-95-90-12.
– *Metz* : 3, rue d'Austrasie, 57000. ☎ 87-66-65-33.
– *Montpellier* : 6, rue de la Saunerie, 34000. ☎ 67-58-74-26.
– *Montpellier* : 1, rue Cambacérès, 34000. ☎ 67-66-20-19.

– *Mulhouse* : 14, av. Auguste-Wicky, 68100. ☎ 89-46-18-43.
– *Nancy* : 1 *bis*, place Thiers, 54000. ☎ 83-35-42-29.
– *Nantes* : 6, rue Guépin, 44000. ☎ 40-89-70-13.
– *Nice* : 32, rue de l'Hôtel-des-Postes, 06000. ☎ 93-13-10-70.
– *Reims* : 26, rue Libergier, 51100. ☎ 26-85-79-79.
– *Roubaix* : 11, rue de l'Alouette, 59100. ☎ 20-70-33-62.
– *Rouen* : 111 *bis*, rue Jeanne-d'Arc, 76000. ☎ 35-71-92-56.
– *Saint-Étienne* : 28, rue Gambetta, 42000. ☎ 77-32-71-77.
– *Strasbourg* : 13, place de la Gare, 67000. ☎ 88-32-40-82.
– *Strasbourg* : 13, rue Vauban, 67000. ☎ 88-61-80-10.
– *Thionville* : 21, place du Marché, 57100. ☎ 82-53-35-00.
– *Toulon* : 3, rue Vincent-Courdouan, 83000. ☎ 94-92-93-93.
– *Toulon* : 3, bd Pierre-Toesca, 83000 ☎ 94-92-99-99.
– *Toulouse* : 1, bd Bonrepos, 31000. ☎ 61-62-67-14.
– *Toulouse* : 23, av. de l'URSS, 31400. ☎ 61-55-59-89.
– *Tours* : 8, place du Grand-Marché, 37000. ☎ 47-64-00-26.
Repris par le puissant réseau *Wasteels* (192 agences en Europe dont 67 en France !).
Vols secs sur le monde entier, vacances organisées ou à la carte. Hébergements
(hôtels, clubs, appartements, motorhomes, AJF...). Traversées et croisières en bateau.
Location de voitures à tarifs réduits. Assistance assurée dans certaines gares et certains aéroports.

▲ **JEUNESSE ET RECONSTRUCTION :** 10, rue de Trévise, 75009 Paris. ☎ 47-70-15-88. Fax : 48-00-92-18. M. : Cadet.
Association offrant des vols, séjours, circuits et stages dès 15 ans ; groupes possibles.
Chantiers de jeunes en France et à l'étranger, notamment au Maroc : bénévoles pour
les fouilles archéologiques et les restaurations de monuments, environnement, social.
Possibilité de volontariat à long terme dans plus de trente pays.

▲ **LOOK BLUE JEAN :** ou comment vivre et voir le monde autrement. Look Blue
Jean, c'est parcourir le monde ou un pays « à la dure » : en 4 × 4, à moto, à cheval, à
VTT ou en raft... Séjourner chez l'habitant, dans les ranchs ou sur des goélettes...
Look Blue Jean propose des voyages intrépides, des séjours « fun », des voyages en
liberté pour les plus indépendants et les marches authentiques pour les 7 à 77 ans !
Dans toutes les agences de voyages et ☎ (16-1) 44-58-59-60. Également Minitel :
36-15, code LOOK VOYAGES.

▲ **LOOK VOYAGES**
– *Paris* : 8-10, rue Villedo, 75001. ☎ 44-58-59-60. M. : Pyramides.
– *Paris* : 23, rue de la Paix, 75002. ☎ 47-42-47-95. M. : Opéra.
– *Paris* : 43, av. Duquesne, 75007. ☎ 42-73-38-98. M. : Saint-François-Xavier.
– *Paris* : 6, rue Marbeuf, 75008. ☎ 44-31-84-00. M. : Franklin-Roosevelt.
– *Paris* : 30, rue Saint-Lazare, 75009. ☎ 40-23-94-94. M. : Saint-Lazare.
– *Paris* : 63, av. Parmentier, 75011. ☎ 48-07-20-00. M. : Parmentier.
– *Paris* : 102, rue Bobillot, 75013. ☎ 45-65-09-01. M. : Tolbiac.
– *Paris* : 177, rue d'Alésia, 75014. ☎ 45-42-47-03. M. : Plaisance.
– *Paris* : 8, place du 25-Août-1944, 75014. ☎ 45-42-65-40. M. : Porte-d'Orléans.
– *Paris* : 32, av. Félix-Faure, 75015. ☎ 44-26-43-43. M. : Lourmel.
– *Paris* : 46, rue Jouffroy, 75017. ☎ 47-64-19-81. M. : Wagram.
– *Angers* : 68, rue Plantagenêt, 49000. ☎ 41-87-46-47.
– *Annecy* : 15, rue du Président-Faure, 74000. ☎ 50-52-87-13.
– *Grenoble* : 24, rue Alsace-Lorraine, 38000. ☎ 76-43-28-06.
– *La Rochelle* : 62, rue des Merciers, 17088. ☎ 46-41-32-22.
– *Le Havre* : 149, rue de Paris, 76600. ☎ 35-42-11-42.
– *Le Mans* : 64, rue Gambetta, 72000. ☎ 43-23-04-04.
– *Lyon* : 9, rue de la République, 69001. ☎ 78-29-58-45.
– *Nantes* : 5, rue Saint-Pierre, 44000. ☎ 40-89-40-24.
– *Niort* : 18, rue Victor-Hugo, 79000. ☎ 49-28-08-12.
– *Rambouillet* : 32, rue Chasles, 78120. ☎ 34-83-23-71.
– *Rennes* : 7, rue du Puits-Mauger, 35100. ☎ 99-31-32-32.
– *Strasbourg* : 7, rue du Vieux-Marché-aux-Vins, 67000. ☎ 88-22-09-10.
– *Suresnes* : 2, rue des Bourets, 92150. ☎ 42-04-28-24.
Look Charters, le grand spécialiste du vol sec aux meilleurs prix, propose 400 destinations sur le monde (Amérique du Nord, DOM-TOM, bassin méditerranéen, Asie) sur
vols charters ou réguliers.
Look Voyages propose 40 destinations dans le monde ; séjours, circuits-découverte,
croisières... L'un des meilleurs rapports qualité-prix du marché. Répondeur téléphonique avec les promotions qui fonctionnent 24 h sur 24 : ☎ 36-68-01-20.

Les promotions de dernière minute sont à consulter sur le Minitel : 36-15, code LOOK PROMO pour les vols et les voyages encore moins chers.

▲ **MAGICLUB VOYAGES :** 33 *bis,* rue Saint-Amand, 75015 Paris. ☎ 48-56-20-00. M. : Plaisance. Ouvert du lundi au vendredi de 9 h à 19 h, le samedi de 9 h 30 à 13 h et de 14 h 30 à 18 h.
Voyagiste spécialisé dans l'organisation de voyages à la carte (avion + voiture + 1 nuit d'hôtel, ou plus, dans les villes de votre choix). Département vols : 350 destinations de charters ou vols réguliers à prix discount. Renseignements rapides par téléphone ; possibilité de réserver sur tous les vols par téléphone avec une carte Bleue. Magiclub Voyages est animé par une équipe dynamique toujours soucieuse de vous proposer le meilleur prix. A vous de les mettre à l'épreuve !
Réservations + promotions : Minitel 36-15, code MAGICLUB ; ou ☎ 36-68-01-60 (serveur vocal).

▲ **MAROC-CONTACT :** 30, rue de Richelieu, 75001 Paris. ☎ 42-97-14-14. Fax : 42-97-14-15. M. : Palais-Royal.
Comme son nom l'indique, cet organisme est spécialisé dans les voyages au Maroc (club à Agadir et hôtel-club à Marrakech, charters et séjours complets). Circuits en Land Rover. Dirigé par des vendeurs qualifiés qui vous conseilleront le voyage vous convenant le mieux (à tous les prix, aussi bien pour les routards que pour les non-routards).

▲ **NOUVELLE LIBERTÉ**
– *Paris :* 24, av. de l'Opéra, 75001. ☎ 42-96-01-47. M. : Pyramides.
– *Paris :* 38, rue du Sentier, 75002. ☎ 40-41-91-91. M. : Bonne-Nouvelle.
– *Paris :* 68, bd Voltaire, 75011. ☎ 48-06-79-65. M. : Saint-Ambroise.
– *Paris :* 49, av. d'Italie, 75013. ☎ 44-24-38-38. M. : Tolbiac.
– *Paris :* 29, av. du Général-Leclerc, 75014. ☎ 43-35-37-38. M. : Mouton-Duvernet.
– *Paris :* 109, rue Lecourbe, 75015. ☎ 48-28-32-28. M. : Sèvres-Lecourbe.
– *Agen :* 109, bd Carnot, 47000. ☎ 53-66-01-68.
– *Bordeaux :* 53, cours Clemenceau, 33000. ☎ 56-81-28-30.
– *Cahors :* 75, bd Gambetta, 46004. ☎ 65-35-77-01.
– *Chartres :* 10, rue de la Volaille, 28000. ☎ 37-21-16-00.
– *Compiègne :* 19, place du Marché-aux-Herbes, 60200. ☎ 44-40-28-00.
– *Grenoble :* 12, place Victor-Hugo, 38000. ☎ 76-46-01-37.
– *Lille :* 7-9, place du Théâtre, 59000. ☎ 20-55-35-45.
– *Lyon :* place des Jacobins, rue Jean-de-Tourne, 69002. ☎ 72-41-07-07.
– *Melun :* 17, rue du Général-de-Gaulle, 77000. ☎ 64-87-07-00.
– *Montpellier :* 24, Grand-rue Jean-Moulin, 34000. ☎ 67-52-89-99.
– *Nantes :* 1, place Delorme, 44000. ☎ 40-35-56-56.
– *Nice :* 85, bd Gambetta, 06000. ☎ 93-86-33-13.
– *Nogent-sur-Marne :* 5, rue Eugène-Galbrun, 94130. ☎ 43-24-01-02.
– *Orléans :* 1, rue d'Illiers, 45000. ☎ 38-81-11-55.
– *Perpignan :* 1, place Arago, 66000. ☎ 68-34-23-59.
– *Rennes :* 3, rue Nationale, 35000. ☎ 99-79-09-55.
– *Rodez :* 6, rue Louis-Blanc, 12000. ☎ 65-68-29-29.
– *Rouen :* 47, rue Grand-Pont, 76000. ☎ 35-70-50-50.
– *Tarbes :* 1, place de Verdun, 65000. ☎ 62-51-11-51.
– *Toulouse :* 1 *bis,* rue des Lois, 31000. ☎ 61-21-10-00.
– *Toulouse :* 8, rue Lapeyrouse, 31000. ☎ 61-22-72-92.
– *Toulouse :* 42 *bis,* rue Alsace-Lorraine, 31000. ☎ 62-15-42-40.
– *Toulouse :* 43 *bis,* av. E. Billières, 31026. ☎ 61-42-73-02.
– *Toulouse :* 11, rue de Metz, 31000. ☎ 61-23-71-01.
Nouvelle Liberté vous propose des séjours hôtels, locations d'appartements, circuits, séjours golf en courts et longs séjours aux Antilles, à la Réunion, en Angleterre, en Israël, au Portugal, en Tunisie et même... en Midi-Pyrénées sur les vols réguliers de sa compagnie aérienne Air Liberté, au départ de Paris pour toutes ces destinations, et de Bordeaux, Lille, Marseille, Mulhouse, Nantes et Toulouse vers les Antilles et la Réunion. Également un choix de plus de 400 destinations à travers le monde entier vous est proposé en vols secs à tarifs attractifs. Brochures disponibles dans les agences de voyages Club Med Voyages, American Express, Leclerc Voyages, Sélectour et agences de voyages agréées. Serveur Minitel : 36-15, code NLB (2,23 F la minute).

▲ **NOUVELLES FRONTIÈRES**
– *Paris :* 87, bd de Grenelle, 75015. ☎ 41-41-58-58. M. : La Motte-Picquet-Grenelle.
– *Aix-en-Provence :* 52, cours Sextius, 13100. ☎ 42-26-47-22.
– *Ajaccio :* 12, place Foch, 20000. ☎ 95-21-55-55.

– *Bordeaux :* 31, allée de Tourny, 33000. ☎ 56-44-60-38.
– *Brest :* 8, rue Jean-Baptiste-Boussingault, 29200. ☎ 98-44-30-51.
– *Cannes :* 19, bd de la République, 06400. ☎ 92-98-80-83.
– *Clermont-Ferrand :* 8, rue Saint-Genès, 63000. ☎ 73-90-29-29.
– *Dijon :* 7, place des Cordeliers, 21000. ☎ 80-31-89-30.
– *Grenoble :* 3, rue Billerey, 38000. ☎ 76-87-16-53.
– *Le Havre :* 137, rue de Paris, 76600. ☎ 35-43-36-66.
– *Lille :* 1, rue des Sept-Agaches, 59000. ☎ 20-74-00-12.
– *Limoges :* 6, rue Vigne-de-Fer, 87000. ☎ 55-32-28-48.
– *Lyon :* 34, rue Franklin, 69002. ☎ 78-37-16-47.
– *Lyon :* 38, av. de Saxe, 69006. ☎ 78-52-88-88.
– *Marseille :* 11, rue d'Hasco, 13001. ☎ 91-54-18-48.
– *Metz :* 33, En-Fournirue, 57000. ☎ 87-36-16-90.
– *Montpellier :* 4, rue Jeanne-d'Arc, 34000. ☎ 67-64-64-15.
– *Mulhouse :* 5, rue des Halles, 68100. ☎ 89-46-25-00.
– *Nancy :* 38 *bis,* rue du Grand-Rabbin-Haguenauer, 54000. ☎ 83-36-76-27.
– *Nantes :* 2, rue Auguste-Brizeux, 44000. ☎ 40-20-24-61.
– *Nice :* 24, av. Georges-Clemenceau, 06000. ☎ 93-88-32-84.
– *Reims :* 51, rue Cérès, 51100. ☎ 26-88-69-81.
– *Rennes :* 10, quai Émile-Zola, 35000. ☎ 99-79-61-13.
– *Rodez :* 26, rue Béteille, 12000. ☎ 65-68-01-99.
– *Rouen :* 15, rue du Grand-Pont, 76000. ☎ 35-71-14-44.
– *Saint-Étienne :* 9, rue de la Résistance, 42100. ☎ 77-33-88-35.
– *Strasbourg :* 4, rue du Faisan, 67000. ☎ 88-25-68-50.
– *Toulon :* 503, av. de la République, 83000. ☎ 94-46-37-02.
– *Toulouse :* 2, place Saint-Sernin, 31000. ☎ 61-21-03-53.

▲ **OTU VOYAGE :** 39, av. Georges-Bernanos, 75005 Paris. ☎ 44-41-38-50. Fax : 46-33-19-98. R.E.R. : Port-Royal. Ouvert de 10 h à 18 h 30. Le spécialiste des vols charters (réductions pour les étudiants) et des vols de dernière minute. L'OTU est représentée en France par les *CROUS* et les *CLOUS* :
– *Aix-en-Provence :* cité universitaire les Gazelles, av. Jules-Ferry, 13621. ☎ 42-27-76-85. Fax : 42-27-47-38.
– *Amiens :* CROUS, 25, rue Saint-Leu, 80038. ☎ 22-97-95-44. Fax : 22-92-98-89.
– *Angers :* CLOUS, jardin des Beaux-Arts, 35, bd du Roi-René, 49100. ☎ 41-87-11-35.
– *Besançon :* CROUS, 38, av. de l'Observatoire, 25030. ☎ 81-88-46-25. Fax : 81-48-46-28.
– *Bordeaux :* campus de Talence, restaurant universitaire n° 2, 33405. ☎ 56-80-71-87.
– *Brest :* 2, av. Le Gorgeu, 29287. ☎ 98-03-38-78.
– *Caen :* CROUS, Maison de l'Étudiant, av. de Lausanne, 14040. ☎ 31-46-60-94. Fax : 31-46-60-91.
– *Clermont-Ferrand :* CROUS, 25, rue Étienne-Dolet, bât. A, 63037. ☎ 73-34-44-14. Fax : 73-34-44-70.
– *Compiègne :* 27, rue du Port-aux-Bateaux, 60200. ☎ 44-86-43-41. Fax : 44-86-10-44.
– *Créteil :* Maison de l'Étudiant, Université Paris-XII, 61, av. du Général-de-Gaulle, 94000. ☎ 48-99-75-90. Fax : 48-99-74-01.
– *Dijon :* campus Montmuzard, 6 B, rue du Recteur-Bouchard, 21000. ☎ 80-39-69-33. Fax : 80-39-69-39.
– *Grenoble :* CROUS, 5, rue d'Arsonval, BP 187, 38019. ☎ 76-46-98-92. Fax : 76-47-78-03.
– *La Rochelle :* résidence universitaire Antinéa, rue de Roux, 17026. ☎ 46-44-34-29. Fax : 46-45-44-72.
– *Le Havre :* cité universitaire de Caucriauville, place Robert-Schumann, 76610. ☎ 35-47-25-86.
– *Le Mans :* bd Charles-Nicolle, 72040. ☎ 43-28-60-70.
– *Lille :* CROUS, 74, rue de Cambrai, 59043. ☎ 20-88-66-12. Fax : 20-88-66-59.
– *Limoges :* 39, rue Camille-Guérin, 87036. ☎ 55-43-17-03. Fax : 55-50-14-05.
– *Lyon :* CROUS, 59, rue de la Madeleine, 69365. ☎ 72-71-98-07. Fax : 72-72-35-02.
– *Metz :* cité universitaire, île de Soulcy, 57045. ☎ 87-31-60-00. Fax : 87-31-62-87.
– *Montpellier :* resto U « Le Triolet », 1061, rue du Professeur-Joseph-Anglade, 34090. ☎ 67-41-92-55. Fax : 67-41-92-56.
– *Mulhouse :* cité universitaire, 1, rue Alfred-Werner, 68093. ☎ 89-59-64-64. Fax : 89-59-64-69.
– *Nancy :* CROUS, 75, rue de Laxou, 54042. ☎ 83-91-88-20. Fax : 83-27-47-87.
– *Nantes :* 2, bd Guy-Mollet, 44000. ☎ 40-74-70-77. Fax : 40-37-13-00.

– *Nice :* Carlone, 80, bd Édouard-Henriot, 06200. ☎ 93-96-85-43. Fax : 93-37-43-30.
– *Orléans :* CROUS, rue de Tours, 45072. ☎ 38-76-48-99. Fax : 38-63-41-80.
– *Poitiers :* CROUS, 38, av. du Recteur-Pineau, 86022. ☎ 49-44-53-00. Fax : 49-44-53-34.
– *Reims :* CROUS, 34, bd Henri-Vasnier, 51100. ☎ et fax 26-09-91-50.
– *Rennes :* CROUS, 7, place Hoche, BP 115, 35002. ☎ 99-84-31-31. Fax : 99-38-36-90.
– *Saint-Étienne :* restaurant « La Tréfilerie », 31 *bis*, rue du 11-Novembre, 42100. ☎ 77-33-68-05. Fax : 77-33-49-00.
– *Strasbourg :* CROUS, 3, bd de la Victoire , 67084. ☎ 88-25-53-99. Fax : 88-52-15-70.
– *Toulon :* résidence Campus International, 83130 La Garde. ☎ 94-21-24-00. Fax : 94-21-25-99.
– *Toulouse :* CROUS, 60, rue du Taur, 31070. ☎ 61-12-54-54. Fax : 61-12-54-07.
– *Tours :* Résidence Sanitas, bd de Lattre-de-Tassigny, 37041. ☎ 47-05-17-55. Fax : 47-20-46-33.
– *Valence :* 6, rue Derodon, 26000. ☎ 75-42-17-96. Fax : 75-55-48-37.
– *Valenciennes :* résidence universitaire Jules-Mousseron, 59326 Aulnoy-lès-Valenciennes. ☎ 27-42-56-56.
– *Villeneuve-d'Ascq :* domaine littéraire et juridique, rue du Barreau, hall de la fac de Droit, 59650. ☎ 20-91-83-18.

▲ **RÉPUBLIC TOURS**
– *Paris :* 1, av. de la République, 75011. ☎ 43-55-39-30. Fax : 43-55-30-30. M. : République.
– *Lyon :* 4, rue du Général-Plessier, 69002. ☎ 78-42-33-33. Fax : 78-42-24-43.
Républic Tours propose un choix complet de vacances au Maroc, pour tous les goûts, tous les budgets ; des voyages individuels ou pour groupes.
– Séjour détente en clubs ou hôtels à Agadir, Marrakech, Ouarzazate ou Casablanca.
– Week-ends à Fès, Rabat, Taroudannt, Ouarzazate, Casablanca, Marrakech, Agadir.
– Circuits en autocar ou voiture de location vers les villes impériales, le Grand Sud et les Kasbahs.
– Location de voitures.
– Randonnées en 4 × 4.
– Voyages à thèmes : golf, bridge, équitation, etc.
– Vols secs vers Agadir, Marrakech, Ouarzazate, sur vols charters ou vols réguliers.
– Voyages pour groupes ou individuels au départ de Paris et province.
Sur place, des représentants efficaces et attentifs accueilleront les voyageurs. Offres spéciales « Départ immédiat » sur Minitel : 36-15, code RÉPUBLIC.

▲ **SAFAR TOURS**
– *Paris :* 34, bd Bonne-Nouvelle, 75010. ☎ 47-70-03-43. Fax : 45-23-19-41.
– *Paris :* 12, rue du Port-Mahon, 75002. ☎ 42-65-32-45. Fax : 42-66-99-84.
– *Paris :* 16, bd des Batignolles, 75017. ☎ 45-22-25-55. Fax : 42-93-37-56.
– *Poissy :* 16, rue de la Gare, 78300. ☎ 39-11-98-00. Fax : 30-65-90-11.
– *Lille :* 105, rue Nationale, 59800. ☎ 20-78-27-67. Fax : 20-78-27-95.
Safar Tours, grand spécialiste du vol sec sur le Maroc en vol régulier et charter, offre à tous les routards une occasion de voyager à bas prix (à partir de 1 000 F aller-retour). Propose également des locations de voitures. Minitel : 36-15, code SAFAR.

▲ **TERRES D'AVENTURE**
– *Paris :* 6, rue Saint-Victor, 75005. ☎ 53-73-77-77. Fax : 43-29-96-31. M. : Maubert-Mutualité.
– *Lyon :* 9, rue des Remparts-d'Ainay, 69002. ☎ 78-42-99-94. Fax : 78-37-15-01.
Pionnier et leader du voyage à pied en France et à l'étranger, cette agence propose près de 200 randonnées de 7 à 36 jours pour tous niveaux, même débutant, et à tous les prix.
Les déserts (Mauritanie, Libye, Tchad, Tunisie, Maroc...), les montagnes (du Maroc à l'Himalaya en passant par les Alpes ou les Andes), l'Antarctique et même le pôle Nord, les forêts tropicales, la haute montagne, sont leurs spécialités.
Leurs récents coups de cœur : proposer les premiers trekkings à Cuba, au Laos, sur les îles du Cap Vert, en Iran et sur les monts Simiens en Éthiopie. Ils représentent les compagnies *Royal Nepal Airlines* et *Vietnam Airlines* pour la France.

▲ **U.C.P.A.**
– *Paris :* 28, bd de Sébastopol, 75004. ☎ 48-04-76-76. M. : Châtelet-Les-Halles.
– *Paris :* 62, rue de la Glacière, 75013. ☎ 43-36-05-20. M. : Glacière.

Bureaux à *Bordeaux, Lille, Lyon, Marseille, Nantes, Strasbourg, Nancy, Toulouse* et *Bruxelles.*

L'U.C.P.A., association spécialisée dans l'organisation de vacances sportives, propose de vivre toute l'année en « sport passion » et « sport détente » plus de 40 activités sportives (ski, voile, eaux vives, plongée, équitation, golf, parapente...). Ouverte aux juniors (7 à 17 ans) et aux adultes (18 à 40 ans) sur ses 120 centres en France (dont 5 aux Antilles) et à l'étranger, y compris au Maroc.

L'U.C.P.A. propose également plus de 60 programmes de « sport aventure » axés autour de la randonnée à pied, à cheval, à VTT... dans 30 pays d'Europe, d'Asie, du Proche-Orient et d'Afrique du Nord... toujours à des tarifs parmi les plus bas du marché.

▲ USIT (Voyages pour Jeunes et Étudiants)

– *Paris :* 12, rue Vivienne, 75002. ☎ 44-55-32-60. Fax : 44-55-32-61. M. : Bourse.
– *Paris :* 31 *bis,* rue Linné, 75005. ☎ 44-08-71-20. Fax : 44-08-71-25. M. : Jussieu.
– *Paris :* 6, rue de Vaugirard, 75006. ☎ 42-34-56-90. Fax : 42-34-56-91. M. : Odéon.
– *Bordeaux :* 284, rue Sainte-Catherine, 33000. ☎ 56-33-89-90. Fax : 56-33-89-91.
– *Lyon :* 28, bd des Brotteaux, 69006. ☎ 78-24-15-70. Fax : 78-52-85-39.
– *Nice :* 10, rue de Belgique, 06000. ☎ 93-87-34-96. Fax : 93-87-10-91.
– *Toulouse :* 5, rue des Lois, 31000. ☎ 61-11-52-42. Fax : 61-11-52-43.

Billets d'avion à prix réduits pour jeunes et étudiants sur grandes compagnies régulières, pas de contraintes de réservations, changements et annulations possibles.

▲ VOYAGES ET DÉCOUVERTES

– *Paris :* 21, rue Cambon, 75001. ☎ 42-61-00-01. M. : Concorde.
– *Paris :* 58, rue Richer, 75009. ☎ 47-70-28-28. M. : Cadet.

Voyagiste proposant d'excellents tarifs sur lignes régulières à condition d'être étudiant ou jeune de moins de 26 ans. Grâce à ses accords avec Kilroy, tarifs assez exceptionnels sur plus de 200 destinations. Également une brochure « Tour du monde ».

▲ VOYAGEURS AU MAROC : 55, rue Sainte-Anne, 75002 Paris. ☎ 42-86-16-24.

Tout voyage sérieux nécessite l'intervention d'un spécialiste. D'où l'idée de ces équipes spécialisées chacune sur une destination, qui vous accueillent à la « Cité des Voyages » : un centre de 1 500 m² entièrement dédié à la vente des voyages, au service et à l'information des voyageurs. Service visa et change, librairie, boutique ; et plus de 300 forums d'informations par mois sur l'ensemble des destinations proposées.

Voyageurs au Maroc propose tous les éléments nécessaires à la constitution d'un voyage à la carte sur le Maroc, aux prix les plus bas puisque tout est vendu directement, sans intermédiaire.

EN BELGIQUE

▲ ACOTRA WORLD : rue de la Madeleine, 51, Bruxelles 1000. ☎ (02) 512-70-78.

Fax : (02) 512-39-74. Ouvert en semaine de 10 h à 17 h 30.

Acotra World, filiale de la Sabena, offre aux jeunes, étudiants, enseignants et stagiaires des prix spéciaux dans le domaine du transport aérien. Prix de train (BIGE – Inter-Rail) et de bus intéressants. Le central logement-transit d'Acotra permet d'être hébergé aux meilleurs prix, en Belgique et à l'étranger.

Un bureau d'accueil et d'information, Acotra Welcome Desk, est à la disposition de tous à l'aéroport de Bruxelles-National (hall de départ). Ouvert tous les jours, y compris le dimanche, de 7 h à 14 h 30. ☎ (02) 720-35-47.

▲ C.J.B. L'AUTRE VOYAGE : chaussée d'Ixelles, 216, Bruxelles 1050. ☎ (02) 640-97-85.

Fax : (02) 646-35-95. Ouvert de 9 h 30 à 12 h 30 et de 13 h 30 à 17 h 30, tous les jours, sauf les samedi et dimanche.

Association à but non lucratif, C.J.B. organise toutes sortes de voyages, individuels ou en groupes, de la randonnée au grand circuit. Vacances sportives ou séjours culturels.

Dans la jungle des tarifs de transport (avion, train, bus ou bateau), on vous conseillera les meilleures adresses par destination, offrant les prix les plus intéressants.

▲ **CONNECTIONS**
- *Anvers :* Melkmarkt, 13, 2000. ☎ (03) 225-31-61. Fax : (03) 226-24-66.
- *Bruxelles :* rue du Midi, 19-21, 1000. ☎ (02) 512-50-60. Fax : (02) 512-94-47.
- *Bruxelles :* av. Adolphe-Buyl, 78, 1050. ☎ (02) 647-06-05. Fax : (02) 647-05-64.
- *Gand :* Nederkouter, 120, 9000. ☎ (09) 223-90-20. Fax : (09) 233-29-13.
- *Hasselt :* Demerstraat, 74, 3500. ☎ (011) 23-45-45. Fax : (011) 23-16-89.
- *Louvain :* Tiensestraat, 89, 3000. ☎ (016) 29-01-50. Fax : (016) 29-06-50.
- *Liège :* rue Sœurs-de-Hasque, 7, 4000. ☎ (041) 23-03-75. Fax : (041) 23-08-82.
- *Louvain-la-Neuve :* place des Brabançons, 6 a, 1348. ☎ (010) 45-15-57. Fax : (010) 45-04-53.
- *Malines :* Ijzerenleen, 39, 2800. ☎ (015) 20-02-10. Fax : (015) 20-55-56.
- *Namur :* rue Saint-Jean, 21, 5000. ☎ (081) 22-10-80. Fax : (081) 22-79-97.
- Informations et réservations téléphoniques : ☎ (02) 511-12-12. Fax : (02) 502-70-60.

Spécialiste du voyage pour les étudiants, les jeunes et les « Independent travellers », Connections est membre du groupe USIT, groupe international formant le réseau des USIT Connection Centres. Le voyageur peut ainsi trouver informations et conseils, aide et assistance (revalidation, routing...) dans plus de 80 centres en Europe et auprès de plus de 500 correspondants dans 65 pays.

Connections propose une gamme complète de produits : les tarifs aériens spéciale-ment négociés pour sa clientèle (licence IATA) et, en exclusivité pour le marché belge, les très avantageux et flexibles billets SATA réservés aux jeunes et étudiants ; toutes les possibilités d'arrangement terrestre (hébergement, location de voitures, « self-drive tours », circuits accompagnés, vacances sportives, expéditions...) ; de nombreux ser-vices aux voyageurs comme l'assurance-voyage ISIS ou les cartes internationales de réductions (la carte internationale d'étudiant ISIC et la carte Jeunes Euro-26).

▲ **CONTINENTS INSOLITES**
- *Bruxelles :* rue de la Révolution, 1, 1000. ☎ (02) 218-24-84. Fax : (02) 218-24-88.
- *A Paris :* représenté par « Accents du Monde », AC 100, 4, av. Henri-Barbusse, 94600 Choisy-le-Roi. ☎ 40-43-04-11. Fax : 48-84-89-34.

Association créée en 1978, dont l'objectif est de promouvoir un nouveau tourisme à visage humain. Continents Insolites regroupe plus de 10 000 sympathisants, dont le point commun est l'amour du voyage hors des sentiers battus.

Continents Insolites propose des circuits à dates fixes dans plus de 70 pays, et cela en petits groupes de 7 à 15 personnes, élément primordial pour une approche en profon-deur des contrées à découvrir. Deux circuits au Maroc (Maroc-Siroua et Maroc-Sagho) permettent de découvrir le pays hors des sentiers battus, à pied ou en 4 × 4. Avant chaque départ, une réunion avec les participants au voyage est organisée pour per-mettre à ceux-ci de mieux connaître leur destination et leurs futurs compagnons de voyage. Voyages encadrés par des guides francophones, spécialistes des régions visitées.

Une gamme complète de formules de voyages :
• *Voyages lointains :* de la grande expédition au circuit accessible à tous ;
• *Aventure Jeune 2000 :* des circuits « routard » pour jeunes (18-31 ans) sur 30 desti-nations aventure à des prix super compressés ;
• *Continents « vermeil » :* l'aventure-confort pour les seniors passionnés de décou-verte hors des sentiers battus ;
• *Continents adaptés :* l'aventure qui donne des ailes ; ce secteur propose des voyages pour personnes handicapées physiques ou sensorielles ;
• *Continents et nature :* des voyages d'observation de la faune et de la flore de notre planète ;
• *Continents et tribus oubliées :* des voyages qui allient la découverte approfondie d'ethnies avec celle d'un pays ;
• *Chantiers pour le développement A.S.B.L.* (☎ 32-2-534-48-82) : aller à la rencontre d'un autre « Tiers-Monde ». Après une préparation, les volontaires partent en petits groupes pendant un mois minimum pour participer à un projet interculturel au sein d'une communauté locale du Sud.

L'association propose également vos voyages à la carte : toute l'année, en individuel ou pour des petits groupes. Circuits mis sur pied grâce à une étroite collaboration entre le guide spécialiste et le voyageur afin de répondre parfaitement aux désirs de ce dernier.

De plus, Continents Insolites propose un cycle de 145 conférences-diaporama à Bruxelles, Liège, Namur et Luxembourg. Les conférences de Bruxelles se donnent à la

« Maison du Voyage », rue de la Révolution 1, Bruxelles 1000 (M. : Madou). Elles se tiennent les mardi, mercredi, jeudi et vendredi à 20 h 30.

▲ ÉOLE

– *Antwerpen :* Sint Katelijnevest, 68, 2000. ☎ (03) 232-38-71. Fax : (03) 225-28-14.
– *Bruxelles :* bd Adolphe-Max, 25, 1000. ☎ (02) 217-55-90. Fax : (02) 217-63-07.
– *Bruxelles :* chaussée de Haecht, 43, 1030. ☎ (02) 217-33-41. Fax : 219-90-73.
– *Bruxelles :* rue Vanderkindere, 158, 1180. ☎ (02) 347-60-60. Fax : (02) 347-24-57.
– *Bruxelles :* jardin Martin-V, 18, 1200. ☎ (02) 762-52-68. Fax : (02) 772-85-25.
– *Louvain-la-Neuve :* Grand-Place, 2, 1348. (010) 45-12-43. Fax : (010) 45-52-19.
– *Liège :* bd de la Sauvenière, 30, 4000. ☎ (041) 22-19-04. Fax : (041) 22-92-68.
– *Charleroi :* bd Tirou, 60, 6000. ☎ (071) 32-01-32. Fax : (071) 31-58-60.
– *Chatelineau :* galerie Cora, 60, 6200. ☎ (0/1) 40-15-44. Fax : (071) 40 10-56.
– *La Louvière :* galerie marchande Cora City, 7100. ☎ (064) 22-50-16. Fax : (064) 28-56-98.
– *Ronse :* Peperstraat, 35, 9600. ☎ (055) 21-46-88. Fax : (055) 21-92-07.

Créé à l'origine par l'ancienne équipe PERI-TEJ, Éole est resté spécialisé dans les vols longue distance et pour ce faire a équipé tous ses bureaux de vente des systèmes Mégatop et Pars, afin de pouvoir immédiatement découvrir le meilleur tarif, voir s'il reste encore des disponibilités et dans ce cas les confirmer. Convaincu qu'il manque à l'heure actuelle en Belgique des possibilités de garantie d'accompagnement et d'animation francophones, Éole cherche systématiquement à proposer à sa clientèle des produits de tours-opérateurs français, pour autant qu'ils soient à la fois garantis et animés ou accompagnés en français. Aujourd'hui, Éole représente en Belgique :
• *La Française des Circuits :* circuits lointains garantis et accompagnés en français ;
• *Déclic Cybèle :* un spécialiste des hôtels-clubs animés en français et des circuits accompagnés en français dans le bassin méditerranéen et au Canada ;
• *Terres d'Aventure* et *Esprit d'Aventure :* le premier spécialiste français du voyage à pied et des « retours aux sources ».

▲ JOKER : bd Lemonnier, 37, Bruxelles 1000. ☎ (02) 502-19-37 et av. Verdi, 23, Bruxelles 1083. ☎ (02) 426-00-03.

« Le » spécialiste des voyages aventureux et des billets à tarifs réduits. Travaille en principe avec le nord du pays et Bruxelles, mais il peut être intéressant d'y faire un tour. Voyages pas chers et intéressants. Vols secs aller-retour. Circuits et forfaits avec groupes internationaux (organismes américains, australiens, hollandais et anglais).

▲ NOUVEAU MONDE

ISTC, 1 rue Van Eyck, Bruxelles 1050. ☎ (02) 649-55-33 et (02) 649-81-84. Ouvert de 9 hà 18 h. Fermé le samedi.

▲ NOUVELLES FRONTIÈRES

– *Anvers :* Nationale Straat 14, 2000. ☎ (03) 232-09-87. Fax : (03) 226-29-50.
– *Bruges :* Noordzand Straat 42, 8000. ☎ (050) 34-05-81.
– *Bruxelles :* bd Lemonnier, 2, 1000. ☎ (02) 547-44-44. Fax : (02) 513-16-45.
– *Bruxelles :* chaussée d'Ixelles, 147, 1050. ☎ (02) 513-68-15.
– *Bruxelles :* chaussée de Waterloo, 690, 1180. ☎ (02) 646-22-70.
– *Gand :* Nederkouter, 77, 9000. ☎ (09) 224-01-06.
– *Liège :* bd de la Sauvenière, 32, 4000. ☎ (041) 23-67-67.
– *Mons :* rue d'Havré, 56, 7000. ☎ (065) 84-24-10. Fax : (065) 84-15-48.
Également au *Luxembourg :* 25, bd Royal, 2449. ☎ 46-41-40.

▲ PAMPA EXPLOR : av. de Brugmann, 250, Bruxelles 1180. ☎ (02) 343-75-90. Fax : (02) 346-27-66. Ouvert de 9 h à 19 h en semaine et de 9 h à 17 h le samedi. Également sur rendez-vous, en nos locaux, ou à votre domicile. Possibilité de paiement par carte de crédit.

L'insolite et les découvertes « en profondeur » au bout des Pat…augas ou sous les roues du 4 x 4. Grâce à des circuits ou des voyages à la carte entièrement personnalisés, conçus essentiellement pour les petits groupes, voire les voyageurs isolés. Des voyages originaux, pleins d'air pur et de contacts, dans le respect des populations et de la nature. Pratiquement dans tous les coins de la « planète bleue », mais surtout dans les pays encore vierges du « tourisme de masse ». Sans oublier les inconditionnels de la forêt amazonienne, les accros de paysages andins ou encore les mordus des horizons asiatiques. Envoi gratuit de documents de voyage.

▲ SERVICES VOYAGES ULB : campus ULB, av. Paul-Héger, 22, Bruxelles, et hôpital universitaire Erasme. Ouvert de 9 h à 17 h sans interruption du lundi au ven-

dredi. Le voyage à l'université, accueil évidemment très sympa. Billets d'avion sur vols charters et sur compagnies régulières à des prix hyper compétitifs.

▲ **TAXISTOP**
– *Taxistop :* rue Fossé-aux-Loups, 28, Bruxelles 1000. ☎ (02) 223-22-31. Fax : (02) 223-22-32. Ouvert du lundi au vendredi de 9 h 30 à 18 h.
– *Airstop Bruxelles :* même adresse que Taxistop. ☎ (02) 223-22-60. Fax : (02) 223-22-32.
– *Airstop Courtrai :* Wijngaardstraat, 16, Courtrai 8500. ☎ (056) 20-50-63. Fax : (056) 20-40-93.
– *Taxistop Gand :* Onderbergen, 51, Gand 9000. ☎ (09) 223-23-10. Fax : (09) 224-31-44.
– *Airstop Gand :* Onderbergen, 51, Gand 9000. ☎ (09) 224-00-23. Fax : (09) 224-31-44.
– *Taxistop :* place de l'Université, 41, Louvain-la-Neuve 1348. ☎ (010) 45-14-14. Fax : (010) 45-51-20.
– *Airstop Anvers :* Sint Jacobsmarkt, 86, Anvers 2000. ☎ (03) 226-39-22. Fax : (03) 226-39-48.

▲ **TEJ**
– *Bruxelles :* jardin Martin-V, 18, 1200. ☎ (02) 762-52-68. Fax : (02) 772-85-25.
– *Louvain-la-Neuve :* Grand-Place, 2, 1348. ☎ (010) 45-12-43. Fax : (010) 45-52-19.
Actuellement, le TEJ n'est plus représenté que sur deux sites universitaires, mais grâce aux accords conclus avec Éole pour élargir l'ancien produit vols, les anciens du TEJ ont l'occasion de se retrouver régulièrement sur les circuits et dans les centres de vacances. Voir « Éole ».

EN SUISSE

C'est toujours cher de voyager au départ de la Suisse, mais ça s'améliore. Les charters au départ de Genève, Bâle ou Zurich, sont de plus en plus fréquents ! Pour obtenir les tarifs les plus intéressants, il vous faudra être persévérant et vous munir d'un téléphone. Les billets au départ de Paris ou Lyon ont toujours la cote au hit-parade des meilleurs prix. Les annonces dans les journaux peuvent vous réserver d'agréables surprises, spécialement dans le *24 Heures* et dans *Voyages Magazine*.
Tous les tours-opérateurs sont représentés dans les bonnes agences : *Kuoni, Hotelplan, Jet Tours*, le *TCS* et les autres peuvent parfois proposer le meilleur prix, ne pas les oublier !

▲ **ARTOU**
– *Fribourg :* 31, rue de Lausanne, 1700. ☎ (037) 22-06-55.
– *Genève :* 8, rue de Rive, 1200. ☎ (022) 818-02-00. Librairie : ☎ (022) 818-02-40.
– *Lausanne :* 18, rue Madeleine, 1000. ☎ (021) 323-65-64. Librairie : ☎ (021) 323-65-56.
– *Sion :* 44, rue du Grand-Pont, 1950. ☎ (027) 22-08-15.
– *Neuchâtel :* 2, Grand'Rue, 2000. ☎ (038) 24-64-06.
– *Lugano :* 14a, via Pessina. ☎ (091) 21-36-90.
Demandez leur documentation (très bien faite) et leurs tarifs spéciaux sur les billets d'avion. Une librairie du voyageur complète les prestations de chaque agence.

▲ **CONTINENTS INSOLITES :** A.P.N. Voyages, 33, av. Miremont, 1200 Genève. ☎ (022) 347-72-03.
(Voir texte en Belgique.)

▲ **NOUVELLES FRONTIÈRES**
– *Genève :* 10, rue des Chantepoulet, 1201. ☎ (022) 732-04-03.
– *Lausanne :* 19, bd de Grancy, 1006. ☎ (021) 26-88-91.

▲ **S.S.R.**
– *Fribourg :* 35, rue de Lausanne. ☎ (037) 22-61-62.
– *Genève :* 3, rue Vignier, 1205. ☎ (022) 329-97-34.
– *Lausanne :* 20, bd de Grancy, 1006. ☎ (021) 617-58-11.
Le S.S.R. est une société coopérative sans but lucratif dont font partie les employés S.S.R. et les associations d'étudiants. De ce fait, il offre des voyages, des vacances et des transferts très avantageux, et tout particulièrement des vols secs. Délivre les cartes internationales d'étudiants et les cartes Jeunes.

Ses meilleures destinations sont : l'Extrême-Orient, les États-Unis, l'Amérique du Sud, l'Angleterre, la Grèce, le Maroc, la Tunisie, l'Égypte, les pays de l'Est, le Canada et l'Australie. Et aussi le transsibérien de Moscou à la mer du Japon, la descente de la rivière Kwai... Billets Euro-Train (jusqu'à 26 ans non révolus).

AU QUÉBEC

▲ **VACANCES TOURBEC**
– *Montréal :* 3419, rue saint-Denis, H2X-3L2. ☎ (514) 288-4455. Fax : (514) 288-1611.
– *Montréal :* 3506, av. Lacombe, H3T-1M1. ☎ (514) 342-2961. Fax : (514) 342-8267.
– *Montréal :* 595, Ouest de Maisonneuve, H3A 1L8. ☎ (514) 842-1400. Fax : (514) 287-7698.
– *Montréal :* 1887 Est, rue Beaubien, H2G-1L8. ☎ (514) 593-1010. Fax : (514) 593-1586.
– *Montréal :* 309, bd Henri-Bourassa Est, H3L-1C2. ☎ (514) 858-6465. Fax : (514) 858-6449.
– *Montréal:* 6363, rue Sherbrooke Est, H1N-1C4. ☎ (514) 253-4900. Fax : (514) 253-4274.
– *Montréal :* 364, rue Sherbrooke Est, H2X-1E6. ☎ (514) 987-1106. Fax : (514) 987-1107.
– *Chicoutimi :* 1120, bd Talbot, G7H-1Y3. ☎ (418) 690-3073. Fax : (418) 690-3077.
– *Laval :* 155-E, bd des Laurentides, H7G-2T4. ☎ (514) 662-7555. Fax : (514) 662-7552.
– *Laval :* 1658, bd Saint-Martin Ouest, H7S-1M9. ☎ (514) 682-5453. Fax : (514) 682-3095.
– *Longueuil :* 117, rue Saint-Charles, J4H-1C7. ☎ (514) 679-3721. Fax : (514) 679-3320.
– *Québec :* 30, bd René-Lévesque Est, QC G1R-2B1. ☎ (418) 522-2791. Fax : (418) 522-4556.
– *Saint-Lambert :* 2001, rue Victoria, J4S-1H1. ☎ (514) 466-4777. Fax : (514) 466-9128.
– *Sainte-Foy :* place des Quatre-Bourgeois, 999, rue de Bourgogne, G1W-4S6. ☎ (418) 656-6555. Fax : (418) 656-6996.
– *Sherbrooke :* 1578 Ouest, rue King, J1J-2C3. ☎ (819) 563-4474. Fax : (819) 822-1625.
– *Sherbrooke :* 610 Ouest, rue Galt, J1H-1Y9. ☎ (819) 823-0023. Fax : (819) 823-6960.

EN BUS

🚌 *CLUB ALLIANCE :* 99, bd Raspail, 75006 Paris. ☎ 45-48-89-53. M. : Notre-Dame-des-Champs.
Spécialiste des week-ends (Londres, Amsterdam, Bruxelles) et des ponts de 4 jours (Jersey, Berlin, Copenhague, Venise, Prague, Florence, châteaux de la Loire, Le Mont-Saint-Michel...). Circuits économiques de 1 à 16 jours en Europe, y compris en France. Brochure gratuite sur demande.
🚌 *EUROLINES*
– *Paris :* gare routière internationale de Paris-Gallieni, BP 313, 28, av. du Général-de-Gaulle, 93541 Bagnolet Cedex. ☎ 49-72-51-51. M. : Gallieni.
– *Paris :* Travelstore, 14, bd de la Madeleine, 75014. ☎ 53-30-50-35.
– *Paris :* Paris-Saint-Jacques, 55, rue Saint-Jacques, 75005. ☎ 43-54-11-99.
– *Versailles :* 4, av. de Sceaux, 78000. ☎ 39-02-03-73.
– *Aix-en-Provence :* gare routière, rue Lapierre, 13100. ☎ 42-27-45-01.
– *Avignon :* gare routière, 58, bd Saint-Roch, 84000. ☎ 90-85-27-60.
– *Bayonne :* 3, place Charles-de-Gaulle, 64100. ☎ 59-59-19-33.
– *Bordeaux :* 32, rue Ch.-Domercq, 33800. ☎ 56-92-50-42.
– *Lille :* 23, parvis Saint-Maurice, 59000. ☎ 20-78-18-88.
– *Lyon :* gare routière, centre d'échanges de Lyon-Perrache. ☎ 72-41-09-09.
– *Marseille :* gare routière, place Victor-Hugo, 13003. ☎ 91-50-57-55.
– *Montpellier :* gare routière, place du Bicentenaire, 34000. ☎ 67-58-57-59.
– *Nantes :* gare routière Baco, Maison Rouge, 44000. ☎ 51-72-02-03.
– *Nîmes :* gare routière, rue Saint-Félicité, 30000. ☎ 66-29-49-02.
– *Perpignan :* cour de la Gare, 66000. ☎ 68-34-11-46.

– *Strasbourg* : 5, rue des Frères, 67000. ☎ 88-22-57-90.
– *Toulouse* : gare routière, 68, bd Pierre-Sémard, 31000. ☎ 61-26-40-04.
– *Tours* : 76, rue Bernard-Palissy, 37000. ☎ 47-66-45-56.
Avec Eurolines, leader des ligne régulières internationales par autocars, partez sans retenue.
Plus de 1 200 destinations vous sont proposées à des prix vraiment sympa : Allemagne, Autriche, Belgique, Bulgarie, Danemark, Espagne, Estonie, Finlande, Grande-Bretagne, Grèce, Italie, Irlande, Lituanie, Maroc, Norvège, Pays-Bas, Portugal, Républiques tchèque et slovaque, Roumanie, Russie et Turquie.
Emprunter le réseau Eurolines, c'est voyager confortablement. Les véhicules sont équipés de standards de qualité : radio, vidéo, climatisation, toilettes et sièges inclinables. Accueilli(e) par votre conducteur, véritable capitaine de votre voyage, vous serez sagement conduit(e) à bon port...
Nombreuses liaisons sur les grandes villes du Maroc.
🚌 *LINEBUS :* gare routière de Perrache, cours de Verdun, 69002 Lyon. ☎ 72-41-72-27. Ligne régulière d'autocars pour l'Espagne, au départ de Lyon, Avignon, Nîmes, Montpellier et Béziers.

EN BELGIQUE

🚌 *EUROPABUS :* place de Brouckère, 50, Bruxelles 1000. ☎ (02) 217-66-60. Fax : (02) 217-31-92. Cette société assure des liaisons dans toute l'Europe.

PAR LA ROUTE

De Paris, voici les deux itinéraires les plus rapides :
– *Paris-Algésiras, via Barcelone :* 2 303 km. Cet itinéraire emprunte les autoroutes A6 (autoroute du Soleil) et A9 (la Languedocienne). De Paris, compter 940 km pour atteindre le Perthus, la frontière espagnole.
– *Paris-Algésiras, via Bayonne et Madrid :* 1 987 km. De Paris, emprunter d'abord l'autoroute A10 (l'Aquitaine). La frontière est à 770 km de Paris. C'est évidemment la route la plus courte et la moins encombrée en été.
Il faut ensuite passer par Cordoue, Séville et Cadix au lieu de Jaén, Grenade et Málaga. On évite ainsi toutes les villes, la route côtière, les cols, et il y a peu de touristes. Les autoroutes espagnoles étant assez chères, on peut leur préférer les *autovias*, routes à 2 voies séparées, qui sont bonnes et gratuites.

EN TRAIN

Départ quotidien en TGV à 6 h 55 de la gare *Paris-Montparnasse* pour *Algésiras,* avec changement à Irun. Arrivée le lendemain matin vers 9 h (couchettes en 2ᵉ classe).
🚆 *Renseignements SNCF :* ☎ 36-35-35-35 de 7 h à 22 h. Pour l'Île-de-France jusqu'au 30 avril 1996 : ☎ 45-82-50-50.

Pour ceux qui habitent sur l'axe Paris-Hendaye, pas de problème pour rallier Algésiras, mais pour les autres, ça peut être la galère. De Barcelone, il y a un nouveau train, sinon il faut faire Barcelone-Madrid et rejoindre la ligne pour Algésiras. En tout cas, ne pas prendre le train « direct » pour Almería, car il est très lent.

EN BATEAU

Pour le Maroc, on a le choix entre : Algésiras-Ceuta, Algésiras-Tanger, Almería-Melilla et Sète-Tanger. Il y a de plus en plus de périodes de pointe et pas assez de bateaux (vivement un pont ou un tunnel !).

Les différentes liaisons

Attention, les retards des bateaux sont considérables lors des grands départs (2 et 3 août, 30 et 31 août). Une véritable catastrophe.
Au départ, sur le port, on vous proposera de changer vos francs en dirhams. Refusez,

car le taux de change est beaucoup moins intéressant que dans les banques maro-caines.

En période de pointe, les Espagnols arrêtent les candidats à la traversée bien avant Algésiras. Début août, les bouchons peuvent atteindre 40 km. Les autorités parquent les vacanciers sur d'immenses terrains pour régulariser la circulation. En fait, il ne faut pas dire que l'on va au Maroc, et on peut gagner ainsi directement le port.

Pour le retour dans le sens Ceuta-Algésiras, il peut y avoir en été de 4 à 22 h d'attente, suivant les dates. Ne pas oublier de se mettre dans la file d'attente.

– **Algésiras-Ceuta :** la liaison vers le Maroc la moins chère. Durée 1 h 30. De 10 à 14 départs quotidiens en été avec, en juillet-août, une attente de 8 à 10 h pour embarquer. S'armer de patience !

A Ceuta, ou plutôt à Fnideq, situé à 3 km de Ceuta (à faire en stop), bus pour Tanger (route superbe). Ne pas écouter les chauffeurs de taxi à Ceuta, qui vous diront que cette ligne de bus n'existe pas. Éviter les pseudo-officiels avec plaques qui proposent leurs services, empruntent la carte grise et se « sucrent » au passage. Aller directe-ment aux compagnies sur le port. Inconvénient : la queue.

✆ **Agence Melia :** 35, rue d'Enghien, 75010 Paris. ☎ 40-22-07-17. M. : Bonne-Nouvelle. Tarifs selon la longueur et la hauteur du véhicule.

– **Algésiras-Tanger :** 2 h 30 de traversée. 6 départs quotidiens en été. Cette ligne est moins chargée que celle de Ceuta. Si le prix de passage du véhicule est le même sur les deux lignes, celui des passagers est pratiquement le double. Il faut savoir aussi que la douane à Tanger est particulièrement pointilleuse.

✆ **Agence Melia :** voir adresse et téléphone plus haut. Tarifs selon la longueur et la hauteur du véhicule.

✆ **Comarit :** représenté par les voyages Wasteels. Paris : ☎ 43-60-61-61. Marseille : ☎ 91-50-83-37.

– **Sète-Tanger :** classe touriste ou classe confort. Cabines de 4 couchettes assez abordables en classe touriste et de 2 ou 4 en classe confort. Réduction étudiant. Les prix comprennent les repas à bord et les taxes portuaires. 36 h de traversée. Un départ tous les 4 jours.

✆ A Paris : **S.N.C.M.,** 12, rue Godot-de-Mauroy, 75009. ☎ 49-24-24-24. M. : Made-leine.

✆ A Marseille : **S.N.C.M.,** 61, bd des Dames, 13002. Renseignements : ☎ 96-56-30-10. Réservations : ☎ 91-56-30-30.

✆ A Bruxelles : **S.N.C.M.,** rue la Montagne, 52, Bergstraat, Bruxelles 1000. ☎ (02) 25-13-36-90.

✆ A Zurich : **Gondrand Reisen,** Industriestrasse, 10, 8152. ☎ (41) 18-10-54-22. Et dans toutes les agences de voyages agréées S.N.C.M.

✆ **Agence Melia :** voir adresse et téléphone plus haut.

– **Almería-Melilla :** plus cher que Algésiras-Ceuta. Durée 6 h 30. En été, 2 liaisons quotidiennes. En hiver, 1 traversée par jour sauf le lundi.

✆ **Melia :** voir adresse et téléphone plus haut.

– **Málaga-Melilla :** les tarifs sont les mêmes. 1 traversée par jour en haute saison, idem en hiver.

✆ **Melia :** voir adresse et téléphone plus haut.

Pour revenir de Melilla vers Almería ou Málaga, il faut réserver 2 à 4 semaines à l'avance. Les arnaqueurs du coin achètent ou réservent des billets de passage qu'ils vous proposent moyennant une forte commission et vous font valoir que celle-ci coûte moins cher que l'attente d'un hypothétique désistement.

– **Sète-Nador :** 36 h de traversée. Départ tous les 4 jours l'été. Deux classes : confort et touriste.

✆ **S.N.C.M. :** liaisons uniquement de mi-mai à fin septembre. Voir adresses et télé-phone plus haut.

✆ **Melia :** voir adresse et téléphone plus haut.

– **Almería-Nador :** durée 6 h. 5 à 6 départs quotidiens en été, de 2 à 3 liaisons le reste de l'année.

✆ **Ferry Maroc :** représenté par les voyages Wasteels. A Paris : ☎ 43-60-61-61. A Marseille : ☎ 91-50-83-37.

La traversée la moins chère

Sujet épineux. Le prix de la traversée elle-même varie en fonction de :
– l'achat du billet sur place avant le départ,

– l'achat du billet avec réservation auprès du siège de la compagnie,
– l'achat par l'intermédiaire d'une agence.
Les seules lignes sur lesquelles on peut ne pas réserver en haute saison sont :
Algésiras-Tanger, Algésiras-Ceuta, et Almería-Melilla. Délai maximum d'attente : une
journée (ou une nuit) dans le premier cas, un ou deux jours dans le second.

Le « booking »

Ce terme anglais et barbare désigne l'ensemble des réservations. Elles sont closes un
certain temps avant le départ, afin de pouvoir les transmettre au port. Il est donc inutile
de réserver à Paris trois, quatre jours avant l'embarquement. Prévoir dix jours minimum. Sur les lignes très demandées (départs de Sète), ou aux dates de pointe, réserver deux mois à l'avance n'est pas un luxe inutile.

L'embarquement

Le gros ennui avec la réservation, c'est qu'il faut arriver le jour dit bien avant l'heure
d'embarquement. Mieux vaut prévoir dans votre voyage une journée libre à passer au
port d'embarquement afin d'être sûr de ne pas rater le bateau. Sachez qu'en période
de pointe (début juillet et août), il n'est pratiquement pas tenu compte de la date de
réservation. Il faut se placer le plus tôt possible. En dehors de ces périodes, la date de
réservation fait référence.

Les ports de débarquement

Dernière remarque qui vient compliquer affreusement les choses : Melilla et Ceuta
sont deux ports francs. C'est-à-dire qu'il n'y a pas de taxes sur les produits vendus.
Voir le bénéfice qu'on peut retirer sur des achats essentiels comme l'essence et l'huile
pour auto. Comparez avec les prix espagnols (et pas les prix français...), ce qui n'arrange rien, pour savoir combien vous y gagnez et si la réduction sur le prix du voyage
qui s'ensuit vaut le coup.
Autres marchandises intéressantes dédouanées : l'alcool et les « productions japonaises ». Mais n'oubliez pas que tout est fermé le dimanche...
– *Alcool étranger :* trois à quatre fois moins cher qu'en France (Martini, Cointreau,
cognac, whisky...). Nous ne sommes pas revenus (hips !) du prix du litre de Cointreau
(fabriqué en Espagne, toutefois).
– *Alcool national,* c'est-à-dire espagnol : environ deux fois moins cher que dans le
pays. Malaga, jerès (prononcer « rérès ») sont les plus connus.
– *Marchandises japonaises,* c'est-à-dire les appareils photo, les radios, magnéto-
cassettes et autres. Moins 33 % de taxes françaises, et aussi, marges des circuits de
distribution moins élevées qu'en France. Globalement, compter entre 30 et 40 % en
moins par rapport à la France. Si vous avez un gros achat à faire, la différence peut
payer votre voyage. Se méfier toutefois de certains appareils (hi-fi ou photo) qui pourraient présenter des vices cachés.

Pour le plaisir des yeux

Le Maroc, pays déconcertant qui évoque les palais chérifiens entourés de somptueux jardins, les souks desquels s'échappe l'odeur mystérieuse des épices, les arracheurs de dents de Marrakech, les charmeurs de serpents, la fantasia... En visitant le Maroc, on s'étonne que ces images de dépliants touristiques correspondent toujours à une réalité. Il suffit de s'écarter de quelques kilomètres des circuits touristiques trop traditionnels.

« Le visiteur étranger rencontre souvent le Maroc en débarquant à Casablanca. Il trouve une ville moderne, de grands magasins luxueux, de splendides hôtels, des gratte-ciel d'entreprises internationales, un trafic routier des années quatre-vingt, des kiosques à journaux, des complets-vestons. Autour de lui on parle le français, quelquefois même l'anglais.

Derrière cette façade orientale, il découvre un pays arabo-musulman très attaché à ses traditions, le Coran psalmodié à la télévision, les muezzins appelant à la prière, un ramadan strictement observé en public, une misère séculaire et des modes de vie et d'habitation qui en certains endroits n'ont pas changé depuis le Moyen Age. C'est ce que le tourisme apelle " un pays de contrastes ". [...]

Néanmoins, le Maroc me paraît l'un de ceux qui ont cultivé ce modèle avec le plus de constance au point d'en imprégner l'ensemble de son paysage humain.

C'est peut-être pourquoi " connaître le pays " ne signifie pas ici la même chose qu'ailleurs. Il me semble que l'on ne connaît pas le Maroc. On ne fait que passer d'un " riad " à l'autre, d'un cercle d'intimité à un autre souvent plus secret encore. Ce n'est pas un pays que l'on peut appréhender dans un mouvement continu. Il faut chaque fois franchir un nouveau mur, et derrière celui-ci, il s'en trouve toujours un autre.

Par ailleurs, tous ces riads ne se visitent pas seul. Il importe d'y être accueilli et guidé. L'un des aspects les plus caractéristiques de l'hospitalité marocaine est précisément d'introduire le visiteur étranger dans une intimité, comme si on lui faisait partager un mystère. On n'apprend pas à connaître le Maroc, on ne peut qu'y être graduellement initié. »

(Extrait d'un ouvrage très intéressant de Michel Van der Yeught : *Le Maroc à nu*, éd. L'Harmattan).

Adresses utiles, formalités, vaccinations

En France

🔳 *Office du tourisme marocain :* 161, rue Saint-Honoré (place du Théâtre-Français), 75001 Paris. ☎ 42-60-47-24 et serveur vocal : 42-60-63-50. M. : Palais-Royal. Ouvert de 9 h à 18 h et le samedi de 10 h à 13 h, sauf en août.

■ *Ambassade du Maroc :* 5, rue Le Tasse, 75016 Paris. ☎ 45-20-69-35. Fax : 45-20-22-58. Ouvert du lundi au vendredi de 10 h à 13 h et de 15 h à 17 h 30.

■ *Consulat du Maroc :* 12, rue Saida, 75015 Paris. ☎ 45-33-81-41. Ouvert de 9 h à 15 h.

■ *Consulats* à Bordeaux, Dijon, Lille, Lyon, Marseille, Montpellier, Rennes, Strasbourg et Bastia.

■ *Institut du Monde arabe :* 1, rue des Fossés-Saint-Bernard, 75005 Paris. ☎ 40-51-38-38. M. : Cardinal-Lemoine, Jussieu ou Sully-Morland. Bus nᵒˢ 24, 63, 67, 86, 87, 89. Ouvert tous les jours sauf le lundi, de 10 h à 18 h. Bibliothèque ouverte de 13 h à 20 h sauf les dimanche et lundi. Un lieu idéal pour découvrir et apprécier la culture arabe. Nombreuses activités et spectacles. Programmation : ☎ 40-51-38-52. Projection de films arabes tous les week-ends (15 h et 17 h) autour de rétrospectives et d'hommages. L'espace « Image et son » propose 15 000 diapos et des enregistrements de musique. Un lieu idéal pour se préparer au voyage.

En Belgique

🛈 *Office du tourisme du Maroc :* rue du Marché-aux-Herbes, 66, Bruxelles 1000. ☎ (02) 512-21-82 et 86.

■ *Consulat du Maroc :* av. Van-Volxem, 20, Bruxelles 1190. ☎ (02) 346-19-66. Délivre les visas pour la province du Brabant. Pour les autres provinces, téléphoner pour avoir les adresses.

■ *Ambassade du Maroc :* bd Saint-Michel, 29, Bruxelles 1040. ☎ (02) 732-65-45. Ils ne délivrent pas de visas.

En Suisse

🛈 *Office du tourisme :* 5, Schifflande, 8001 Zurich. ☎ 252-77-52.

■ *Ambassade du Maroc :* 42, Helvetiastrasse, 3005 Berne. ☎ 43-03-62 et 43-03-64.

Au Canada

🛈 *Office du tourisme marocain :* 2001, Université, Suite 1460, Montréal, Québec, H3A 2A6. ☎ (514) 842-8111.

Formalités

– Le *passeport* en cours de validité est exigé. Les Français et les Suisses dont le séjour a été payé à une agence de voyages peuvent se contenter de leur carte d'identité.

Pas de visa pour les Français, les Suisses et les Canadiens, mais le séjour ne peut excéder trois mois. Deux semaines avant l'expiration de ce délai, il faut demander une prolongation auprès du bureau de police le plus proche. Visa de trois mois maximum pour les Belges. S'obtient tout de suite dans les consulats.

– Pour les voitures, la *carte verte* est valable au Maroc. Si votre assurance ne couvre pas ce pays, il est obligatoire de prendre une assurance supplémentaire au poste frontière. Pour les voitures de location, il faut l'autorisation écrite du loueur.

– En principe, les 4 x 4 n'ont pas besoin d'autorisation spéciale pour entrer au Maroc. Cependant bien veiller à ce que la carte grise corresponde à la définition du véhicule. Ainsi, si vous aménagez votre 4 x 4 (ou tout autre véhicule) en camping-car, il faut faire changer la carte grise aux Mines ou obtenir un document qui précise que vous ne possédez plus un véhicule tout-terrain, mais un camping-car. C'est un cas de refoulement ; donc, par mesure de précaution, téléphonez lors de la préparation de votre voyage à l'office du tourisme.

– Les *certificats de vaccinations* anticholérique et antivariolique ne sont plus exigés. On conseille toutefois d'être protégé contre la typhoïde, la paratyphoïde et le tétanos. Le vaccin DTTAB associe les trois. Il est préférable aussi d'être vacciné contre l'hépatite A (dite hépatite du voyageur) et l'hépatite B. Se renseigner au centre officiel de vaccination d'Air France. ☎ 43-23-94-64.

– Ne partez pas sans vous être assuré que vous l'êtes bien !

Carte d'identité

– *Population :* 27 600 000 habitants.
– *Superficie :* 450 000 km².
– *Capitale :* Rabat.
– *Langues :* arabe et berbère ; le français se parle encore couramment.
– *Monnaie :* dirham.
– *Régime :* monarchie constitutionnelle.
– *Chef de l'État :* Hassan II.

Douane

Les formalités sont parfois longues et minutieuses. Restez patient. Les alcoolos peuvent apporter 3 bouteilles de leur vin préféré ou une bouteille de 75 cl d'alcool. Les accros du tabac ont droit à une cartouche. Matériel photo amateur et films sont acceptés en quantité raisonnable. Attention aux cassettes vidéo qui, ne pouvant être contrôlées sur place, sont envoyées à Rabat où il faut aller les récupérer après qu'elles aient été visionnées. Sont proscrites les publications « légères » et toute littérature politique traitant du pays. Les douaniers risquent de feuilleter l'hebdo ou le quotidien que vous aurez avec vous pour vérifier s'il ne contient pas d'articles portant atteinte au souverain du Maroc. Ils vous confisqueront aussi les bombes de défense, considérées comme des armes, ainsi que les fusées de détresse (si vous vouliez parcourir le désert). Elles vous seront restituées au retour. Pour ceux qui visitent le Maroc avec leur véhicule, les contrôles ont été renforcés et on vous fera tout déballer pour que le « spécialiste anti-drogue » puisse faire son investigation. Le téléphone de voiture et la CB sont interdits sans autorisation préalablement obtenue auprès du ministère de l'Intérieur.

Argent, banque, change

La monnaie

La monnaie marocaine est le *dirham* qui signifiait « pièce d'argent » en persan. En septembre 1995 le dirham valait environ 60 centimes. On obtenait donc 1,67 DH pour 1 FF.
Les pièces et billets de banque marocains ressemblent à ceux de la France, mais au Maroc, quand on parle du franc, on entend par là un centime (soit un centième de dirham). Dans le Sud et dans l'Atlas, l'unité monétaire la plus utilisée est le *rial* (1 DH = 20 rials).

Les banques

Elles sont, généralement, ouvertes du lundi au vendredi de 8 h 15 à 11 h 15 et de 14 h 15 à 16 h. Certaines ont un bureau de change ouvert le samedi. En saison, elles ouvrent parfois dès 8 h et ferment à 17 h. En période de ramadan, elles ouvrent de 8 h 30 à 14 h.

Change

Ne changez jamais dans la rue, surtout à Marrakech. Les changeurs ont des techniques très au point pour vous rouler.
Toutes les grandes banques ont un bureau de change ainsi que les grands hôtels. Les cours sont à peu près identiques partout. Il n'y a jamais de difficultés pour effectuer du change, sauf dans des endroits reculés.
50 % seulement des dirhams non dépensés peuvent être reconvertis en devises étrangères. Donc, mieux vaut changer vos francs au fur et à mesure de vos besoins. Gardez vos bordereaux de change.
– *Les chèques de voyage et les billets de banque* en francs français sont acceptés dans toutes les banques du Maroc, ainsi que dans les hôtels où les taux sont identiques et où on ne fait pas la queue. Les billets de banque doivent être impérativement en parfait état, sinon ils sont refusés.
– *Les postchèques* sont intéressants. Chaque chèque permet d'obtenir jusqu'à 2 000 dirhams. Les postes sont ouvertes de 8 h à 15 h 30, en général. Pendant le ramadan, de 9 h à 15 h.

Cartes de crédit

Elles sont acceptées dans la plupart des établissements importants (hôtels, restaurants, magasins) mais rarement dans les stations-service. Se méfier toutefois de certains commerçants qui vous taxent d'un supplément pour cause de frais si vous voulez payer avec votre carte. Ils doivent en effet téléphoner au centre de Rabat pour s'assurer que votre compte n'est pas sur une liste rouge et ils ont un peu trop tendance à vous faire supporter le coût de cette opération. Attention à l'arnaque pratiquée parfois avec le « fer à repasser ». Votre carte servira à imprimer deux facturettes. La première vous sera présentée pour signature. Quant à la seconde, réalisée à votre insue, le commerçant indélicat imitera votre signature et votre compte sera débité deux fois. La carte la plus répandue au Maroc est, sans conteste, la carte VISA. Elle vous permet aussi de retirer de l'argent dans certaines banques avec votre carnet de chèques.
Vous pouvez aussi obtenir de l'argent liquide avec votre seule carte VISA, si vous avez omis d'emporter votre chéquier, dans les agences suivantes, et ce dans toutes les grandes villes :
• *Crédit du Maroc.*
• *Société Générale Marocaine de Banque.*
• *Banque Commerciale du Maroc.*
• *Wafa Bank.*
• *Banque Marocaine du Commerce Extérieur.*
• *Banque Marocaine pour le Commerce et l'Industrie.*
Attente souvent très longue.

En cas de perte ou de vol de votre carte VISA, appeler immédiatement le (33-1) 42-77-11-90 en donnant, si possible, votre numéro de carte qui figure sur les récépissés ou, à défaut, l'adresse de votre banque émettrice.

Distributeurs automatiques

Il existe dans les grands centres des distributeurs automatiques permettant de retirer des dirhams avec la carte VISA. Nous vous les avons indiqués lorsque cela était possible. Certains ont toutefois des problèmes de connection ou sont en panne. Il est donc recommandé de retirer de l'argent pendant les heures d'ouverture des banques, ce qui permet de demander l'intervention d'un préposé en cas de non-fonctionnement. Avant votre départ, pour obtenir l'adresse de tous les distributeurs de billets au Maroc, composez sur Minitel le 36-16, code CBVISA.

Bakchich

A l'origine, qui se perd un peu dans la nuit des temps, le bakchich était le cadeau de bienvenue, en signe d'hospitalité et d'amitié ; c'était la façon la plus simple et la plus commode de prouver à son invité qu'on n'était pas insensible à sa venue ; alors on lui offrait un petit présent pour marquer cette affection. Aujourd'hui, le bakchich s'est vulgarisé, entendez par là qu'il est devenu vulgaire, car employé à tort et à travers, quel que soit l'interlocuteur, du plus petit au plus grand. Ne donner que pour un service rendu et le faire en fonction du salaire moyen qui est de 1 200 dirhams par mois, soit 750 FF environ. Munissez-vous de très menue monnaie, et n'oubliez cependant pas que ce peuple est pauvre et que vous représentez l'étranger, avec ce que la richesse peut avoir de provocant. Et lorsque vous refuserez, faites-le avec le sourire.

Baignades

L'océan Atlantique est particulièrement dangereux sur la côte marocaine, sauf dans certains endroits bien particuliers (Agadir par exemple). Donc si vous désirez vous baigner, ce qui vous arrivera sans aucun doute vu la chaleur, renseignez-vous bien. On tient à nos lecteurs.
Le nudisme sur les plages est formellement interdit et très mal vu. Cela dépend des autorités locales, mais beaucoup de chances de se faire embarquer. De toute façon, vous provoquerez un attroupement et risquerez de recevoir des pierres. Évitez les plages trop désertes pour vous baigner.
Les plus belles plages sont à Agadir, Essaouira, Oualidia, El Jadida, Medhiya (près de Kenitra), Mohammedia (près de Casa), Cabo Negro, Al Hoceima et la plage des Nations, à 20 km au nord de Rabat et celle de Bouznika à 20 km au sud de Rabat.

Boissons

Comme il fait chaud au Maroc, on a tendance à boire beaucoup et à manquer de prudence.

Eau

Ne jamais se désaltérer avec de l'eau du robinet et ne pas se fier aux Marocains qui vous assureront qu'elle est potable : la preuve, ils en boivent ! N'oubliez pas que si leur organisme est habitué, le nôtre ne résiste pas. Même si l'eau est traitée maintenant dans une grande partie du pays, elle a un fort goût de désinfectant désagréable. Évitez aussi l'eau de source, très souvent polluée. Sans vouloir être alarmiste, il faut savoir que, si les grandes épidémies ont été depuis longtemps jugulées, certaines maladies comme le choléra ou la typhoïde persistent et sont favorisées lors des grandes canicules.
Il faut donc se rabattre sur les eaux minérales plates comme la Sidi Harazem et la Sidi Ali, ou gazeuse comme l'Oulmès. Exigez toujours que la bouteille soit décapsulée devant vous. Avec un peu d'habileté, certains Marocains, peu scrupuleux, vous vendent des bouteilles de Sidi Harazem qui ont été remplies avec de l'eau du robinet. Le procédé est très simple : il est possible de dévisser l'ensemble de la capsule sans déchirer la languette protectrice et de revendre ainsi plusieurs fois de suite de l'eau du robinet au prix de l'eau minérale. A nous les petites amibes ! Le système de fabrication des bouteilles de Sidi Ali empêche cette fraude.

On peut toujours aussi désinfecter l'eau du robinet avec des pastilles de Micropur ou d'hydroclonazone, à condition de laisser agir suffisamment longtemps.

Boissons chimiques et jus de fruits

Comme partout dans le monde, on trouve des boissons chimiques telles que Coca, limonades, etc. Elles sont moins chères qu'en France. Partout, vous pourrez boire de délicieux jus d'orange, comme sur la place Jemaa-el-Fna. Veillez toujours à ce que ceux-ci soient faits sous vos yeux et servis dans des verres essuyés. Nombreux sont les vendeurs qui les coupent avec de l'eau. Le résultat peut être désastreux pour les intestins. Ces jus d'orange, apparemment inoffensifs, seraient la cause de bien des « tourista ».

Le *jus d'amande* est un breuvage délicieux (c'est du lait mélangé avec des amandes pilées).

Bière

Les Marocains consomment une bière locale assez légère, Flag, qui n'est pas terrible. La Heineken brassée sous licence à Casablanca est meilleure. Elle est aussi moins chère que les bières importées que l'on peut se procurer dans les centres touristiques.

Vin

Les musulmans, théoriquement, ne doivent pas en boire ; le Coran le leur interdit. Mahomet en aurait décidé ainsi parce qu'il n'admettait pas de voir son oncle Hamza, lorsqu'il était ivre, couper les bosses des chameaux avec son sabre.

Les vins locaux, souvenir du protectorat, sont corrects et parfois même bons quand leur vinification a été bien faite et leur stockage effectué dans de bonnes conditions. On retiendra dans les rouges : Thaleb, Cabernet, Ksar, Chaud-Soleil, Vieux-Papes, Oustalet, Père-Antoine, Cardinal, Amazir ; dans les blancs : Chaud-Soleil, Valpierre et le muscat de Beni Suassen ; dans les rosés : l'Oustalet et surtout le Boulaouane, un petit gris pas triste !

Attention, la grande majorité des restaurants marocains n'ont pas de licence d'alcool. Alors si vous êtes bourguignon par certains côtés, achetez votre pinard chez le marchand du coin et apportez-le sur la table... En dehors de ceux des grandes villes, rares sont les épiciers qui en vendent. De toute façon, la bouteille vous sera toujours remise enveloppée dans du papier journal et placée dans un sac de plastique noir. Comme s'il s'agissait d'un délit.

On vous signale toujours, quand cela est possible, les établissements qui bénéficient de la licence.

Café et pousse-café

Le café n'est pas mauvais et toujours servi dans un verre. Si vous l'aimez avec du lait, comme les Marocains, demandez un « café cassé ».

La *mahia* est un alcool de figues qui titre 40°. Auparavant produite par de petites entreprises familiales, elle est maintenant distillée d'une manière industrielle à Casablanca. Excellente pour conclure un bon repas, à condition de ne pas en abuser. Mélangée à des jus de fruits, elle constitue un excellent cocktail.

Thé

La spécialité du pays est, bien sûr, le thé à la menthe que l'on boit partout et que l'on vous offrira, quelle que soit l'heure, dans toutes les familles. Le thé est une véritable cérémonie. Il est préparé par le maître de maison ou, en son absence, par sa femme ou par la personne la plus âgée. On apporte la bouilloire remplie d'eau, la boîte à thé vert, la boîte à sucre (sucre en pain concassé en gros morceaux) et, sur un plateau, la théière et les verres avec un bouquet de menthe fraîche. Pendant que l'eau de la bouilloire chauffe sur un petit réchaud à gaz, on met dans la théière une cuiller à café de thé vert pour deux verres. Lorsque l'eau bout, on en verse une petite quantité sur le thé et on donne à la théière un petit mouvement tournant afin de faire gonfler le thé et de le laver de ses impuretés, puis on se débarrasse du liquide dans un verre. On recommence cette opération au moins trois fois en jetant toujours le contenu du verre. On verse alors l'eau bouillante sur le thé et on porte la théière sur le feu. Quand le thé bout (plus on laisse bouillir longtemps, plus il sera fort) on retire la théière du feu et on met la menthe en poussant avec un gros morceau de sucre. Commence alors l'opération d'aération. Verser le thé dans un verre et reverser le contenu du verre dans la théière cinq ou six fois de suite, en prenant soin à chaque fois de lever la théière pour que le jet s'étire et permette au thé de s'oxygéner. Il ne reste plus qu'à vérifier si le thé est suffisamment sucré et à remplir définitivement les verres.

– Quelques conseils pour finir : si votre thé est trop bouillant, ne soufflez jamais dessus, mais s'il est froid faites comme s'il était chaud, et surtout, surtout, ne refusez jamais un verre de thé, ni le deuxième, ni le troisième ; après seulement, vous pourrez être certain de ne pas être impoli.

En hiver, lorsque la menthe est rare, on fait du thé avec du *chiba*, une plante qui n'est rien d'autre que de l'absinthe. Le parfum est étonnant. On prend aussi, à défaut, certaines plantes aromatiques comme la verveine que nous utilisons pour les tisanes de grand-mère.

– Chez les Berbères du Souss on accompagne le thé de pain que l'on trempe dans de l'huile d'olive ou d'argane puis dans du miel. Quand on descend dans le sud, jusqu'à Guelmin, la menthe disparaît et l'on vous sert le thé des Sarahouis qui a bouilli et rebouilli. Il est si fort qu'au troisième verre vous risquez de grimper aux arbres !

Budget

La vie au Maroc est beaucoup moins onéreuse qu'en France. On peut, si on voyage à l'économie, prévoir un budget de 270 FF par jour pour deux personnes se décomposant ainsi : 80 FF pour la chambre et le petit déjeuner, 4 repas à 30 FF = 120 FF, le reste étant consacré aux boissons, aux transports et à la visite des monuments. Mais cela implique des hébergements parfois douteux, une nourriture locale et des transports en commun.

En prévoyant le double, on pourra descendre dans des hôtels confortables, s'asseoir à de bonnes tables et passer des vacances dans d'excellentes conditions. La vie de pacha !

Restaurants

Nous avons classé les restaurants en cinq catégories (sans la boisson) :
– *Très bon marché :* moins de 30 FF.
– *Bon marché :* moins de 50 FF.
– *Prix moyens :* moins de 70 FF.
– *Chic :* de 70 à 110 FF.
– *Très chic :* au-delà de 110 FF.

Hôtels

Même chose pour les hébergements (pour une chambre à deux) :
– *Très bon marché :* moins de 60 FF.
– *Bon marché :* de 60 à 90 FF.
– *Prix moyens :* de 90 à 180 FF.
– *Chic :* de 180 à 300 FF.
– *Très chic :* au-delà de 300 FF.

Le juste prix

Vous trouverez ci-dessous quelques prix de référence qui éviteront de vous faire arnaquer. L'inflation au Maroc est de 5 % environ par an et certains produits comme le pain ont un prix réglementé qui ne peut être modifié à l'improviste par les autorités.

Grande bouteille d'eau minérale	5 DH
Théière de 3 ou 4 verres dans un café, à partir de	5 DH
Verre de thé dans un café, à partir de	3 DH
Coca dans un café, à partir de	3 DH
Grande bouteille de Coca	10,30 DH
Pain	1,10 DH
Km en bus confortable (CTM), de l'ordre de	0,25 DH
Km en train climatisé 2ᵉ classe, de l'ordre de	0,30 DH
Petite course en petit taxi, de	5 à 10 DH
Km en grand taxi (six passagers), de l'ordre de	0,25 DH
Essence (varie avec le prix du brut)	7,25 DH
Ticket de bus en ville, par trajet, de	2 à 3 DH
Location d'un VTT à la journée	150 DH
Location d'un véhicule tout-terrain (24 h)	1 500 DH

Casbahs

Partout dans le Sud marocain, vous rencontrerez au milieu des palmeraies ces superbes bâtisses fortifiées en terre. A la fois résidence du seigneur et château fort, la casbah eut un rôle fondamental, pendant des siècles. Dès que l'envahisseur rôdait, les villageois s'y réfugiaient. Les caravanes qui commerçaient entre l'Afrique et les pays du Maghreb y trouvaient refuge et entrepôt.

Les casbahs sont construites, sur des fondations de pierre, avec des briques crues faites de terre et de paille, selon un procédé très ancien. Les techniques peuvent varier : assemblage de petites briques de pisé, superposition de blocs (d'un demi-mètre cube) ou remplissage d'un coffrage comme pour le béton. Tous ces édifices sont fragiles et nécessitent beaucoup d'entretien. Un vieux proverbe (algérien) recommande d'ailleurs à leur sujet : « Si tu veux que je dure, couvre-moi. » Or, faute d'entretien, ces étonnants châteaux de boue sont destinés à disparaître rapidement.

Le Glaoui de Marrakech régnait sur les plus belles casbahs le long des rives du Dra et du Dadès. En 1956, avec l'indépendance et le retour du roi, ses biens furent confisqués. Pratiquement laissées à l'abandon, les casbahs s'écroulèrent : une colère de l'oued, une pluie diluvienne et tout était emporté d'un coup. Parmi ces constructions qui ont déjà beaucoup souffert, citons le palais du Glaoui à Télouet, le grenier fortifié d'Ighern, les casbahs de Tineghir et de Talouine. Celle d'Aït Benhaddou est en voie d'être sauvée grâce à l'Unesco.

A noter que les parties supérieures des casbahs étaient souvent décorées de motifs géométriques d'inspiration berbère que l'on retrouve sur les bijoux et sur les tapis.

Climat, températures

Le climat du Maroc est très différent selon les régions : méditerranéen au nord, atlantique à l'ouest et saharien au sud. Seules les régions littorales sont tempérées. Il varie aussi selon les saisons.

On a raison de dire que le Maroc est un pays froid où le soleil est chaud. Les écarts de température, dans une même journée, sont parfois considérables. Un vêtement chaud (plusieurs en hiver, saison parfois rude) est indispensable. Il sera utile en altitude (le Maroc est un pays de montagnes), dans le Sud, où les nuits peuvent être fraîches, et sur la côte atlantique pour se protéger du vent.

En hiver, le climat des régions montagneuses du Sud est souvent froid et humide (neige abondante sur l'Atlas). S'équiper en conséquence, d'autant plus que beaucoup d'hôtels (même en catégorie « Chic ») ne sont pas chauffés. Cette remarque s'applique également à la période printanière ; à Pâques, s'assurer que l'hôtel dispose d'un chauffage.

La moyenne annuelle d'ensoleillement est quand même de plus de 8 heures par jour à Agadir, Fès, Marrakech et Ouarzazate. Et la température moyenne, dans ces mêmes villes, est supérieure à 17 °C. Le sirocco souffle parfois ainsi que le chergui, un vent d'est sec et chaud qui fait monter les températures.

Chaque saison a ses avantages et une lumière qui lui est propre. Le voyage est donc possible toute l'année ; toutefois, le printemps et l'automne constituent les meilleures saisons pour visiter les villes impériales (Fès, Meknès, Marrakech). Les températures variant considérablement selon les régions et l'altitude, il est possible d'établir son itinéraire en fonction de la date de ses vacances.

Moyenne des températures maximales en C°

VILLES	ALT. (m)	JAN.	FÉV.	MAR.	AVR.	MAI	JUIN	JUIL.	AOÛT	SEPT.	OCT.	NOV.	DÉC.
TANGER	15	15,4	15,9	17,4	19,2	21,4	24,2	26,4	26,8	25,1	22,1	18,5	16,0
CASABLANCA	58	17,2	17,9	17,5	20,8	22,1	24,1	26,1	26,7	25,9	23,9	21,0	18,0
ESSAOUIRA	8	18,2	18,4	19,3	19,8	20,3	21,1	21,7	22,1	22,2	21,9	20,6	19,0
MARRAKECH	466	18,1	20,2	23,0	25,7	28,7	32,9	37,8	37,5	32,9	28,1	23,0	18,3
FÈS	549	14,9	16,6	19,1	21,4	24,5	29,6	33,9	33,7	29,9	25,0	19,8	15,5
IFRANE	1664	8,5	10,1	12,9	15,7	18,3	24,8	30,6	30,1	25,2	18,7	14,1	9,5
AGADIR	18	20,3	21,4	22,5	23,3	24,1	25,0	26,4	26,9	26,7	25,9	24,2	20,6
OUARZAZATE	1136	17,3	19,7	23,0	26,9	30,8	36,0	39,4	38,4	33,3	27,0	21,4	16,7
ZAGORA	710	21,2	22,9	26,0	30,2	34,5	39,8	43,6	42,5	36,4	30,6	25,5	21,1

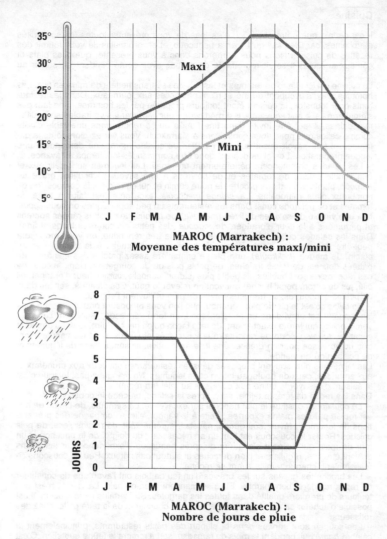

MAROC (Marrakech) :
Moyenne des températures maxi/mini

MAROC (Marrakech) :
Nombre de jours de pluie

Pour les régions sahariennes, le meilleur moment se situe entre octobre et février. En bordure du Sahara, où sévissent des vents secs et brûlants, la température monte parfois jusqu'à 45 °C, au mois d'août.

Consignes

Vous en trouverez dans les principales stations de bus CTM et dans les gares de l'ONCF. Dans ces dernières, les bagages doivent être cadenassés, sans quoi ils sont refusés. Sinon, confiez de préférence votre sac à un établissement conseillé dans votre GDR. Il y aura toujours quelqu'un qui acceptera de vous le garder en échange de quelques dirhams. Ne laissez toutefois pas dedans d'objets de valeur, du type appareil photo.

Cuisine

Il est certain que notre objet, ici, n'est pas de vous présenter toutes les spécialités marocaines, car Dieu sait qu'il y en a beaucoup, et encore moins de vous fournir des recettes de cuisine. Nous nous bornerons donc à vous présenter quelques plats et gâteaux auxquels il serait regrettable de ne pas avoir goûté pendant un séjour au Maroc.

La cuisine est ici affaire de femmes et les recettes se transmettent de mère en fille. Les hommes, eux, s'occupent du thé et n'ont pas accès aux fourneaux. Dans les restaurants pour touristes, la cuisine étant toujours préparée par les hommes, il ne faut pas s'étonner qu'elle soit souvent aussi médiocre. Pour déguster les véritables spécialités marocaines, il faut être invité dans une famille ou se rendre dans une table d'hôte comme celles que nous vous conseillons à Marrakech. Vous verrez alors toute la différence. Il faut savoir aussi que les recettes de cuisine marocaine demandent une longue préparation. Les plats doivent donc être commandés longtemps à l'avance.

– Les **salades** commencent généralement un repas. Les légumes sont délicieux et une simple salade de tomates et de poivrons a une saveur particulière grâce au *kamoun,* plante aromatique proche de notre cumin et qui entre dans la composition de nombreux plats marocains. La *salade mechouia,* excellente, est faite à base de tomates et de poivrons cuits. Dans les restaurants un peu sophistiqués on vous apportera une variété de salades d'olives *(meslalla),* de fenouil, de carottes râpées sucrées et parfumées à la fleur d'oranger, de *feggous* (des petits concombres longs et fins). Dans les salades cuites, en plus de la méchouia très répandue, on vous proposera peut-être des salades d'aubergines, de betteraves parfumées à la cannelle et au cumin, de mauve *(bekkoula),* une plante printanière assez proche des épinards, de patates douces, de fèves fraîches, de petits pois ou de courgettes. Dans aucune de ces recettes ne sont oubliés les petits plus (safran, cannelle, cumin, fleur d'oranger, ail pilé, jus de citron, persil haché) qui vont en relever le goût. Ces salades, servies dans de petites soucoupes, se dégustent avec du pain et ouvrent l'appétit.

– *Le tajine :* c'est le plat le plus répandu, que l'on vous proposera pratiquement à tous les repas. Il est servi dans un récipient rond, en terre vernissée, recouvert d'un couvercle pointu qui ferme exactement, de telle façon qu'on peut y cuire, tenir au chaud et servir les *touajen,* sorte de ragoûts, à la fois épicés et sucrés, dont les variétés sont trop nombreuses pour en dresser une liste exhaustive. Ils sont à base de légumes et de poisson ou de viande.

Les tajines les plus souvent proposés dans les restaurants sont ceux aux pruneaux et aux amandes, ceux de poulet au citron et de légumes. Ne manquez pas, lorsque c'est la saison, d'essayer le tajine aux coings et au miel (un régal).

Dans les repas de fête, le tajine, servi après la salade, précède le couscous.

– *Le couscous* constitue le plat national par excellence. La semoule, de blé ou de mil, est roulée par des mains expertes ; cuite à la vapeur, elle accompagne des préparations de légumes : fèves, courgettes, navets... agrémentés de raisins secs, de pois chiches. Rouler le couscous est tout un art nécessitant du doigté, de la patience et un tour de main qui ne peut s'acquérir qu'après beaucoup d'expérience car les grains doivent être fins, réguliers et bien détachés et surtout pas pâteux. Peu de couscous se ressemblent, chaque famille ayant sa recette.

– Les **brochettes** grillées sur les braises d'un feu de bois ont l'avantage de constituer un repas rapide et bon marché. Elles se mangent avec du pain. La viande n'est pas toujours de première qualité dans toutes les gargotes. Sur certains axes routiers, il est possible d'acheter sa viande directement chez le boucher et de la faire griller chez des rôtisseurs.

– Les **soupes** sont servies dans la plupart des petits restaurants, principalement la célèbre *harira* qui, pendant le mois du ramadan, sert à rompre le jeûne quotidien. C'est une soupe de légumes secs très parfumée, assez épaisse, contenant parfois des petits morceaux de viande. On y ajoute un peu de jus de citron au moment de la servir dans un grand bol. Pendant le ramadan, la harira se mange accompagnée de dattes ou de pâtisseries au miel.

– Les *briouats* sont des petits beignets faits de feuilles de pâte de *pastilla* et farcis de viande hachée, de cervelle, de saucisses, de poisson, d'amandes, etc. Frits dans de l'huile bouillante et dorés à souhait, ils se laissent croquer avec délice.

– La *pastilla* est un plat exceptionnel : grand gâteau de pâte feuilletée, fourré de hachis de pigeon (ou de poulet) et saupoudré légèrement de sucre et de cannelle. Ce plat assez cher n'est servi que dans certains restaurants sur commande (s'il n'est pas sur commande, votre plat sera un produit congelé) ou lors des grandes occasions.

– *Le méchoui* est un plat de fête. C'est un agneau entier rôti à la broche et cuit au feu de bois. Délicieux ! On le sert à l'occasion des moussem.

– Le poisson est excellent, les côtes atlantique et méditerranéenne étant riches en quantité et en variété. On trouve aussi de succulents fruits de mer, des oursins et même des huîtres à Oualidia. Les fauchés se contenteront d'un plat de sardines grillées qui constitue un repas économique et sain. Il existe aussi des boulettes de sardines vendues en boîtes de conserve et mélangées avec une sauce tomate légèrement pimentée. Dans toutes les épiceries. Une spécialité marocaine délicieuse. Notre marque préférée est évidement « C. Trébon » (enfin un industriel qui a de l'humour).

– Le pain est presque toujours rond comme une galette et se rompt à la main. Encore fait à la maison dans bien des cas, il se conserve dans des *thickas* à l'abri de la poussière, pendant plusieurs jours. Un détail souvent ignoré : ne jetez pas votre pain rassis et évitez, dans un restaurant, de demander plus de pain que vous n'en mangerez. Le pain est un symbole religieux.

– On ne saurait conclure sans parler des pâtisseries. Les plus connues, les *kaab el ghzal* ou cornes de gazelle, ne sont pas les meilleures. Essayer les *briouats* au miel et aux amandes, les *griouch*, le *houala rhifa* (gâteau en forme de cône servi à l'occasion d'un mariage, d'une naissance ou d'une circoncision), les *ghoriba* aux amandes ou aux graines de sésame, les *bechkito* (des petits-beurres croustillants), les *mhanncha* (sorte de serpents lovés et recouverts de cannelle en poudre), les *shebbakia* (rubans de pâtes frits avec du miel chaud et des graines de sésame grillées). Pour nous la palme revient à la *bastella* ou pastilla au lait, dite *ktéfa*. Ce dessert succulent est fait de feuilles de *ouarka* parfumées à la fleur d'oranger, empilées les unes sur les autres avec des amandes pilées, sur lesquelles, on verse avant de servir un peu de lait refroidi. Il existe aussi une version à la crème pâtissière. Impossible de résister à ce dessert qui n'est servi que dans les familles et dans les tables d'hôte. Allah que c'est bon !

Dangers et enquiquinements

Vols

Le Maroc n'est pas l'Italie du Sud mais il faut cependant, dans les médinas, les grandes villes et les centres touristiques, se méfier de l'habileté des voleurs à la tire. Porter les sacs de matériel photo en bandoulière et en travers du torse. Ne pas mettre de portefeuille dans les poches arrière d'un pantalon. Pour son argent et ses papiers, préférer la banane autour de la taille ou un petit sac à dos bien arrimé. Le porter devant soi quand on est dans la foule et que l'on visite les souks.

Ne pas se croire totalement à l'abri des mauvaises surprises parce que l'on a mis son argent dans une banane. De jeunes enfants ont été récemment formés à ce type de vol. Ils mendient d'une main et détournent habilement votre attention, pendant que de l'autre ils cherchent à vous dépouiller.

Les pickpockets ont une technique très au point. Ils s'approchent avec un journal, une pétition, ou un article quelconque (tee-shirt, par exemple) qu'ils vous mettent sous le nez en vous étourdissant de paroles. Pendant ce temps, l'autre main explore vos poches ou votre sac. En général, être très méfiant dès qu'on est approché de trop près. On aura rarement de mauvaises surprises en allant vers les gens pour leur demander un renseignement et en se méfiant de tous ceux qui proposent leurs services. Leur aide n'est jamais désintéressée.

Ne jamais rien laisser d'apparent dans un véhicule. Ici, on ne montre pas mais on cache ce qu'on possède. Mettre tout dans le coffre et confier le véhicule à un gardien qui, moyennant 1 ou 2 dirhams (plus pour la nuit), se fera une joie de le surveiller pendant que vous visiterez.

En cas de vol de papiers d'identité ou autres, il faut savoir que la police ne prend pas de déposition pendant le congé de fin de semaine. Exigez toujours qu'on vous remette une copie de votre déposition en français. On vous répondra qu'il faut faire une demande écrite à la Sûreté nationale. Demandez alors une attestation provisoire portant signature du policier et cachet de la permanence. Ne quittez jamais les lieux sans ce papier en français, indispensable pour les compagnies d'assurances.

Stop

Les routardes seules éviteront de faire du stop. Il ne leur est pas conseillé de sortir la nuit dans certains quartiers un peu chauds. Cette remarque est aussi valable pour nos lecteurs mâles (eh oui !).

Le Rif

Bannir absolument de votre programme la région du Rif, au nord du Maroc. Problèmes de drogue (voir ci-dessous ce que nous en pensons) et, de plus, région inhospitalière, quoique magnifique.

Faux guides

La gangrène du pays et la raison de la chute du nombre de touristes depuis quelques années. Le phénomène ne doit pas vous faire changer de destination de vacances mais, comme un homme averti en vaut deux, nous avons longuement développé le sujet à la rubrique « Guides et faux guides » avec un certain nombre de mises en garde. On ne saurait vous donner des instructions, mais cette rubrique est à lire impérativement avant le voyage si vous voulez pleinement réussir vos vacances.

Fausses recommandations du Routard

Votre GDR favori est une référence auprès des établissements cités (normal !), mais ceux qui n'y sont pas mentionnés ou que nous déconseillons se servent aussi de notre image. Nombreux seront les guides, hôteliers, restaurateurs ou marchands de tout poil à vous dire « Je suis cité dans le Guide du Routard » pour vous prouver leur sérieux. Méfiance ! Ne vous fiez qu'aux adresses recommandées dans la dernière édition (chaque année, nous faisons le ménage). Attention aux panonceaux anciens ou aux cartes de visite portant la mention « Recommandé par le Routard » et qui s'avèrent purement factices. Le Maroc est certainement le pays où circulent le plus de cartes avec de fausses recommandations.

Drogue

Faites attention lorsque des vétérans de la route vous parlent de la sacrée bonne époque où l'on fumait dans le Rif en toute quiétude. Les temps changent !
A moins que l'on ne soit venu au Maroc pour faire une thèse sur le kif, à notre avis il vaut mieux éviter de traîner dans le Rif et principalement dans le coin de Kétama. D'ailleurs il pleut souvent dans cette région. Raison de plus pour aller chercher le soleil sous d'autres cieux !
En voiture dans le Rif, si vous voyez quelqu'un couché sur la route, évitez-le mais ne vous arrêtez surtout pas. Les copains arrivent et vous achetez, bon gré, mal gré, 200 g de kif.
Les contrôles aux douanes et dans les ports sont bien faits. Certains chiens sont dressés pour reconnaître des odeurs bien particulières, les douaniers aussi...
Enfin, il semble que les *knife experiences* se généralisent un peu trop (principalement à Tanger, Tétouan et dans les villes du Rif). Le scénario est toujours le même : sous prétexte de boire un thé et de se rouler un joint, un jeune sympa, cool et tout, vous emmène chez lui. Il ferme à double tour, ses copains dans la chambre à côté rappliquent. « Tu achètes tant de grammes, à tel prix ou bien... ». Cependant pas de panique, ne vous privez pas systématiquement de contacts, un peu d'intuition et de discernement suffisent.
Soyez circonspect par rapport à tout plan du type : « Bonjour les Français, venez boire un thé chez moi » qui mène, soit à une affaire de commerce foireuse, soit à un plan fumette au fond d'un bar, où il vous faudra payer une note salée...

Faune

Le lion de l'Atlas, que Tartarin de Tarascon prétendait chasser, a aujourd'hui disparu. Même chose pour les éléphants. La chasse pratiquée d'une manière intensive par les Romains a privé le Maroc d'une partie de sa faune sauvage. Chacals et lynx hantent encore la campagne et on trouve quelques antilopes et des fennecs (petits renards des sables) en bordure du Sahara. Ce sont les oiseaux que vous aurez le plus souvent l'occasion d'observer. Certaines régions constituent de véritables paradis pour les ornithologues. Le Maroc abrite des colonies de migrateurs comme les canards sauvages, les hirondelles, les cigognes et les espèces sédentaires : perdrix, fauvettes, faisans, cailles, ibis et merles bleus. Il n'est pas rare, non plus, de voir des pélicans, des flamants roses ou un aigle royal dans son envol majestueux. Ne marchez pas cependant la tête en l'air, la vipère des sables (cérastre) n'est pas une légende. Gare aussi aux scorpions !

Fêtes, jours fériés et cérémonies

Principales manifestations folkloriques

En mai

- *Fêtes des Roses :* à El Kelaa des Mgouna, fin mai.
- *Tan-Tan :* fin mai.

En juin

- *Fête des Cerises :* à Sefrou, près de Fès.
- *Festival du folklore :* à Marrakech.
- *Fête des Figues :* à Bouhouda, près de Taounate.
- *Sidi Mohammed Ben Nacer :* à 20 km de Zagora. Se déroule le jour de l'Achoura.

En juillet

- *Fête du Miel :* à Imouzzer, à 60 km d'Agadir.
- *Aït Oumghar :* dans la province de Marrakech.
- *El Aouina :* à 18 km de Marrakech, piste entre les routes d'Asni et d'Amizmiz.

En août

- *Setti Fatna :* dans la vallée de l'Ourika, à 70 km de Marrakech, route 513.
- *Sidi Bibi :* à 20 km au sud d'Agadir.
- *Moulay Abdallah :* dans la banlieue d'El Jadida.
- *Meknès :* le mouloud de Meknès.

En septembre

- *Festival des arts traditionnels :* à Fès.
- *Festival de la fantasia :* à Meknès.
- *Fête du Cheval :* à Tissa (province de Fès).
- *Fête des Fiançailles :* sur le plateau des lacs (près d'Imilchil), la 3e semaine de septembre.
- *Sidi Ahmed ou Moussa :* aux environs d'Agadir (140 km).
- *Pèlerinage national de Moulay Idriss :* près de Meknès.
- *Moulay Ali Cherif :* dans la région d'Er Rachidia.

En octobre

- *Fête des Dattes :* à Erfoud.
- *Fête du Cheval :* à Tissa (province de Fès).

En décembre

- *Fête des Clémentines :* à Berkane, près d'Oujda.
- *Fête des Oliviers :* dans le Rif.

N.B. : d'une façon générale, les dates des fêtes civiles restent dans le même mois solaire, à une semaine près, tandis que les *moussems* se déplacent tout au long de l'année en suivant le calendrier musulman. Se renseigner auprès des offices du tourisme.

Jours fériés

- 1er janvier : Jour de l'An.
- 11 janvier : anniversaire de l'Indépendance.
- 3 mars : fête du Trône.
- 1er mai : fête du Travail.
- 23 mai : fête nationale.
- 9 juillet : fête de la Jeunesse et anniversaire du roi Hassan II.
- 20 août : anniversaire de la révolution.
- 6 novembre : anniversaire de la Marche verte.
- 18 novembre : fête de l'Indépendance (retour d'exil de Mohammed V).

Fêtes religieuses musulmanes

Elles sont déterminées d'après le calendrier lunaire et, de ce fait, leur date varie chaque année.
- *Aïd el Fitr :* fête de rupture du jeûne qui intervient le lendemain de la fin du ramadan.
- *Aïd el Kehir ou el Idha :* fête du sacrifice du mouton. Il commémore le geste d'Ibrahim (Abraham) qui, alors qu'il s'apprêtait, sur ordre divin, à sacrifier son fils, vit un mouton se substituer à ce dernier.
- *Ras el Am :* 1er jour du 1er mois du calendrier hégirien. L'hégire correspond à l'exil du prophète Mahomet de La Mecque à Médine.
- *El Mouled :* commémoration de la naissance du prophète Mahomet.
- *L'Achoura :* fête des morts.

Fêtes du calendrier musulman

Calendrier romain	Année de l'hégire	Ras el Am (Nouvel An)	Aïd el Mouloud (naissance du prophète)	Début du ramadan	Aïd el Kébir ou el Idha (fête des sacrifices)
1996	1416	19 mai	28 juillet	23 janvier	30 avril
1997	1417	9 mai	17 juillet	11 janvier	19 avril

Les cérémonies auxquelles on vous invitera

Vous aurez peut-être la chance de voir une circoncision, qui donne lieu à de grandes réjouissances, proportionnelles à la richesse de la famille. Mais vous aurez surtout l'occasion d'assister à un mariage. En spectateur, bien entendu : on danse pendant trois jours, et il est heureux que vous ne soyez pas invité à danser, car c'est très monotone et très très loin du rock... danses très immobiles, genou touchant le genou de celui ou celle d'à côté, ou bien hanche contre hanche. Comme les filles et les garçons sont alternés, c'est très sexy tout ça, et une fille qui a des vues sur un beau mâle peut se glisser entre deux types, mais lequel des deux a-t-elle choisi ? Mystère... de plus en plus sexy ! Après, elle profitera de l'intermède du mariage pour faire un brin de causette, car ordinairement, c'est strictement défendu. Bref, les mariages sont une pépinière de futurs mariages, mais entre-temps, il faudra encore que le père consente, ou le frère aîné si le père est mort, et puis on causera dot...
L'intérêt du mariage réside dans l'ambiance, la musique, les habits blancs des invités, et surtout des invitées, qui dansent, les maquillages, etc. Attention pour les photographes, l'obscurité sera là, et vous n'aurez que la lumière des lampes à acétylène pour agir, car le flash ferait mauvais effet. On peut toutefois réaliser des photos hautes en couleur avec un film à partir de 400 ASA, s'il est en couleur, évidemment !
La cérémonie la plus courante à laquelle on vous invitera est celle du thé à la menthe, dont on vous décrit, à la rubrique « Boissons », la variante la plus courante.

Flore

Elle est riche et diverse : les spécialistes auraient recensé plus de 4 000 espèces. La végétation varie selon le climat des différentes régions et selon leur relief. Si le Sud est pauvre et ne propose que des palmiers dattiers dans les oasis, des cactus et des lauriers dans le lit des oueds, il ne faut pas oublier que le Maroc possède aussi les plus vastes forêts d'Afrique du Nord avec de magnifiques chênes-lièges, des cèdres, des pins et même des sapins. Le long de la côte Atlantique, les thuyas, dont le bois précieux est travaillé à Essaouira, alternent avec les pins et les arganiers, ces épineux dans lesquels grimpent les chèvres. Le long de la côte méditerranéenne et dans certaines régions privilégiées (Tafraout), on retrouvera les amandiers, les citronniers, les oliviers et tous les arbres fruitiers qui croissent ici dans un climat idéal.

Gazelle

C'est fou ce qu'il y a comme « gazelles » au Maroc. Chaque touriste femme est ainsi baptisée. Pour les hommes, ce sont des « gazeaux » ou des « gazous ». Ne vous offusquez pas : c'est une formule amicale et même affectueuse. Gazelle ne se dit pas *ziz* en arabe comme on le croit souvent mais *ghzala*. L'erreur vient de ce que la marque d'essence Ziz, surtout présente dans le sud-est, a pour logo une gazelle, mais le rapport s'arrête là. Le Ziz est aussi l'oued qui passe à El Rachidia. Le mot arabe *aziz* (pour un homme) ou *aziza* (pour une femme) signifie chéri ou chérie avec un sens amical. *Ghouzel* et *ghouzela* signifiant joli en arabe, cela explique peut-être l'origine de la dénomination « gazelle » que les bazaristes et guides locaux ont adoptée pour les touristes.

Géographie

Un pays à cheval sur deux mers, l'océan Atlantique et la Méditerranée, tel apparaît le Maroc qui, d'un côté, n'est qu'à une dizaine de kilomètres de l'Europe et, de l'autre, voit ses frontières se perdre dans les sables du désert. Au milieu, les chaînes de montagne du Rif et de l'Atlas (le Moyen, le Haut et l'Anti-Atlas) obstruent le paysage avec des sommets comme le Toubkal (le plus élevé d'Afrique du Nord : 4 165 m). De cette diversité des terrains naît la grande variété des paysages marocains, qui sont parmi les plus beaux du monde. Mais ces chaînes ont été dans le passé un obstacle à la communication entre le Nord et le Sud. Encore de nos jours, il existe des différences considérables entre les diverses régions qui font que l'on a l'impression de visiter plusieurs pays en un seul.

Montagnes

On oublie souvent que le Maroc est, avant tout, un pays montagneux dont 100 000 km^2 de la superficie s'élèvent au-delà de 2 000 m. Les Atlas se composent de 3 chaînes déployées autour d'un bassin. Le Moyen Atlas est formé de hauts plateaux où les Berbères souvent nomades se livrent à l'élevage. Son point culminant est le Djebel Bou Naceur à 3 340 m. Le Haut Atlas, le plus célèbre, étire sur 700 km une succession de sommets dont 400 environ dépassent les 3 000 m et une dizaine atteignent les 4 000 m. La neige y persiste tout l'hiver et peut apparaître à partir de 600 m d'altitude. L'Anti-Atlas est une chaîne aride qui longe la vallée du Dra, en bordure du désert.
Le Rif n'est rien d'autre que le prolongement de la cordillère Bétique de l'Espagne du Sud. C'est une région verdoyante et pluvieuse, couverte de forêts. Sa côte rocheuse, particulièrement belle, est peu hospitalière. Le bassin de Sebou, seule voie de communication entre le Maroc atlantique et le Maroc méditerranéen, est une plaine qui constitue la principale région agricole du pays.

Côtes

La côte atlantique s'étale sur 2 800 km, alors que la côte méditerranéenne n'a que 530 km. Elle est bordée de plaines (Sebou, Mesema et Sous) qui sont les régions les plus peuplées et les plus riches du pays. Tout le long, se succèdent de belles plages, des ports, et de grands centres comme Casablanca, Safi et Rabat.

Sahara et Maroc oriental

Vient ensuite le Sud avec le Sahara, cette étendue désertique qui n'a d'autre richesse que son sous-sol avec les phosphates. Ce sont des kilomètres de sable à perte de vue avec des paysages de dunes sculptées par le vent où campent des tribus de nomades. Le Maroc oriental est composé de terres pauvres et mal arrosées avec quelques hauts plateaux qui s'étendent jusqu'à la frontière algérienne.

Quelques chiffres

710 900 km^2 de superficie (dont 260 000 pour le Sahara occidental).
27,6 millions d'habitants dont 46 % de moins de 15 ans et 70 % de moins de 30 ans.
3,2 millions à Casablanca, capitale économique.
1,35 million à Rabat, capitale administrative.
30 habitants au kilomètre carré (en France, 100).
2 800 km de côte atlantique pour 530 km de côte méditerranéenne.
70 000 dromadaires y roulent leur bosse.
Des millions d'ânes (on ne les a pas comptés !).
17 millions de moutons environ attendent de finir en méchoui.
850 000 hl de vin proviennent des vignes locales.
750 000 t d'oranges comme production annuelle.
700 000 t de canne à sucre, ne suffisant pas à la consommation nationale.
210 000 t de sardines pêchées chaque année.

Agadir, 1er port sardinier du monde.

3e producteur au monde de phosphates et premier exportateur.

3 millions de palmiers-dattiers.

Le point culminant du Maroc se situe au djebel Toubkal dans l'Atlas, à 4 165 m d'altitude.

1 700 km de réseau ferré.

56 000 km de réseau routier.

Un nombre incalculable de faux guides.

Guides et faux guides

Pendant longtemps l'hospitalité marocaine a considérablement contribué au développement du tourisme. L'accueil chaleureux que des générations de voyageurs ont reçu a probablement fait beaucoup plus que toutes les campagnes publicitaires. Le summum se trouve chez les Berbères de l'Atlas. Dans le Sous, les femmes, souvent voilées, se cachent le visage à l'approche de l'étranger, ce qui ne facilite pas les contacts.

Mais, bientôt, cet accueil appartiendra à la légende. Les faux guides sont la plaie du Maroc et ils parviennent dans bien des cas à gâcher la visite de sites que l'on aimerait découvrir seul. Ils portent l'entière responsabilité de la chute du tourisme et du taux ridiculement bas de retour, alors que le pays, fascinant, devrait inciter ceux qui l'ont découvert à revenir plusieurs fois pour mieux en apprécier tous les charmes.

Enfin conscientes du problème, les autorités tentent de sensibiliser la population par les médias et ont mis en place une brigade touristique qui commence à faire ses effets dans certaines villes. L'expérience est trop récente pour que l'on puisse en mesurer la portée. Nous avons donc maintenu notre texte en espérant qu'il ne correspondra plus à la réalité sur le terrain. En contre-partie, si vous devez vous promener avec un ami marocain, prévenez la police auparavant afin que cet ami puisse vous accompagner sans être considéré comme un faux guide, emmené au commissariat et mis en détention pendant quelques heures ou même parfois plusieurs jours.

Suivez le guide !

Alors, comment faire lorsque l'on est de passage et que l'on ne connaît pas la ville et encore moins la médina pour s'y aventurer seul ? Trois solutions : un guide officiel, un faux guide ou un gamin.

– *Le guide officiel* est généralement en djellaba blanche et muni d'une plaque et d'une carte de guide officiel du ministère du Tourisme marocain. On le trouve à l'office du tourisme ou à la réception des grands hôtels. Son salaire est fixé suivant un barème (50 dirhams la demi-journée et 100 dirhams la journée). Il connaît bien l'histoire de la ville, donc il peut tout vous raconter en détail ; seulement le hic, c'est qu'il veut souvent vous faire acquérir le plus de choses possibles dans des magasins où il touche un pourcentage assez gros sur tout ce que vous achèterez. Alors votre balade dans la médina se traduira par une visite sans cesse répétée de magasins plus ou moins luxueux. Si vous arrivez à déjouer ses pièges, il se contentera de vous traîner pour la forme de ruelle en ruelle sans enthousiasme.

Il y a des exceptions et nous connaissons de nombreux guides qui aiment vraiment leur métier et savent vous faire partager l'amour de leur ville. Dès le début de la visite, mettez les choses au point : indiquez au guide les sites que vous souhaitez visiter et faites-vous préciser le prix et la durée de cette visite. Attention aux « C'est fermé » ou « C'est sans intérêt ». Ne pas hésiter, non plus, à dire que l'on ne souhaite rien acheter.

– *Le faux guide* vous aborde avec l'inévitable questionnaire : « Bonjour. Vous êtes français ? Pour combien de temps ici ? Je suis étudiant et je voudrais parler avec vous. Je n'ai pas de cours aujourd'hui et je peux vous conduire où vous voulez », etc. C'est parti ! Cela conduit toujours à un marchand de tapis.

Un truc qui dissuade souvent ceux qui s'accrochent à vous : ne jamais leur répondre lorsqu'ils vous adressent la parole. Se contenter de leur sourire. Si vous tenez le coup, ils abandonneront, non sans vous avoir insulté, puis provoqué en vous traitant de « sale touriste » et de « sale raciste ». Les faux guides cherchent toujours à vous provoquer et disposent d'un catalogue d'insultes assez surprenant. Ne jamais essayer de chasser un faux guide – c'est totalement impossible – mais faire en sorte qu'il se décourage. Quand on est plusieurs, la meilleure méthode est de parler entre soi et d'ignorer celui qui vous escorte sans jamais lui adresser la parole. Essayer aussi d'autres méthodes suggérées par des lecteurs : aller systématiquement dans le sens inverse de celui indiqué ou bien jouer à « l'arroseur arrosé ». C'est-à-dire commenter soi-même la visite au guide avec moult propos délirants. Effet assuré ! Le type a vite fait de laisser tomber ces Français bizarres... Nul doute que vous trouverez d'autres trucs psychologiques face à leur agression verbale.

Si toutefois vous cédiez à leur insistance, il faut savoir que leur seul but est de vous faire dépenser votre pécule. Ils touchent de 30 à 40 % de commission sur les achats que vous pourrez faire. Quand le faux guide (comme le vrai d'ailleurs) marchande le prix en arabe avec le vendeur, ce n'est pas pour baisser le tarif comme ils vous le font croire. Il fixe, en fait, sa commission avec le marchand. On n'est jamais si bien servi que par soi-même.

Une règle générale au Maroc : ne jamais acheter quoi que ce soit et ne jamais se faire conduire quelque part accompagné. Le prix se trouve obligatoirement majoré de la commission qui sera versée à celui qui vous a escorté.

– *Le gamin :* si vous n'optez pas pour les deux solutions précédentes, reste celle du gamin souvent débrouillard et qui vous amusera. Il saura chasser les importuns. Mais gare à lui si la police ou un autre guide lui tombe dessus. Vous pouvez être sûr qu'il passera un bien mauvais quart d'heure et sera très probablement roué de coups, c'est pourquoi nous vous le déconseillons. D'ailleurs, s'il décèle un danger quelconque, il risque de s'enfuir avant la fin de la visite. De plus, en utilisant les services d'un gamin vous l'encouragez à devenir, par la suite, un faux guide.

Et les autres...

Tout le monde voudrait bien profiter du gâteau et il n'y a pas que les faux étudiants et faux guides à chasser le touriste. Le reste de la population commence à s'y mettre. Toutes les ruses alors sont bonnes. Nous vous en signalons quelques classiques (soyez sûr qu'ils en inventeront d'autres prochainement).

– *La panne :* vous êtes en train d'admirer le paysage, en voiture, et, tout à coup, vous voyez sur le bas-côté une mobylette ou un véhicule avec des gens affairés autour. Dès qu'ils vous aperçoivent, ils vous font signe de vous arrêter et vous donnent moult informations sur la nature de la panne (en général, complètement abracadabrantes). Ils vous demandent de les emmener en ville. Vous acceptez (surtout la première fois... on ne va quand même pas laisser des gens dans l'embarras !). Ils montent, bavardent. Arrivés à destination, pour vous remercier de votre gentillesse, ils vous invitent à boire un thé à la menthe. Vous acceptez. Et là, comme par hasard, vous débarquez chez un marchand de tapis. Avec ou sans sucre, le thé ? Comme celui-ci tarde un peu, on vous montre quelques pièces pour le plaisir des yeux.

– *Le stop :* cela relève à peu près du même procédé. Même si vous avez juré de ne plus jamais prendre quelqu'un sur le bord de la route, comment refuser à un restaurateur ou à un hôtelier qui vous demande si vous auriez l'amabilité de conduire quelqu'un à la ville suivante ? Là aussi, l'homme veut vous inviter chez lui à prendre un thé et un petit cadeau pour la gazelle. Vous devinez la suite. Sa maison communique avec un magasin de... tapis. Ce nouveau procédé de vente en a surpris plus d'un.

– *La lettre :* les non-motorisés ne sont pas à l'abri, eux non plus. Le truc de la lettre consiste à vous dire : « J'ai un ami qui travaille en France. J'aimerais lui envoyer une petite lettre. Tu ne pourrais pas me la poster là-bas ? » Ficelle un peu grosse pour vous entraîner à la maison où la personne tient un commerce quelconque.

– *L'explication de notices de médicaments :* à faire à domicile et demandée, la larme à l'œil, pour un parent, soi-disant très malade. Et, comme par hasard, l'armoire à pharmacie est près des tapis à vendre... le malade se porte bien. Merci pour lui !

On ne peut pas dire que les Marocains manquent d'imagination. De temps en temps, la police locale intervient pour mettre fin à certains abus et protéger les touristes de l'agression permanente des « faux guides ».

A noter que les « guides » se lèvent et se couchent tard. Le matin, on est donc moins harcelé le soir.

A cause de ce chapitre, vous entendrez des flots d'injures proférées par les guides sur le GDR. Tant mieux, on est lu même là-bas.

Hammam

En créant les thermes, les Romains furent les véritables inventeurs du hammam. Ces thermes, construits un peu partout sur l'ensemble de l'Empire romain, furent progressivement « récupérés » par les musulmans. En effet, ils permettaient l'ablution totale conformément au Coran. Bien entendu, les thermes étaient considérés comme des endroits de débauche par la très prude religion judéo-chrétienne. Et en Europe occidentale, ils disparurent presque complètement. Au Maroc où il y a peu de salles de bains dans les maisons et où l'hygiène corporelle est scrupuleusement respectée, le hammam tient une place importante. Toutefois, un certain nombre d'entre eux ne présentent pas une propreté correspondant à nos critères d'hygiène. Il faut donc savoir effectuer une sélection. Le mieux est de s'adresser à la réception de l'hôtel ou de demander conseil à un pharmacien de la ville. Autrefois, une ville se jugeait par la beauté et la magnificence de son hammam (un peu comme chez nous, les églises). Son importance religieuse a toujours été très grande : on y fait ses ablutions conformément au Coran. Le hammam a une signification sociale tout aussi grande : pendant longtemps, ce fut la seule sortie autorisée aux femmes, qui s'y retrouvaient. Les hommes, quant à eux, s'y rendent entre amis, pour bavarder.

Encore aujourd'hui, les femmes ne sortent guère et ne voient donc que peu de monde à l'exception de leur cercle familial. Au hammam, tout est différent, c'est un gigantesque brassage où les mères peuvent juger de l'état physique et de la beauté des jeunes filles. Bref, c'est là qu'elles choisissent une future femme pour leur fils.

C'est un lieu où l'on vient se laver et se détendre mais où également on bavarde et on passe le temps. Généralement, les hommes se baignent le matin et les femmes l'après-midi : une serviette pendue à la porte de l'établissement indique la présence des femmes. Les horaires sont en principe de 7 h 30 à 11 h et de 18 h à 20 h pour les hommes ; et de 11 h 30 à 17 h pour les femmes. Les bains ferment plus tard les veilles de fête.

Pour une première expérience, l'idéal serait de s'y rendre avec des amis marocains. Pour ne pas faire trop plouc, apporter un morceau de savon et un gant de massage. Ce fameux gant est en tissu noir et s'achète dans une épicerie proche des bains ou à la caisse de l'établissement. Attention, ces hammams ne sont nullement des lieux de drague et un minimum de décence y est toujours requis. Évitez les hammams des hôtels touristiques qui n'ont plus rien d'authentiques et où l'on se retrouve entre « toutous » de différentes nationalités mais de Marocains « oualou » !

Il est possible avant le voyage de se rendre pour une répétition au **hammam de la Mosquée de Paris** : 39, rue Geoffroy-Saint-Hilaire, 75005. M. : Jussieu ou Monge. Jours des femmes : le lundi de 11 h à 18 h, le mercredi de 11 h à 19 h, le jeudi de 11 h à 21 h et le samedi de 10 h à 18 h. Jours des hommes : le vendredi de 11 h à 20 h et le dimanche de 10 h à 19 h. Fermé le mardi.

Hébergement

Hôtels

Il y aurait beaucoup à dire sur la plupart des hôtels du Maroc, leur « état » alimente d'ailleurs très régulièrement notre courrier des lecteurs. Si certains sont correctement entretenus, dans de nombreux cas, beaucoup reste à faire pour améliorer leur confort : mobilier branlant, lits défoncés, draps douteux, sanitaires déficients.

Cette constatation ne concerne pas toujours le bas de gamme. Certains établissements à plusieurs étoiles n'y échappent pas. Ce qui est plus grave dans leur cas, c'est que le prix étant plus élevé, on s'attend à y trouver un service (totalement inexistant) et que le manque d'amabilité du personnel aggrave le cas de ces usines à touristes qui n'ont d'autres soucis que d'alimenter leur tiroir-caisse. Nous ne manquerons pas de vous les déconseiller au passage. On sent un peu partout le laisser-aller, les moquettes sont poussiéreuses, voire sales, l'électricité est un véritable rébus, quant aux douches et baignoires ce ne sont que tuyaux qui fuient et robinets qui gouttent. Les prestations sont chères. Attention aux réservations mal enregistrées par des hôteliers qui marquent, sur leur cahier, « réservé » sans mentionner de nom.

Il faut savoir aussi que la loi marocaine interdit qu'un Maghrébin voyageant avec une fille ne soit être marié (qu'elle soit arabe ou non) soit logé dans la même chambre. De nombreux hôteliers refusent à ces couples l'accès de leur établissement ou, lorsqu'ils les acceptent, leur donnent des chambres diamétralement opposées géographiquement. Pas question de mentir, car on vous demande votre certificat de mariage si vous prétendez l'être. De toute façon, la transgression de cette loi pourrait se retourner contre le Maghrébin se trouvant dans la même chambre qu'une fille ; s'il est dénoncé, il risque l'emprisonnement, qu'il soit marocain ou d'une autre nationalité.

De nombreux hôteliers répugnent aussi à mettre dans la même chambre un touriste voyageant avec un copain marocain.

Éviter de manger dans les restaurants des hôtels où la table est généralement médiocre. Ne jamais s'adresser aux concierges des hôtels pour un renseignement. Ils constituent dans les grandes villes et les centres touristiques une véritable mafia, avec leurs réseaux de taxis, de guides, de bazaristes et de restaurants toujours très chers.

Établissement classé

Il existe une classification officielle établie par le ministère du Tourisme dont le prix maximal annuel est fixé chaque année. Ce tarif est, théoriquement, disponible dans tous les offices du tourisme. Les prix des chambres sont toujours affichés à la réception des hôtels. Ces prix peuvent se négocier, surtout en basse saison. Mais cette classification officielle était très arbitraire et nombre d'établissement vivaient sur les réputation. Le ministère du tourisme vient de procéder à un nouveau classement correspondant mieux à la réalité. Certains hôtels ont perdu des étoiles. D'autres ont reçu des avertissements et sont en sursis.

S'il y a beaucoup d'hôtels de catégorie supérieure, les établissements de moyen standing, correspondant à nos 2 étoiles, sont en quantité insuffisante. Lorsque les Marocains voyagent, ils ont tendance à se rendre dans leur famille et comme celle-ci est grande et hospitalière, le réseau des petits hôtels ne s'est pas suffisamment développé.

Établissements non classés

Ils sont nombreux mais, hélas, souvent trop sales pour que l'on puisse y passer une nuit sans être importuné par des petites bestioles qui laissent souvent de cuisants souvenirs. On fera bien d'avoir alors avec soi un « sac à viande » afin d'éviter le contact avec les draps ainsi que des serviettes de toilette car elles ne sont pas souvent fournies. Les boules Quiès permettront d'atténuer les bruits divers, y compris ceux de muezzins réveille-matin, quand on dort à proximité d'une mosquée. D'une manière générale, la plomberie est défaillante ; prévoir éventuellement un assortiment de bouchons pour les lavabos et baignoires.

Nous avons essayé d'éliminer de notre sélection les hôtels par trop pouilleux. De nombreux établissements possèdent une terrasse. C'est plus rigolo d'y dormir et c'est moins cher. N'oubliez pas cependant que les nuits sont parfois fraîches.

Les chaînes hôtelières

• La *chaîne des hôtels Kenzi* est la plus récente et la plus dynamique. Elle a repris des hôtels anciens entièrement restaurés ou en a construit de nouveaux. Tous leurs établissements satisferont les plus exigeants. Ses plus beaux fleurons sont : l'*Azghor* à Ouarzazate, le *Sémiramis* à Marrakech et le *El Ati* à Erfoud. Cette chaîne, de plus, pratique des tarifs exceptionnels et très intéressants pour nos lecteurs. La réduction peut atteindre 30 %. Il suffit de se présenter à la réception de ces établissements avec notre guide de l'année pour obtenir le prix spécial (hors période de fin d'année ou de fête).
– Il est possible aussi d'obtenir ces mêmes conditions en réservant de la France auprès de leur bureau de Paris, 30, rue Galilée, 75016. ☎ 47-23-75-13, fax : 47-20-09-25 ; ou de Marrakech, ☎ (04) 43-58-83 et 43-22-80 ; fax : 43-23-74 et 43-94-97.

• La *chaîne des hôtels Salam,* implantée depuis longtemps, possède, elle aussi, quelques beaux établissements à travers le pays. Notre préférence va au très beau palais *Salam* de Taroudannt. La plupart ont su intégrer parfaitement dans l'architecture traditionnelle le confort occidental. Nos lecteurs obtiendront 15 % de réduction dans tous les établissements sur présentation du guide à la réception. Mais cette remise sera beaucoup plus importante, pouvant atteindre 50 % en été, si les réservations sont faites à l'avance à leur bureau de Paris.
– Pour tous renseignements et réservations, s'adresser à : *Maroc Hôtel*, 59, rue Saint-Didier, 75116 Paris. ☎ 47-55-09-09. Fax : 47-55-08-32. M. : Victor-Hugo. Ouvert du lundi au vendredi de 9 h à 18 h 30.
Ils ont aussi un bureau en Belgique :
– *Bruxelles :* Utmar, rue Montagne-aux-Herbes-Potagères, 30, 1000. ☎ (02) 217-40-20. Fax : (02) 918-25-06.

• La *chaîne hôtelière P.L.M.-Dounia* possède plusieurs établissements 4 et 5 étoiles implantés dans les principaux centres touristiques. Le dernier né est le très luxueux *Pullman Mansour* de Marrakech (5 étoiles luxe avec 7 restaurants et 5 bars...).
– *Réservation à Paris :* 10, av. de la Grande-Armée, 75017. ☎ 53-81-70-00. Fax : 42-67-22-27. M. : Charles-de-Gaulle-Étoile.

• Le *Club Med* accorde 10 % de remise sur place aux porteurs du guide dans ses hôtels d'El Jadida et de Ouarzazate.

Prix spéciaux routards

En dehors des conditions exceptionnelles accordées par les chaînes citées ci-dessus, nos lecteurs peuvent bénéficier d'avantages spéciaux. Dans le cours du texte, nous vous signalons les établissements qui consentent des remises. Toutefois, celles-ci ne peuvent s'appliquer en période de pointe : fin d'année, Pâques ou fête locale.

Classification des hôtels

Voici notre classement et sa correspondance avec la classification officielle :
- *Très chic* : au-delà de 300 FF (luxe, classification officielle).
- *Chic* : de 180 à 300 FF (4 étoiles B et 4 étoiles A).
- *Prix moyens* : de 90 à 180 FF (2 étoiles B, 2 étoiles A, 3 étoiles B et 3 étoiles A).
- *Bon marché* : de 60 à 90 FF (1 étoile B et 1 étoile A).
- *Très bon marché* : moins de 60 FF (hors classification officielle).

Campings

FONDAMENTAL : le camping ne se dit pas camping, mais MOUKHAYYEM, en arabe. Ça vous évitera de tourner en rond en demandant « camping ? ». Mais heureusement c'est souvent fléché : camping. Ouf !
Nous vous indiquons les principaux. Il s'agit d'un mode d'hébergement économique, même si vous n'avez pas de tente. Si certains, très rares, sont correctement aménagés : douches, épicerie et quelquefois piscine (avec ou sans eau), les autres (les plus nombreux) tiennent du parc à bestiaux avec la poésie d'un terrain vague, parfois entouré d'un mur richement décoré de tessons de bouteilles. Pas d'eau dans les douches ou pas de douches, sanitaires innommables, pas d'ombre, beaucoup de bruit, sol jonché de détritus et... c'est payant ! Nous nous élevons depuis des années contre cet état de fait. La plupart des campings ignorent les règles les plus élémentaires d'hygiène. N'oubliez pas votre sac de couchage.
Les campeurs doivent savoir que le sol marocain n'a rien à voir avec la lande bretonne où le doigt s'enfonce. Emporter des piquets de type « sardine alu » ou, mieux encore, des clous type « Crucifixion du Christ », que vous pourrez acheter dès votre arrivée au Maroc chez n'importe quel ferrailleur.
On signale à tout hasard qu'il y a des coquins qui rôdent de temps en temps dans les campings (comme partout !). Et ce n'est pas parce que votre tente est fermée que vos affaires sont en sécurité. Il arrive qu' « on » « découpe les tentes... et même les fringues. Il est donc préférable de déposer les objets de valeur à la réception.
Le camping sauvage n'est pas interdit par la loi mais vivement déconseillé, sauf si on a vraiment le goût du risque. Dans le Sud, on vous propose parfois de vous héberger : il serait incongru de refuser, sauf si vous pressentez que cela va déboucher sur une arnaque au tapis.

Heure locale

Le Maroc vit à l'heure du méridien de Greenwich. Quand il est midi en France, il est 10 h au Maroc en été et 11 h en hiver. Le décalage horaire est donc favorable à l'aller.

Histoire

Le Maroc antique

Comme en Algérie, les premiers habitants du Maroc furent les Berbères, mais leur origine et leur histoire sont assez mal connues. On sait que les Phéniciens firent leur apparition à une époque sur les côtes marocaines (fondation de ce qui allait devenir Melilla), relayés par les Carthaginois vers le Ve siècle avant J.-C. (établissement de comptoirs). Peu après, quelques tribus berbères créèrent dans le nord du Maroc le royaume de Maurétanie. Après la chute de Carthage (milieu du IIe siècle avant J.-C.), les Romains s'implantèrent au Maghreb ; au milieu du Ier siècle après J.-C., ils créèrent dans le nord du Maroc la province de Maurétanie tingitane qu'ils administrèrent en profondeur. Sous les Romains, le développement économique architectural et culturel du Maroc fut très important. Il dura jusqu'au milieu du IVe siècle après J.-C. Puis ce fut l'effondrement de l'Empire romain, l'invasion des Vandales (éphémère) et celle de Byzance. Les Byzantins n'occupèrent réellement que quelques points de la côte méditerranéenne. Le terrain se révéla d'emblée favorable pour la conquête arabe.

La conquête arabe

Partie d'Arabie, l'expansion arabe vers l'Ouest atteignit l'Égypte en 640, progressa en Cyrénaïque (l'actuelle Libye) quelques années plus tard, pour atteindre l'Ifriquia (actuelle Tunisie) vers 670 (fondation de Kairouan). La conquête du Maghreb proprement dite se heurta à une vive résistance des Berbères et s'acheva vers 705. On raconte que Sidi Oqba, le chef arabe, atteignant la côte atlantique, pénétra à cheval dans la mer et prit Dieu à témoin que seule celle-ci l'empêchait d'aller combattre plus loin... La conquête du Maroc servira de point d'appui à celle de l'Espagne. Les Arabes possédaient un empire allant de la Perse à l'Atlantique. A l'évidence, un territoire trop difficile à contrôler de Bagdad ; des révoltes berbères amenèrent la constitution de royaumes indépendants.

Le royaume idrīside

Idrīs Ibn Abdallah, descendant du prophète Mahomet par sa fille Fatima, échappant au massacre de sa famille par le calife abbaside de Bagdad, arriva à Volubilis en l'an 788. Il réussit à séduire une tribu berbère – les Aouraba – et à s'en faire élire chef. Son fils, né de sa concubine berbère deux mois après sa mort, fut lui aussi reconnu par la même tribu comme héritier et chef. Idrīs II fonda la ville de Fès et parvint à rassembler les Berbères du nord du Maroc en un seul royaume. Mais, à sa mort, ce royaume fut partagé entre ses fils.

Les grandes dynasties berbères

Désireux de propager leur conception d'un islam orthodoxe, mais aussi poussés par un besoin d'expansion économique, de grands nomades caravaniers originaires du Sahara occidental progressèrent vers le centre du pays à la force des armes. En 1061, leur chef, Youssef ben Tachfin, établit la dynastie des *Almoravides*. Ils fondèrent la ville de Marrakech (1070) et étendirent leur domination sur tout le Maroc et une grande partie de l'Espagne. « Amollis » par la « douceur andalouse », en butte aux offensives chrétiennes en Espagne et à de redoutables contestations au Maroc, les successeurs de Youssef furent rapidement confrontés à une nouvelle puissance venue elle aussi du Sud. En 1125, Mohammed Ibn Toumert – un Berbère originaire d'une tribu de l'Anti-Atlas – s'installa à Tinmel, dans le Haut Atlas, et commença à prêcher une réforme des pratiques musulmanes et de la théologie. Cet homme lettré, puritain et intransigeant, se sentait investi d'une « mission divine ». A sa mort, il nomma Abd El-Mou'men, un Berbère d'Alger, comme successeur. Excellent soldat et homme d'État, Abd El-Mou'men instaura la dynastie des *Almohades* à la place des Almoravides. Pendant plus d'un siècle, à l'apogée de la puissance berbère, les Almohades régnèrent sur un empire s'étendant de l'Espagne à la Libye. Bon nombre de monuments civils ou religieux datent de cette époque et sont l'œuvre du sultan Yacoub El-Mansour. Mais les succès de la reconquête chrétienne en Espagne provoquèrent l'effondrement des Almohades, auxquels succédèrent, de 1258 à 1465, les *Mérinides*.

– *Les Mérinides :* Abou Youssef Yacoub, chef d'une tribu zénète, celle des Beni Merine, ne peut accepter cette défaite. Après s'être emparé de Marrakech en 1269, il entraîne ses troupes à la reconquête de l'Espagne et fonde, au passage, en 1248, Fès-el-Jédid qui aura la particularité de posséder un quartier juif placé sous la protection du sultan. Mais les Mérinides doivent affronter d'autres tribus rivales, très supérieures en nombre, et lutter contre les troupes catholiques espagnoles. En 1492, Ferdinand d'Aragon et Isabelle de Castille reprennent la ville de Grenade, provoquant la chute des Mérinides. A la même époque, le roi du Portugal, Henri le Navigateur, s'empare d'un certain nombre de villes dans l'actuel Maroc et fonde des comptoirs à Tanger et à Safi.

– *Saadiens et Alaouites :* une famille originaire d'Arabie et implantée dans la vallée du Drâ décide de chasser l'envahisseur et organise une véritable guerre sainte. Les Saadiens réussissent à reprendre Agadir en 1541 puis, progressivement, la totalité des comptoirs portugais, à l'exception de celui de Mazagran, l'actuelle El Jadida. En 1578, lors d'une bataille, les troupes portugaises sont vaincues et leur souverain tué. Les Saadiens triomphent. Mais pour un quart de siècle seulement car, rongé par les querelles intestines, leur dynastie ne peut conserver le pouvoir. Leur dernier chef, Mohammed XII (1636-1654), exerça une politique extrêmement favorable au monde chrétien, ce qui déclenchera une montée de fanatisme dans les milieux islamistes. Les Alaouites, au sang mêlé (berbère et arabe), descendaient du gendre du prophète. Ils étaient austères, menaient une vie pauvre, méditative et vertueuse. En 1649, ils prirent Fès d'assaut puis, en 1668, ce fut le tour de Marrakech. C'est cette dynastie qui est toujours sur le trône actuellement, représentée par l'actuel roi du Maroc, Hassan II.

Moulay Ismaïl, le frère du fondateur de cette nouvelle dynastie, fut surnommé par les historiens « l'assoiffé de sang » !

Les débuts de l'ère coloniale

La prise d'Alger par la France, en 1830, suscita de vives réactions au Maroc qui prit alors parti contre les nouveaux occupants. Moulay Abd Er Rahman en profita pour tenter de s'emparer de Tlemcen, puis il noua des intrigues avec l'émir Abd El-Kader contre l'autorité française en Algérie pour, finalement, se laisser entraîner dans une guerre ouverte contre la France. Les troupes chérifiennes furent écrasées à la bataille d'Isly par le général Bugeaud – qui devait posséder une drôle de casquette puisqu'elle fit l'objet d'une chanson connue de tous les gamins ! Les Marocains se virent contraints de signer la paix en 1844, ce qui permit à la France d'achever sa conquête de l'Algérie.

Algésiras : un contrat d'ingérence totale

Intronisé à l'âge de quatorze ans, le jeune et inexpérimenté souverain chérifien Abd El-Aziz (1894-1908) eut bien du mal à s'en sortir, d'autant plus que des mouvements de révolte éclatèrent au cœur du pays et que les Européens n'attendaient que ça pour intervenir et se partager le gâteau nord-africain. En effet, beaucoup de nations commençaient à s'intéresser de près au Maroc et à son trafic caravanier. D'ailleurs, l'Allemagne prussienne y fit un débarquement très « médiatique » pour l'époque, avec l'empereur Guillaume II à sa tête...

Réunies à Algésiras en 1906, les grandes puissances occidentales tinrent une conférence internationale et réglèrent le sort du Maroc. La France abandonnait ses prétentions sur l'Égypte, mais, en contrepartie, elle obtenait le champ libre au Maroc. Au fil des années, elle consolida sa position et la route était désormais ouverte vers le protectorat français.

Les années de tutelle française

Le traité de protectorat fut signé le 30 mars 1912 entre le sultan et la France, représentée notamment par le maréchal Lyautey. Le Maroc fut en fait divisé en deux zones, l'une française et l'autre d'influence espagnole (le Rif), et Tanger devenait zone franche internationale. Lyautey y assura les fonctions de résident général (gouverneur, en quelque sorte) de 1912 à 1925. Mais, dès 1919, des foyers d'insurrection éclatèrent dans le Rif espagnol où une république fut proclamée en 1922. La révolte s'étendit aux régions contrôlées par la France, qui intervint alors : la pacification ne prit fin qu'en 1926 avec la reddition de leur chef, Abd El-Krim. Quels qu'aient pu être les inconvénients du protectorat et quoi que l'on pense de l'ingérence d'un État dans les affaires d'un autre, les Marocains reconnaissent que cette courte phase de l'histoire du Maroc leur permit d'accéder aux infrastructures et aux avantages des pays dits développés. Et cela, le Maroc le doit beaucoup aux talents d'organisateur et d'administrateur du maréchal Lyautey...

L'accession à l'indépendance

Un fort courant nationaliste se manifesta dès 1930. Et pourtant, les autorités françaises avaient finalement accordé aux Berbères un statut juridique fondé sur leur propre code de lois. Des troubles éclatèrent, encouragés par le succès d'autres peuples dans leurs tentatives pour recouvrer leur indépendance. Et cela d'autant plus que la Seconde Guerre mondiale affaiblissait leurs colonisateurs. Le roi Mohammed V se rallia en 1944 à la cause du parti de l'*Istiqlal* (indépendance) et, pour la peine, se retrouva destitué, puis exilé à Madagascar en 1953. Devant l'extension du mouvement nationaliste, les autorités ramenèrent le sultan de son exil deux ans plus tard, prélude à l'indépendance. Celle-ci fut reconnue le 2 mars 1956.

Quelques dates essentielles

- VIIᵉ siècle : les Arabes envahissent l'Afrique du Nord.
- VIIIᵉ et IXᵉ siècles : dynasties berbères.
- IXᵉ-Xᵉ siècles : les Idrisides.
- XIᵉ-XIIᵉ siècles : les Almoravides.
- XIIᵉ-XIIIᵉ siècles : les Almohades.
- XIIIᵉ-XVᵉ siècles : les Mérinides.
- XVIᵉ-XVIIᵉ siècles : la renaissance saadienne.
- XVIIᵉ siècle : la dynastie alaouite.

- 1844 : guerre franco-marocaine à la suite de l'intervention française en Algérie. Les Marocains sont vaincus à la bataille de l'Isly. Le prince de Joinville bombarde Tanger et Mogador.
- 1880 : la conférence de Madrid reconnaît le Maroc comme pays indépendant mais n'interdit pas une intervention économique des grandes puissances.
- 1890 : traité commercial entre l'Allemagne et le Maroc.
- 1905 : Guillaume II d'Allemagne prononce, à Tanger, un discours dans lequel il prend la défense de l'Islam. Son intervention provoque une véritable crise internationale.
- 1907 : intervention des troupes françaises à la suite d'une émeute sanglante à Casablanca.
- 1912 : le protectorat ; Lyautey premier commissaire-résident général de la France au Maroc.
- Novembre 1942 : les Alliés débarquent à Casablanca.
- 1943 : conférence de Casablanca réunissant Roosevelt, Churchill et de Gaulle.
- 1947 : revendication de l'indépendance par le sultan Sidi Mohammed ben Youssef.
- 1953 : Sidi Mohammed ben Youssef, déchu de son trône, est placé en résidence surveillée à Madagascar, suite à un accord des autorités françaises et du Glaoui de Marrakech.
- 1955 : retour du Sultan et ralliement du Glaoui de Marrakech.
- 2 mars 1956 : indépendance.
- 26 février 1961 : mort de Mohammed V.
- 3 mars 1961 : Hassan II succède à son père.
- 1971 et 1972 : complots avortés.
- 6 novembre 1975 : la Marche verte. 350 000 volontaires, marchant jusqu'à la frontière du Rio de Oro, mettent un terme à la présence espagnole au Sahara occidental. Ce territoire, d'abord partagé entre le Maroc et la Mauritanie, revient en totalité au Maroc en 1979.
- 1987 : le Maroc demande à adhérer à la C.E.E.
- 16 mai 1988 : rétablissement des relations diplomatiques avec l'Algérie.
- 5 juin 1988 : réouverture de la frontière algéro-marocaine. Les visas, jusque-là difficilement accordés, ne sont plus nécessaires pour Algériens et Marocains.
- Octobre 1993 : réforme du statut personnel des femmes.
- Février 1994 : violentes émeutes islamistes sur le campus de Fès.
- Juillet 1994 : libération de 400 détenus, dont de nombreux prisonniers politiques.

Horaires

Pour les banques et les musées, voir aux rubriques qui traitent de ces sujets.
Les magasins des médinas sont souvent fermés le vendredi. Les autres n'ont pas d'horaires fixes, mais ils ferment aussi le vendredi ou le samedi et, toujours, le dimanche. Dans les centres touristiques, les magasins destinés aux touristes sont ouverts tous les jours et ne ferment que très tard dans la nuit.

Langues

– *L'arabe :* la langue du Coran a été importée d'Orient par les conquérants islamiques. Maintenant, comme dans tous les pays arabes, on distingue l'arabe classique (ou littéraire, accessible aux lettrés), qui est la langue de l'éducation, de l'Administration et des médias, de l'arabe dialectal, langage parlé qui varie selon les régions et selon les classes sociales. L'arabe dialectal, quoique parlé par tous les Marocains, n'est pas la seule langue du pays.
– *Le berbère :* la deuxième langue, pratiquée par les Marocains originaires des régions au sud de Marrakech jusqu'à Bou Izarkane, au sud de Tiznit. Le berbère est une langue uniquement parlée et comprend de nombreux dialectes : le rifain dans la région du Rif, le braber dans le Haut et le Moyen Atlas, le chleuh, la plus ancienne langue connue de l'Afrique du Nord. Une autre langue, proche de l'arabe, est le *hassania,* parlé dans les régions de Goulimine et de Tan-Tan.
– *Le français :* la majorité des Marocains ayant fréquenté l'école parle notre langue, et souvent très bien, parce que son enseignement est pratiqué dès l'école primaire. On constate, toutefois, que l'anglais est devenu la langue de communication des jeunes au détriment de la nôtre. La seconde langue étrangère est l'espagnol, principalement dans le nord.
Pas question d'apprendre l'arabe pendant votre séjour, mais quelques mots vous permettront de communiquer plus aisément et de mieux vous intégrer. Ils amuseront à

coup sûr vos interlocuteurs. Essayez d'apprendre à compter, vous paierez ainsi moins cher dans certains souks ; cela fera de l'effet auprès du marchand.

Compter

Un	*wâhed*	Six	*setta*
Deux	*zouje*, ou *tnîn*	Sept	*seb'a*
Trois	*tlâta*	Huit	*tmania*
Quatre	*arb'a*	Neuf	*ts'eud*
Cinq	*khamsa*	Dix	*'achra*

Formules de politesse

Bonjour	*sebah el kheir*	Combien ?	*ach-hal ?*
Bonsoir	*msa el kheir*	C'est bien	
Bonne nuit	*lila mebrouka*	d'accord	*ouakha*
Au revoir	*besslâma, Allah ihennikoum*	Non	*la*
		Merci	*choukran, barak allahou fik*
Comment ça va ?.	*ouâch khbâr-ek ?*		
Ça va bien	*labes*	Monsieur	*Si* (à un lettré), *Sidi* (à un noble ou un chérif)
Soyez le bienvenu	*ahlên*		
S'il vous plaît	*min fadlak*	Madame	*Lalla*
Oui	*n'am*		

Le temps

Dimanche	*nhâr el had*	Soir	*'achîya*
Lundi	*nhâr el tnîn*	Nuit	*lil*
Mardi	*nhâr el tlata*	Hier	*elbarah*
Mercredi	*nhâr el arb'a*	Aujourd'hui	*el yoûm*
Jeudi	*nhâr el khémis*	Demain	*ghedda*
Vendredi	*el jma'*	Après-demain	*b'âd ghedda*
Samedi	*nhâr es sebt*	Heure	*sa'a*
Jour	*nhâr*	Demi-heure	*nous sa'a*
Matin	*sbah*	Quart d'heure	*rbou'sa'a*
Midi	*letnach*		

Circuler

Autobus	*tobis, hafila*	Express	*mostaajal*
Avion	*tayara*	Gare	*mahatta*
Bagages	*hwayaj, bagaj*	Rapide	*sarîî*
Billet	*bitaka*	Train	*kitar*
Correspondance	*mahattat tabdîl*	Valise	*chanta* (ou *hakiba*)
Douane	*diouana*		

Quelques phrases usuelles

Comment dit-on ... en arabe ?	*kif tkoulbal Arbia ?*	Je voudrais une chambre	*bghit bit*
Je ne sais pas	*ma araftchi*	Lit à deux places	*frach dial zouj nas*
Je ne comprends pas	*ma fhamtchi*	Meilleur marché	*rkhiss*
Quel est le prix ?	*chhal tamane ?*	Montrez-moi la chambre	*warini biti*
Donnez-moi ma note	*ateni hsabi*		

Livres de route

– **Les Voix de Marrakech,** d'Elias Canetti (éd. Albin Michel ; Biblio-poche, 1967). Canetti ressent Marrakech mieux que personne, ou exprime mieux que personne ce que chacun ressent. On reste ébahi devant une telle performance de la sensibilité et de la technique. Essayez toujours de décrire les pensées du chameau qu'on mène à l'abattoir et l'apitoiement qu'il vous inspire, sans verser dans le ridicule ; Canetti le fait, et sans hésiter nous le suivons.

– **La Mission,** de Friedrich Dürrenmatt (éd. De Fallois/L'Age d'Homme ; Biblio-poche,

1986). Le désert a ses secrets ; le grand écrivain suisse allemand nous y promène à nos risques et périls. Ce livre est une belle introduction à Marrakech et à l'Atlas marocain. Sa forme peut sembler très expérimentale : vingt-quatre chapitres constitués chacun d'une seule phrase – vingt-quatre phrases, donc, pour tout le monde ! Pourtant, il n'y a rien d'ennuyeux dans ce procédé, et le livre se lit avec un intérêt croissant du début à la fin. Du grand art.

– *Tanger,* de Daniel Rondeau (éd. Quai Voltaire, 1987). Daniel Rondeau a erré dans Tanger suivant les traces de peintres et d'écrivains. La ville aux ombres et aux senteurs multiples l'envoûte comme ses prédécesseurs, et c'est avec la curiosité d'un ethnologue et la passion d'un amateur d'art qu'il fouille les malles de Delacroix, retrouve l'hôtel de Matisse, fréquente les amis berbères du Rolling Stone Brian Jones, enquête sur les manies de Beckett, Morand, Truman Capote ou Tenessee Williams qui, tous, séjournèrent dans la cité blanche, carrefour des mers et des continents.

– *Destination inconnue,* d'Agatha Christie (éd. Librairie des Champs-Élysées ; Le Masque, 1955). Méfiez-vous si vous devez visiter le Maroc en compagnie d'Hilary Craven, car vous n'arriverez peut-être pas à destination ! Quelques jours à Casablanca, certes, et une escale à Fès. Après avoir parcouru les ruelles de la vieille ville, vous n'arriverez pourtant pas à Marrakech, car vous finirez votre séjour dans un hôpital louche situé en plein désert, à la recherche d'un savant disparu... Un polar exotique, à savourer sous le soleil marocain.

– *La Nuit sacrée,* de Tahar Ben Jelloun (éd. Le Seuil ; Points-Roman, 1987). Curieux destin que celui de cet « enfant de sable », petite fille que son père, humilié, en bon musulman, de n'avoir pas d'héritier mâle, va faire passer pour un garçon. Vingt ans après, son histoire lui est racontée par le même père mourant ; elle décide alors de quitter sa mère et ses sœurs pour vivre en femme dans un corps trop longtemps opprimé. Peut-être aurez-vous la chance d'entendre un soir, sur la grand-place de Marrakech, quelque conteur vous narrer cette histoire étrange, poétique et cruelle, où une part de rêve vient heureusement adoucir la difficile réalité.

– *Après toi le déluge,* de Paul Bowles (éd. Gallimard ; L'Imaginaire, 1955). Exilé à Tanger, Nelson Dyar abandonne son destin aux êtres de passage, comme guidé par d'improbables amours. Paul Bowles distille tout au long du récit ce doucereux poison qui s'empare de son personnage en même temps que du lecteur, celui d'une mystérieuse culture berbère qui envoûta tant d'auteurs américains (Capote, Burroughs, Kerouac...) accourus dans le port marocain après la lecture de ce roman noir.

– *Hécate et ses chiens,* de Paul Morand (éd. Flammarion ; Garnier-Flammarion, 1954). Un homme tombe amoureux d'une femme assez laide. Comme si cela ne suffisait pas, il s'aperçoit peu à peu que, la nuit, celle-ci s'adonne à des orgies sanguinaires avec des adolescents ! Il en devient d'autant plus fasciné par elle. La grande force du roman vient de la manière dont le thème est traité, à travers un récit qui fait frémir d'horreur. Morand a sans doute écrit ici ses pages les plus hallucinantes et les plus inquiétantes, dans le décor d'un Maroc nocturne.

– *Au Maroc,* de Pierre Loti (éd. Christian Pirot, coll. Autour du Monde). Loti est invité chez le sultan de Fès. C'est d'abord la traversée du pays, au rythme des chameaux, qui impose au récit une lenteur sereine, chargée d'émotions : odeurs, couleurs, sons et musique, avec ces quelques « notes grêles et plaintives comme des bruits de gouttes d'eau » qu'un des chameliers « tirait de sa petite guitare sourde ». On se laisse séduire par cet univers envoûtant fait d'impressions fugitives. Écrit il y a un siècle, ce livre est l'un des plus beaux textes consacrés au Maroc.

– *Le Crabe aux pinces d'or,* album de Tintin « historique », puisque c'est dans cette aventure que notre petit blondinet lisse rencontre le capitaine Haddock pour la première fois. L'histoire se déroule en partie au Maroc, encore sous protectorat français. Dans le désert sud-marocain les troupes sont composées d'indigènes commandés par des officiers français. Toute la fin de l'histoire se déroule dans un grand port (Bagghar), et l'on devine que Tanger servit de modèle à l'auteur. L'atmosphère exotique est plutôt bien rendue, quoique Hergé n'échappe pas toujours aux habituelles caricatures comme celle du fripier juif à la djellaba élimée et du gardien de mosquée brutal, et aux rapports paternalistes avec les autochtones. Cet album de la première génération (1953) demeure quand même un très bon cru !

– *Le Maroc à nu,* de Michel Van der Yeught (éd. L'Harmattan). Un ouvrage indispensable pour mieux comprendre le Maroc. Selon l'auteur, « on n'apprend pas à connaître le Maroc, on ne peut qu'y être graduellement initié ». Et c'est justement à cette initiation que nous invite l'auteur qui soulève le voile sur la popularité réelle du Trône alaouite, sur la prostitution des garçons à Marrakech, sur l'alcool tant interdit et tant consommé... Avec lui, découvrons la valeur symbolique du pain, le sens profond de la *fantasia* et ce qui se cache sous le grand silence des Berbères. Un livre qui nous introduit dans l'intimité d'un pays que l'on croit tout proche et qui est en réalité infiniment lointain.

Magasins, achats et artisanat

Les magasins des grandes villes ouvrent en général tôt le matin et ferment tard le soir, surtout dans les médinas où vous pourrez faire des achats jusqu'à des heures indues. Les boutiques des médinas sont souvent fermées le vendredi. Les grands magasins suivent cependant un horaire équivalent à celui de la France.

Les coopératives d'État

Elles sont situées dans les centres artisanaux. On paie parfois un peu plus cher que dans les souks, mais on est sûr de ne pas se faire rouler sur la qualité. Dans les souks, malgré les conseils (avisés !) qu'on vous donne plus loin, on n'est jamais sûr d'atteindre le bon prix. Bref, achetez d'abord des babioles dans les souks ; après avoir consulté différents marchands, profitez-en pour vous renseigner sur les prix d'achats plus coûteux. Si vous vous sentez de taille après essais, allez pour les gros achats dans les souks de Marrakech ou Fès, ou encore à Meknès ou Taroudannt. Sinon, rabattez-vous sur la *Coopartim* ou sur les ensembles artisanaux (Fès, Tétouan, Marrakech).

Les épices, les produits exotiques et la toilette

– Le *fliou* (en arabe), herbe qui se roule et se fume quand on est enrhumé.
– Le *ghassoul,* pour la vie des cheveux (sorte d'argile qui les fortifie).
– Le *soek,* écorce de noyer qui sert à se nettoyer les dents (remplace la brosse et le dentifrice).
– Le *khôl,* plus qu'un produit de maquillage, c'est aussi une espèce de médicament, car il lave l'œil de toutes les impuretés.
– Le *sanouge* (en arabe), graines de la nigelle, calme le rhume et la sinusite. Prise avec du miel, cette plante est efficace pour les toux bronchiteuses et pour les douleurs de la colonne vertébrale.
– Des petits pots en terre cuite recouverts d'une substance à base de coquelicot qui sert de rouge à lèvres. C'est original et pas cher. Dans le souk des Pharmaciens, notamment à Marrakech.
– *L'ambre gris,* parfume le thé et calme aussi certaines douleurs.
– Le *musc,* sécrétion des glandes de la civette utilisée comme parfum.
– La *cantharide,* coléoptère, utilisé autrefois comme aphrodisiaque (Sade en glissait dans les bonbons qu'il offrait aux demoiselles) et abortif. On la prend sous forme de poudre dissoute dans du miel ou versée dans le *kawa.* Ne pas en abuser...
– *Ras el hannout* : composé d'un mélange de 13 épices (le nombre 13 est très important) que l'on utilise en cuisine dans le couscous ou dans le tajine. C'est aussi un stimulant qui doit réchauffer tous les organes.
– Le *henné,* pour teindre les cheveux. Pour une fille, si vous avez la chance d'être dans une famille, demandez à vous teindre les pieds au henné. Ça dure quinze jours et ça en fortifie la plante. On peut aussi se teindre les mains. Succès garanti auprès de la population qui vous considérera dès lors comme l'un des siens. L'opération est assez longue ; on peut éventuellement la faire soi-même en se procurant du henné fort et des bandelettes prédécoupées (genre Scotch noir) pour les dessins. Mélanger le henné à de l'eau tiède jusqu'à l'obtention d'une pâte. Coller les bandelettes dans le creux de ses mains et étaler la pâte (monter assez haut jusqu'au poignet et ne pas oublier le haut des doigts). Ne plus bouger et attendre que cela sèche (2 h environ). Impeccable pour un accueil encore plus chaleureux dans les villages et pour un peu plus de tranquillité dans les villes.
Sur les mains, le henné est destiné aux jeunes filles et par extension à toutes les femmes. Sur la plante des pieds, il n'est destiné en règle générale qu'aux femmes mariées.

Zoulis tapis, mon ami

C'est la grande affaire du Maroc, et ce que vous pourrez acheter de plus beau. Le problème c'est que les Marocains pensent que chaque touriste doit repartir avec son tapis. D'où le harcèlement des bazaristes, guides et faux guides qui n'ont de cesse de vous en vendre un à n'importe quel prix ! Maintenant tout le monde en vend et en vit ; le meilleur côtoie souvent le pire. Il n'est pas question de vous faire un cours sur les tapis mais de vous donner quelques indications qui vous empêcheront de vous faire rouler...
Il existe deux sortes de tapis au Maroc : les citadins et les montagnards. Leur fabrication est surveillée par un organisme d'État et des prix officiels sont établis au mètre

carré. L'étiquette bleue désigne un tapis de qualité supérieure, la verte indique une qualité courante alors que la jaune est réservée à la qualité moyenne.

La couleur de l'étiquette indique donc qu'il y a au moins tant de nœuds au mètre carré, que les nœuds respectent des types définis, etc. Un autre indice visuel : le dessin doit vous apparaître net et non pas légèrement flou, ou du moins avec des lignes droites et non pas ondulantes. Brosser la laine au niveau des dessins, avec la main, pour bien la mettre droite, puis regarder. Pour un très bon tapis, on n'a pas besoin de brosser. Autre indice de qualité : les bords du tapis doivent être droits, et non pas légèrement ondulants. Enfin, sachez que ce qui fait sa valeur est non seulement sa qualité, mais aussi sa beauté, son charme. L'important est que ça plaise !

Ne pas se laisser impressionner par le temps de travail passé à sa réalisation : la matière première compte autant. La laine est quelque chose de noble et qui joue un rôle important dans la maison marocaine. On se déchausse toujours avant de fouler un tapis. Il constitue le seul ameublement de la tente nomade.

Avant tout achat, prendre son temps, écouter tout ce que raconte le marchand, faire la part du vrai et du faux. Acheter un tapis peut prendre une journée pour la négociation. Après avoir visité plusieurs boutiques vous aurez collecté des renseignements et acquis une certaine expérience des différentes qualités. Si vous faites une bonne affaire, vous le paierez quatre à six fois moins cher qu'en France. Il vous coûtera d'autant moins cher que vous ne le ferez pas expédier : frais d'expédition en moins, et surtout T.V.A., si l'on ne vous pique pas à la frontière française (T.V.A. à acquitter). Les commerçants acceptent presque toujours les cartes de crédit, les chèques postaux ou les chèques bancaires.

Dans les tapis citadins, on trouve principalement ceux de Rabat, inspirés de tissages d'Anatolie, dont les premiers spécimens ont été introduits au Maroc il y a deux siècles. Ils comportent généralement un motif central, la *Kouba*, d'une chaude tonalité, entouré de motifs floraux ou géométriques inspirés des modèles turcs.

Les tapis ruraux sont de couleurs différentes suivant leur origine. Ceux de teintes vives, garance et cochenille proviennent de Tazenakht, dans le Sud. Les tapis du Haouz, à fond rouge garance, sont chargés de mystérieux dessins. Les *chichaoua* sont rouge ou ocre et unis. Dans le Moyen Atlas, on préfère les couleurs beiges. A Ouarzazate flambent le rouge, le bleu et le blanc alors que dans les couleurs préférées des tribus des Aït Glaoua on retrouve le noir, l'orange et le jaune.

L'achat d'un tapis est affaire de coup de cœur. Ne pas hésiter à se laisser séduire et aller voir les ateliers où les ouvrières travaillent avec une dextérité étonnante.

A noter que l'on trouve aussi des tapis tissés appelés ici *henbel* ou *hendira*, mais que tous les bazaristes nomment *kilim*, ce mot étant plus familier des touristes. Attention, il existe, depuis quelques années, des fabriques de tapis synthétiques. Pour vérifier si la laine est bien naturelle, arrachez-en un bout à l'envers du tapis (n'ayez crainte, tous les marchands de tapis le font). Mettez-y le feu. La laine ne se consume pas et cela doit sentir le mouton grillé.

Les plateaux et la dinanderie

Il y a peu de différence de prix entre un plateau de cuivre martelé, un autre gravé et un troisième ciselé. Et cependant chaque opération demande un savoir-faire croissant et un peu plus de travail. Le savoir-faire étant aussi mal payé que le travail, on a intérêt à mettre un peu plus pour avoir le plateau ciselé.

Si vous achetez du bronze au lieu du cuivre, vous paierez un peu plus cher aussi, parce que les matières premières sont coûteuses. D'ailleurs, pour éviter de vous faire rouler, faites sonner avec un ongle le plateau tenu en équilibre sur trois doigts. Si le son s'éteint tout de suite, c'est du cuivre, sinon c'est du bronze. De nombreux artisans ont un diplôme de qualité obtenu dans des foires du pays. C'est un bon indice de qualité dans le travail, et les prix ne sont pas pour autant majorés. Sachez enfin que les motifs décoratifs gravés sur les tableaux représentent très souvent des œuvres d'art existantes (plafond, portes de monuments, etc.).

Les outils sont simples : un compas, un marteau et un poinçon. Mais il faut beaucoup de talent à l'artisan pour faire surgir tous ces entrelacs et ces arabesques dans lesquels s'inscrivent des motifs floraux. Si le plateau reste la pièce la plus classique, il ne faut pas oublier pour autant les boîtes à sucre ou à thé, les chandeliers, les aiguières, les bouilloires et les lanternes ciselées équipées de verres multicolores.

Le cuir

D'où viennent, selon vous, les mots maroquinerie et maroquin (ce portefeuille dont rêvent les ministrables) ?

La vanne la plus courante, c'est de rapporter un pouf en cuir de gazelle et de voir les

copains rigoler ! Le cuir de gazelle, c'est aussi dur à attraper que le bestiau en question, et les souks n'en recèlent guère, bien que les marchands vous divisent leur marchandise en autant de merveilleuses catégories : mouton, lapin, chameau, gazelle, voire antilope et même zébu... Tout est du mouton ! Si on vous dit que c'est de la gazelle, demandez combien ça coûterait si c'était en mouton. Si, par un funeste hasard, ce n'était pas du mouton, le souk entier serait ameuté et vous auriez l'air d'un idiot, mais au moins, vous saurez la véritable nature du cuir.
Contrairement à ce qu'on voit en France, le cuir est très bon marché mais la qualité n'est pas géniale. Ouvrez l'œil et le bon avant d'acheter.
Offrez-vous des babouches. C'est moins cher et plus solide qu'une vulgaire paire de chaussons. Elles sont toujours faites à la main, comme vous pourrez le constater dans le souk des maroquiniers de Marrakech. Les routardes se laisseront séduire par la *choukhara*, cette sorte de petite gibecière que les anciens portent encore en bandoulière pour se rendre au souk. Certaines, bien travaillées, peuvent faire de jolis sacs à main. Pourquoi ne pas acheter des sandales ? Leur prix est dérisoire.
Les techniques de travail du cuir varient selon les régions : à Marrakech, on le brode avec des soies de couleur ou de fines lanières de peau ; à Fès, les artisans sont réputés pour les dorures qu'ils appliquent sur les maroquins teints en vert ou en rouge ; à Rabat, on est plutôt spécialisé dans le cuir repoussé. Enfin, on trouve des vêtements en cuir à des prix intéressants quoique la finition laisse souvent à désirer.

Les étains, les poinçons

Signe distinctif de qualité à exiger : ils doivent être frappés d'une mouche au fond. D'ailleurs, tous les produits artisanaux doivent être frappés d'un poinçon s'ils sont en métal noble : argent, or, étain, etc., en sachant que les tolérances sont plus larges qu'en France sur la qualité, et qu'il y a divers degrés de qualité pour divers poinçons. Le poinçon est une garantie sur la nature du métal prépondérant dans l'alliage, en quelque sorte !

Minéraux et fossiles

Le Maroc est un paradis pour la géologie. Les pierres constituent de jolis (mais parfois lourds) souvenirs à rapporter. Un peu partout, au bord des routes, on vous proposera des pierres.
Aux alentours de Midelt, des vanadinites et des barytines. Vers Rissani-Erfoud-Merzouga, de magnifiques ammonites (mollusques fossiles à coquille enroulée) vieilles de plusieurs millions d'années. Sur la route Marrakech-Ouarzazate, de belles améthystes, mais attention aux vulgaires cristaux passés à l'encre violette. Il suffit d'humidifier un doigt et de frotter un cristal. Résultat : vous avez le doigt violet. Quant aux paillettes couleur or, c'est kif-kif. Dans la région de Tazzarine, il y a des carrières de fossiles « privées » (les Marocains se les approprient). On peut se rendre sur place et payer un ouvrier qui va chercher et dégager le fossile. Quant aux guides de la région, ils se présentent comme des étudiants en géologie et demandent des prix aussi élevés que l'âge des fossiles.

Bijoux et orfèvrerie

Les plus typiques sont en argent (théoriquement...). On dit que certains bijoux berbères sont fabriqués en France et d'une manière industrielle. Pour vous prouver que vous achetez bien de l'argent, le vendeur lèche son pouce, le trempe dans la terre et frotte le bijou avec ; il vous exhibe alors le pouce noirci par le métal, mais en fait le pouce serait également noirci avec un bijou en fer-blanc...
Normalement, les bijoux d'argent se négocient au poids. Les pièces anciennes sont rares et pour ainsi dire inexistantes mais les artisans joailliers ont su reproduire des motifs traditionnels et réaliser parfois de belles copies. Même chose pour les lourds colliers de pierres semi-précieuses que portent les femmes du Sud. Tout ce que vous pourrez acquérir ne sera que copie. Attention donc aux prix demandés.
Les routards se verront proposer des poignards à lame recourbée que les paysans portent encore les jours de souk ou de fête. Il s'agit plus d'un élément du costume que d'une arme. Le manche est fait de bois et le fourreau incrusté d'argent. L'ensemble se porte au côté gauche de la taille, maintenu par un cordon.

Les poteries

Elles constituent un souvenir original mais souvent encombrant et fragile. On trouve un peu partout un grand choix de faïences et de céramiques décorées d'émaux vitrifiés. Les pièces les plus réputées sont les faïences de Fès, principalement les plats (*ghotar* ou *mokfia*), les jarres *(khabia)*, les pots à beurre *(gellouch)* ou encore les pichets *(ghorraf)*, que l'on peut admirer dans les musées. Mais les potiers savent les copier avec beaucoup de talent. C'est ainsi qu'ils font revivre sous leurs pinceaux des motifs traditionnels datant parfois de plusieurs siècles. Ils savent si bien reproduire que vous pouvez même leur commander du sur mesure. A proximité de Rabat-Salé, des potiers peuvent vous exécuter un service de table sur commande avec le décor que vous leur soumettez.

Dans les boutiques, on trouve surtout des plats avec de belles couleurs comme le bleu de Fès, ainsi que des potiches qui peuvent se transformer, au retour, en pied de lampe. Les artisans réussissent aussi dans la réalisation de pièces contemporaines très décoratives. Si la poterie artisanale est répandue dans tout le Maroc, ce sont surtout à Fès, Meknès, Safi et Marrakech que les potiers ont plus d'un tour... pour vous séduire par leurs créations.

Les couvertures en laine

Le tissage plus ou moins serré se voit par transparence au jour. Les couvertures parfaites sont quasiment opaques. Le second grand critère de qualité est la matière première. Les couvertures en laine sont bien sûr plus chaudes que celles en coton.

Il y a deux tailles de base : 1,50 m × 2 m et 2 m × 3 m.

Les prix ne sont pas exactement proportionnels à la surface, une petite couverture nécessite un peu plus de boulot qu'une grande. Les motifs et les dessins innombrables varient suivant les régions.

Le bois travaillé

Les artistes marocains ont toujours été très habiles dans le travail du bois. Il suffit de regarder les magnifiques plafonds de la nécropole saadienne de Marrakech ou les lourdes portes des anciennes demeures. On peut voir dans les souks de Marrakech la fabrication des échiquiers et le tournage des éléments destinés aux moucharabieh ou encore les incrustations de lamelles de bois de différentes essences qui feront d'un plateau de table une véritable broderie. Mais c'est à Essaouira que l'ébénisterie et la marqueterie sont le plus remarquable. On y travaille la racine de thuya, un bois chaud et odorant (voir à Essaouira dans notre chapitre « Achats »). Ces objets ont, de plus, l'avantage d'être bon marché et de qualité. Rien à voir avec la pacotille de certains bazaristes.

La vannerie

Pourquoi ne pas acheter un grand couffin comme celui utilisé par les ménagères marocaines ? Il vous permettra de transporter vos achats, au retour, et pourra vous servir en France pour aller au marché. Les vanniers tressent aussi des sacs de différentes tailles, des corbeilles, des dessous de plats et des chapeaux. Très originales sont aussi les panières berbères. De base cylindrique et fermées par un cône formant couvercle, elles servent à conserver les pains ronds et les plats au chaud. Toujours faites de paille tressée, certaines ont des motifs colorés et une petite décoration de cuir au sommet.

A Inezgane, à la sortie d'Agadir, on trouve de nombreux objets en roseau : fauteuils, suspensions, etc., pour un prix dérisoire. L'inconvénient, c'est que la plupart de ces objets séduisants sont encombrants.

Si vous avez oublié d'acheter un cadeau sur place, vous pouvez encore le faire, à Paris, après votre retour en vous rendant dans le petit souk de la mosquée de Paris, place du Puits-de-l'Ermite, 75005. ☎ 43-31-18-14. Ouvert de 11 h à 21 h 30. Le destinataire n'en saura rien.

Médias

Radio

Les stations marocaines émettent de nombreuses émissions en langue française. Il est possible aussi de capter de nombreux postes de l'Hexagone comme France Inter, Europe 1, R.M.C., etc., mais les conditions d'écoute sont très mauvaises si on ne possède pas un matériel adapté. En revanche, on capte de nombreux postes espagnols. Évidemment, c'est plus près.

Télévision

Il existe une chaîne nationale, une chaîne saoudienne (MBC), totalement arabophone, dont le siège est en Grande-Bretagne, et une chaîne privée 2M codée, sauf de 12 h à 14 h et de 19 h à 20 h 30. Les horaires peuvent être modifiés à l'occasion de fêtes ou d'émissions exceptionnelles. La majorité de ses programmes sont en français. Les antennes paraboliques, très en vogue, permettent de capter par satellites de nombreuses chaînes européennes, américaines et asiatiques.

Journaux

On trouve tous les quotidiens français, le jour même ou le lendemain dans les grandes villes. Les journaux sont moins chers qu'en France. Pour les petites villes nous vous indiquons les points de vente.
Pour les nouvelles locales, une vingtaine de quotidiens dont six d'expression française. Les principaux sont : *le Matin du Sahara, Maroc-Soir, l'Opinion, Libération* (sic) et *Al Bayane*. On y trouve des informations ponctuelles fort utiles : horaires des avions, des trains, festivités locales, expositions, pharmacies et médecins de garde, marées, météo et une multitude d'adresses utiles.

Mosquées

Si le mot français « mosquée » vient de *masdjid*, il ne faut pas se méprendre sur le sens de ce terme. *Masdjid* désigne le prétoire, le lieu où l'on se prosterne (devant Allah). Ce peut être bien sûr la mosquée, mais aussi n'importe quel endroit, pourvu qu'il soit dans un état de propreté et de sacralisation : ainsi un tapis de prière est autant un *masdjid* qu'une mosquée. Le mot « mosquée » se traduit d'ailleurs en arabe par *djamaa* qui a le sens de « rassemblement ». Le vendredi est le jour du rassemblement (*yôm el djamaa*) et aussi le jour de la mosquée, puisque c'est là que l'on se rassemble pour la prière collective.
La première mosquée fut érigée à Médine par le prophète Mahomet pour adorer Allah. Il institua ainsi dans ses grandes lignes ce nouveau style architectural, les autres mosquées s'inspirant de celle de Médine.
La mosquée traditionnelle de type persan se compose, en général, d'une cour, au centre de laquelle se trouve souvent une fontaine pour les ablutions (celle-ci peut être à l'extérieur de l'édifice, ou bien excentrée) et de *liwâns*, c'est-à-dire de sortes de cours couvertes, de préaux, dont les plus éminent est en direction de La Mecque. C'est là que les fidèles se mettent en lignes pour prier ensemble. La direction exacte du temple de La Mecque est indiquée par une sorte de niche, le *mihrab* (que l'on voit précisément représenté sur les tapis de prière). Pour effectuer le prêche à la communauté, l'imâm monte sur une sorte de chaire, que l'on appelle le *minbar*. Enfin, on trouve quelquefois, outre des tribunes ou des estrades aménagées pour les familles royales, des *dikka*, c'est-à-dire des sortes de plates-formes surélevées, où le cheikh s'installe pour dispenser à ses élèves l'enseignement de la Parole divine.
Mais les mosquées au Maroc peuvent être très simples. Ce sont des salles destinées au culte qui se distinguent par leur minaret. L'intérieur, très décevant, est dépourvu de tout élément décoratif, à part quelques tapis ; encore que, souvent, de simples nattes de roseau les remplacent.

La visite des mosquées

Au Maroc, la visite des mosquées est toujours interdite aux non-musulmans. Certains quartiers où se trouvent des lieux de pèlerinage, comme les alentours de la mosquée de Sidi bel Abbès à Marrakech, sont également interdits. Ne pas insister. Il existe toutefois de rares exceptions telles que la grande mosquée d'Hassan II à Casablanca et celle de Meknès (près de la porte Bâb Mansour). On peut, parfois, du toit d'une *médersa*, voir la cour de la mosquée, les vasques pour les ablutions.
Si vous avez la chance de pouvoir pénétrer dans une mosquée, déchaussez-vous. Se déchausser avant d'entrer dans un lieu saint est capital. Et si on vous dit qu'un ami musulman visitant pour la première fois une église en Europe a voulu se déchausser avant d'entrer, vous ne nous croirez peut-être pas. Dommage, parce que c'est vrai. Et ça s'est passé à Notre-Dame de Paris. Si vous voulez faire du zèle, lavez-vous aussi le visage et les mains, de toute façon ça ne leur fera pas de mal.

Musées

Les horaires sont variables et parfois un peu fantaisistes. En général, ils ouvrent de 9 h à 12 h et de 15 h à 17 h 30 et sont fermés le mardi. Le prix de l'entrée est de 10 DH pour les touristes, ce qui n'exclut pas la présence d'un guide accompagnateur qui attend, à la fin de la visite, sa rétribution. Il aura tendance à accélérer le pas et à bâcler la visite (normal, lui, il connaît déjà). Ralentissez son ardeur et profitez du « plaisir des yeux » en vous attardant devant ce qui vous intéresse. Pour une fois, on ne risque pas de vous vendre quelque chose !

Musique et danse

Dans la vie quotidienne, le Maroc offre, aujourd'hui encore, l'image d'un pays où la musique a gardé son rayonnement et le musicien ses privilèges.
Sur cette terre musulmane, on rencontre sans étonnement un amour de la musique qui semble, comme la musique elle-même, venir du fond des âges.
La musique au Maroc comprend de nombreuses et diverses formes d'expression. Dans les milieux citadins, selon le genre et le caractère des réjouissances et cérémonies qui s'y pratiquent, c'est une musique traditionnelle arabe, classique ou populaire. Sa caractéristique principale, en comparaison de la musique berbère ou rurale, c'est que dans son évolution constante, elle a pris avec le temps une certaine liberté vis-à-vis de la poésie et de la danse et est devenue essentiellement instrumentale. Chez les tribus berbères et rurales, il s'agit plus exactement de folklore musical. La musique est souvent indissociable de la danse et de la poésie et a gardé, dans son isolement pastoral, toute son originalité et sa pureté primitives.

La musique classique

Connue sous le nom de musique andalouse, c'est une musique de cour jouée et chantée généralement par des hommes musulmans dans les milieux traditionalistes des grandes villes du Nord, à Fès, Tétouan et Rabat. Elle est surtout un divertissement pour les hommes de lettres et savants, les textes étant toujours d'une grande qualité. Originaire de l'Arabie (Médine, La Mecque), elle est venue jusqu'en Espagne et à cette période, au IXᵉ siècle, a fait son apparition au Maroc.
Après la chute de Cordoue, beaucoup de musulmans arabes sont venus s'installer à Fès et à Tétouan, devenus ainsi les foyers de la musique andalouse au Maroc.
L'orchestre est composé surtout d'instruments à cordes frottées et pincées : *Rébab* (ou rebec, vieil instrument disparu des orchestres occidentaux), violon, luth, cithare, et aussi de percussions comme le tambour de basque *(tar)* et de tambourins en poterie *(tarija* ou *derbouka)*. Les poèmes sont chantés en arabe classique ou dialectal andalou. Cette musique traditionnelle n'est pas notée mais se transmet par l'enseignement auditif.

La musique populaire

Plus variée et plus riche d'imagination, elle ignore en revanche la mesure grammaticale. Ce sont des chansons légères, en langue arabe dialectale, destinées surtout à divertir l'homme de la rue, l'artisan ou le boutiquier. On distingue plusieurs modes d'expression : le *griha*, qui signifie improvisation, réserve une large place au poème et se déroule en un long récitatif scandé par les instruments de percussion... La *aîta* (appel) se chante dans le Haouz de Marrakech : c'est un cri de passion sur une note aiguë qui prélude à des danses lascives exécutées par des femmes au rythme de petits tambourins de terre cuite... Il existe aussi des chants d'escarpolette, qui ont une valeur poétique indéniable... Enfin, la musique de cortège donnée par des orchestres musette et tambours, avec le concours de la longue trompette droite, le *n'fir*, pour toutes les processions, fêtes familiales ou religieuses.

La musique berbère ou rurale

Inspirée de la nature de la campagne marocaine, au seul rythme résonnant du *bendir* (cadre circulaire en bois tendu de peau de chèvre) ; les chants et danses des tribus rurales sont de magnifiques spectacles. Ils changent de caractère selon l'endroit, selon la tribu.

Les danses

Il vous sera certainement donné d'assister à quelques danses folkloriques. Elles sont le plus souvent collectives. La plus répandue, dans la région du Moyen Atlas, est l'*ahidou* qui rassemble plusieurs dizaines d'hommes et de femmes autour d'un meneur de jeu. Les battements de mains scandent la mélodie.

Dans le Haut Atlas, en pays chleuh, on assiste à l'*aouach,* dansée par des femmes alors que les hommes donnent le rythme en frappant les bendir.

A Guelmim et dans une partie de la région saharienne, on peut assister à la *guedra,* danse qui tire son nom des tambours de terre sur lesquels on a tendu une peau de chèvre. Les musiciens entourent une femme accroupie voilée de noir dont les mains s'animent comme des marionnettes en suivant le rythme lancinant des tambourins. Lorsque celui-ci s'accélère, la danseuse ondule en cadence et se libère peu à peu des voiles qui la couvrent. Rien à voir cependant avec un strip-tease de Pigalle. Le rythme atteint un paroxysme délicieusement érotique.

Les gnaouas, descendants d'esclaves noirs, ont conservé leurs rythmes africains. Ils s'étourdissent, grimacent, sautent, voltigent en suivant la cadence frénétique des crotales. On peut assister à leur démonstration place Jemaa-el-Fna à Marrakech ou, mieux, dans quelques restaurants où ils se produisent parfois. C'est un spectacle inoubliable lorsque les danseurs en transe, sous l'effet de la musique et... de stimulants, font tournoyer en cadence le pompon de leur bonnet orné de coquillages et s'enivrent de sons jusqu'à l'extase.

Photo

Les amateurs seront comblés. Les paysages et les monuments sont magnifiques. Quant à la lumière, elle est souvent exceptionnelle. On peut photographier librement partout, sauf dans les zones militaires et dans certains musées. Dans les autres, un droit sera exigé. Les Marocains n'aiment pas être photographiés. Il convient donc toujours de demander l'autorisation avant d'opérer. En cas de refus, ne jamais insister. En cas d'acceptation, attendez-vous, dans certains cas, à devoir verser une petite rétribution. A Marrakech, place Jemaa-el-Fna, chaque déclic est payant. Les porteurs d'eau, eux, sont devenus des figurants qui ne vivent que du tourisme. Négocier le prix avant de les photographier. Même chose pour les montreurs de serpents.

On trouve désormais des pellicules des principales marques un peu partout au Maroc. Toutefois si vous êtes habitué à une émulsion bien particulière, il est préférable d'apporter vos films. En achetant sur place, veillez toujours à contrôler la date d'expiration et refusez les films qui ont fait la vitrine en plein soleil. Le développement rapide devient de plus en plus intéressant mais, si vous êtes exigeant, pour des tirages de grande qualité, attendez quand même de revenir au bercail.

Faites vérifier votre matériel avant le départ ; en cas de panne, il sera difficile de le faire réparer sur place. Un flash pourra se révéler très utile pour faire des photos dans les souks ou à l'intérieur de certains édifices.

Pollution

C'est fou ce que les paysages marocains peuvent être pollués. La négligence et le manque d'informations en sont la cause. Les Marocains ont pris l'habitude de jeter n'importe où tout ce qui les embarrasse (certains endroits en France ne sont pas mieux lotis). Le résultat est consternant. Ne vous étonnez pas de voir voler dans le ciel et s'accrocher aux arbres d'étranges oiseaux noirs dépourvus d'ailes. Il s'agit, en fait, de sacs en plastique qui font le tour des agglomérations au moindre coup de vent. Ne parlons pas des décharges publiques, dépotoirs écœurants à proximité des localités. Les plages en cours de saison sont pour la plupart très sales. On vous fera grâce de l'inventaire de ce que l'on y découvre...

Il est très rare de trouver, en dehors des grandes villes, des poubelles publiques. Un bon point cependant pour la petite ville d'Ifrane qui en dispose. Bravo à sa municipalité.

Les randonneurs commencent aussi à souiller les sentiers de montagne. Si vous participez à un trek, donnez l'exemple en montrant aux accompagnateurs et muletiers comment détruire les restes d'un campement ou d'un pique-nique. Par ailleurs, on vous recommande aussi d'enterrer votre PQ car il résiste longtemps. Laissez de meilleurs souvenirs à ceux qui vous suivront.

Population

Quelques chiffres

27,6 millions d'habitants en 1994 contre 5,8 millions il y a 50 ans.
46 % de la population a moins de 15 ans.
60 % de la population a moins de 20 ans.
70 % de la population a moins de 30 ans.
60 % de la population est berbérophone.
44 % de la population vit en milieu urbain.
50 % de la population vit de l'agriculture.
78 % des hommes et 95 % des femmes en milieu rural sont analphabètes (64 % de moyenne en milieu urbain).
850 000 Marocains travaillent à l'étranger dont 500 000 en France.
60 000 étrangers vivent au Maroc.

Berbères

Au Maroc, les Berbères sont partout. Normal, car ce sont les plus anciens habitants connus du pays, et ils représentent les deux tiers de la population. Leur nom vient du latin *barbarus* car, pour les Romains, le terme de « barbare » servait à désigner tout étranger à leur civilisation. Mais, entre eux, les Berbères s'appellent Imazighen, c'est-à-dire « hommes libres ». Les Berbères résident de Tanger jusqu'à Tafraoute en dessinant un vaste croissant passant par Meknès, l'Atlas (Khenifra, Midelt, Er Rachidia, Ouarzazate), et par le Sous (de Marrakech à Tafraoute, en gros).
Les Rifains (Rif) et les Chleuh qui habitent dans la plaine du Sous et dans les vallées du Dra et du Dadès forment probablement le fonds le plus ancien du groupement berbère. Les Braber sont des nomades ou semi-nomades que l'on trouve essentiellement sur les versants orientaux du Moyen Atlas et du Haut Atlas. Ce sont leurs ancêtres qui fondèrent la dynastie almoravide. Les Zénètes, originaires de l'Algérie centrale, sont plutôt regroupés à l'est et dans le nord du pays. Ils ont subi, principalement dans le Rif, de nombreuses invasions, ce qui explique pourquoi certains Kabyles rifains ont les yeux bleus et les cheveux blonds. Les Normands, entre autres, sont passés par là et ont laissé des souvenirs...
De Tanger à Meknès s'étend le Rif, longtemps inaccessible à cause des montagnes. Maintenant, les Rifains sont unanimement surnommés les « vacanciers », parce qu'ils sont souvent travailleurs immigrés en France et ne reviennent que pour les vacances !
Les Berbères de l'Atlas, semi-nomades, cultivent la terre, assez riche dans le Moyen Atlas ou desséchée par le soleil le long de la route des Mille Kasbah (de Er Rachidia à Ouarzazate), sauf dans les oasis. Lesdits Berbères ne sont pas toujours pauvres... Beaucoup ont fait des études, occupent des postes importants à travers le Maroc. Mais on les voit toujours liés à leur village d'origine, à leur famille (on dirait, presque, à leur tribu). Les Berbères de l'Atlas ont cependant un niveau de vie moyen inférieur à celui des Rifains et des Soussis.
Les Soussis, habitants du Sous, sont très connus pour leurs aptitudes commerciales, surtout ceux de la tribu des Ammeln, près de Tafraoute. Dans les souks, on vous proposera peut-être le crédit berbère : « Vous payez la première partie tout de suite et la seconde avant de sortir du magasin. » La plupart des épiceries-bazars des petites villes sont soussis, voire ammeln. De même à l'étranger, avec les immigrés. Allez voir l'épicier marocain près de chez vous, il y a de fortes chances qu'il soit soussi.
Attention, au sud de Er Rachidia (Erfoud, Rissani, Taouz), la population n'est plus berbère, mais sahraouie. L'actuel roi est originaire de Rissani.
De même, vers Zagora, Goulimine, on passe du Berbère au Sahraoui. Transition insensible, certes, mais les « hommes bleus » ne sont pas loin...
Pour les Berbères, l'arabe est une langue étrangère, au même titre que le français. Difficile à comprendre, la langue berbère a cependant l'avantage de reprendre directement du français beaucoup de noms modernes ou d'expressions courantes. Bon nombre de Berbères parlent le français (ou l'espagnol, dans le Rif), et très bien.
Les différents dialectes berbères ne sont pas enseignés à l'école, mais il existe toute une tradition et une littérature orale. Si l'arabe est la seule langue officielle, le berbère est devenu, en réaction, un moyen d'expression artistique et même politique.

Arabes

Ils ne sont arrivés qu'au VIIᵉ siècle, venant de l'Arabie Saoudite, et devaient pour la plupart se fixer en Andalousie avant de revenir au Maroc, refoulés par les Rois

Catholiques, lors de la Reconquista. Leur influence religieuse a été considérable puisqu'elle a entraîné le pays à se convertir à l'islam.

Les Arabes sont cantonnés sur la côte, à Rabat, Casa, etc., et vivent aussi dans certaines villes berbères à l'origine, telles Marrakech (ancienne capitale berbère) ou Agadir.

A Fès, la population n'est ni arabe ni berbère : les Fassis sont à part, et on verra plus loin qu'ils sont les caïds (les chefs) du Maroc.

Juifs marocains

Ils représentent une communauté d'environ 800 000 personnes (600 000 environ en Israël, 40 000 en France et 15 000 au Maroc) et vivent une situation paradoxale puisque 98 % sont établis hors du Maroc.

Installés bien avant l'arrivée de l'islam, ils se sont intégrés aux populations berbères. Ils connaîtront plus tard le statut de *dhimmis* (protégés), qui les prive cependant de certaines libertés. Avec l'Inquisition, de nombreux juifs de la communauté sépharade andalouse chassés d'Espagne s'établissent au Maroc. Avec souplesse, ils se font une place dans la société marocaine. Dans les grandes villes, leur quartier, le *mellah*, ne ressemble guère aux ghettos des pays d'Europe orientale. Il jouxte le plus souvent le palais royal, les juifs étant souvent conseillers du roi et le protégeant d'éventuelles invasions.

Malgré quelques épisodes sanglants, les Juifs marocains ne rencontreront pas un antisémitisme virulent. Le roi Mohammed V aura une attitude exemplaire pendant la Seconde Guerre mondiale : il refuse que les juifs portent l'étoile jaune et se montre au cours d'une réception royale en présence d'un grand rabbin. Son fils Hassan pratiquera une politique d'ouverture envers les juifs de son pays.

Après la naissance d'Israël, l'Agence juive envoya d'excellents émissaires, le nouvel État ayant grand besoin de paysans. C'est ainsi qu'une grande majorité de la communauté juive marocaine partit en Israël.

La guerre des Six-Jours entre Israël et l'Égypte, en 1967, a également provoqué le départ de très nombreux Juifs marocains.

Les autres minorités

– Les *Haratins* (prononcer « aratines ») seraient, d'après des études récentes, parmi les plus anciens habitants du Maroc, descendants de populations préhistoriques du Sahara qui se seraient réfugiées vers le nord lors de l'assèchement de celui-ci. Le sultan Moulay Ismail (1672-1727) avait recruté au Soudan pour sa garde personnelle des esclaves noirs. Les descendants de cette ancienne milice chérifienne (elle existe encore), surtout localisés dans les oasis du Sud, appartiennent aux couches sociales les plus pauvres.

– Les étrangers seraient au nombre de 60 000 dont 40 000 Français travaillant principalement au titre de la coopération.

Poste

Les bureaux de poste (PTT) principaux ouvrent de 8 h 30 à 18 h 30. Les autres ferment entre 12 h et 15 h. Certaines grandes postes centrales ont un guichet ouvert 24 h sur 24. Tous ces bureaux ont un point commun : ils sont très fréquentés et il faut s'armer de beaucoup de patience surtout qu'il n'existe pas de file, comme chez nous.

Pour accéder rapidement au guichet, vous visez juste en face du préposé et vous remplacez immédiatement la personne servie. Pas de risque de vous faire insulter, les Marocains, entre eux, procèdent ainsi. Vous faites un grand sourire et vous entamez la conversation avec le préposé « labès, labès », puis vous vous faites servir. Il faut oublier nos réflexes d'Occidentaux d'attente muette. Ici, on parle, on sourit, on se serre la main, on se tape sur l'épaule : il y a relation entre les gens.

Le service de la poste restante fonctionne bien mais demandez à vos correspondants d'écrire très lisiblement et en majuscules votre nom de famille suivi du prénom. Cela facilite le travail du guichetier et évite bien des erreurs. Se munir, comme partout, d'une pièce d'identité pour retirer son courrier.

Pour l'achat de timbres, inutile d'aller à la poste ; on peut se les procurer dans les bureaux de tabac ou à la réception de certains hôtels.

Les boîtes aux lettres sont nombreuses et faciles à repérer, de couleur jaune comme en France.

Religion

Mahomet, le « Loué »

Le fondateur de la religion islamique est Mahomet (*Muhammad*, le « Loué »). Ce n'est pas un fils de Dieu. Il serait né vers 571 dans une famille de La Mecque. Orphelin très jeune, il dut se livrer lui aussi au commerce pour gagner sa vie. A l'âge de vingt-cinq ans, il est engagé par une riche commerçante qui le charge d'aller en Syrie vendre ses marchandises. Ce garçon secret, qui avait l'habitude de se retirer dans une caverne pour méditer, n'en épousa pas moins sa patronne si l'on en croit la *Sira*, c'est-à-dire la biographie officielle du Prophète. N'ayant pas de descendance mâle de son union avec sa femme, qui avait quinze ans de plus que lui, il adopta son cousin Ali.

Au cours d'un de ses voyages en Syrie, il rencontra à Bosra un moine qui lui fit connaître la Bible. Sa première idée, à la suite de cette rencontre, fut d'unifier les croyances qui divisaient les peuples de l'Arabie.

Lors d'une de ces retraites, vers l'an 610, l'archange Gabriel lui apparut en songe et lui annonça qu'il était le Messager de Dieu. On appelle cette nuit « Nuit de la destinée ». Elle se fête le 27e jour du mois du ramadan. L'archange Gabriel dicta à Mahomet des versets que celui-ci transcrivit et qui formèrent le texte du Coran (*coran* signifie « récitation »). Le Prophète commença sa vie publique par des prédications. Les premiers disciples et les premières conversions se situent vers l'an 612.

Mais son enseignement dérangeait. Des persécutions et des guerres religieuses s'ensuivirent, principalement dans sa tribu (celle des Quraysh) qui lui fut la plus hostile. La situation devenant intenable à La Mecque, il s'enfuit, le 16 juillet 622, à Médine, avec une soixantaine de partisans : c'est de cette fuite *(hégire)* que part l'ère musulmane. Son influence prit très vite une importance considérable. Il rentra triomphalement dans sa ville natale en 630 et déposa la Pierre noire au centre du temple après avoir brisé toutes les idoles. Le Prophète s'éteignit deux ans plus tard, le 8 janvier 632. Sa succession fut très difficile. Elle n'est toujours pas réglée, puisque deux doctrines différentes opposent les chiites et les sunnites.

L'islam

La doctrine prêchée par Mahomet, et consignée dans le Coran, s'appelle l'islam, c'est-à-dire « résignation à la volonté de Dieu ». Les musulmans croient non seulement à la mission de Mahomet, leur prophète, mais aussi à celle de tous les messagers qui l'ont précédé : Adam, Noé, Abraham, Moïse, Jean-Baptiste, Jésus-Christ, etc. Ils croient aux Psaumes, à la Thora, à l'Évangile, mais considèrent que certains livres révélés n'ont pas échappé à l'altération apportée par les hommes, altération qui a rendu l'unicité divine moins radicale. La mission de Mahomet est de rétablir la révélation divine dans son intégrité.

L'islam est la religion officielle du Maroc et le roi cumule les fonctions de chef d'État et de chef religieux (Commandeur des Croyants).

Le Coran, livre saint

Publié en arabe en 634, le Coran intègre les doctrines juive et chrétienne et les traditions orientales. Il enseigne que la durée de la Création est de six jours. Les bonnes et les mauvaises actions des hommes jugées au Jugement dernier méritent un paradis et un enfer, où les félicités et les souffrances corporelles tiennent la plus grande place.

La profession de foi (chahada)

On doit la réciter chaque jour à l'heure de la prière et au moment de la mort pour se voir ouvrir les portes de l'au-delà. En résumé : « Allah est grand. Il n'y a pas d'autre Dieu qu'Allah, et Mahomet est son prophète. Allah est grand, etc. » Si on veut se convertir à l'islam, il suffit de réciter cette profession de foi sans oublier toutefois d'apprendre l'arabe pour comprendre le Coran et de changer son prénom d'origine contre un prénom musulman.

La prière (salât)

Elle a lieu cinq fois par jour : à l'aurore, à midi, vers 16 h, au coucher du soleil et deux heures plus tard. L'heure de la prière est annoncée par le chant *(azân)* du muezzin, qui tournait jadis autour de la galerie du minaret ; cet appel est aujourd'hui diffusé par haut-parleurs. La prière doit être faite pieds nus, le fidèle tourné dans la direction de La Mecque.

A force de se frapper le front contre le sol lors de la prière, il arrive qu'une petite callosité se forme (le *zebib*). C'est une marque très respectée car elle désigne un homme pieux.

La prière peut se faire partout, même au milieu de la rue, seule celle du vendredi midi doit se dérouler à la mosquée. Elle se pratique dès l'âge de la puberté. La première prière, celle appelée *al fajr*, débute dès que l'on peut distinguer un fil blanc d'un fil noir. Comme ce n'est pas chose facile, le muezzin commence toujours en avance, au grand dam des routards au sommeil léger.

L'aumône légale (zakat)

C'est un impôt permanent permettant de se purifier de la possession des biens de ce monde, réputés impurs. Elle représente en principe de 2,5 à 10 % du revenu, destinés à aider les plus défavorisés. Cette donation, qui efface en partie les mauvaises actions, doit être effectuée traditionnellement le jour de l'*Achoura*. Il n'y a pas de contrôle, tout comme pour les impôts, on s'en remet à l'honnêteté de chacun. Aujourd'hui, le produit de la zakat va surtout... au bâtiment. Il sert en effet à construire des mosquées, des écoles coraniques et aussi des hôpitaux.

Le ramadan

Au Maroc, contrairement à de nombreux pays musulmans, le ramadan est scrupuleusement respecté. L'islam étant la religion officielle, les Marocains se surveillent mutuellement, et faillir à la règle en public serait une provocation sanctionnée par les forces de l'ordre.

Le *jeûne* du mois du *ramadan* est obligatoire à partir de l'âge de quatorze ans, sauf pour les femmes enceintes, les malades et les voyageurs. Attention, ces derniers doivent le pratiquer à leur retour, car il serait trop simple de prendre ses vacances à ce moment-là. L'abstinence s'étend à tous les aliments liquides et solides, à la fumée du tabac, aux parfums et à tout acte sexuel. On doit rester pur même moralement. Le mensonge est un manquement. Le jeûne dure de l'aurore à l'apparition de la première étoile.

Dès le coucher du soleil, tout le monde se rue sur le repas ; il est souvent difficile de se nourrir si on arrive trop tard (les touristes parviennent presque toujours à déjeuner le midi). D'autre part, les musulmans s'astreignent à ne pas boire et à ne pas fumer durant ce mois-là. Essayez de ne pas boire de grandes rasades à la gourde devant eux, ou de ne pas leur proposer de cigarettes... Soyez sympa ! Mais inutile d'être compatissants, vous êtes des infidèles, ne l'oubliez pas ! Pendant cette période, la vie est transformée et tout fonctionne au ralenti. Non seulement les horaires sont différents, mais les employés présents ne sont guère enclins à travailler, malgré la journée continue qui se termine dès 14 h. Hors des sentiers battus, il y a, peut-être, le salut pour nos frères musulmans mais point de bouffe pour les infidèles ! Non seulement beaucoup cafés et d'hôtels (1 et 2 étoiles) sont fermés mais aussi la plupart des restaurants à certains endroits. Se renseigner ou se convertir avant de se rendre dans des endroits peu touristiques.

A notre avis, il est préférable d'éviter la période du ramadan pour visiter le Maroc. De nombreux cafés et restaurants sont fermés et ceux qui ne le sont pas augmentent leurs prix. Les Occidentaux travaillant dans le tourisme profitent de cette période pour prendre leurs vacances.

En revanche, l'expression « faire le ramadan » trouve ici sa pleine justification : du coucher du soleil jusqu'à une heure très avancée de la nuit, vous serez le témoin auditif du folklore local. Difficile de dormir !

Du fait de la mobilité lunaire, le ramadan tombe en n'importe quelle saison. En 1997, il débutera le 11 janvier. Il dure 29 ou 30 jours auxquels il faut ajouter les 3 ou 4 jours fériés de l'*Aïd es Seghir* qui clôturent la période de jeûne. Le pays est alors totalement paralysé. Rien ne fonctionne.

2 mois et 10 jours après la fin du ramadan, a lieu la fête de l'*Aïd el Hada*. C'est la « fête du Mouton », manifestation religieuse et sociale très importante (d'ailleurs tout est fermé). Elle a lieu tous les ans et commémore le sacrifice d'Abraham. Celui-ci, s'apprêtant à sacrifier son fils à Dieu, vit s'approcher de lui, à l'ultime minute, un mouton « envoyé du ciel ». En souvenir, chaque famille sacrifie son mouton après l'avoir câliné et bichonné pendant plusieurs jours. Ceux qui n'en ont pas les moyens achèteront du mouton en morceaux la veille, pour faire « comme si »....

Les pauvres recevront ce jour-là l'aumône des plus riches. C'est aussi prétexte à exprimer l'unité familiale et à réunir tout le monde. La veille de l'Aïd, le jour même et le lendemain, les institutions ne fonctionnent évidemment pas.

Restaurants

Dans toutes les villes du Maroc, il existe des restaurants pour tous les goûts et toutes les bourses. Pour la recherche de l'exotisme, une règle générale : ceux de la médina. Ils sont d'ailleurs bon marché.

Un conseil : dans les restaurants, même si vous n'avez pas l'habitude de marchander, demandez quand même le prix à l'avance, afin d'éviter des surprises. En effet, certains tarifs sont carrément à la tête du touriste (voire à celle de sa voiture). Néanmoins, la pratique veut que l'on laisse un pourboire au restaurant ; laissez 10 % si le service n'est pas inclus (rare), sinon quelques dirhams (5 à 10).

En général au menu, *tajine* avec salade de tomates coupées en petits morceaux et fruits, genre melon. Parfois, on trouve du couscous ou des brochettes (de petites échoppes font aussi seulement les brochettes).

Si vous êtes invité à prendre un repas avec des Marocains ou à participer à la fameuse cérémonie du thé, installé sur des tapis tout en dégustant des biscuits ou des dattes, n'oubliez pas de manger avec la main droite (la gauche étant réservée à la toilette). Le repas terminé, on se lave les mains et la bouche.

Les hôtels ont souvent deux restaurants, dont un marocain qu'il est préférable de choisir. Les Marocains maîtrisent mieux leur propre cuisine que celle dite internationale. Pour les fauchés, une solution économique consiste à acheter sa viande chez le boucher et à la faire griller au resto d'à côté. Cette formule se rencontre souvent le long des grandes routes.

Depuis quelques années, les cas d'arnaque se multiplient comme les petits pains. Pour éviter d'être découragé ou aigri après quinze jours de voyage, quelques suggestions :

- S'il n'y a pas de menu, faites-vous préciser clairement le prix des plats et des boissons.
- Recomptez attentivement les notes de restos et la monnaie que l'on vous rend. Il manque souvent quelques dirhams.
- Évitez ceux qui vous proposent, de façon un peu collante, de bons restos pas chers. D'après de nombreux lecteurs, ils sont rarement bons et souvent très chers. Fiez-vous plutôt à votre intuition ! ou éventuellement à votre GDR.

Santé

Pas de risques particuliers, le Maroc n'étant pas un pays au climat malsain, bien au contraire. Toutefois, quelques précautions élémentaires s'imposent :
– Ne jamais se baigner dans les eaux stagnantes.
– Ne jamais boire d'eau en dehors de l'eau minérale qui devra être décapsulée devant vous. Ne pas abuser des boissons glacées (généralement non purifiées).
– Se méfier des crudités qui devraient être lavées dans de l'eau additionnée de potassium (jamais respecté), pour être consommables. L'absence, ou le mauvais fonctionnement (coupures électriques fréquentes) des réfrigérateurs et la température élevée font que souvent les aliments ne se conservent pas bien. Se méfier des restaurants à faible débit. En cas de dérangement intestinal, absorbez immédiatement un antiseptique que vous aurez pris soin d'acheter avant votre départ. Demandez conseil à votre médecin ou à votre pharmacien. La moindre « tourista » peut vous gâcher quelques jours de vacances.
– Votre trousse de pharmacie devra comporter, en plus, quelques pansements d'urgence, de l'aspirine, quelque chose contre les maux de gorge, une protection solaire et des boules Quiès pour les hébergements très bruyants. Les pharmacies marocaines disposent d'un grand choix de médicaments. Inutile donc de vous charger. Pensez toutefois à vos médicaments habituels si vous suivez un traitement.
– Pour conjurer le mauvais sort, souscrivez, avant le départ, une assurance « Assistance-rapatriement ».
– Urgences : ☎ 15.

Répulsifs antimoustiques (« repellents »)

De très nombreux sprays, crèmes, lotions vendus en grande surface et même en pharmacie sont très peu ou pas du tout efficaces. Les spécialistes reconnaissent comme les plus efficaces les produits contenant l'une ou l'autre des substances actives suivantes :
– DEET à 50 %. Noms commerciaux : *Insect Ecran Peau* ou *Ultrathon*. Attention : ne pas utiliser chez l'enfant.

Plus le pays est chaud et plus il faut se couvrir.

En vacances aussi, mettez des préservatifs.

AIDES

Association nationale de lutte contre le sida
Reconnue d'utilité publique.
3615 AIDES 1,27 F mn

– 35/35. Nom commercial : *5 sur 5*. D'efficacité sans doute moindre, mais utilisable chez l'enfant.
Dans tous les cas, s'enduire les parties découvertes du corps toutes les 4 h au maximum.

Savoir-vivre, coutumes et politesse

Vous êtes dans un pays musulman qui a des traditions et des coutumes parfois très différentes des nôtres. Il faut donc connaître quelques règles élémentaires.

Ce qu'il faut faire

– Se déchausser avant d'entrer dans une pièce si vous voyez des chaussures déposées près de la porte.
– Répondre à toutes les questions que l'on vous posera et qui, parfois, vous paraîtront indiscrètes. Est-ce bien votre femme ? Combien avez-vous d'enfants ? Que font-ils ? Quel est votre salaire ? Combien vous a coûté votre montre ou votre appareil photo ?
– Prolonger la pause thé en acceptant plusieurs verres, même si on n'a plus soif.
– Si on a été invité dans une famille, laisser un petit cadeau plutôt que de l'argent.
– Si on a photographié ses amis marocains, ne pas oublier de leur envoyer les clichés au retour.

Ce qu'il ne faut pas faire

– Refuser le thé que l'on vous offre.
– Toucher les aliments avec la main gauche, considérée comme impure. C'est elle qui sert à la toilette.
– Porter une tenue provocante, surtout pour les femmes. Les shorts sont encore considérés comme indécents.
– Aborder certains sujets tabous tels que la politique, la religion, le roi. Les Marocains sont susceptibles et discrets, faisant rarement part de leurs opinions. Si on vous interroge sur ces différents points, restez très circonspect.
– Demander à un Marocain des nouvelles de sa femme, ça risquerait de choquer.
– Prendre pour des gays tous les jeunes hommes qui se promènent main dans la main (ou plutôt doigt dans la main). C'est un signe d'amitié et non d'homosexualité.

La politesse

Comme on peut le constater dès l'arrivée, les Marocains utilisent des formules de politesse beaucoup plus longues que les nôtres. Elles appartiennent à un ancien code des usages toujours en vigueur. Qui ne connaît le fameux *Inch Allah* (s'il plaît à Dieu) ? Le nom de Dieu revient souvent d'ailleurs dans les formules utilisées. Lorsque deux Arabes se rencontrent, cela donne à peu près le dialogue suivant :
    « *Labès ?* (Comment ça va ?).
– *Labès !* (Ça va !).
– *Ach Khbarek ?* (Et quelles sont les nouvelles ?).
– *Labès* (Ça va).
– *La bâs alik ?* (Pas de mal sur toi ?).
– *La bâs el hamdou llah !* (Non, grâce à Dieu, pas de mal sur moi). »
Dans ce dialogue, inévitable préambule à toute conversation, il faut joindre les gestes à la parole. Les interlocuteurs se séparent sur un *Allah ihennik !* (Que Dieu te garde en paix !).
Si vous êtes à table, il est de coutume de dire *Bismillah* (Au nom de Dieu) avant de manger. Cette formule s'utilise toujours avant de commencer quelque chose.
Si on vous annonce une bonne nouvelle, dites aussitôt : *Hamdullah !* (Que Dieu soit loué !).
Pour remercier, ne pas oublier *Choucran*.

Sexualité

Sans vouloir entrer dans le détail (rien de croustillant), il faut savoir un certain nombre de choses en abordant le Maroc. C'est un délit pour un non-musulman d'avoir des relations sexuelles avec une Marocaine non prostituée : alors grande méfiance si vous ne voulez pas vous retrouver au gnouf ou la bague au doigt. D'autant plus que les jeunes Marocaines savent parfaitement qu'un mariage avec un étranger est pratiquement devenu le seul moyen d'émigrer. Une anecdote à ce sujet : lors de la construction du port de Jorf el Asfar, les entreprises françaises (Bouygues et autres) employaient un important personnel européen, surtout des hommes célibataires (réellement ou de fait). Un jour, quelques-uns se retrouvèrent en tôle, et le procureur leur donna le choix : mariage ou conversion, sinon condamnation. Le mariage implique la conversion mais la réciproque n'est pas vraie. Résultat : rien que des conversions, et à nous les petites Marocaines ! Combien d'épouses restées au pays ont ignoré que leur homme s'était converti à l'islam et pourquoi...

Pour des raisons évidentes et essentiellement liées à la religion, le jeune Marocain est sexuellement parfois frustré, ce qui explique à la fois l'homosexualité juvénile, et le succès des étrangères réputées « faciles ». Dans certains centres touristiques, la police tente (sans grand succès, il est vrai) d'interdire aux Marocains d'aborder, ou de tenir compagnie à un touriste homme ou femme. Il faut dire que l'arrivée de chartors entiers de vacanciers munis de devises est une tentation bien grande pour une jeunesse souvent désœuvrée qui voit là un moyen de tromper son ennui et de se faire un peu d'argent de poche. Quoique les services officiels se montrent très discrets sur ce chapitre, le SIDA commence à faire des ravages auprès de certains jeunes. On trouve des préservatifs dans toutes les pharmacies marocaines. Alors, vous n'avez pas d'excuses !

Sports

Les sports nautiques sont les plus pratiqués grâce aux 3 530 km de côte qui bordent le Maroc sur deux mers très différentes. Les grands hôtels disposent tous d'une piscine accessible souvent aux non-résidents, moyennant finance. Répétons-le une fois de plus, au Maroc, la mer peut être très dangereuse et meurtrière. Les vagues, souvent fortes, ont favorisé le développement de certains sports comme le surf ou la planche à voile. Chaque année, des concours internationaux se déroulent à Essaouira. Les plages les plus propices aux surfeurs sont celles de : Dar-Bouazza (à 20 km au sud de Casablanca) où ont eu lieu les premiers championnats de surf du Maroc en 1993, Mehdia (Kenitra), plage des Nations (Rabat), et celle située au pied de la casbah des Oudaïa, plage de Safi, plage de Taghazout (à 15 km d'Agadir), plage de Sidi Bouzid (El Jadida)].

Les plus fortunés peuvent pratiquer l'équitation. Il est grisant de galoper sur le sable d'une plage. Les chevaux arabes sont, à juste titre, renommés et, comparées aux tarifs français, les séances d'équitation ne sont pas chères du tout. Tous les hôtels d'un certain standing possèdent un court de tennis mais il est éprouvant d'y jouer aux heures chaudes.

Les riches, passionnés de golf, seront comblés : le Maroc possède de magnifiques terrains si réputés que des rencontres internationales s'y disputent chaque année.

Les snobs épateront leur entourage en allant skier en hiver au Maroc plutôt qu'à Megève. La plus célèbre station, Oukaïmeden, à 75 km de Marrakech, est à 2 600 m d'altitude. Ouverte, théoriquement, de début janvier à fin avril, elle dispose de 7 téléskis et d'un télésiège. Il en existe aussi une à Mischliffen à quelques kilomètres d'Ifrane, à côté de Fès.

Souk

Le terme *souk* signifie marché. Il est un élément fondamental de la vie marocaine. Carrefour commercial, c'est aussi l'endroit où régulièrement les gens se rencontrent, se retrouvent. Il existe deux sortes de souks : le marché rural et les centres commerciaux citadins qui sont dénommés plus fréquemment *médinas* (qui signifie « vieille ville »). Dans les marchés, les produits de l'artisanat sont groupés par corps de métier, sous l'autorité d'un prévôt des marchands. Chaque corporation obéit à un *amin* ou représentant du prévôt. Il y a un souk réservé aux marchands de soieries, un autre aux bijoutiers, un troisième aux marchands de tapis, aux marchands de cuir, aux potiers, aux dinandiers (les marchands de cuivre). Chaque corporation a ses règles qu'elle ne peut enfreindre sans encourir la vindicte publique et le châtiment de son *amin*.

L'importance d'un souk dépend de l'importance de la région qu'il dessert, de la clientèle qu'il attire, des zones de production dont il est le débouché. Généralement, le souk rural se trouve sur une voie de communication assez fréquentée, à un carrefour ou au débouché d'un col important.

Où que vous soyez, il y a presque toujours un souk (marché hebdomadaire), et le pittoresque n'y influence pas les prix.

Le souk a toujours lieu le matin. Inutile d'y aller l'après-midi, il n'y a plus rien à voir. Il suit aussi le cours des saisons : il est beaucoup moins animé en hiver, sauf dans le Sud, où l'inverse se produit (le souk de Goulimine n'a plus d'intérêt en juillet-août). On signale, chaque fois que cela est possible, le jour du souk local. Allez-y, car c'est la meilleure façon d'approcher les Marocains dans leur vie quotidienne. Vous pourrez y faire votre marché. Directement du producteur au consommateur et plus pittoresque que nos grandes surfaces.

Téléphone

A l'automne 96, tous les numéros de téléphone en France auront 10 chiffres. Le numéro à 10 chiffres sera obtenu en ajoutant 2 chiffres en tête du numéro actuel à 8 chiffres, qui lui ne changera pas. Les 2 chiffres seront le 01 pour l'Ile-de-France, le 02 pour le Nord-Ouest, le 03 pour le Nord-Est, le 04 pour le Sud-Est et le 05 pour le Sud-Ouest. Pour les appels de la France vers l'étranger, le 00 remplacera le 19. Pour les appels depuis l'étranger, vous devrez toujours composer le 33, mais pas le 0 par lequel débutera le numéro à 10 chiffres (seulement les 9 chiffres suivants).

Si le téléphone arabe, ou du moins celui que nous appelons ainsi, fonctionne à merveille, l'autre n'est pas encore parfait malgré de grands progrès récents.
Le réseau en pleine réorganisation et son automatisation sur la majeure partie du territoire entraîne fréquemment le changement du numéro des abonnés. Il se peut que certains numéros communiqués dans cette édition ne soient plus en service lorsque vous les composerez. On peut toujours essayer d'appeler les renseignements, les gares routières et autres services. C'est pire que le 22 à Asnières et on peut y passer la journée.
Pour les communications encore non automatisées, composer le 10 pour avoir l'opérateur, le 12 pour l'international et 16 pour les renseignements. Ce service fonctionne bien.
Du samedi 13 h au dimanche minuit, 40 % de réduction sur les tarifs, et la nuit 20 % sur les communications intérieures.

Comment téléphoner ?

Ne jamais appeler d'un hôtel où l'on double ou triple systématiquement le prix des communications. Le téléphone est déjà très cher pour le pays.
Il existe des cabines à carte. Celles-ci sont vendues dans les bureaux de poste, bureaux de tabac et chez quelques commerçants. Il existe, comme chez nous, des cartes à différents tarifs. Se méfier toutefois de cartes émanant de compagnies privées et qui ne sont utilisables que dans certaines villes. Mais nombre de ces cabines étant victimes d'actes de vandalisme, les PTT les remplacent progressivement par des téléboutiques. On les reconnaît à leur enseigne bleue représentant un cornet. Il s'agit de lieux abrités comportant un certain nombre de postes d'où l'on peut téléphoner avec des pièces et parfois aussi des cartes. Ces boutiques, ouvertes très tard le soir, sont placées sous la surveillance d'un gérant qui vous fera la monnaie. Il y en a dans chaque ville et tout le monde vous les indiquera.

La carte France-Télécom et le numéro France-Direct

– Pour vous simplifier la vie, demandez une carte France Télécom : elle permet de téléphoner dans le monde entier à partir d'un poste téléphonique ou d'une cabine, sans paiement immédiat car le montant de vos communications est débité directement sur votre compte téléphonique.
– Très pratique de l'étranger, vous appelez le numéro France Direct et vous êtes accueilli en français par un opérateur ou un serveur vocal qui établit votre communication. Tous les appels sont facturés aux tarifs français. Noter qu'il est préférable de passer par le serveur vocal, sans facturation supplémentaire, que par l'opérateur.
• Pour obtenir une carte France Télécom ou le numéro France Direct avant votre départ : ☎ (numéro vert) 05-20-22-02. Ou tapez 36-14, code CARTE FT sur votre Minitel. Coût de la carte : 81,35 F.

• MAROC → MAROC

Le pays est divisé en 8 zones de numérotation. Pour appeler dans la même zone, composer les 6 chiffres du numéro. Pour appeler dans une zone différente, composer l'indicatif de cette zone, puis les 6 chiffres du numéro de votre correspondant.

Exemple : vous appelez Marrakech depuis Fès, vous composez l'indicatif de Marrakech 04 + les 6 chiffres.

● *FRANCE → MAROC*

19 + 212 (indicatif du pays) + indicatif de la ville sans le 0 + numéro du correspondant.
– Compter environ 8 FF la minute.

● *MAROC → FRANCE*

00 + 33 (indicatif du pays) + numéro du correspondant (éventuellement précédé du 1 pour Paris et la région parisienne).
L'indicatif de la Belgique est le 32, celui de la Suisse le 41 et celui du Canada le 1.
– Compter environ 16 DH la minute.

Transports intérieurs

Stop

Fonctionne principalement sur les grands axes comme Tanger-Casablanca-Marrakech. Souvent monnayé.
N'hésitez pas à demander aux touristes dans les campings.
Déconseillé aux filles seules, nous l'avons dit. Mais au cas où elles l'auraient oublié...

Autocar

Puisque le réseau ferroviaire ne couvre qu'une faible partie du territoire, l'autocar s'impose comme moyen de transport idéal. Il existe partout des cars qui sillonnent le pays. Ils présentent l'avantage de vous mener même dans les coins les plus reculés, pour des prix très modiques. Les horaires sont parfois sujets à des variations.
Deux grandes sociétés d'autocars, CTM et SATAS, qui ont des gares routières spécifiques dans les villes importantes, mais de nombreuses autres de tailles diverses. C'est pourquoi il est intéressant de vérifier si les compagnies privées, aux mêmes destinations, sont meilleur marché. Les cars s'arrêtent partout (s'ils ne sont pas complets, bien sûr). Ceci est bon à savoir quand vous faites du stop, desséché par le soleil, et que les vautours commencent à vous frôler.
☞ La *CTM* couvre presque tout le territoire marocain et dessert aussi plusieurs pays occidentaux. Les prix sont légèrement supérieurs à ceux des autres compagnies, mais vous voyagerez confortablement (climatisation). Si on a de longs trajets à effectuer, la CTM s'impose. Vous éviterez aussi le traditionnel pourboire aux bagagistes du départ et de l'arrivée. En revanche, réservez le billet 24 h d'avance. L'enregistrement du bagage doit être fait une heure avant le départ. Conservez le billet et le reçu du bagage jusqu'à l'arrivée. Il faut savoir que les bus de cette compagnie sont souvent complets au départ. Évitez de les prendre en cours d'itinéraire.
☞ La *SATAS* dessert pratiquement tout le Sud marocain jusqu'à Tan-Tan et dispose aussi de cars confortables sur certaines lignes. Les formalités sont les mêmes que pour la CTM : réservation, enregistrement, etc.
Dans ces deux compagnies on peut, le cas échéant, faire voyager son bagage avant ou après son départ. Il suffit de bien fermer ses sacs, de les faire peser et enregistrer. Le jour et l'horaire du transport sont inscrits sur le billet.
☞ La *SUPRATOURS* est une agence privée, correspondant de l'O.N.C.F., dans le Sud marocain. Ses services sont excellents. C'est la meilleure compagnie pour parcourir les routes du Sud.
Il existe d'autres compagnies moins coûteuses mais n'offrant pas le même confort : véhicules bondés et très lents. Moyenne : 40 à 50 km/h avec des arrêts fréquents et prolongés car, si besoin est, il faut aller rechercher sur le toit tous les bagages des passagers qui descendent. On a le temps d'admirer le paysage !
Se présenter longtemps en avance sur l'horaire du car, dans certaines villes. En effet les cars sont vite complets.
Quand il fait chaud, faire comme les autochtones : emprunter les bus qui partent très tôt le matin.
Les bagagistes demandent de payer pour charger et décharger vos affaires. Il est de coutume de donner un pourboire de 5 DH par colis (ni plus, ni moins). Certains n'hésitent pas à exiger l'équivalent du prix du trajet ! Refuser de donner la pièce vous entraînerait dans des palabres interminables, mais vous pouvez quand même marchander. Les bagagistes ont souvent une « grande gueule ». En principe, les bagages sont facturés en fonction du poids (surtaxe au-dessus de 10 kg par personne).

Distances entre les principales villes

	TÉTOUAN	TAROUDANNT	TANGER	SMARA	SEBTA	SAFI	RABAT	OUJDA	OUARZAZATE	MEKNÈS	MARRAKECH	LAYOUNE	KENITRA	IFRANE	FÈS	ESSAOUIRA	EL JADIDA	CASABLANCA	BENI-MELLAL	AGADIR
AGADIR																				0
BENI-MELLAL																			0	499
CASABLANCA																		0	226	518
EL JADIDA																	0	99	341	419
ESSAOUIRA																0	252	351	367	172
FÈS															0	642	390	291	289	796
IFRANE														0	61	656	416	292	226	726
KENITRA													0	211	166	484	232	133	289	651
LAYOUNE												0	1300	1375	1445	821	1068	1167	1148	649
MARRAKECH											0	952	374	424	485	171	197	241	196	303
MEKNÈS										0	476	1395	130	86	60	582	330	231	280	746
OUARZAZATE									0	674	198	1026	572	592	661	370	395	439	394	377
OUJDA								0	885	404	880	1780	510	405	344	986	734	635	633	1131
RABAT							0	542	496	138	334	1263	40	221	198	444	192	93	249	614
SAFI						0	349	891	313	487	157	979	389	581	547	147	157	256	353	330
SEBTA					0	683	334	594	866	289	668	1594	294	384	323	777	526	427	560	945
SMARA				0	1480	845	1153	1650	926	1291	824	222	1193	1246	1307	724	1265	1062	1018	551
TANGER			0	1431	94	626	281	506	809	267	611	1547	237	353	303	721	469	370	541	898
TAROUDANNT		0	834	611	891	380	517	1099	297	699	223	729	597	647	708	252	420	464	419	80
TÉTOUAN	0	853	60	1443	37	645	296	557	838	296	640	1559	257	347	286	741	489	390	523	910

Train

Le réseau ferroviaire a amélioré son service ces dernières années. Il serait imprudent, toutefois, de trop compter sur leur ponctualité. L'**O.N.C.F.** (Office national des chemins de fer) dispose désormais de trains un peu plus rapides, propres et climatisés (trains express). En première, il n'y a guère que la musique et l'annonce des gares en plus. Si l'on veut une place assise, il faut apprendre à courir vite, ou arriver très longtemps à l'avance si on part d'une tête de ligne.

Renseignements : à l'*Office du tourisme marocain* à Paris, qui fournit le fascicule des horaires (gratuit).

Le réseau est peu développé (1 700 km). Quatre lignes principales :
– *La ligne de l'Est* : Casablanca, Rabat, Kenitra, Meknès, Fès, Oujda, frontière algérienne.
– *La ligne Rabat-Casablanca-Azemmour-El Jadida.*
– *La ligne du Nord* : Casablanca-Tanger. Compter 6 h.
– *La ligne de l'Ouest* : Casablanca-Marrakech (240 km). Compter 3 h.

Renseignez-vous sur les suppléments exigibles sur certains trains.

Pas encore beaucoup de consignes pour le moment. Attention aux nombreux vols, surtout dans les trains de nuit. Technique très au point de bandes qui opèrent sur la ligne Tanger-Marrakech. Dormir sur son sac ou rester éveillé !

N.B. : ni les agences de voyages ni l'O.N.C.F. marocaine ne délivrent de billets à tarif réduit (style billet BIGE) à l'exception des 25 % pour plus de 1 000 km. Prévoir d'acheter son billet aller-retour en France.

Voiture

C'est la meilleure solution, bien entendu. Une voiture permet de pénétrer véritablement à l'intérieur du pays et de profiter au maximum du séjour.

Tous les grands loueurs ont des représentants au Maroc, mais il existe des sociétés marocaines pratiquant des prix beaucoup plus doux. La meilleure voiture et la plus économique pour circuler au Maroc reste encore la 4 L qui passe presque partout. Nous ne saurions trop conseiller de prendre l'assurance tous risques. Le port de la ceinture de sécurité est obligatoire sur route, mais en ville il est toléré de rouler sans l'attacher.

Vérifier surtout l'état des pneus (y compris roue de secours), des bougies et des freins, principalement en raison de l'état des pistes.

Le réseau routier, le meilleur du Maghreb, représente 56 000 km dont 25 000 sont asphaltés. Si vous devez emprunter des pistes, ne vous fiez pas trop au tracé des cartes routières, mais renseignez-vous auparavant sur leur état. Celui-ci peut varier suivant les saisons. A l'époque de la fonte des neiges ou après les pluies d'orage, de nombreuses pistes sont rendues impraticables avec des fondrières et des passages à gué. Attention aux gués, lits d'oued à sec, aux mauvais fonds de route, tas de pierres, bosses de sable, et à l'étroitesse des routes, problèmes qui s'aggravent quand on descend dans le Sud. On croit que c'est de la rigolade parce qu'on est passé dans le Nord, et on touche bêtement le fond des oueds entre Tiznit et Tafraoute, jusqu'à casser la bagnole...

Conduite sur route

Comme nous tenons à conserver nos lecteurs le plus longtemps possible, nous devons les mettre en garde sur la façon très spéciale dont les Marocains interprètent le code de la route. Ici, tout est possible. Le conducteur marocain ne respecte pas les stops, double n'importe où et n'importe comment, change de direction sans clignotant, ne s'arrête au feu de signalisation que s'il y a un flic (et encore !). Même un bolide de formule 1 se ferait klaxonner quand le feu passe au vert ; leur impatience dépasse de loin celle des Parisiens. Les lignes blanches et les panneaux sont purement décoratifs. Les gens traversent sans regarder, les voitures démarrent du bas-côté au moment où vous arrivez à leur hauteur. Les cyclistes et motocyclistes sont d'une inconscience totale ; on se demande comment il en reste encore. Les tournants se prennent à la corde, tant pis si cette corde-là est sur votre droite. Les camions roulent parfois côte à côte ou s'arrêtent dans des virages sans visibilité.

Personne n'apprend aux jeunes enfants qu'il faut toujours regarder à gauche et à droite avant de traverser. La seule manière que certains connaissent est de jaillir d'une maison et de traverser en courant. Une règle : dès qu'il y a quelqu'un sur la route, mettre le doigt sur l'avertisseur. Avoir une conduite défensive et s'attendre toujours au pire. Ne croyez pas que l'on exagère ! Si les Marocains conduisaient normalement, leur permis national serait peut-être valable chez nous, ce qui n'est pas le cas. Leurs routes sont parmi les plus meurtrières du monde avec 3 665 tués et 65 000 blessés en 1994 pour un parc automobile restreint.

Vous vous apercevrez que les conducteurs marocains posent leur main sur leur pare-brise lorsqu'ils vont vous croiser. Ceci pour éviter que ledit pare-brise ne vole en éclats lors de la projection de cailloux.

Conduire de nuit est suicidaire. La grande mode au Maroc est de rouler à bicyclette sans lanterne... C'est fou ce qu'ils suivent la mode, là-bas ! Il suffit d'aller faire un tour dans la salle des urgences des grands hôpitaux du Maroc pour se rendre compte qu'en cas d'accident sérieux, tout est possible.

En cas d'accident, téléphonez aussitôt au consulat, puis à la gendarmerie (très souvent, on vous y enferme et on discute après).

Limitation de vitesse et contrôles de police

La vitesse sur route est limitée à 100 km/h. Dans la traversée des agglomérations, il est interdit de dépasser les 60 km/h et en centre ville les 40 km/h.

Devant le nombre sans cesse croissant d'accidents mortels de la circulation, la police marocaine est de plus en plus présente sur les routes. Les « halte police » ou « halte gendarmerie » ont tendance à se multiplier. Arrêtez-vous toujours avant le panneau et attendez le geste du gendarme qui vous fait signe d'avancer. La plupart du temps, il se contentera de vous regarder ; parfois, il aura envie d'échanger quelques mots. N'hésitez pas à engager la conversation avec le traditionnel « labès, labès » (comment ça va ?). On vous demandera alors rarement vos papiers. Dans les bleds, rouler toujours doucement car la police a horreur que l'on passe trop vite devant elle. Attention ! A l'entrée de certaines villes comme Marrakech et Agadir, depuis quelque temps, fleurissent des radars « légalisés ». Les conducteurs marocains sont sympa et ne manquent pas de vous prévenir de leur présence par de discrets appels de phare quand ils vous croisent. Faites de même. La solidarité ça existe !

Conduite sur piste

Être encore plus prudent que sur route, mais pour des raisons très différentes.

IMPORTANT :
– Vérifier l'état des pneus avant de partir.
– Prévoir au moins une bonne roue de secours, une réserve de carburant et de l'eau.
– Se renseigner sur l'état de la piste avant de s'y engager et, éventuellement, prévenir les autorités locales.
– Enfin, partir au moins à 2 voitures.

Si vous avez peur de vous perdre sur une piste (il n'y a pas d'indications), n'hésitez pas à prendre un Marocain en stop. Ce sera le meilleur moyen d'avoir un vrai contact désintéressé avec les gens du pays. Ce conseil n'est valable que si l'on circule loin des zones touristiques, sinon on tombera sûrement sur des faux guides. En traversant les villages isolés, prendre garde aux enfants qui, espérant toujours quelque chose, s'accrochent au véhicule en montant sur le pare-choc. Leur inconscience est à la hauteur de leur entêtement.

Un conseil à ne pas négliger : quand une nappe d'eau vous coupe la route, allez en sonder la profondeur à pied avant d'y engager le véhicule. Ne vous fiez pas trop à ce que vous disent les gamins. Ils n'attendent qu'une chose : vous voir en panne au milieu du gué avec un moteur noyé, ce qui leur permet de vous proposer leurs services, moyennant finance bien entendu.

Carburant

L'essence (super ou ordinaire) est à peine moins chère qu'en France. Attention, assez peu de postes à essence dans certaines régions. Il est bon d'en chercher dès que l'aiguille indique la moitié du réservoir sur le cadran.

Le pays ne dispose encore que de très rares stations proposant du super sans plomb. Celui-ci est vendu au prix de l'essence ordinaire. Dans les coins perdus, on trouve plus facilement du gazoil que de l'essence, camions, grands taxis et de nombreux véhicules particuliers étant équipés de moteurs Diesel. Très rares sont les stations-service qui acceptent les cartes de crédit.

Cartes

Une bonne carte routière est indispensable même si on voyage en bus ou en train. On conseille la carte Michelin n° 959. C'est la meilleure, tout le monde le sait. Se méfier toutefois ; en raison des conditions climatiques, certaines pistes indiquées peuvent être momentanément coupées. Se renseigner sur place.

Panne et parking

S'il vous arrive un pépin technique, il y aura toujours, à proximité, un garage pour un petit dépannage. Dans l'ensemble, les Marocains sont plutôt bricoleurs et leurs réparations efficaces. Lorsqu'il fait très chaud, la panne la plus fréquente pour les « Renault 4 » est le blocage de la pompe à essence. En l'emballant d'un tissu et en l'arrosant d'eau fraîche, vous devriez être dépanné.

Les crevaisons peuvent être assez fréquentes. Depuis quelques années, certains gardiens de parkings d'hôtels n'hésitent pas à les provoquer nuitamment. Cela leur permet de toucher quelques dirhams pour changer la roue et de vous envoyer pour la réparation chez un compère peu scrupuleux qui aura tendance à vous mettre une chambre à air hors d'usage. Assister impérativement à toutes les opérations – démontage de la roue, transport, remise en état – et négocier le prix.

Dès que vous stoppez avec votre voiture, l'arrêt du moteur fait surgir, comme par miracle, un gardien qui, en échange d'un ou deux dirhams (un peu plus pour celui qui veille sur votre voiture toute la nuit), fera en sorte que personne n'approche du véhicule. Un conseil : ne payer le gardien qu'à votre retour. Dans les villages, ce sont des enfants qui proposent leurs services. Ne laissez jamais rien d'apparent dans votre voiture, principalement dans les centres touristiques où les vols à la roulotte ont tendance à se généraliser.

Dromadaire et mulet

Vous pouvez aussi acheter dans les souks un dromadaire que vous revendrez à la fin de votre périple. Le dromadaire n'a qu'une bosse. Le chameau, qu'on trouve plutôt en Asie centrale, en a deux. Vous ne dépasserez guère les 60 km par jour, que l'animal effectuera d'un pas lent et chaloupé en posant sur le sol ses pieds mous qui font office de coussins. S'il y a des vents de sable, votre dromadaire se pincera les narines et continuera comme si de rien n'était. Il peut même rester trois jours sans boire et sa bosse rétrécit alors sous l'effet de la déshydratation. Mais quand il trouve un point d'eau, il peut boire jusqu'à 50 l d'un coup. Un bon dromadaire peut atteindre 500 kg. Il vit un quart de siècle environ.

Et si, à l'instar de Stevenson voyageant à dos de mule dans les Cévennes, on aime se faire promener par le même moyen (c'est moins rapide, mais c'est aussi moins cher), savoir pousser le « Hue ! », tel qu'on le crie sous ces latitudes. Bien sûr, l'animal ne comprend que l'arabe, ce qui en phonétique donne « Arrra ! » en roulant frénétiquement les « r » comme un moteur qui a du mal à démarrer. Il faut aussi savoir dire « Attention ! », surtout dans les villes comme Fès où les bruyantes mobylettes essaient vaille que vaille de détrôner les équidés en tant que premier moyen de transport. Bref, cela donne quelque chose comme « Balek ! ». N'ayez crainte, à la fin du séjour, ça sera devenu automatique.

Taxis

– Les « petits taxis » n'ont pas le droit de sortir des villes. Tarifs très avantageux, même si le chauffeur tente d'appliquer aux étrangers un prix multiplié par deux ou trois par rapport au tarif habituel. A signaler que dans certaines villes, comme Casablanca, la loi n'oblige pas les taxis à faire fonctionner leur compteur ! Dans ce cas, vous devez marchander le prix. Bonne excuse ! Il faut savoir qu'à partir d'une certaine heure, la nuit, il y a une majoration légale d'environ 50 % par rapport au prix affiché sur le compteur. Un truc : en s'asseyant à l'avant du taxi on passe moins pour un touriste et c'est plus confortable.

– Les « grands taxis » ou louages sont effectivement plus grands que les précédents. Du genre Mercedes balèze ou vieilles américaines. Ils assurent les liaisons interurbaines à des prix légèrement supérieurs à ceux des autocars. En s'y entassant à six, on est plus vite rendu à destination.

N'hésitez pas à les utiliser en vous assurant bien cependant que l'on vous demande le même prix qu'aux autres passagers. Ils partent quand ils sont complets. Si l'on est pressé et que le taxi tarde à se remplir, on peut payer pour les places vides afin de partir immédiatement.

Travail bénévole

■ *Concordia :* 38, rue du Faubourg-Saint-Denis, 75010 Paris. ☎ 45-23-00-23. M. : Strasbourg-Saint-Denis. Travail bénévole. Logés, nourris. Chantiers très variés ; restauration du patrimoine, valorisation de l'environnement, travail d'animation... Places limitées. Attention, voyage à la charge du participant.

TANGER ET LE NORD DU MAROC

Cetto partie du Maroc n'est pas la plus visitée, et c'est cependant l'une des plus intéressantes ; carrefour de civilisations à la charnière de deux mondes : ici finit l'Europe et commence l'Afrique. Fille de l'eau et de la terre, belle alanguie entre deux continents et entre deux mers, Tanger est un lieu magique qui fait rêver. Ancien repaire de mauvais garçons et refuge de femmes fatales, Tanger inspira de nombreux romanciers et servit de décor à tant de films d'aventure et d'espionnage. Une ville au parfum de scandale où les intrigues et les extravagances sont de rigueur. Une ville où tout est possible, y compris la rencontre de Tintin et du fameux capitaine Haddock dans *Le Crabe aux pinces d'or*.

Tétouan, chargée d'histoire, est un morceau d'Andalousie qui se serait trompé de continent. L'ancienne capitale du protectorat espagnol cache, derrière les façades de ses maisons blanches décorées de céramiques et ornées de balcons de fer ouvragés, des petits patios secrets où bruissent les fontaines discrètes.

Chefchaouen, encastrée dans la montagne qui lui a donné son nom berbère signifiant « cornes », est l'une des villes les plus surprenantes du Maroc. Nappées d'une couche épaisse de chaux bleutée, ses ruelles forment un labyrinthe où la lumière avec ses jeux d'ombre modifie sans cesse les volumes des maisons qui semblent taillées dans de grands blocs crayeux. Toute la palette des blancs et des bleus exacerbés dans une gigantesque composition abstraite où l'azur et la neige se fondent sous un soleil de feu.

Le Rif, région secrète et d'un accès souvent difficile, a toujours été une terre de résistance fermée à toute pénétration étrangère. Ne fut-elle pas la dernière à se soumettre à Lyautey ? Elle reste encore d'un accès difficile et parfois dangereux. Contentons-nous de nous arrêter dans le chef-lieu de la province, à Al Hoceima. Son charme est typiquement méditerranéen avec ses petites criques, ses calanques, ses îlots rocheux et ses eaux d'un bleu céruléen. En fond de décor, de grandes forêts de chênes-lièges et un maquis couvert de lavande qui a donné son nom à Al Hoceima (la lavande en arabe).

Oujda, proche de la frontière algérienne, est un peu oubliée. C'est pourtant une occasion de partir à la découverte des gorges du Zegzel. Au-dessus des vallées fertiles où se succèdent cultures en terrasses, vignobles et orangeraies, serpente une route étroite qui s'élève dans une région boisée, surplombant un paysage sauvage ponctué de grottes préhistoriques et de falaises à pic. Une incursion hors des sentiers battus dans une nature authentique encore préservée.

Larache, à l'autre extrémité, nous ramène sur le littoral atlantique. C'est dans la Lixus voisine que, si l'on en croit la légende, Hercule aurait accompli ses douze travaux après avoir vaincu le géant Atlas. Il aurait aussi cueilli les fameuses pommes d'or du jardin des Hespérides situé dans une vallée de l'oued Loukos qui coule encore ici.

Asilah vaut surtout pour sa belle médina et ses ruelles évoquant encore l'Andalousie. Ce petit port paisible a pourtant une histoire mouvementée : Romains, Normands, Arabes, Portugais, Espagnols, Saâdiens, Turcs et Autrichiens l'ont successivement possédé. Même au XXᵉ siècle un brigand s'empare de la ville et s'y fait construire un palais. Aujourd'hui, tout est rentré dans l'ordre. Asilah ne s'anime que le jour du souk quand les marchands, au pied de la muraille rose du rempart portugais, étalent dans des couffins tous les trésors de leurs vergers.

De la Méditerranée à l'Océan, des montagnes secrètes du Rif à la plaine d'Oujda, le Nord marocain recèle bien des trésors avec des paysages où les forêts de chênes alternent avec les palmiers, venant nous rappeler que l'Afrique et l'Europe n'ont jamais été aussi proches. Pour s'en convaincre, il suffit de monter au cap Spartel, près de Tanger, pour assister aux noces marines des eaux de la Méditerranée et de l'Océan.

TANGER

IND. TÉL. : 09

Tanger 1923. Début de l'époque internationale et de l'âge d'or. Un sultan débonnaire et une assemblée représentée par neuf grandes puissances. Un régime fiscal exceptionnel attire commerçants et aventuriers de tout poil.
Tanger 1955. La révolution nationaliste s'enflamme, la débâcle s'installe dans les colonies et Tanger s'enfonce dans sa décadence. La ville cosmopolite, fenêtre sur l'Europe, connaît ses derniers jours. Aujourd'hui encore Tanger n'a pas une bonne réputation. Cela dit, la fameuse cité des truands, des bars interlopes et de la traite des Blanches n'existe plus, à la grande déception des touristes. La ville a perdu de son charme, mais il existe dans la médina quelques endroits qui procurent encore des impressions, parfois brutales, toujours intéressantes. En souvenir de son passé cosmopolite, on aperçoit encore de riches propriétés de diplomates, de banquiers et de marchands de toute sorte.
Le nombre d'artistes envoûtés par Tanger et qui y ont séjourné (ou y séjournent) est incroyable : Delacroix, Matisse, Paul Morand, qui y possédait une maison, Tennessee Williams, Barthes, Pasolini, Samuel Beckett, Paul Bowles, William Burroughs, le peintre Francis Bacon et tant d'autres... Elle doit bien avoir quelque chose, cette ville, pour attirer tout ce monde.
C'est probablement la magie de la lumière qui ensorcelle tous ceux qui l'approchent. Tanger est aussi un théâtre où l'on joue plusieurs pièces à la fois. C'est la seule ville d'Afrique où l'on se baigne le matin dans l'Atlantique et le soir dans la Méditerranée. Mais, autant être prévenu, Tanger n'est pas une ville pour enfants de chœur. Il est préférable d'y être toujours sur ses gardes. Cette précaution vous évitera bien des déboires. D'ailleurs, même les Marocains redoutent Tanger. Un routard averti en vaut toujours deux. Attention aux pickpockets !

Adresses utiles

Infos touristiques

🛈 *Office du tourisme :* 29, bd Pasteur *(plan C3).* ☎ 94-86-61 ou 94-86-69. Du lundi au vendredi, en juillet et août de 9 h à 15 h, de septembre à juin de 8 h à 12 h et de 16 h à 19 h. Pendant le ramadan, de 9 h à 12 h. Fermé les samedi et dimanche. Pas de documents en dehors du dépliant officiel.

Services

✉ *Poste :* 33, bd Mohammed-V *(plan D3).* Du lundi au vendredi, de 8 h à 12 h et de 14 h 30 à 18 h.
– *Téléphone et permanence de la poste :* même adresse que la poste. Ouvert 24 h sur 24 et 7 jours sur 7.

Argent, banque, change

■ *American Express :* Voyages Schwartz, 54, bd Pasteur *(plan C3).* ☎ 93-75-46. Ouvert du lundi au vendredi

de 9 h à 12 h et de 15 h à 19 h et le samedi de 9 h à 12 h.
■ *Banques :* pour la plupart, situées bd Mohammed-V, bd Pasteur et place de France.
– Tous les hôtels changent pratiquement toutes les monnaies.
■ La *BMCE,* bd Pasteur *(plan C3, 1),* a l'avantage d'être ouverte tous les jours de 8 h à 14 h et de 16 h à 20 h sauf pendant le ramadan. Elle permet de retirer de l'argent avec la carte VISA. Même chose au *Crédit du Maroc*, bd Pasteur, et à la *SGMB,* face à la poste, bd Mohammed-V.

Représentations diplomatiques

■ *Consulat de France :* 2, place de France *(plan C3, 2).* ☎ 93-20-40, 93-20-39 et 93-10-11. Ouvert de 9 h à 11 h et de 15 h à 16 h du lundi au vendredi. A voir pour son architecture, au milieu d'un beau jardin.
■ *Consulat de Belgique :* place Al-

■ **Adresses utiles**

🛈 Office du tourisme	1	Distributeur VISA
✉ Poste	2	Consulat de France
🚂 Gare des trains	3	Institut français
🚌 Gare routière	4	RAM
	5	Grands taxis
	6	Centre artisanal
	7	Marché des pauvres
	8	Marché de Fès

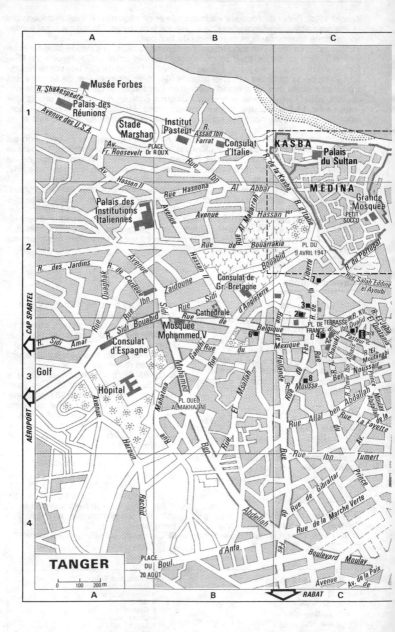

TANGER

0 100 200 m

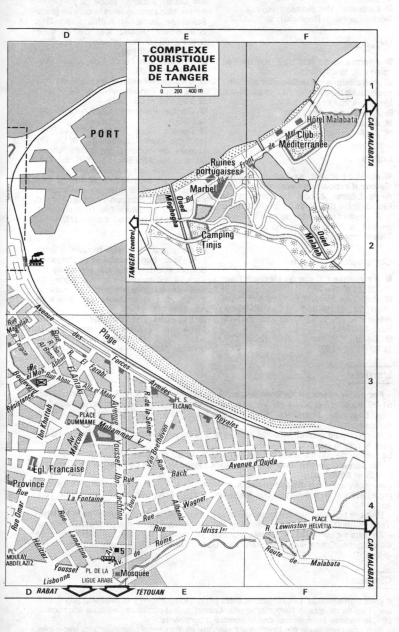

COMPLEXE TOURISTIQUE DE LA BAIE DE TANGER

0   200   400 m

PORT

CAP MALABATA

Hôtel Malabata

Mel Club de Méditerranée

Ruines portugaises du

Marbel

Bd

Oued Moghogna

Front

Oued Melaleh

Camping Tinjis

TANGER (centre)

Avenue des Forces Armées

Plage

Rue Magellan

Rue Ibn Targha

R. Ibn Al Sina Abbai

R. El Farabi

Rue Abou

Alla el Maari

R. El Antaki

Rue el Moh

Boulevard de la Résistance

Ibn Khatab

PLACE OUMMAME

Av. Marconi

Avenue Mohammed V

R. de la Seine

PL S. ELCANO

ROYALES

Egl. Française

Province

Rue Omar

Rue

Herrier

Rue La Fontaine

Avenue Youssef Ibn Tachfine

Rue Louis

Van Beethoven

Rue Bach

Avenue d'Oujda

Rue Albeniz

Wagner

PL MOULAY ABDELAZIZ

Rue Lamartine

Youssef

Av. Lisbonne

PL DE LA LIGUE ARABE

Mosquée

Rue de Rome

Idriss Ier

R. Lewinston

PLACE HELVETIA

Route de Malabata

CAP MALABATA

5

D **RABAT**   E **TÉTOUAN**   F

Madina-Im-Jawara *(hors plan, A4).* ☎ 94-32-34.
■ *Consulat de Suisse :* 3, rue Ibn-Rochd (ex-Henri-Regnault). ☎ 93-47-21.

Urgences

■ *Pharmacie de nuit :* 22, rue de Fès *(plan C3).* ☎ 93-26-19.
■ *Polyclinique de la Sécurité sociale :* route de Malabata *(plan Γ4).* ☎ 94-01-99. Urgences jour et nuit.
■ *Police secours :* ☎ 19.
■ *Ambulances :* ☎ 15.
■ *Croissant rouge :* ☎ 94-25-17.

Loisirs

■ *Institut français, ex-Centre culturel, Galerie d'exposition Delacroix :* 86, rue de la Liberté, à côté du consulat de France *(plan C2, 3).* ☎ 93-21-34. Ouvert tous les jours sauf lundi, de 11 h à 13 h et de 16 h à 20 h. Programme disponible. Très nombreuses manifestations.

Compagnies aériennes

■ *Air France :* 7, rue du Mexique *(plan B-C3).* ☎ 93-64-77.
■ *Royal Air Maroc :* 1, place de France *(plan C3, 4).* ☎ 93-55-01 et 93-55-02. Réservations : ☎ 93-47-22 et 93-40-45. Fax : 93-26-81.
■ *Ibéria :* 35, bd Pasteur *(plan C3).* ☎ 93-61-77 et 78.

Transports

🚌 *Gare routière :* place de la Ligue-Arabe, plus connue sous le nom de place Sahat Al Jamia Al Arabia *(plan D4).* ☎ 94-66-82. Assez loin de la gare ONCF, du centre et de la médina. Prendre un petit taxi.
■ *Grands taxis :* à côté de la gare routière *(plan D4, 5).*
■ *Garage Renault :* 2, av. de Rabat, au km 2. Sur l'ancienne route de Rabat. ☎ 94-14-87 et 93-69-38.
■ *Garage Peugeot :* 37, rue Quevedo. ☎ 93-50-93.
■ *Dany's Car :* 7, rue Moussa-Ben-Noussair *(plan C3).* ☎ 93-17-78. Un des loueurs de voitures les moins chers. Dans la rue Allal-Ben-Abdallah, au n° 3, juste derrière, la maison *Cady* pratique à peu près les mêmes prix. ☎ 93-41-51.
— Les principales agences de location *(Avis, Hertz* et *Europcar)* sont situées sur le boulevard Pasteur *(plan C3)* et sur le boulevard Mohammed-V *(plan D3).*

Divers

■ *Consigne :* à la gare ferroviaire *(plan D2).* Très bon marché. Les bagages doivent être fermés à clé, y compris les sacs. Il existe une autre consigne, en face de la gare en montant vers la médina, qui les accepte même s'ils sont non clos.
■ *Supermarché Sabrine :* 143, av. Mohammed-V *(plan D3),* ouvert 7 jours sur 7. On y trouve tout, même les produits les plus rares au Maroc.

L'arrivée

— *Par avion :* aéroport de Boukhalf, à 15 km. ☎ 93-57-20. *Royal Air Maroc :* ☎ 93-51-29, 93-47-17 et 93-64-82. Vols en provenance d'Agadir, Al Hoceima, Casablanca, Fès, Laayoune, Marrakech, Rabat, Ouarzazate, Tan-Tan, Oujda, et des capitales européennes.
Il existe un tarif gouvernemental imposé aux taxis. Au printemps 95, il était de 70 DH pour le centre ville.
Le bureau de change de la douane ne prend pas les chèques de voyage.
— *Par bateau :* service à partir de la France (départs du port de Sète) et de l'Espagne (Tarifa et Algésiras).
Une nouvelle liaison *(Mediterranea)* relie Algésiras à Tanger en Hydrofoil en 1 h seulement. Elle est au même prix que les ferries. Départ D'Algésiras : 9 h ; départ de Tanger : 14 h 30.
— *En train :* gare ferroviaire toute neuve et très réussie, sur le port, place de la Marche-Verte *(plan D2).* ☎ 93-12-01. Relie toutes les grandes villes marocaines. Consigne.
— *En bus :* gare *CTM.* A l'entrée du port, en face de la gare ferroviaire. Bus de Casablanca, Ceuta, Fès, Tétouan, etc. *Gare routière :* av. Ludwig-Van-Beethoven *(plan D4).*

Circuler

A pied bien entendu. Les distances étant parfois longues, ne pas hésiter à prendre un taxi. Pas de compteur. Négocier le prix. Quand on est plusieurs (les taxis sont collectifs), la somme est à diviser par le nombre d'occupants.
— *Bus :* peu pratiques car desservant presque exclusivement les quartiers excentrés. Station principale : angle av. Sidi-Mohammed-ben-Abdellah et rue de la Marche-Verte.

– *Permanence des taxis :* ☎ 94-55-27.
– *Stations :* rue de Fès et bd Mohammed-V *(plan C3)*.
– *Parkings de voitures :* pour laisser son véhicule en sécurité, utiliser le parking de l'*hôtel Tanjah Flandria (plan C3)*.

Achats

On vend de tout à Tanger. Comparez les prix avant d'effectuer un achat. Ils varient d'un magasin à l'autre.

■ *Centre artisanal Coopartim :* dans la casbah et rue de Belgique *(plan B-C3)*.
■ *Librairie les Colonnes :* 54, bd Pasteur *(plan C3)*. ☎ 93-69-55. Tous les livres sur Tanger ... et les autres. Rachel est une excellente professionnelle. Beaucoup d'écrivains célèbres ont dédicacé leurs œuvres dans sa librairie ouverte du lundi au vendredi de 9 h 30 à 13 h et de 16 h à 19 h. Samedi, de 9 h 30 à 13 h.
■ *Marché de Fès :* rue de Fès *(plan C3, 8)*. L'endroit idéal pour faire ses courses. Ce petit marché couvert est une corne d'abondance : poulets, épices, amandes, vendeurs sympa. On n'y est pas du tout agressé (ça change du Petit Socco) et c'est vraiment pas cher...
■ *Marché des Pauvres (plan C2, 7)* : on en parle en détail plus loin. Encore moins cher.

■ *Parfumerie Madini :* 14, rue Sebou, dans la médina. La famille Madini distille les huiles essentielles depuis 14 générations ! Ils ont le secret des mélanges, et leur travail est renommé à travers tout le monde musulman. Les émirs du Koweït se fournissaient chez eux, comme le faisait la milliardaire américaine Barbara Hutton. Faites comme elle et abandonnez-vous aux effluves capiteux. Ils invitent aussi à sentir tous les parfums.
■ *Complexe duty free en zone portuaire :* on y trouve de tout, de l'habillement à l'alimentation, en passant par la hi-fi. D'ailleurs, beaucoup de ces produits finissent en ville. Réservé pourtant aux passagers munis de la carte d'embarquement.

Conseil spécial Tanger

Évitez de vous balader le soir aux alentours du Petit Socco. Gros risques de se retrouver coincé au milieu des très nombreux règlements de comptes locaux, notamment entre le *café Fuentès* et l'escalier américain menant au port.

Où dormir ?

A Tanger, ne jamais se faire accompagner d'un « faux guide ».

Très bon marché

🛏 *Auberge de jeunesse :* 8, rue El Antaki *(plan D3)*, rue perpendiculaire à l'avenue d'Espagne et située à environ 800 m de l'arrêt des bus et de la gare. ☎ 94-61-27. Ouverture récente. Propre.

DANS LA MÉDINA

C'est indéniablement dans la médina que le routard trouvera lit à son pied. Toutes les pensions de la médina, ou presque, sont concentrées autour du Petit Socco et dans l'ancienne rue des Postes, maintenant rue Mokhtar-Ahardan *(plan Médina, C2)*, qui va de l'entrée de la médina (en venant de la gare maritime, prendre les escaliers) au Petit Socco *(plan Médina, B2)*. Malheureusement, c'est aussi le quartier le plus dangereux de la ville.

Bon marché

En haut des escaliers, en venant du port et de la gare.

🛏 *Hôtel Palace :* 2, rue des Postes *(plan Médina, C2, 1)*. ☎ 93-61-28. Magnifique patio intérieur. Pension refaite à neuf. Grande chambre avec lavabo et sanitaires corrects. Notre meilleure adresse dans cette catégorie. Les chambres donnant sur le Petit Socco sont très bruyantes.
🛏 *Pension Nahda :* 17, rue Dar-Dhagh. ☎ 93-23-65. Jolie vue sur le port. 15 chambres propres mais très sommaires. Pas de douche dans l'hôtel.
🛏 *Pension Victoria :* 22, rue des Postes *(plan Médina, C2, 2)*. ☎ 93-12-99. Entrée

originale avec une fontaine et une cour intérieure peinte en trompe l'œil. 33 chambres propres avec un coin lavabo. Une douche froide pour tout l'hôtel...

♠ *Pension Mauritania :* 2, rue de la Kasba, ex-rue des Chrétiens *(plan Médina, B2, 3).* ☎ 93-46-77. Propre. Le patron ne parle pas le français. Chambres sommaires et pas en très bon état. Douche froide collective. Plus cher que les précédents.

♠ *Pension Agadir :* 16, rue du Palmier, près du Petit Socco. ☎ 93-80-82. Propre et accueil correct. Douche froide gratuite et douche chaude payante.

♠ *Pension Fès :* 30, rue des Postes *(plan Médina, C2, 4).* Préférer une chambre donnant sur l'impasse.

♠ Également beaucoup d'hôtels dans la montée qui va de la gare maritime au Grand Socco *(plan Médina, C3).* Là aussi, prix tous voisins. La *Pension Larache* se distingue par sa propreté. Mais les chambres seraient louées à l'heure dans la journée...

♠ *Hôtel Continental :* 36, Dar Baroud

(plan Médina, C1-2, 5). ☎ 93-10-24. Fax : 93-11-43. Une bâtisse incroyable, d'une autre époque. Toutes les chambres ont été rénovées début 95, tout en conservant leur ancien cachet. Plein de patios intérieurs et de petits salons. Vue exceptionnelle sur le port et la médina de sa terrasse. Parking. Une de nos meilleures adresses à Tanger. Si vous restez plusieurs jours, essayez d'avoir la chambre 108 avec son lit à baldaquin et son mobilier rétro. Churchill y aurait dormi, mais le patron la laisse presque toujours fermée. Même le chanteur Donovan n'eut le droit d'y dormir qu'après être resté plusieurs jours dans l'hôtel !

♠ *Hôtel Mamora :* 19, rue des Postes *(plan Médina, C2, 6).* ☎ 93-41-05. 30 chambres avec douche chaude et téléphone. Classé 2 étoiles. Belle terrasse sur le toit avec vue magnifique sur le détroit de Gibraltar. Sans grand charme mais plutôt propre et calme. Deux prix, avec et sans toilettes dans la chambre. Un peu cher malgré tout.

HORS LA MÉDINA

Très bon marché

♠ *Pension Gibraltar :* 62, rue de la Liberté, face au Minzah. ☎ 93-67-08. Belle façade, mais chambres très moyennes. Une très belle vue sur la ville, des petits prix et une ambiance familiale en font néanmoins une adresse conviviale pour les fauchés.

Prix moyens

♠ *Hôtel Ritz :* 27, rue Moussa-Ben-Noussaïr *(plan C3),* derrière l'hôtel *Tanjah Flandria.* ☎ 93-80-75. Établissement propre. Chambres spacieuses avec salle de bains. Bon petit déjeuner compris. Bien tenu. Un des meilleurs rapports qualité-prix de la ville.

♠ *Hôtel de Paris :* 42, bd Pasteur *(plan C3).* ☎ 93-18-77 et 93-81-26. La plupart des chambres ont une salle de bains. Pour les autres, douche collective. Eau chaude entre 7 h et 10 h seulement. Les chambres sont grandes, hautes de plafond et très propres. Toutefois, il est préférable d'avoir un bon sommeil, l'hôtel étant bruyant et situé en plein centre ville. Son entrée décorée donne une idée de son ancienne splendeur. Propreté sommaire. Très souvent complet. Téléphoner pour réserver. Demander une chambre en haut pour la vue.

♠ *Hôtel Cecil :* 12, av. des F.A.R. ☎ 93-10-87. La propreté des w.-c. laisse un peu à désirer. Sinon, hôtel plein de

charme, très tarte à la crème avec ses mosaïques bleues. En bord de mer.

♠ *Hôtel Miramar :* 168, av. des F.A.R. ☎ 94-17-15. Fax : 94-36-28. Il a encore de beaux restes même si la peinture s'écaille. A ce prix-là, avec la vue sur la mer, on peut bien supporter quelques défauts.

♠ *Hôtel Panoramic Massilia :* 11, rue Targha (ex-rue Marco-Polo). ☎ 93-50-15. Très central, tout près du *Rembrandt.* Aurait grand besoin de rénovation, mais vue magnifique sur le détroit de Gibraltar. Les papiers peints sont déchirés, les radiateurs déposés à terre et certaines prises de courant hors d'usage ont quitté leur mur. Accueil chaleureux et petit déjeuner compris dans le prix. Demander la chambre 219.

♠ *Hôtel Andalucia :* 14, rue Ibnhazm (ex-rue Vermeer ; *plan C3).* ☎ 94-13-34. C'est en plein centre, une rue calme derrière le salon *Roxy.* L'hôtel est au-dessus d'un garage. Pas de problème pour se garer mais parking payant. 25 chambres impeccables avec douches chaudes. Pas de petit déjeuner dans l'hôtel.

♠ *Pension Hollanda :* 139, rue de Hollande. ☎ 93-78-38. Aussi propre que là-bas et qui plus est dans un quartier tranquille. Chambres spacieuses, mais douche et w.-c. sur le palier. Parking. Une bonne adresse mais un peu chère pour le confort.

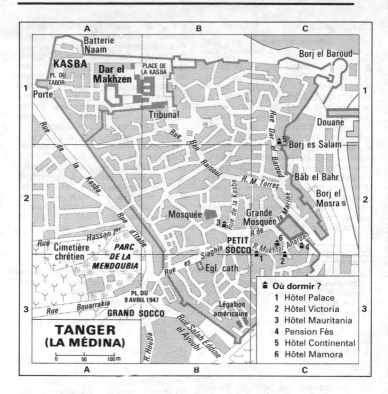

TANGER (LA MÉDINA)

0   50   100 m

Où dormir ?
1 Hôtel Palace
2 Hôtel Victoria
3 Hôtel Mauritania
4 Pension Fès
5 Hôtel Continental
6 Hôtel Mamora

 Hôtel Valencia : 72, av. d'Espagne. ☎ 93-07-70. Pratique, car en face de la gare. Calme et très propre. Bon rapport qualité-prix. En revanche, le prix du garage est un peu élevé.

Chic

 Hôtel Rembrandt : à l'angle du boulevard Mohammed-V et de l'avenue Pasteur. ☎ 93-78-70 à 72. L'une des institutions de Tanger. Très beau hall, chambres spacieuses avec mobilier d'époque. Le tout à des prix raisonnables. Trois fois moins cher que le *Minzah*.

 Hôtel Intercontinental : parc Brooks *(plan A2)*. ☎ 93-53-63 à 68. Fax : 93-79-45. Un des rares hôtels de Tanger où l'on arrive à dormir sans boules Quiès. Bien situé dans un parc verdoyant à 10 mn du centre ville. Chambres spacieuses et agréables avec air conditionné donnant sur un vaste jardin avec piscine. Hélas, le restaurant n'est pas à la hauteur. Même le petit déjeuner est une déception.

 Hôtel Rif : av. des F.A.R. ☎ 94-17-31 ou 77 ou 66. Fax : 94-17-94. Vient d'être rénové. Agréables chambres avec un petit salon en véranda. Demander les chambres sur la mer. L'un des moins chers avec piscine.

Encore plus chic

 El Minzah : 85, rue de la Liberté *(plan C2)*. ☎ 93-58-85. Fax : 93-45-46. A l'entrée du Grand Socco. Cette ancienne villa d'un lord anglais constitue un des plus beaux hôtels du Maroc. On ne compte plus les hôtes célèbres qui y ont séjourné : Rita Hayworth, Churchill, Juan Carlos... Mais si vous voulez la chambre que Jean Genet a longuement occupée vers la fin de sa vie, demandez la 115. Peut-être croiserez-vous Dustin Hoffman dans le patio à arcades bleu et blanc. Jardin débordant de roses et de bougainvillées. Palmiers autour de la piscine. Très très cher. Le restaurant marocain est bon (voir « Où manger ? »), ce qui n'est pas le cas de sur l'autre restaurant français. Allez prendre, si vous en avez les moyens, un verre au *Caïds Bar* (pianiste le soir) ou au bord de la piscine.

Campings

Tous à éviter si on le peut. Les plus téméraires sont invités à lire ce qui suit.

🛖 *Camping Miramonte :* entrée par la nouvelle route Marshan *(hors plan, par A1)* à l'ouest de la ville, à 3 km du centre. ☎ 93-71-33. Du Grand Socco, bus 1 (le plus pratique) ou 12. Situé sur une colline, près de la mer, calme et ombragé. Ouvert pour les admissions de 8 h à 12 h et de 15 h à 20 h. Plage à proximité. Restaurant ouvert en été. Petite piscine payante. Bar-cafétéria. Quelques bungalows minuscules aux murs recouverts de céramique. Sanitaires innommables. D'ailleurs, ce camping très mal entretenu semble à l'abandon. Chaque matin les poubelles sont déversées à quelques mètres des tentes. Pas d'eau chaude. Il n'y a d'ailleurs plus de tuyauterie...

🛖 *Camping Robinson Plage :* au cap Spartel, en face des grottes d'Hercule, à 12 km du centre ville *(hors plan, par A3)*. ☎ 93-87-65. Ce camping de 200 places, tenu par des Allemands, était un modèle du genre et nous le considérions comme le meilleur du Maroc. Hélas ! il a été cédé à des locaux et tout, là aussi, commence à se déglinguer. Les sanitaires, certains jours, sont inutilisables par manque d'eau. C'était trop beau pour durer !

– A éviter : *camping Tingis,* à l'est de la ville, sur la route du front de mer vers Malabata. Pas d'eau dans la piscine malgré le supplément « piscine ». Sol jonché de détritus. Sanitaires infréquentables. Plus de plomberie. Les odeurs envahissent tout. Très bruyant la nuit. Impossible de fermer l'œil et ce camping est un des plus chers du Maroc. S'ils ont des clients, ce ne sera pas de notre faute.

Où manger ?

Tanger est une ville où l'on mange bien, mais curieusement on y trouve surtout des restaurants de cuisine étrangère. Goûtez au poisson au gros sel (recette d'origine portugaise ; à commander toujours à l'avance) et à la tarte au citron. Elle est très différente de celle que l'on fait en France. Les meilleures sont servies au *San Remo* et au *Mirage* du cap Spartel.

En été, une armada de restaurants-cabarets (danse orientale, etc.) tout au long de la plage. Tous sont rénovés ou en voie de l'être. Y aller au feeling.

Bon marché

– Place du Grand-Socco, ou place du 7-Avril-1947 *(plan C2)*. Les plus fauchés pourront manger une *harira* ou *besara* (spécialité du Nord, aux fèves), près des marchandes de pain. De quoi se caler l'estomac à bon marché.

🍽 *Eldorado :* 21 Allal Ben Abdellah *(plan C3)*. ☎ 94-33-53. Bon, pas cher et service rapide. Vous y trouverez du poisson frais car le restaurant ne désemplit jamais.

🍽 *Alhambra Sandwiches :* 10, rue du Mexique *(plan C3)*. Malgré son nom, il n'y a pas que des sandwiches. Très sympa et bien tenu. Plats exposés dans une vitrine réfrigérée. Le restaurant d'Ahmed est une bonne adresse.

🍽 *Restaurant Ahlen :* 8, rue des Postes. ☎ 93-19-54. Un grand classique de la restauration à bas prix situé dans le Petit Socco. Accueil extrêmement sympathique du patron qui arbore une belle moustache. Cuisine simple mais de qualité. Dans l'entrée, pleine d'odeurs qui vous mettront en appétit, poulets rôtis grillés à la broche et grande marmite de *harira* fumante.

🍽 *Chez Amigo :* à côté du lycée Regnault *(plan C3)*, face au Salon Roxy. Grand choix de sandwiches qui calment même une grande faim.

🍽 *Restaurant Agadir :* 21, rue Prince-

Héritier *(plan C3)*. Petite gargote marocaine qui ne paie pas de mine. Spécialité de tajines en tout genre. Décor et service sans prétention, mais prix modérés.

🍽 Deux petites *rôtisseries* (sans nom) demeurent ouvertes toute la nuit. Poulets à la broche, foie grillé, etc. Bonne qualité et sans histoire. La première se trouve place du Petit-Socco, la seconde rue es Siaghine, en montant vers le Grand Socco.

Prix moyens

🍽 *Restaurant Romero :* 12, av. Prince-M.-Abdellah, en face de l'hôtel *Lutetia* *(plan C3)*. ☎ 93-22-77. Un des meilleurs restaurants de poisson et de paëlla à Tanger. Le décor andalou ne paie pas de mine, mais le service et la nourriture sont de grande qualité. Clientèle néanmoins assez guindée.

🍽 *Raïhari :* 10, rue Ahmed-Chaouki *(plan C3)*. ☎ 93-48-66. Cuisine marocaine traditionnelle dans un cadre typique. Excellent couscous au poulet. N'hésitez pas à discuter avec les serveurs.

🍽 *Négresco :* 14, rue du Mexique *(plan B3)*. Cuisine traditionnelle et simple, servie dans un décor de murs peints représentant des pirates et des vieilles scènes de marché. Serviettes en tissu.

🍽 *Rubis Grill :* 3, rue Ibn-Rochd (ex-

Henri-Regnault ; *plan C3*). ☎ 94-14-43. Très fréquenté par la clientèle anglaise. C'est plutôt un bar qui fait restaurant. Menu très correct avec taxes et service compris. Décor hétéroclite. Bois de cerfs aux murs, peaux de vaches et grappes de piments suspendues au plafond. Il y a même un sanglier empaillé dans un berceau et une statue d'art nègre sur une estrade. La cuisine est plus classique. Service un peu lent ; priorité aux clients du bar. Et on écluse beaucoup au *Rubis* !

|●| *Casa d'Italia :* dans le palais Moulay-Hafid. Géré par une association italienne, mais ouvert à tous. Bonne cuisine. Cadre original des années 60. Parking.

|●| *La Grenouille :* 3, rue El-Jabha-El-Ouatania (ex-rue Rembrandt). ☎ 93-62-42. Très ancien resto, à l'atmosphère un peu british. La déco est centrée sur le thème de la grenouille. Cadre années 1950. Cuisine européenne.

Chic

|●| *Restaurant San Remo, Chez Toni :* 15, rue Ahmed-Chaouki *(plan C3)*. Fermé le lundi. Ne paie pas de mine vu de l'extérieur. Mais quelle carte ! Spécialités de pâtes fraîches (tagliatelles aux fruits de mer), brochettes et fritures de poisson, coq au vin, gigot et poisson au gros sel sur commande. Excellente tarte au citron et mémorable gâteau aux noix et aux amandes. Il faudrait tout goûter ! Toni surveille de main de maître ce restaurant qui constitue une des grandes tables de la ville et dont le décor vient d'être refait.

|●| *Restaurant Las Conchas :* 30, rue Ahmed Chawki (ex-Murillo, *plan C3*). ☎ 93-16-43. Actuellement, la meilleure cuisine française de Tanger. Menu gastronomique hors du commun. Service attentionné. L'ensemble est supervisé par un Bordelais expérimenté et très sympa. Bonne ambiance. Il est recommandé de réserver.

|●| *The Pub :* 4, rue Sorolla, en face de l'hôtel Ritz *(plan C3)*. ☎ 93-47-89. Ouvert tous les jours de 12 h à 15 h et de 19 h à 1 h 30. Ambiance étonnante et cosmopolite. Tenue correcte exigée. Grand choix d'alcools. Les habitués se cramponnent au bar, passé une certaine heure et un certain nombre de drinks. Bonne carte de plats bien préparés. Plats du jour inscrits sur un tableau noir.

|●| *Garden Restaurant Guitta's :* av. Sidi-Mohammed-ben-Abdallah, en face de la mosquée de Mohammed-V à l'angle de la rue de Belgique *(plan B2-3)*. ☎ 93-73-33. Fut le resto le plus secret et le plus sélect de Tanger, fréquenté par les Anglo-Américains les plus chic depuis son ouverture, il y a une trentaine d'années. Déjeuner ou dîner chez Mercedes, la maîtresse de maison, c'était découvrir le Tanger de nos grands-pères. Mais, avec le temps, certaines adresses ne s'améliorent pas comme le bon vin en vieillissant. Pour les nostalgiques, avant que cette maison ne s'écroule.

|●| *Restaurant marocain de l'hôtel El Minzah :* 85, rue de la Liberté *(plan C2)*. ☎ 93-58-85. Le seul resto de la ville où l'on puisse manger une cuisine marocaine raffinée comme on sait la faire à Fès. C'est aussi la seule table où l'on connaît la différence entre le « couscous beidaoui » et le « couscous fassi ». Signe d'authenticité. *Pastilla* sublime. Prix élevés mais raisonnables, eu égard à la qualité et au cadre. Pour les spécialités, comme le pageot farci aux fruits de mer, commander 2 h à l'avance.

|●| *Le Mirage Restaurant :* au cap Spartel, au-dessus des grottes, à 12 km du centre ville *(hors plan par A2)*. Ouvert de midi à minuit. La vue est tellement belle qu'on pourrait vraiment croire à un mirage. Spécialités de produits de la mer. Grande variété de poisson, du plus courant au plus sophistiqué (homard, requin) ; rare toutefois. Excellente tarte au citron qui vaut à elle seule le déplacement. A l'intérieur, belle salle avec cheminée pour vos soirées d'hiver.

Restaurant folklorique

|●| *Restaurant Marhaba :* rue de la Kasba (face à l'entrée de la casbah, prendre l'impasse sur la gauche ; *plan Médina, A1*). ☎ 93-76-43. L'entrée ne paie pas de mine, mais une fois gravi l'escalier, vous êtes dans un splendide palais baroque, miroitant de couleurs. Les musiciens fument avant de jouer pour vous, et une ambiance sereine règne tandis que vous dégustez la meilleure semoule de Tanger, des brochettes à foison ou la *pastilla* maison... La cuisine (deux menus ou à la carte) est bonne et légère mais ici tout est dans la musique envoûtante et le cadre magique. Contrôlez tout de même votre addition.

Où boire un verre ?

♟ *Café Hafa :* quartier Marshan, derrière le stade, près du palais Forbes *(plan A1)*. Demandez votre chemin, car à Tanger tout le monde le connaît. Dans une ruelle sordide et introuvable, si on ne cherche pas suffisamment longtemps, se trouve une porte sans enseigne. Vous la poussez et vous êtes au Hafa (la « Falaise »). Des jardins en terrasse, des plantes, des tables disséminées entre des arbustes et des balustrades, des chats gambadant et des fumeurs allongés sur des nattes... On passe des journées entières ici, à boire le thé à la menthe et à contempler le paysage : la mer, le détroit de Gibraltar et la côte andalouse, juste en face. C'est le lieu favori de l'écrivain américain Paul Bowles, qui vit à Tanger depuis plus de quarante ans. Fermé dans la journée pendant le ramadan. Ils servent uniquement du thé à la menthe, du café et des sandwiches. Un endroit magique qu'il ne faut manquer à aucun prix.

🍸 *The Pub :* 4, rue Sorolla *(plan C3)*. Très animé le soir. Fait aussi restaurant (voir « Où manger, chic ? »). Ne désemplit pas. Un endroit cosmopolite.

🍸 *Café de Paris :* place de France *(plan C3)*. Le *Flore* de Tanger. D'ailleurs c'était l'un des cafés préférés de Jean Genet.

🍸 *Le Mirage :* au cap Spartel, au-dessus des grottes. Pour la vue, surtout en fin d'après-midi, au soleil couchant.

🍸 *Caïds Bar* de l'hôtel *El Minzah :* 85, rue de la Liberté *(plan C3)*. Un cadre exceptionnel pour un verre loin du bruit et de l'agitation de la ville. Bon choix de cocktails. Si vous avez des goûts de luxe, belle carte de champagnes...

🍸 *Café Fuentès :* place du Petit-Socco *(plan Médina, B2)*. L'hôtel est devenu vraiment trop minable depuis que Saint-Saëns, le musicien, et William Burroughs, l'écrivain, y ont dormi. Mais vous pouvez encore y boire un thé au 1er étage pour contempler l'activité de la place.

🍸 *Café Tingis :* place du Petit-Socco *(plan Médina, B2)*. Sympa. On a l'impression de remonter dans le temps à l'époque du protectorat.

Vie nocturne

Les boîtes de nuit s'animent très tard dans la nuit (1 h 30) et sont souvent fréquentées par des « filles qui travaillent ». Une certaine vigilance s'impose car il existe un grand nombre de discothèques douteuses. La plupart se trouvent derrière le boulevard Pasteur *(plan C3)*.

– *Borsalino :* 30, av. Prince-Moulay-Abdellah *(plan C3)*. ☎ 94-31-63. Le rendez-vous nocturne des notables tangérois. Le patron, dans une tenue années 30, filtre de manière drastique les entrées ; il vaut mieux être connu et avoir une tenue correcte (baskets interdites). L'intérieur, minuscule, distille une musique internationale. Un peu cher.

– *Régine :* 8, rue El Mansour-Dahabi. 100 m plus bas. Un peu moins sélecte que la précédente, néanmoins plus grande et moins chère.

– *Marrocco Palace :* rue Ahmed Chaouki *(plan C3)*. Ambiance marocaine, à voir... La plus sympathique et la mieux fréquentée des trois.

Où manger une pâtisserie ?

Les Anglais étant des amateurs de pâtisseries et de salons de thé, il en reste beaucoup, et vous les énumérer serait fastidieux.

■ *Salon de thé Vienne :* à l'angle de la rue du Mexique et de la rue El-Moutanesi, à côté d'Air France *(plan C3)*. Bons gâteaux. Ambiance BCBG. C'est la pâtisserie la plus branchée, fréquentée aussi par les jeunes de 18 h à 20 h.

■ *Pâtisserie Florence :* à l'angle des rues La Fayette et Fernando-de-Portugal *(plan C3)*. Ce n'est pas un salon de thé, mais on peut y acheter des pizzas, des morceaux de poulet pour des petits repas. Excellents gâteaux marocains et européens.

■ *Le Petit Prince :* 36, bd Pasteur *(plan C3)*. Délicieuses pâtisseries et pizzas à emporter.

■ *Pâtisserie Oslo :* bd Pasteur, sous

des arcades, un peu plus bas que la Wafabank. Excellentes pâtisseries à déguster sur place. Entre autres, tarte à la pâte d'amande redoutable. Font aussi des pizzas et des petits snacks salés.

■ *La Heladerca Colonna :* 27, rue Allal-ben-Abdallah *(plan C3)*. Plusieurs parfums de glace.

■ *Pâtisserie Rahmouni :* 35, rue du Prince-Moulay-Abdallah *(plan C3)*. Rien que des pâtisseries marocaines à emporter, mais de qualité parfois inégale et accueil à peine aimable.

■ *Café de Venise :* 6, rue Allal-ben-Abdallah *(plan C3)*. En face du lycée Regnault. Sympa pour le petit déjeuner.

A voir

★ *Le Grand Socco ou place du 9-Avril-1947 (plan Médina, A-B3)* : place assez vaste, reliant la ville ancienne à la ville moderne, sans intérêt en soi, mais lieu de passage obligé. Le jeudi et le dimanche, elle se transforme en un marché où les paysannes, encore vêtues de leurs traditionnelles *foutas* rayées, sont coiffées d'immenses chapeaux de paille à pompons de laine.
C'est sur cette place que le sultan Mohammed ben Youssef prononça, le 9 avril 1947, le discours dans lequel il évoquait l'indépendance du Maroc.

★ *Le Petit Socco (plan Médina, B2)* : au bout de la rue Es Siaghin, c'est-à-dire des Bijoutiers. Beaucoup plus intéressante que la précédente. Constamment animée. Bordée de terrasses de cafés et de petits hôtels. S'arrêter au café *Tingis*, par exemple. C'est là que se traitaient la plupart des affaires à l'époque de Tanger ville internationale.

★ *La légation des États-Unis :* 8, rue d'Amérique. A côté du Grand Socco. Ouvert les lundi, mercredi et jeudi de 10 h à 13 h et de 15 h à 17 h. Sinon, sur rendez-vous : ☎ 93-53-17. Entrée libre. La plus ancienne légation des États-Unis à l'étranger, installée depuis 1821. Collections de meubles et de portes anciennes. Lettre de George Washington adressée au sultan du Maroc en 1789 pour lui confirmer la reconnaissance de son pays. Il faut dire que le Maroc avait été le premier pays à reconnaître les États-Unis, et ce dès 1777. Nombreuses œuvres du peintre Mac Bey dans des cadres anciens. Les miroirs exposés, qui datent du XVIIIᵉ siècle et proviennent de Provence, étaient destinés à l'exportation vers les harems d'Afrique du Nord. Œuvres aussi de Brayer, Bravo et Yves Saint-Laurent. La bibliothèque, très complète, était jadis une maison close.

★ *La casbah :* ancienne forteresse surplombant la médina. On y accède par de petites ruelles pentues, jalonnées de petites boutiques et d'escaliers. S'arrêter à la **Fondation Carmen Macein** si elle n'est pas fermée, ce qui est le plus souvent le cas. Vous pourrez y voir des lithographies contemporaines. L'architecture de cette fondation, créée par une cousine de Franco, est très réussie. Refuser toutes sollicitations. Éviter de s'y promener le soir. De la terrasse, belle vue sur le port. Ne pas se garer à l'intérieur de la casbah. Gamins gardiens teigneux et chers. Parking juste avant, après la montée (impressionnante).

★ *Dar el Makhzen :* dans la casbah *(plan Médina, A1)*. Ouvert tous les jours, sauf le mardi, de 9 h à 13 h et de 15 h à 18 h. Palais du sultan, agrémenté d'un patio qu'entourent des arcs décorés de faïence. Son entrée est près d'une belle place avec vue sur la mer.
Uniques au Maroc, à notre connaissance, les chapiteaux des colonnes du patio sont sculptés en forme de feuilles d'acanthe (ordre corinthien sur les temples grecs).
Les appartements, caractéristiques des palais princiers avec salle du Trône, sont revêtus de mosaïques et de plâtre sculpté.
Dans la partie archéologique (interdiction de photographier), mosaïques provenant de Volubilis. A côté, petit jardin andalou avec salle de repos en céramique et bois travaillé.

★ *Le musée Forbes :* rue Shakespeare, dans le quartier Marshan, derrière le stade *(plan A1)*. Ouvert tous les jours sauf jeudi, de 10 h à 17 h. Dans l'ancien palais du *mendoub,* acquis par le milliardaire américain Malcolm Forbes. 115 000 figurines militaires sont rassemblées dans des vitrines, et reconstituent des batailles célèbres. Mais plus que par ses collections, ce palais vaut par sa situation et la splendeur de ses jardins, dignes des Mille et Une Nuits. Les appartements privés ne se visitent pas. Ils contiennent des collections de grande valeur et une décoration qui témoigne de la splendeur de cet ancien palais et de la richesse de son nouveau propriétaire.
Le *mendoub* était le représentant permanent du sultan auprès des grandes puissances. Cette période de faste devait durer de 1923 jusqu'à l'indépendance en 1956.

★ *La terrasse des Paresseux :* juste au bout du boulevard Pasteur, avant la place de France *(plan C3)*. Beaucoup de monde le soir pour regarder le panorama du port avec Gibraltar et l'Espagne en toile de fond. Dans la journée, les désœuvrés font semblant de le regarder mais guettent surtout les touristes, toujours bons à plumer.

★ *Le marché des Pauvres (plan C3, 7)* : prendre la rue de la Liberté et ensuite descendre le premier escalier à droite. Dans un ancien caravansérail. Marché très pittoresque et coloré. Au 1ᵉʳ étage, des tisserands travaillent dans les anciennes chambres. Si vous avez des difficultés à trouver, demandez le souk des tisserands. Tout le monde le connaît sous ce nom.

Dans les environs

★ *Le cap Spartel et les grottes d'Hercule :* à 12 km environ. Sortir par la Montagne, le quartier résidentiel. On longe la résidence d'été du roi Hassan II. Belles plages au bas de la falaise. *Attention,* elles sont dangereuses. C'est là que les eaux de la Méditerranée et celles de l'Atlantique se mélangent. Paysage superbe tout le long de la route du cap.

Les grottes d'Hercule (entrée payante) sont une série de cavernes naturelles où la mer pénètre à marée haute. On y a trouvé des vestiges préhistoriques. Naguère, on détachait de ces parois des blocs de calcaire dur pour fabriquer des meules. A voir plutôt en soirée pour profiter du coucher de soleil (superbes photos en perspective). Faire étape à la terrasse panoramique du *Mirage.* Possibilité de s'y rendre en grand taxi, à partir de la place du 9-Avril-1947 (près de l'entrée de la Médina). Bien négocier le prix avant.

Un très bon hôtel *(Robinson)* se trouve entre le cap et les grottes. Il donne sur la plage. Prix moyens. Juste en face, on danse dans des grottes. C'est là que s'est installée la boîte *Las Cuevas...*

★ Beaucoup de gens se contentent de repartir par Tanger, ou de ne faire qu'une excursion au *cap Malabata,* à une dizaine de kilomètres. En fait, la route côtière jusqu'à Ceuta est très belle, et réserve, après le cap Malabata, de grandes criques sablonneuses parfois désertes (râahh, lovely !), parfois plantées de quelques tentes (camping gratuit, bien sûr...). Nous, on aime bien ce coin-là. Cette mer bleue, ces couchers de soleil et ces étoiles... Faudrait être une bête, et encore, pour résister à tout ça. Aller jusqu'à *Ceuta :* la balade en vaut la peine. On peut aussi quitter la route principale au niveau d'El Bintz pour aller jusqu'à *Souk Tleta Taghramet.*

★ Allez à *Ksar es Séghir,* à 33 km, et suivez la route qui longe la côte en allant vers Sebta.

🛏 Un nouvel hôtel (*El Karawia,* ☎ 11-31-04) a été construit au km 31 de la route, juste avant Ksar es Séghir. Les bungalows, entièrement équipés avec cuisine, salon et TV, descendent en pente douce vers les flots. Ah, se baigner avec cette vue ! Prix moyens.

🍴 *Restaurant Laachiri :* pile au croisement. De sa terrasse, jolie vue sur l'oued, la mer et le vieux fort. Spécialités de poisson copieusement servies, pour un prix moyen. Le patron, qui a donné son nom au restaurant, est un étonnant polyglotte qui vous accueille chaleureusement.

🍴 *Restaurant Dakhla :* à l'entrée du village, à droite en venant de Tanger. On y mange pour pas cher. Le patron est un brave gaillard. De la terrasse, où se prennent les repas, on voit la mer, dans un authentique style carte postale.

Le samedi, jour de souk, les Rifains en costume viennent vendre leurs étoffes. Un spectacle haut en couleur à ne pas manquer.

Évitez la plage du centre, devenue un vaste dépotoir à ordures, avec camping bondé. Allez plutôt un peu plus loin en direction de Tanger (10 mn à pied), vous trouverez des criques désertes, sablonneuses, à l'eau limpide...

Quitter Tanger

– *En avion :* l'aéroport de Boukhalf est à 15 km. Y aller en taxi. Pas de bus.
– *En bus :* pour Rabat et Casablanca par *CTM,* 5 liaisons quotidiennes en 6 h ; pour Fès, 2 liaisons par jour en 6 h ; pour Agadir, une par jour en 15 à 16 h de trajet. Ceuta et Tétouan sont desservies par des compagnies privées. Voir aussi *Transports Bradley* et *Étoile du Nord :* rue d'Espagne, ☎ 93-54-12 ; et av. d'Espagne, ☎ 93-49-58.
De la gare routière (av. Ludwig-Beethoven), bus plus fréquents et moins chers, mais moins confortables. Pour Casablanca, départ toutes les heures excepté entre 1 h et 5 h. Arrivée à la gare routière de Benjîldia ou route de Médiouna (Cie Bradley).
– *En train :* pour Asilah, Rabat et Casablanca, en express ou omnibus avec correspondance à Casablanca pour Marrakech (3 fois par jour), pour Fès et Meknès (2 fois par jour). Redoubler de vigilance dans les gares et dans les trains. C'est là qu'opèrent de nombreux petits truands tangérois. Arriver au moins une heure à l'avance pour obtenir une place assise. Ne pas oublier d'acheter, si nécessaire, le supplément.
– *En taxi collectif :* pour Tétouan, Ceuta, Asilah, Rabat, etc.

CEUTA (SEBTA en arabe)   IND. TÉL. : 56

Ville sans intérêt. À éviter si l'on peut. On échappera ainsi au stress, à l'insécurité et même aux insultes. C'est le roi Philippe II d'Espagne qui s'empara de Sebta en 1580 et lui donna son nom actuel.

Sachez que si vous avez un véhicule de location, vous devez présenter à la douane un papier de votre loueur vous autorisant à quitter le territoire avec ce véhicule.

En règle générale, la frontière se passe assez vite si vous êtes un tout petit peu organisé. En revanche, lors des grands départs en vacances, le passage de la douane peut prendre une dizaine d'heures, le tout en plein cagnard ou en pleine nuit, selon votre heure d'arrivée. Vous voilà prévenu !

Pour ceux qui glissent des billets, cette attente pénible peut se réduire. C'est scandaleux ! Attention au décalage horaire. Ceuta vit à l'heure espagnole : 2 h de décalage en été. Ne pas prendre de photos. Il faut savoir ruser si vous êtes en voiture à deux : l'un descendra chercher au poste les papiers à remplir, tandis que l'autre fera la queue. Gain de temps appréciable ! Les formalités douanières sont pointilleuses. Des personnes viennent vous vendre des formulaires à remplir que l'on trouve gratuitement, bien sûr, au poste. Voici d'ailleurs la marche à suivre :

1) se procurer une fiche par passeport et la remplir ;
2) aller au guichet des passeports et y déposer (si vous arrivez à l'atteindre) les vôtres avec les fiches remplies ;
3) se procurer un formulaire pour la voiture (dernier guichet avant les douanes) ; le remplir pour le faire viser avec les papiers du conducteur, carte grise, etc. ;
4) une fois les passeports récupérés (ça peut prendre du temps), allez au guichet près de l'endroit où l'on fouille les bagages des piétons, avec votre carte grise et votre passeport ;
5) après obtention du tampon, interpellez un douanier qui traîne par là, montrez-lui tout ça et vous pourrez alors passer. Ouf...

Achats

Ceuta est un port franc et une enclave espagnole. Faites-y vos courses (supermarchés).

Faire le plein avant de partir, essence évidemment moins chère. On peut même remplir des jerricanes. Pas de problème à la douane.

Les nombreuses enseignes en espagnol témoignent de l'activité économique de cette enclave ibérique. On y trouve, en hors taxe, tout ce que l'on peut fabriquer dans le monde, principalement ce qui est « made in Corea *ou* Malaysia ». Beaucoup de commerces sont tenus par des Indo-Pakistanais. Mais, en fait, les prix ne sont pas inférieurs à ceux des promotions de nos grandes surfaces.

Changer le minimum dans les bureaux de change, taux bien inférieur à celui des banques marocaines.

Attention à la longue sieste espagnole. Tous les magasins sont fermés entre 13 h et 16 h (heure espagnole) et le dimanche est sacré.

L'arrivée

La ville est à environ 5 km du poste frontière. Les taxis marocains, bien évidemment, ne passent pas. Vous trouverez en revanche un service régulier de bus qui relie le centre toutes les 15 mn.

Adresses utiles

🏛 *Office du tourisme :* muelle Cañonero Dato, à l'arrivée du ferry. ☎ 51-13-79. Ouvert du lundi au samedi de 8 h à 14 h et de 16 h à 18 h. Fermé le dimanche. Inefficacité garantie. Leur liste des hôtels est complètement périmée. Il faut d'ailleurs éviter de dormir à Ceuta.

✉ *Poste :* plaza Garcia Valiño. Ouverte du lundi au vendredi de 8 h à 14 h et le samedi de 9 h à 14 h.
■ *Consulat de France :* 2, av. Général-Queipo-de-Llano. ☎ 51-24-16.
■ *Consulat de Belgique :* ☎ 51-57-41.

Où manger ?

– Sur le pouce dans un bar ou un snack, en remontant le corso José A. Primo de Rivera, vers la place Ramos. Au pied de ladite avenue près du port, il y a une sorte de bar-vente de bouteilles qui fait des prix en plus de la détaxe habituelle.

– Beaucoup de bars à tapas simples et économiques.

|●| Les gastronomes fortunés iront sur ce même corso, aux n°s 3 ou 15 : **Vincentino** ou **la Campana**. Sinon, rien de génial.

A voir

★ Très belle vue en haut du **mont Acho :** 181 m au-dessus de la mer. Par temps dégagé, on peut apercevoir le rocher de Gibraltar.

★ Si vous êtes bloqué longtemps, vous verrez la **plaza de Africa,** les remparts de la ville, l'**église Notre-Dame-d'Afrique,** de style baroque, construite au XVIIIᵉ siècle, la **cathédrale,** et le petit **musée archéologique** (ouvert de 9 h à 13 h et de 17 h à 19 h, sauf le lundi). Ou le **musée de la Légion** (ouvert le week-end). Bof...

Un bon conseil !

C'est à Ceuta que peuvent commencer vos ennuis et de cruelles désillusions quant à l'hospitalité marocaine. Gare au p'tit jeune, au fringant étudiant qui vous proposent de vous aider à régler les formalités, à remplir le taxi, à chercher une chambre pas chère, etc. ! Dans 90 % des cas, ce sont des arnaqueurs (dommage pour les 10 % de sincères !) qui ne songent qu'à vous tirer le maximum de fric, vous amener chez leurs copains marchands de tapis, vous forcer à acheter de l'herbe (pas 10 g, un kilo parfois !). A Ouezzane, l'un d'eux s'est rendu célèbre en escroquant plusieurs centaines de touristes (et même des Marocains) par la technique de : « Confiez-moi l'argent, je vais réaliser cet achat et obtiendrai un " prix marocain " ! »... Sans commentaires !

Quitter Ceuta

🚌 **Gare routière :** bus pour Al Hoceima, Casablanca, Nador, Tanger et Tétouan. Il existe une ligne de bus Fnideq (3 km de Ceuta)-Tanger.
– Pour Tétouan, à la frontière on peut prendre un taxi collectif (6 personnes). Le trajet (une quarantaine de kilomètres) ne revient pas beaucoup plus cher que le bus. Jalonné de belles plages, dont celle de Cabo Negro.

CABO NEGRO   IND. TÉL. : 09

Station balnéaire, à 15 km de Tétouan, où l'architecture a bénéficié d'une recherche certaine. Pour les routards qui tomberont amoureux de ce « Cap Noir », et qui viennent de faire un petit héritage, il y a des appartements à vendre. La station a bénéficié de subsides importants, dans les années 60, de la part du gouvernement.
La plage, ainsi que tout le site, est privée, son sable fin se perd dans les flots de la Méditerranée. Sur la placette, une fontaine, sculpture de César, en panne depuis son inauguration car elle arrosait les vitrines des boutiques ! Toutes les langues ont cours ici, à l'heure de la langouste, sous la paillote de la terrasse du *Petit Mérou*. Juste à côté, il y a **Mdiq**, un petit village avec son port de pêche authentique.
Pour entrer dans le village de vacances, garez-vous sur le parking et allez-y à pied. Sur toute la côte, la haute saison va de juin à septembre. Les hôtels sont souvent bondés. En dehors de cette période, nombreux établissements fermés et piscines désespérément vides.

Où dormir ?

🛏 *Hôtel du Petit Mérou :* en bord de mer, après le restaurant *Al Khayma*. ☎ 97-81-15. Entièrement rénové en 95, petit établissement de charme, ce qui est rare sur la côte. En saison, séjour seulement en demi-pension. Prix moyens.

Où manger ?

Prix moyens

I●I *Restaurant Al Khayma :* ☎ 97-80-20. Très chouette terrasse sur la mer et salle avec des peintures modernes au mur. Très bon accueil du patron qui, après avoir vécu en France, est tombé amoureux du cap et a tout plaqué pour s'installer ici. Ouvert toute l'année.

Chic

I●I *La Ferma :* à quelques kilomètres de la côte, juste après la bifurcation pour le Cabo Negro. A été agrandi en 95 avec la construction d'un petit hôtel et d'un café.

Restaurant aménagé dans une ancienne maison, avec des écuries (encore en service) à côté. Le décor a beaucoup de charme. Canapés en pierre ou en bois, avec des coussins à rayures ; vieilles lampes tempête aux plafonds, tapis par terre et aux murs. La terrasse, avec une treille, ajoute au calme de l'ensemble. Y aller plutôt le midi, quand c'est tranquille. Le soir, c'est plein de membres du Club (Méditerranée) d'à côté. La cuisine est dirigée par la patronne.
Si votre compte est (vraiment) bien approvisionné, vous pouvez aussi louer un cheval.

Night-club

– *Olivia Valere :* sur la route entre Cabo Negro et Martil. L'un des plus grands du Maroc.

MARTIL

IND. TÉL : 09

Plage très sale, où séjournent de nombreuses familles de Tétouan. Les contacts seront donc plus intéressants qu'à Cabo Negro. Cette station n'est pas sur la grand-route (plus calme). Elle s'est considérablement développée ces dernières années, avec l'implantation d'une école normale et de facultés.

Adresses utiles

■ *Banque BMPC :* juste à l'entrée en venant de Tétouan.
■ *Station-service :* à côté de la banque.
■ *Pour se laver :* trois douches

publiques avec eau chaude. Une derrière le cinéma *Le Rif*, une autre à côté de la station-service et une encore sur la route de Cabo Negro.

Où dormir ?

🛏 *Camping Oued-el-Malah :* à 2 km de Martil et à 2 km de Cabo Negro, entre les deux stations. Après l'oued Malali, suivre 500 m de piste. Indiqué sur la route Martil-Restinga par des panneaux. Camping nature à côté de la mer. Eau potable mais coupures fréquentes. Peu d'arbres, donc pas d'ombre. Petits abris en roseau. Sanitaires très sales. Plus de portes aux douches, etc. Petit resto et épicerie. Gar-

diennagé permanent.
🛏 *Camping municipal :* à déconseiller aussi. Ils sont trop désagréables.
🛏 *Hôtel Étoile de la Mer :* av. Moulay-Al-Hassan (sur la grande place, un peu en retrait de la plage). ☎ 97-90-58. Quelques chambres, petites mais confortables, ont vue sur la mer. Très propre. De loin le meilleur hôtel de Martil. Prix moyens.

Où manger ?

Bon marché

I●I *Café-restaurant Avenida :* 100, av. de Tétouan. L'enseigne n'est pas en évidence. Bien connu de plusieurs générations de coopérants sous le nom de « Petit Bleu ». Une excellente adresse. Un cadre sans grand charme, mais le patron soigne bien nos lecteurs. Pas de vin.

Prix moyens

I●I *Sol y Mar :* à côté du restaurant *la Playa*. Sandwiches et plats rapides. Belle terrasse vitrée dominant la mer. Glaces excellentes.
I●I *Restaurant Granada :* 58, av. de Tétouan. Quelle surprise lorsque l'on pénètre à l'intérieur. Le décor d'une des

salles est composé de tentures et de coussins, les autres sont tapissées de mosaïques. Accueil chaleureux. On se régale de poisson, bien sûr, mais aussi de tajines, de couscous et de tortillas. Un excellent repas sans se ruiner. Pas de vin.

OUED LAOU

Petite station balnéaire, à 40 km de Tétouan. Trop touristique en été. Cela devient alors la « zone ». Trois bus quotidiens de Tétouan à Oued Laou. Dans l'autre sens, départs de Oued Laou pour Tétouan 3 à 4 fois par jour. Préférer les taxis collectifs, même s'ils sont rares et souvent pris d'assaut.

Pour rejoindre Chefchaouen, pas de problème le samedi, à partir du marché, à 4 km de Oued Laou en taxi collectif. Plusieurs bus assurent la liaison entre 11 h et 15 h. Le paysage est splendide entre Oued Laou et Chefchaouen.

Pas de station-service à Oued Laou mais vous pouvez prendre de l'essence en bidon ! La plupart des maisons n'ont pas l'électricité.

Spécialité de céramiques.

La mosquée possède un original minaret octogonal. Moussem original en juillet.

– *Souk* : le samedi, à 4 km de la ville, sur la route de Chefchaouen. Exceptionnel. A voir absolument. D'ailleurs il a servi à la campagne publicitaire du Maroc.

Où dormir ?

🛏 *Hôtel Oued Laou :* chambres très simples avec décor marocain. Très bon marché. Propre et accueil sympathique. Pas d'eau chaude. La terrasse du café donne sur la mer.

🛏 *Hôtel Laayoun :* à côté du précédent. Même genre, mais l'entretien laisse à désirer. De la terrasse, vue sur la mer. Douche froide. Là aussi, prix très bas.

🛏 Possibilité de *louer des maisons* semi-aménagées avec cuisine à la journée ou à la semaine, ce qui revient bien moins cher que l'hôtel. S'adresser dans les différents cafés du village (tous au centre).

Où manger ?

🍴 *Café-restaurant Rosa :* repas simples, servis de 8 h à minuit.

TÉTOUAN

Dominant la vallée de l'oued Martil, Tétouan (365 000 habitants) compose avec ses remparts crénelés, ses terrasses et ses jardins, un tableau des plus attachants. Remarquer le contraste entre la ville nouvelle, très hispano-mauresque (tout le monde parle l'espagnol) dans sa conception et son architecture, et la médina, très en demi-teintes. L'enchevêtrement des ruelles, l'obscurité, les puits de lumière ne se retrouvent guère ailleurs. Au marché, les femmes sont vêtues de cotonnades à rayures rouges, superbes, que l'on ne rencontre que dans cette partie du Maroc.

La ville a très mauvaise réputation, d'où son surnom de cité des voleurs. Redoubler donc de vigilance. Les vols, la saleté et les faux guides n'incitent guère à y séjourner. Éviter de sortir seul le soir.

Néanmoins, la situation a nettement été reprise en main. A moins que la brigade touristique ne relâche sa vigilance, vous ne devriez pas y être ennuyé plus qu'ailleurs.

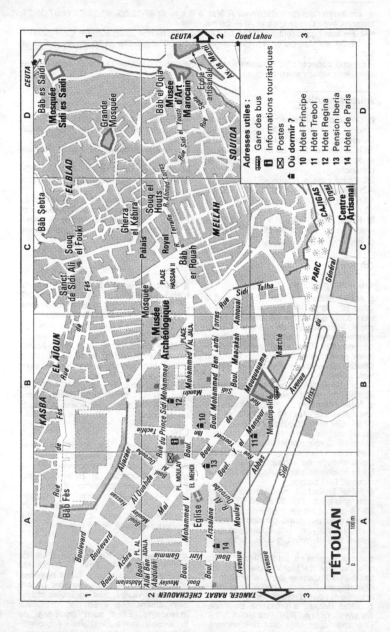

CEUTA 1
CEUTA 2 Oued Lahou 3

Bâb es Saïdi
**Mosquée
Sidi es Saïdi**
Grande
Mosquée

Bâb el Oqla
**Musée
d'Art
Marocain**

Av. de Martil

Ecole
artisanale

Rue Sidi el Yousti

R. Ahmed Torres

SOUQA

Adresses utiles :
🚌 Gare des bus
🏛 Informations touristiques
🖂 Postes
▲ **Où dormir ?**
10 Hôtel Principe
11 Hôtel Trebol
12 Hôtel Regina
13 Pension Iberia
14 Hôtel de Paris

EL BLAD

Bâb Sebta

Souq
el Fouki

Gherza
el Kébira

Souq el
Houts

Palais

Royal

R. Terrafin

MELLAH

Bâb
er Rouah

CAJIGAS

Ogaz

**Centre
Artisanal**

Sanct.
de Sidi Ali

Rue de Fès

**Mosquée
Musée
Archéologique**

PLACE
HASSAN II

Sidi Talha

Général

PARC

du

KASBA

EL AÏOUN

Rue de Fès

PLACE
MY AL JALA

Rue Mohammed Ben Larbi Torres

Rue Sidi Annoual

Boul. Mohammed V

Mandri

Marché

Avenue

Driss

Rue du Prince Sidi Mohammed

12

Boul. Ibn Tachfin

10

🏛

🖂

13

Boul. de Youssef

Boul. Sidi el Mansour

Boul. Y. el Mansour

Mouqouama

rue Municipalité

Abbes

11

Bâb Fès

Rue de Fès

Boul. Aljazaar

Boul. Al Ouahda

PL. MOULAY
EL MEHDI

Boul. Al Ouroud

Moulay Abbes

Sidi

Avenue

Hassan

Moulay

R. Al Mai

Mohammed V

Eglise

Assalane

14

Boul. Achra Mai

PL. AL
ADALA

Allal Ben Abdullah

Boul. Gamaia

Boul. Vizir

Boul. Al Ouroud

Moulay Abdeslam

Boulevard

Boulevard

Avenue

TANGER, RABAT, CHECHAOUEN 1
2
3

TÉTOUAN

0   100m

L'arrivée

→ *En avion :* aéroport de *Sania R'Mel,* à 6 km. ☎ 97-12-33, 97-38-77 et 97-38-27. Liaisons avec Casablanca et Al Hoceima.

🚌 *En bus :* gare routière *CTM,* bd Ouad-al-Makhazine *(plan B3).* De Chefchaouen en 1 h 30, de Meknès en 8 h, de Tanger en 1 h 30, de Ceuta en 30 mn et de Fès en 9 h.

– *En taxi collectif :* bd Maarakah-Annoual *(plan B2).* De Oued Laou et de toutes les villes accessibles aussi en bus.

Adresses utiles

🛈 *Office du tourisme :* 30, av. Mohammed-V *(plan B2).* ☎ 96-19-15 ou 16. Ouvert de 8 h 30 à 12 h et de 14 h 30 à 18 h 30. Le vendredi de 8 h 30 à 11 h 30 et de 15 h à 18 h 30. Fermé les samedi et dimanche.

✉ *Poste :* place Moulay-el-Mehdi *(plan A2).* Ouverte de 8 h 30 à 12 h et de 14 h 30 à 18 h 30 ; le samedi de 8 h 30 à 12 h.

■ *Royal Air Maroc :* 5, av. Mohammed-V *(plan B2).* ☎ 96-12-60, 96-16-10 et 96-15-77.

■ *Police :* 19, av. Sidi-Driss.
■ *Hôpital civil :* route de Martil. ☎ 97-24-30.
■ *Garage Renault :* 25, rue El-Ouahda. ☎ 96-56-98.
■ *BMCE :* place Moulay-el-Mahdi. On peut y retirer de l'argent avec une carte bleue.
■ *Banque marocaine du Commerce Extérieur :* 11, av. Mohamed-ibn-Aboud. Permanence du lundi au vendredi, de 8 h à 20 h. Samedi, dimanche et jours fériés, de 9 h à 13 h et de 15 h à 20 h.

Où dormir ?

Très bon marché

🛌 *Hôtel Bilbao :* 7, av. Mohammed-V *(plan B2).* ☎ 96-79-39. Belle petite pension dans une ancienne maison espagnole, avec escalier de marbre et céramiques vertes et blanches sur les murs de l'escalier. Dommage que les sanitaires soient sales et les draps douteux. Douche et w.-c. extérieurs. De loin le moins cher.
Éviter absolument la pension *Esperanza* voisine ; risques d'agression.

🛌 *Hôtel Principe :* 20, Youssef-Ibn-Tachfine *(plan B2, 10).* ☎ 96-27-95 et 96-27-94. Cet hôtel comprend 67 chambres, mais il est très fréquenté. Arriver tôt, sous peine de devoir monter au quatrième, à pied, et de n'avoir plus que de l'eau froide. L'eau chaude ne monte pas jusque-là. L'eau froide non plus parfois... Sanitaires récents. Très propre.

🛌 *Hôtel Trébol :* 3, rue Yacoub-el-Mansour *(plan B3, 11).* ☎ 96-20-93 et 96-20-18. Si tout est plein au *Principe,* ou si vous n'avez pas envie de monter, rabattez-vous sur cet hôtel, en essayant d'avoir une chambre qui ne donne pas sur la rue.

🛌 *Hôtel Regina :* 8, bd Sidi-Mandri (face à la banque du Maroc ; *plan B2, 12).* ☎ 96-21-13. Cabinet de toilette dans les chambres. Propre, personnel très accueillant ; pas d'eau chaude.

🛌 *Hôtel Dersa :* à proximité de l'*hôtel Regina (plan B2).* ☎ 96-67-29. Chambres avec salle de bains en mauvais état. Pas d'eau chaude. Personnel accueillant. Adresse calme.

🛌 *Pension Iberia :* 5, place Moulay-el-Mehdi (3ᵉ étage ; *plan A2, 13).* ☎ 96-36-79. Très propre, patron accueillant. Pas d'eau chaude. Souvent complet.

Prix moyens

🛌 *Hôtel de Paris :* 11, rue Chakib-Arssalane *(plan A3, 14).* ☎ 96-67-50. Sans grand charme mais fonctionnel avec douche et w.-c. Propre.

🛌 *Hôtel Oumaima :* rue du 10-Mai *(hors plan par A1).* ☎ 96-34-73. Même genre et même prix que le précédent, mais café en dessous.

Chic

🛌 *Hôtel Chams :* av. Abdeljalak-Torres (route de Ceuta). ☎ 99-09-01 à 6. Fax : 99-09-07. Derrière sa façade un peu glaciale se cache un excellent hôtel. Chambres agréables avec TV, air climatisé et joli mobilier. Excellent rapport qualité-prix. 50 % plus cher qu'un 2 étoiles mais sans comparaison. La meilleure adresse de Tétouan.

Très chic

🛌 *Le Safir :* av. Kennedy, à 3 km du centre. ☎ 97-01-44. Fax : 97-06-92. Un 4 étoiles avec sa piscine (deux bassins), son tennis, son calme et son gazon. Chambres vastes, très agréables et très bien aménagées avec des matériaux marocains. Elles sont équipées de luxueuses salles de bains. Air conditionné, mais repas vraiment très quelconques. Cher mais très bien tenu.

Où manger ?

Très bon marché

IOI Même pas un restaurant, une gargote... De plus, difficile à trouver et sans nom ! C'est la maison bleue sur la droite avec une terrasse devant. Elle se trouve dans le village de **Torreta**, à environ 5 km de Tétouan. Tourner à la hauteur du centre artisanal et tout droit ou presque. Sinon, bus toutes les 30 mn de la rue d'Alger. Alors pourquoi l'indiquer ? Tout d'abord parce que de sa terrasse toute la ville se déploie devant vous. Et puis, surtout, parce que les tajines y sont délicieux, du genre qu'on ne mange jamais dans les restaurants, comme un tajine d'anchois, grande spécialité de Tétouan. Le tout à des prix imbattables. Voilà pourquoi !

Bon marché

IOI **Le Restinga :** 21, rue Mohammed-V, près de l'office du tourisme (plan B2). Bon rapport qualité-prix. Cadre simple, cuisine marocaine, menu copieux, service efficace.

IOI **Restaurant Saigon :** bd Mohammed-ben-Larbi-Torrès (plan B2), à l'angle de la rue Mohammed-al-Khattib. Salade = hors-d'œuvre variés. Ça, plus une omelette nature, ça retape un routard fauché sans (presque) dégonfler son porte-monnaie. Cadre hispano-marocain soigné. Il y a même des fleurs sur les tables. Ça s'appelle Saïgon, on y mange espagnol, mais la paella n'est pas terrible.

Prix moyens

IOI **Zarhoun :** bd Mohammed-ben-Larbi-Torrès (plan B2). Éclairage d'ambiance et musique typiquement marocaine, dans une pièce richement décorée. L'entrée n'est pas mal non plus... On y mange sur des plateaux en cuivre, assis sur des divans. A signaler l'abordable pastilla. Globalement, le choix de la carte est néanmoins un peu restreint et le service très lymphatique. L'ensemble était en travaux lors de notre dernier passage.

IOI **Palace Bouhlal :** jamaa Kbir, à côté de la grande mosquée (plan D1). Très beau restaurant dans une maison typique avec grand lustre, plafond peint et profusion de mosaïques. Prix modérés. Forcément touristique, mais vous pouvez demander une table au 1er étage.

Où prendre le petit déjeuner ? Où boire un verre ?

Plein, mais alors plein de cafés, et tous plutôt sympathiques.

❣ Café Nipon : 7, rue du 10-Mai. Couvert de mosaïques avec de vieux miroirs et un comptoir en marbre.

❣ Café de Paris : place Moulay-el-Mehdi (plan A2). Entièrement recouvert de mosaïques.

❣ Copacabana : bd Mohammed-ben-Larbi-Torrès (plan B2). Pâtisserie sympathique, tenue par des Espagnols, ce qui explique pourquoi il y a si peu de gâteaux marocains. Bon jus d'orange. Et, de plus, ce n'est pas cher.

❣ Club de l'hôtel Safir : très chaud à partir de minuit. Ça tangue sec au gré de l'orchestre.

A voir

★ **La médina** (plan B1) : un dédale de ruelles tortueuses et enchevêtrées qui parfois s'enfoncent sous les maisons pour réapparaître à l'air libre. Chaque rue est consacrée à une activité particulière, mais les pickpockets les occupent presque toutes. Les marchands profitent du fait que certains Européens arrivent tout juste au Maroc et ne connaissent pas les prix pour les rouler allégrement... Donc, ne vous précipitez pas pour acheter si vous êtes néophyte. Sur la place Hassan-II, le palais royal, une ancienne résidence du représentant du sultan sous le protectorat.

★ **Le centre artisanal :** bd Hassan-II (plan C3). C'est cher et pas terrible.

★ **Le musée archéologique** (plan B2) : ouvert de 8 h 30 à 12 h et de 14 h 30 à 18 h 30. Fermé les samedi et dimanche. Pour ses mosaïques provenant de Lixus. On y voit les Trois Grâces entre les Quatre Saisons, Vénus, Adonis, Mars et Rhéa (les parents de Romulus et Remus). A l'étage, monnaies et céramiques d'époque romaine provenant du site antique voisin de Tamuda.

★ **Marché couvert :** assez typique, derrière la gare routière (plan B3).

★ **Le musée d'Art marocain** (plan D2) : ouvert de 8 h 30 à 12 h et de 14 h 30 à 18 h. Fermé les samedi et dimanche. Pour mieux connaître le folklore et l'art du Maroc du Nord.

★ *Le cimetière juif :* parmi les milliers de tombes, une bizarrerie : des tombes gravées avec des motifs précolombiens. Il s'agirait de Juifs espagnols qui, revenus d'Amérique du Sud, se seraient inspiré de ces thèmes pour orner leur tombe, ce qui pourtant ne se fait guère dans la religion juive.

★ En passant, jetez un coup d'œil au *Circulo la Union,* rue M.-Hammad-al-Khatir. Vous ne verrez pas souvent au Maroc ces messieurs vautrés dans des fauteuils rouges en train de lire leur journal. Avec sa vitrine grande ouverte sur la rue, ce club ressemble presque à un hall d'exposition.

Dans les environs

★ *Souk Khémis des Anjra :* prendre la route de Tanger et, après 10 km, emprunter sur la droite la S 601. C'est à une quinzaine de kilomètres, sur la gauche. Ce marché, à l'écart des circuits touristiques, a conservé beaucoup d'authenticité (voir les costumes). A lieu tous les jeudis.

Quitter Tétouan

– *Taxis collectifs :* pour Tanger et Larache, rue d'Alger. Pour Martil et Ceuta, rue Maarakah-Annoual, derrière la gare routière. Pour Chaouen, route de Tanger, à côté de la clinique de Tétouan.
– *Supratours :* 18-19, av. du 10-Mai. ☎ 96-75-59. Ouvert de 9 h à 12 h et de 15 h à 18 h 45. Très pratique. Vous pouvez acheter vos billets de train et de bus. Ceux-ci assurent la liaison directe avec les gares, en correspondance avec les trains. Départs à 8 h 10 et 16 h 20.

CHEFCHAOUEN (ou CHAOUEN)   IND. TÉL. : 09

A 600 m d'altitude, Chefchaouen s'adosse contre deux montagnes en forme de cornes, dont elle tire d'ailleurs son nom. Avec ses maisons à flanc de coteau, c'est l'une des villes (37 000 habitants) les plus pittoresques du Maroc.
Les murs sont enduits de chaux au « bleu », afin d'éloigner les moustiques. Parfois, un arc reliant deux maisons révèle une architecture andalouse due aux musulmans d'Espagne.
Vue superbe sur une vallée heureuse, en contrebas.
Cette cité sainte fut longtemps interdite aux Européens. Pas d'alcool sauf à l'*hôtel Asma,* au *Parador* et au *Rif.*
Même problème ici que partout ailleurs avec les guides non officiels. A Chefchaouen, l'entrée en matière est toujours : « Tu cherches quelque chose ? » Ils cherchent tous à vendre un peu de kif. Attention, la police est plus vigilante depuis quelques années. Il est vrai que Chefchaouen est aussi réputée pour son kif que le Triangle d'or pour l'opium. Les enfants sont très agressifs lorsqu'on veut les photographier. Il est préférable de s'abstenir et de laisser ses appareils à l'hôtel.

– *Souk :* le lundi et le jeudi.

L'arrivée

🚌 *Gare routière :* av. Maghreb-el-Arabi, à l'angle de l'av. Mohammed-V, à environ 1 km du centre *(plan B2).* Nombreux bus.

Adresses utiles

■ *Banque populaire :* av. Hassan-II *(plan B2).* Ouverte du lundi au vendredi de 8 h 30 à 11 h 30 et de 14 h 30 à 16 h 30. Pendant les heures de fermeture, s'adresser à l'*hôtel Asma* pour le change.
✉ *Poste :* av. Hassan-II *(plan B2).*

Ouverte de 8 h 30 à 12 h et de 14 h à 18 h. Le samedi de 8 h 30 à 12 h.
■ *Pharmacie :* à côté de l'*hôtel Magou* *(plan B2).* ☎ 98-61-58.
■ *Librairie Alnahj :* 15, av. Hassan-II *(plan B2).* Un excellent point de vente qui a toujours le GDR en stock.

Où dormir ?

A 5 h, il est possible d'être réveillé par le muezzin. Pendant la journée les amplis sont si puissants que l'on entend sa voix à plusieurs kilomètres à la ronde. On est dans une ville sainte ! Heureusement, durant la nuit, le volume des amplis est baissé. Pour une fois des hôtels mignons comme tout à des prix tout aussi doux. Une raison de plus de rester quelques jours à Chaouen.

Très bon marché

🏠 *Pension Casa Hassan :* 22, rue Targhi *(plan B2)*. ☎ 98-61-53. Un décor très réussi dans un splendide intérieur marocain avec loggia, fontaine pour l'été et cheminée pour l'hiver. Chambres très propres avec un mobilier « classieux ». Excellent rapport qualité-prix.

🏠 *Hôtel Salam :* 39, rue Hassan-II *(plan B2)*. ☎ 98-62-39. Sur la route de la Médina. Près du *Parador.* Vue merveilleuse sur la vallée. Chambres propres. Sanitaires à l'étage. Beaux salons marocains. Le petit déjeuner sur la terrasse sera un grand souvenir. On peut toujours aller y boire un verre dans la journée.

🏠 *Auberge de jeunesse :* à l'entrée du camping *(plan B1)*. A 2 km du centre, tout là-haut, près de l'*hôtel Asma.* Pas de téléphone. Ouverte, en principe, de 15 h à 18 h et de 20 h à minuit. 28 lits répartis dans 3 dortoirs. Douches et toilettes en mauvais état. Vu le prix des hôtels, sans aucun intérêt.

🏠 *Pension Znika :* 10, rue Znika. ☎ 98-66-24. Près de la Casbah *(plan B2)*.

Route qui monte sur la gauche. Demander et veiller à ne pas se faire conduire ailleurs. 9 chambres très sommaires mais propres. Douche chaude. Petit patio intérieur au centre de cette ancienne demeure. Prix dérisoires. Une excellente adresse.

🏠 *Pension Moritania (sic) :* 20, Kadi-Alami. ☎ 98-61-84. Dans la médina. Assez difficile à trouver. Les 11 chambres donnent sur un petit patio recouvert de jolies mosaïques. Petit salon andalou. Cafétéria à l'intérieur et le tout en musique. Bien plus chaleureux que tant d'autres hôtels impersonnels et à l'accueil glacial. On peut même s'y faire servir du thé à la menthe.

🏠 *Hôtel Marrakech :* rue Hassan-II, à côté de l'*hôtel Salam (plan B2)*. Propre. Sanitaires communs avec eau chaude sur le palier. Belle terrasse. Plats copieux au restaurant. Mais beaucoup moins de charme que les précédents.

Bon marché

🏠 *Hôtel du Rif :* 29, rue Tarik-Ibn-Ziad *(plan B2)*. ☎ 98-69-82. Juste un peu

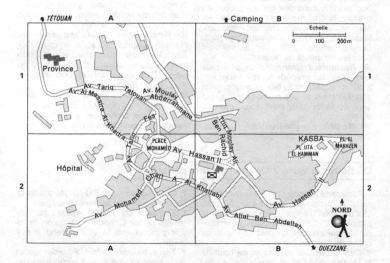

avant dans la montée. 18 chambres dont 14 avec salle de bains. Là encore, vue superbe. Belle salle de resto et licence d'alcool. Le resto est très moyen et pourrait faire mieux. Mais le patron est charmant et les chambres ont été entièrement rénovées.

⚐ *Hôtel Bâb el Ain :* 77, rue Lala-Horra, à l'entrée de la ville sur la gauche. ☎ 98-69-35. Sans charme, mais correct et le moins cher des hôtels ayant tout le confort moderne.

Très chic

⚐ *Hôtel Parador :* rue Hassan-II *(plan B2).* ☎ 98-61-36. Fax : 98-70-33. Admirablement situé. Salle de bains en céramique verte pour les 35 petites chambres dont l'intérieur est soigné mais pourquoi sont-elles aussi biscornues ? Nous, on aime surtout la terrasse avec le vélum, la petite piscine, en été, et la vue sur la montagne. Établissement de taille humaine très bien

Où manger ?

Bon marché

|●| Nombreux cafés sur la place Uta-el-Hamman *(plan B2),* proposant des brochettes pour trois fois rien.
|●| *Restaurant de la pension Casa Hassan :* service attentionné. Menu très bon marché avec des amuse-gueule en prime. Notre meilleure adresse en matière de véritable restaurant marocain. Hassan a vraiment beaucoup de goût. Cuisine excellente. Bon flan au caramel pour les amateurs de dessert.
|●| *Restaurant Granada :* un peu plus loin que le précédent en montant. 2 choix : couscous ou tajines pour pas un sou. Délicieux et très calme. Vous serez servi par le fils du cuisinier. Ici on travaille en famille.
|●| *Marbella :* au-dessus du *Granada.* Décor et cuisine classiques, mais deux

tenu. Classification officielle : 4 étoiles B.
⚐ *Hôtel Asma (plan B1) :* ☎ 98-71-58. De la ville même, on ne voit que lui sur son piton. Calme, rare à Chefchaouen. Chambres avec vue magnifique. Agréable petite piscine avec trois bassins, sur une terrasse d'où l'on a une vue panoramique sur Chefchaouen et son cadre montagneux. Vaut surtout pour la vue, car c'est avant tout une usine à touristes. Service indifférent.

Camping

⚐ *Camping municipal :* à 2 km du centre, tout près de l'*hôtel Asma,* sur la gauche et après l'A.J. *(plan B1).* ☎ 98-69-79. Très ombragé. Resto. Douches et w.-c. très sales. Raccordement électrique non conforme aux normes de sécurité. Situé au-dessus du village, il surplombe toute la vallée. Du camping, on peut redescendre en ville en 20 mn par de petits chemins de traverse, en partant de l'*hôtel Asma.*

tables sur la petite place. Idéal pour voir les passants s'échiner dans la montée.

Prix moyens

|●| *El Baraka, chez Didi :* s'y faire conduire, car l'endroit est perdu au milieu d'un labyrinthe de ruelles. Bons menus avec couscous ou tajines.
|●| *Restaurant Chefchaouen :* rue Hassan-II, après l'*hôtel Salam (plan B2).* Sept, huit tables dans une vieille maison avec des mosaïques et un plafond en bois. Très charmant et bon accueil. Ambiance feutrée.
|●| *Restaurant Estrella Verde :* place Mohammed-V *(plan A2).* Sur une charmante place ombragée, en dehors des remparts. Pour goûter un autre aspect de la ville.

Où boire un verre ? Où manger une pâtisserie ?

– *Pâtisserie Magou :* av. Hassan-II *(plan B2).* A proximité de l'*hôtel Magou.* L'odeur vous guidera. Excellents pains et pâtisseries. Choisissez vos gourmandises pour prendre un petit déjeuner au café populaire du coin.
♟ *Café de la Cascade :* tout en haut de la Médina, d'où l'on domine la vieille ville. Thé à la menthe excellent.
– *Place Uta-el-Hamman (plan B2) :* pour le thé et pour voir le monde passer.

♟ *Café Kasba (plan B1) :* à gauche de la casbah, pour son calme et ses fleurs.
♟ *Terrasse de l'hôtel Asma :* la plus belle vue sur Chaouen, puisqu'on ne le voit pas, et que la ville s'étend à ses pieds.
♟ *Terrasse de l'hôtel Parador (plan B2) :* pour sa vue et son cadre luxueux.
♟ *Terrasse de l'hôtel Salam (plan B2) :* là aussi, pour le plaisir des yeux.

A voir

Pour avoir la meilleure idée de cette ville, sortir vers Ouezzane jusqu'au dernier virage avant la descente ou monter sur la terrasse de l'*hôtel Asma.*

★ *La place du Marché* et son souk du lundi et du jeudi matin. A côté de la station de bus, sur l'avenue Al-Khattabi *(plan A-B1)*. Intéressant pour la couleur locale.

★ *La vieille ville :* n'hésitez pas à vous balader dans le dédale des ruelles de la médina, pavées de galets et très étroites. Chouette récompense, vous arriverez sur la place Uta-el-Hamman, ombragée et bordée de cafés maures. Toujours très animée en fin de journée. N'ayez pas peur de vous perdre. La ville est toute petite. Pour atteindre la place Uta-el-Hamman en partant de l'avenue Hassan-II, franchir le passage voûté et suivre la foule en montant toujours. La place et l'ancienne casbah sont tout en haut.

★ *La casbah :* sur la place Uta-el-Hamman *(plan B2)*. Elle remonte à 1471, comme la fondation de la ville. Joli jardin à l'intérieur et petit musée andalou. Sans être exceptionnel, on peut y jeter un coup d'œil. Au fond, un donjon où Abd el-Krim, grand ennemi de Lyautey, fut emprisonné en 1926.

★ *Le hammam :* demandez à un gamin où se trouve ce vieux hammam, encore chauffé au feu de bois. Il n'a pas bougé depuis des siècles. Une expérience vraiment intéressante. Réservé aux femmes.

– Achetez une *fouta,* pièce de tissu rayée que les femmes portent sur leur jupe. En cherchant un peu, vous en trouverez avec des couleurs superbes. On n'en rencontre que dans le Rif.

Quitter Chefchaouen

Pour Fès et Meknès, il est préférable, en saison, de réserver la veille.
– *Pour Meknès :* 3 bus par jour. 5 h de trajet.
– *Pour Fès :* 2 bus par jour. 4 à 5 h de trajet.
– *Pour Tétouan :* toutes les heures. 2 h de trajet.

De Chefchaouen à Al Hoceima : danger !

Très belle route de 250 km. Paysages très verts. Seul point noir : vendeurs de kif et de hachisch, pratiquement tout le long du parcours.
Si vous devez emprunter cet itinéraire, un certain nombre de précautions s'imposent. Faire le plein avant le départ, vérifier l'état des pneus et du véhicule en général, car il n'est pas question de s'arrêter.
On rencontre deux sortes de dealers : les motorisés et ceux qui ne le sont pas. Les derniers sont postés sur le bord de la route, et semblent faire du stop en n'hésitant pas à brandir de véritables bouquets de kif enveloppés dans du plastique, au cas où vous n'auriez pas compris.
Les motorisés démarrent en trombe, utilisent klaxons, appels de phares et queues de poisson. Il est préférable d'être un bon conducteur pour serrer ces poursuivants qui roulent toujours à deux. Leur seul but est de vous arrêter. Ils se chargent ensuite par tous les moyens de vendre leur camelote et sont très agressifs si on refuse. Rester maître de son véhicule. Ne prendre toutefois que des risques calculés. Au bout de quelques kilomètres, les vendeurs se lassent et font demi-tour. Nombreuses carcasses de véhicules dans les ravins.
En cas de pépin, se réfugier à la gendarmerie de Ketama, à l'angle de la route de Tétouan, mais nous ignorons s'ils peuvent être de quelque efficacité. Vous ne rencontrerez aucun gendarme en dehors de ceux postés à la sortie de Chefchaouen et à l'entrée d'Al Hoceima.

AL HOCEIMA   IND. TÉL. : 09

Le plus beau site de la côte méditerranéenne marocaine. Nombreuses plages, criques, calanques et promontoires.
Al Hoceima est célèbre par l'implantation d'un des plus anciens villages du Club Méditerranée, dans un bois d'eucalyptus. Al Hoceima est une ville de saison (mai à octo-

bre). Le reste de l'année, tout est pratiquement fermé. Ne manquez pas d'aller sur le ravissant port où les bars à marin côtoient une mosquée.

– *Souk* : le mardi.

Adresses utiles

🛈 *Office du tourisme :* Tarik-ibn-Zeyrad. ☎ 98-28-30. A côté de l'*Allgemeine Bank*, sur la route du commissariat Ouvert toute l'année de 8 h 30 à 12 h et de 14 h 30 à 18 h. Fermé le dimanche.
■ *Change :* dans les banques ou, en dehors des heures d'ouverture, à l'*hôtel National*.
■ *Pharmacies :* la plupart se trouvent avenue Hassan-II. Pharmacie de nuit à côté de l'*hôtel Karim* en direction de l'hôpital Mohammed-V.
■ *Hôpital Mohammed-V :* bd Hassan-II. ☎ 98-20-42.
■ *Gendarmerie royale :* ☎ 98-20-13.

■ *Agence de voyages Kétama :* av. Mohammed-V. ☎ 98-45-06. Correspondant d'Air France et de Royal Air Maroc.
■ *Agence de voyages Méditerranée :* 47, av. Mohammed-V. ☎ 98-18-45.
■ *Taxis collectifs :* place du Rif.
– Pas de location de voitures ni de bicyclettes.
■ *Garage Renault :* bd Mohammed-V. ☎ 98-20-15.
■ *Garage Peugeot :* bd Tarik-ibn-Ziad. ☎ 98-21-39.
■ *Royal Air Maroc :* ☎ 98-20-63 (aéroport).

Où dormir ?

Mis à part l'*hôtel Quemado* et *Mohammed-V,* aucun n'a de vue sur la mer.

Très bon marché

🛌 *Hôtel Florido :* 40, Sahat Rif. ☎ 98-22-35. Sur la place des bus. Bel immeuble en arrondi. 15 chambres très simples mais propres. Lavabo dans chaque chambre. Douche froide sur palier. Terrasse sur le toit. Une bonne adresse à petits prix mais bruyante.
🛌 *Hôtel Afrique :* 20, rue Al-Alaouien. ☎ 98-30-65. Près de la place du Rif. 31 chambres très propres et très bon marché. L'hôtel vient d'être refait. Lits à montants en bois sculpté. Toilettes et douches impeccables. Moins bruyant que le précédent.

Bon marché

🛌 *Annexe de l'hôtel El Maghreb el-Jadid :* passage Soussan-el-Yakoubi, face à l'*hôtel El Maghreb,* dans l'avenue Mohammed-V. ☎ 98-25-11. 11 chambres très propres avec salle de bains impeccable, w.-c. extérieurs. Très bon rapport qualité-prix.
🛌 *Hôtel Marrakech :* av. Mohammed-V. ☎ 98-30-25. 9 chambres très propres avec salle de bains et eau chaude. Chambres à trois donnant sur l'avenue, donc très bruyantes. La literie devrait être changée. Au rez-de-chaussée, café pour le petit déjeuner.

Prix moyens

🛌 *Hôtel National :* 23, rue de Tétouan. ☎ 98-26-81 et 98-21-41. Parfait. Très bien dirigé par Darif Lahsen. Bon accueil de la réception où règne Malik. 16 chambres très bien entretenues. La peinture grise des murs les rend un peu sombres. Bureau de change. Cartes de crédit acceptées. Notre meilleure adresse dans cette catégorie.

Chic

🛌 *Hôtel Quemado :* sur la plage du même nom. ☎ 98-33-15 et 16. Fax : 98-33-14. Emplacement exceptionnel. 102 chambres et 31 bungalows joliment meublés avec balcon donnant directement sur la baie. En saison, fonctionne comme un club. Pension obligatoire mais restaurant médiocre pour sa cuisine comme pour son service.
🛌 *Hôtel Mohammed-V :* place de la Marche-Verte. ☎ 98-22-33 ou 34. Fax : 98-33-14. Ouvert de juin à septembre. Belle vue et même direction que le *Quemado.*

Camping

🛌 *Camping municipal de la plage de Cala Bonita :* ☎ 98-27-22. A l'entrée de la ville, tourner à droite à la station Mobil. Emplacement exceptionnel en bordure d'une plage de sable. Sanitaires innommables (odeurs et mouches garanties). Cher. Bondé en saison. Les prix varient selon l'emplacement, comme au théâtre.

Où manger ?

Très bon marché

I●I *Restaurant Mabrouk :* rue Izemmouren, près de la place du Rif, vraiment pas cher et d'une propreté exemplaire mais sans aucun charme.

Bon marché

I●I *Café-restaurant Paris :* 21, bd Mohammed-V, en étage. Ne pas confondre avec le familial qui est au rez-de-chaussée. Excellent accueil d'Ahmed, qui a bourlingué à travers le monde et qui est « un homme carré dans un cœur rond » comme le dit si bien un client dans son livre d'or. Il officie dans un décor de loge de concierge. Menu copieux et cuisine familiale servie dans la bonne humeur. Spécialités marocaines et européennes. Pas d'alcool.

Prix moyens

I●I *Café-restaurant Bellevue :* au bout de l'avenue Mohammed-V. Intérieur plutôt agréable et vue magnifique. Ne fait restaurant qu'en saison. Sinon, café.

I●I *Sur le port :* 5 restaurants qui proposent à peu près les mêmes menus. Du poisson bien sûr. Ne soyez pas étonné de le payer plus cher que sur la côte atlantique, le poisson en Méditerranée se fait rare. Deux servent de l'alcool. Le premier, *la Maison du Pêcheur*, possède un bar ambiance très « port ». Le second, *le Karim*, a une jolie terrasse d'où l'on domine le port. En fait, comme le poisson est frais et que les prix sont les mêmes, c'est un peu une question de feeling.

Les plages

★ *Quemado :* en ville. Bordée par l'hôtel du même nom. Surpeuplée en saison.

★ *Cala Bonita :* à l'entrée d'Al Hoceima. Envahie par les occupants du camping dont c'est la plage. Les égouts se déversent à proximité et ceux qui font de la plongée constateront qu'il n'y a plus rien à voir : tout est mort...

★ *Plages d'Asfiha et de Souani :* elles n'en forment qu'une, de près de 5 km de long. À 7 km, sur la route d'Imzourene Ajdir, sur la gauche. Face à l'îlot (peñon de Alhucemas) Nakor, qui est une résidence surveillée espagnole. Les prisonniers sont ravitaillés par hélicoptère une fois par semaine. On ne peut accoster, car on est en territoire espagnol. Le Club Méditerranée est en bordure de plage, face à l'îlot. Deux buvettes font épicerie et servent des repas simples, en saison. Un terrain de camping est prévu sur la plage de Souani.

★ *Plage du Tala Youssef :* sortir par l'avenue Hassan-II, passer devant l'hôpital et continuer pendant 4 km. Tourner ensuite à droite, au panneau « Eaux et forêts ». Réserve de chasse ». 3 km de piste dangereuse que ne prendront que les aventuriers équipés d'un 4 × 4. Plage de sable noir. Apporter son boire et son manger.

★ *Plage de Sabadia :* continuer au-delà de l'office du tourisme et suivre la côte. Camping sauvage. Beau point de vue.

★ *Plage de Cala Iris :* à 45 km environ. Ce site est l'un des plus beaux de la région. Trois petites plages de sable et de galets se succèdent. Suivent aussi les *plages de Torrès* et de *Badès.*
🛏 *Camping :* ☎ 10 par la poste. Épicerie, resto, bar. Très bon marché.

Dans les environs

★ *La route d'Al Hoceima à Kassita* est magnifique (52 km). Ceux qui disposent d'une 4L pourront aller coucher à Nador (pas très amusant) et, le lendemain, faire la balade jusqu'au *cap des Trois-Fourches* (voir « Environs de Melilla »).

Quitter Al Hoceima

En bus

🚌 *Gare des bus CTM :* place du Rif. ☎ 98-22-73.
– *Pour Tétouan :* 2 bus par jour. 10 h de trajet.
– *Pour Chefchaouen :* 2 bus par jour. 8 h de trajet.

– *Pour Nador et Oujda :* plusieurs bus par jour. 7 h de trajet.
– *Pour Fès :* 1 bus par jour. 12 h de trajet.

En avion

✈ *Aéroport Charif al Idrissi :* à 17 km. ☎ 98-20-05 et 98-20-63. Vols pour Agadir, Casablanca, Marrakech, Ouarzazate, Rabat, Tanger, Tétouan. Transfert en taxi.
– *Royal Air Maroc :* à l'aéroport. ☎ 98-20-63.

MELILLA

Ce port franc administré par les Espagnols n'est pas follement passionnant, même si la ville ancienne ne manque pas de charme. Ce port est surtout très excentré par rapport au reste du Maroc.
Ne pas oublier, non plus, si vous devez quitter le Maroc en partant de Melilla, que ce port vit à l'heure espagnole, donc avec deux heures de décalage en plus par rapport à notre horaire d'été. On en connaît beaucoup qui, faute d'y avoir pensé, ont dû attendre le bateau suivant.
Pour le shopping c'est pareil. Rien d'ouvert le dimanche ni à l'heure de la sieste. Enfin, n'oubliez pas que sans papier spécial, vous ne passerez pas la frontière avec une voiture de location.

Où dormir ?

🛏 *Camping :* au bout de la plage en venant de la frontière marocaine. Ouvert depuis peu. Petit, propre et pas trop cher. On peut à la rigueur garer son camping-car sur la plage. Camping sauvage très déconseillé. Vols fréquents dans les bagnoles, surtout lors de la sieste.
🛏 Les fauchés iront voir si la *pension numéro 7,* dont on voit l'enseigne en haut de l'avenue du Generalísimo, après la place ronde, les accepte.
🛏 Le syndicat d'initiative, paseo del General-Macias, vous indiquera, si vous le demandez, une *chambre chez l'habitant,* pas chère, s'il en reste...

🛏 *Deux pensions* aussi chères que l'hôtel, bien fréquentées, dans la calle del Ejercito-Español. Se méfier de l'hôtel *España,* dont on ne vous dira pas où il est !

Prix moyens

🛏 *Hôtel Nacional :* 10, rue José-Antonio-Primo-de-Rivera *(plan A2).* ☎ 268-45-40. Propre et très central.

Plus chic

🛏 *Hôtel Anfora :* 16, rue Pablo-Vallasca *(plan B2).* ☎ 268-33-40. Au cœur de la ville.

Où manger ?

Vous trouverez plein de bars à tapas dans le centre, économiques et conviviaux.

|●| La *rue Santiago,* près des quais d'embarquement, recèle un petit *resto marocain* où l'on vous cuit à la demande, à des prix défiant toute concurrence, plats marocains ou espagnols, poisson. Possibilité de commander des repas choisis à l'avance. Intérieur pas très propre...
|●| *Le Marrakech :* près du carrefour du port et de Melilla. Bon rapport qualité-prix, avec du choix.
|●| *Bar El Rincón :* dans la rue Lopez-Moreno. Bonnes brochettes et vin. Ça se complète avec les amandes grillées que proposent les gamins ambulants, dans un panier. Faites-vous préciser le prix

d'une « ration », et surtout ce que ça représente !
|●| *El Mesón de comidas :* 9, calle Castelar. Agréable et, si on se souvient bien, il doit y avoir l'air climatisé. Pas cher.
|●| *Casa Solis :* calle Candido-Lobera, face à un cinéma. C'est une rue à droite de l'avenue du Generalísimo en montant. Pour faire un repas de *tapas* arrosé de bière espagnole, et pas cher.
|●| *Heladería Alaska :* dans la première rue à droite en remontant l'avenue du Generalísimo. A ne pas rater. Très bonnes glaces. Celles au touron valent la traversée à la nage (comme les écrevisses).

A voir

★ Une plage, le farniente, un *café con leche,* la *vieille ville.* Les façades des maisons de la ville basse sont un mélange désuet de styles espagnol et colonial. Le carillon de la cathédrale est marrant.

★ Les boutiques photo, hi-fi, sont... près du commissariat de police. *Bazar Pepe, Málaga,* mais aussi *Shangaï, Kung-Fu,* etc. Allez lire les noms, et pénétrez dans une des caves sous la minuscule boutique. Dans celle du *Bazar Canaries,* on se croirait transporté d'un coup chez Ali Baba. Près de l'*hôtel Anfora.*

Dans les environs

★ *Le cap des Trois-Fourches :* à 12 km environ. Une 4L est nécessaire car la piste n'est pas très bonne, mais c'est avec la vallée du Dadès l'un des plus beaux sites du Maroc. En bout de piste, au pied du phare, deux ou trois petites plages sublimes. Pour ceux qui plongent, beau fond sous-marin à voir. Camping sauvage possible, mais peu recommandé. La population n'est pas très souriante dans le coin.

Change

La banque de la douane est ouverte tous les jours jusqu'à 22 h.
Changeurs au noir partout. Pour le Maroc, leur taux de change n'est pas très avantageux. Ils vous font croire que la banque est fermée.
En entrant dans Melilla, à droite après les douanes, une station Shell. Le patron échange les billets français au taux normal.

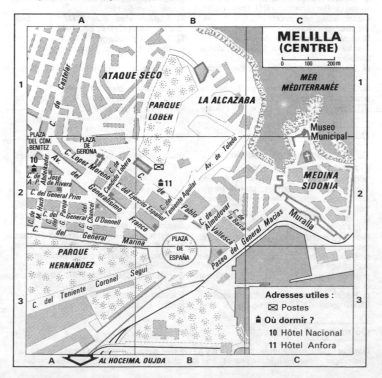

Quitter Melilla

De Melilla à Nador (13 km), vous devez payer quelques francs si le taxi est complet, une trentaine si vous êtes seul. Un peu plus la nuit. Du lundi au samedi, deux bateaux pour l'Espagne. L'un pour Malaga à 23 h, l'autre pour Alméria à 23 h 30.
Plusieurs vols quotidiens pour Malaga et un pour Alméria.

OUJDA   IND. TÉL. : 06

Oujda, de par sa situation, joue un rôle important sur le plan politique car c'était l'un des deux points de passage entre le Maroc et l'Algérie jusqu'à la fermeture de la frontière en 1994. Le second poste est à Figuig, à 360 km de là.
La ville, de fondation ancienne, fut si souvent l'objet de luttes entre les maîtres du Maroc et ceux de l'Algérie qu'elle fut nommée la « cité de la peur ». Avec ses 490 000 habitants, Oujda est devenue la sixième ville du Maroc. Elle est non seulement une ville frontalière mais aussi, et surtout, un centre commercial très actif au centre de la vaste plaine agricole des Angads. La région d'Oujda est la seule du pays où l'on puisse, en une journée, passer de la montagne à la mer et au désert. Malgré cela, elle est à l'écart des circuits touristiques et il y a peu de chances que vous y croisiez d'autres routards.

Adresses utiles

🚪 *Office du tourisme :* place du 16-Août *(plan B2).* ☎ 68-43-29. Ouvert de 8 h à 12 h et de 14 h 30 à 18 h 30.
■ *Institut français* (ex-Centre culturel) : 3, rue de Berkane *(plan B1).* ☎ 68-44-04. Il assure une animation culturelle (médiathèque, spectacles).
■ *Agence consulaire de France :* dans les locaux de l'Institut français. Même téléphone.
■ *Consulat d'Algérie :* rue Ben Anzaram. ☎ 68-36-76.
✉ *Poste :* av. Mohammed-V, sur la place du Palais-de-Justice *(plan B-C1).*
🚃 *Gare ferroviaire :* place de l'Unité-Africaine *(plan A2).* Trains pour Casablanca, Fès et Tanger.
🚌 *Gare routière :* de l'autre côté de l'oued Nashef, à 15 mn de la gare ferroviaire *(plan C2).*
■ *Station des bus CTM :* rue Sidi-Brahim *(plan C1).* ☎ 68-20-47.
■ *Taxis de louage :* à la gare routière ou place du Maroc. Service régulier pour Nador.
■ *Air France :* bd Mohammed-V. ☎ 68-53-59.
✈ *Aéroport des Angads :* à 15 km. ☎ 68-32-61. Vols sur Paris, Marseille, Bruxelles et Casablanca.

Où dormir ?

De bon marché à prix moyens

♠ *Hôtel Al Manar :* bd Zerktouni, près de la gare *(plan A2 10).* ☎ 69-70-37. Accueil très chaleureux. Ce n'est pas le moins cher de la catégorie mais il est vraiment très bien.
♠ *Hôtel Zeglel :* place du 16-Août *(plan B1, 11).* ☎ 68-31-58. A côté du CTM, en face du bains-douches. Mohammed vous recevra très bien.
♠ *Royal Hôtel :* 13, bd Zerktouni *(plan A2, 12).* ☎ 68-22-84. Dans le centre ville, près de la gare. Très correct. Chambres doubles avec douche et w.-c.
♠ *Hôtel Lutetia :* 44, bd Hassan-el-Oukili *(plan A2, 13).* ☎ 68-33-65. Une quarantaine de chambres confortables. Bar.

Chic

♠ *Hôtel Moussafir :* place de la Gare *(plan A2 14).* ☎ 68-82-02. Une garantie de confort et de propreté que l'on retrouve dans tous les établissements de cette chaîne. Restaurant. Bar. Cartes de crédit acceptées. Piscine. Excellent rapport qualité-prix.
♠ *Hôtel la Concorde :* 57, bd Mohammed-V, en plein centre ville *(plan B2, 15).* Excellent accueil. 36 chambres confortables. Restaurant et bar.

Où manger ?

Dans le souk il existe un endroit où il n'y a que des gargotes mais ce n'est pas toujours très propre. Pour les mêmes prix et sans les risques, il faut préférer les très nombreux

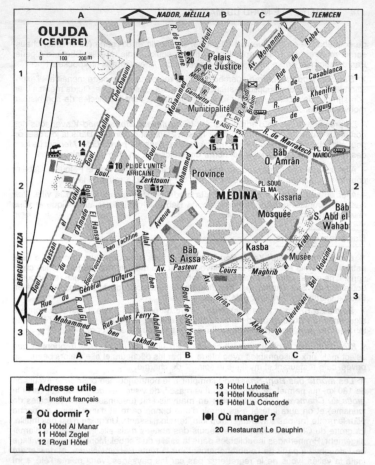

OUJDA (CENTRE)

0   100   200 m

NADOR, MÉLILLA

TLEMCEN

BERGUENT, TAZA

Palais de Justice

Municipalité

Province

MÉDINA
Kissaria

Bâb O. Amrân

Bâb S. Abd el Wahab

Mosquée

Kasba
Musée

Bâb S. Aïssa

Maghrib

■ Adresse utile

1 Institut français

♒ Où dormir ?

10 Hôtel Al Manar
11 Hôtel Zeglel
12 Royal Hôtel

13 Hôtel Lutetia
14 Hôtel Moussafir
15 Hôtel La Concorde

|●| Où manger ?

20 Restaurant Le Dauphin

petits restaurants des rues piétonnes, derrière la Banque du Maroc et sur le boulevard Mohammed-V *(plan B2)*.

|●| *Le Dauphin :* 38, rue de Berkane *(plan B1, 20)*. ☎ 68-61-45. Le meilleur restaurant de poisson de la ville. Bonne cuisine marocaine. Une table recommandée.
|●| *Café de France :* bd Mohammed-V *(plan B2)*. ☎ 68-59-87. Excellente cuisine mais plus cher que le précédent.
– Ceux qui disposent d'un véhicule pour-

ront se rendre à 20 km d'Oujda, après l'aéroport, sur la route de Saïdia. Le village de *Bni Drar* est la plaque tournante de la contrebande légale. On y trouve de très nombreuses boucheries qui font aussi restaurants de grillades, tout le long de l'avenue principale. Ambiance très sympathique surtout au retour de la plage.

A voir. A faire

★ *L'ancienne médina :* de l'avenue Mohammed-V, prendre la rue des bijoutiers (el Mazouzi), longue et bien achalandée. Nombreux marchés grouillants d'une foule qui vaque à ses occupations. Ici, on n'est pas sollicité tous les cinq mètres. On trouve facilement le souk el Ma, ou marché de l'Eau, une place où l'on vendait autrefois l'eau destinée à arroser les jardins. Le cours variait suivant la saison et la fréquence des pluies. Ce souk est dominé par le minaret de la mosquée Sidi Oqba.

★ Les *souks* proprement dits se trouvent en dehors de la médina, après la porte de Sidi Ebdelwahab. Ce sont des souks immenses où l'on trouve tous les produits de contrebande ou non, venant d'Europe, de Melilla et d'Algérie (vêtements, chaussures, montres, etc.). Ils s'appellent d'ailleurs souks Tanja, Melilla, Sbeta, d'Algérie. Pas de surprise, on annonce ainsi la provenance. Attention aux pickpockets !

★ *Bâb Sidi Abd-el-Ouahab :* percée dans les remparts, cette porte menait à « l'exposition » des têtes des suppliciés suspendues le long des murailles. Oujda méritait bien son surnom de « cité de la peur », qu'elle garda pendant les siècles de son histoire mouvementée.

– La promenade, en fin d'après-midi sur le *boulevard Mohammed-V* avec tous ses nombreux cafés (les meilleurs sont *Le Trésor, Bahia* et *Colombo*). Dans la journée, on peut aller chercher un peu de fraîcheur à l'ombre dans les *parcs Lalla Meriem* (le long des remparts) et *Lalla Aïcha* qui abrite une piscine et un club de tennis.

– Aller manger une glace ou une pâtisserie à l'*Iceberg,* boulevard el Fetouaki. Salle et cour très agréables. Très fréquenté en été car c'est sur la route de la plage.

– Aller au hammam : le *el Bali,* dans la médina, est le plus ancien de la ville. Voir aussi le hammam *Jardin,* derrière la porte Bab el-Gharbi, il est authentique et vous réservera un bon accueil.

Dans les environs

★ *Les sources de Sidi Yahia Ben Younes :* si vous avez des rhumatismes. Ce saint patron de la ville est curieusement invoqué par les musulmans, les juifs et les chrétiens. Il ne serait autre que saint Jean Baptiste. Ce site, à 6 km de la ville (sortir par le boulevard de Sidi Yamia), est très fréquenté. Beaucoup de Marocains habitant en Europe viennent y faire leur pèlerinage.

★ *Saidia :* à 57 km (1 h de bus), mais 18 km de plage de sable. C'est à la frontière algérienne, à l'embouchure de la Moulouya. L'endroit, très beau, est envahi l'été avec le retour au pays des émigrés mais il n'est pas toujours très propre.

❢ *Kim Club :* sur la plage, endroit assez sélect mais prix raisonnables avec plage privée, café-restaurant et musique le soir. En hiver, la plage n'est fréquentée que par les pêcheurs et elle a alors beaucoup de charme.

★ *Les monts des Beni-Snassen :* compter une bonne journée pour cette excursion de 180 km qui permet de traverser tout le massif, de visiter les *gorges du Zegzel* et la *grotte du Chameau.* Les routes sont en mauvais état (déconseillé aux véhicules de tourisme) et on aura intérêt à se munir d'une bonne carte et d'une lampe de poche pour la grotte (ne pas s'aventurer trop loin, terrain glissant). Un guide n'est pas inutile. La grotte du Chameau est fermée depuis des années mais elle est en cours d'aménagement. Promenades inoubliables dans la vallée du Zegbel. Monter jusqu'au village de Tafoughalt à partir de l'embranchement sur la route Berkane-Nador, et descendre toute la vallée, vous ne le regretterez pas car les paysages, verts même l'été, sont splendides et l'oued a toujours de l'eau. Attention, beaucoup de monde le dimanche (surtout Espagnols de Melilla). En voiture ou à VTT, autre possibilité : la piste des Crêtes à partir de la route d'Ain Sfa, jusqu'à la grotte du Chameau ; il y a là toute la variété des paysages méditerranéens. Ces montagnes sont le paradis du randonneur.

★ *Djebel Mahceur :* à 25 km au sud d'Oujda, sur la route de Touissite. Ce plateau tubulaire a dû abriter une forteresse berbère en ruine. L'ascension vaut la peine car le panorama sur les monts d'Algérie est exceptionnel. Source fraîche en cours de route. Un ermite vit sur le flanc de la falaise.

★ *Le Cap de l'Eau :* sur la route d'Oujda à Melilla. A Berkane, au km 60, prendre la direction du cap de l'Eau (ras el Ma). C'est un village de pêcheurs, un peu défiguré par le béton, mais qui possède à la fois une longue plage de sable et des falaises. Bonnes fritures de sardines. En face, il y a les îles Charifas (espagnoles) et on peut faire de la plongée sous-marine. Du cap de l'Eau, possibilité de rejoindre la plage de Nador par la côte ; la route très sinueuse domine la mer et, de temps en temps, des pistes permettent d'accéder à des plages isolées. Très beau panorama et aucune chance de rencontrer des touristes !

FIGUIG   IND. TÉL. : 06

Belle oasis saharienne à la frontière algérienne, à 376 km au sud d'Oujda et à 350 km de Midelt. Figuig, vraiment éloigné de tout, est à l'écart des circuits touristiques. Dommage, car cette immense cuvette, occupée par des ksour, est à voir pour la beauté de ses paysages. Figuig est un gros centre administratif regroupant 7 ksour habités par des Berbères.

Précisons, pour les routards que la balade et le Sahara tentent, que Figuig est la seule oasis saharienne aisément accessible où ne vont quasiment jamais les touristes. Alors, si vous cherchez le dépaysement des terres inviolées... bonne route !

– **Souk :** deux fois par semaine, le mercredi et le samedi.

Comment y aller ?

– **D'Oujda :** 3 bus quotidiens, théoriquement à 6 h, 10 h et 15 h. Compter 6 h de trajet. Prendre le premier en raison de la chaleur.

Où dormir ? Où manger ?

🛏 *Hôtel Sahara :* sur la droite en venant d'Oujda, en face du ksar El-Maïz. Établissement très simple, très sale, sans lumière et froid. Cher. A déconseiller.

🛏 *Hôtel Meliasse :* sur la droite aussi et avant le *Sahara,* près de la station-service Shell. Très sale. Pas de douche, mais un hammam juste à côté.

🛏 *Hôtel Touriste :* à 1 km de la route. Pas terrible non plus, mais avec douches.

🍴 Nombreux petits *cafés* qui font aussi resto. Ne pas s'attendre à des raffinements gastronomiques (c'est le moins que l'on puisse dire).

A voir

Pour effectuer le tour complet de l'oasis, un véhicule est indispensable. Compter une trentaine de kilomètres, dont la plus grande partie est constituée d'une mauvaise piste. Il n'est pas possible de pénétrer dans les ksour en voiture. On trouvera toujours quelqu'un pour se faire guider.

★ *La palmeraie :* près de 100 000 arbres. Les jardins, clos de murs d'argile, sont arrosés par des canaux souterrains *(feggaguir).*

★ *Les 7 ksour :* le ksar El-Maïz, tout proche de la route, est l'un des plus facilement accessibles. On y voit une architecture en pisé assez rudimentaire que l'on retrouve dans toutes les constructions de la région. Le *ksar El-Hammâm* renferme une source d'eau chaude (33 °C) qui lui vaut son nom. Il abrite une ancienne *zaouïa,* sanctuaire dédié à un certain Bou Amama qui, au début de ce siècle, souleva tout le Sud oranais contre la présence française. Le *ksar El-Oudarhir,* à l'entrée de l'oasis, sur la droite entre les *hôtels Meliasse* et *Sahara,* possède aussi des sources d'eau, dont une salée. C'est le ksar le plus caractéristique avec ses ruelles couvertes et sa curieuse mosquée au minaret rond en pierres de taille (on peut monter). Des hammams souterrains sont accessibles par des escaliers et de longs couloirs *(bahbouha)* mais il vaut mieux être accompagné par un guide que l'on trouve sur place. Déconseillé vivement aux claustrophobes. Le *ksar de Zenaga* est le plus éloigné (5 km environ), le plus vaste et le plus prospère.

★ On peut aussi, avec un véhicule tout-terrain, accéder au *djebel Grouz* (1 839 m), au *col de Zenaga,* entre le djebel Taghla (1 118 m), à l'est, et le djebel Zenaga (948 m) à l'ouest. A la sortie du col, belle vue d'ensemble sur la palmeraie divisée en deux zones bien distinctes séparées par une sorte de falaise.

★ Ceux qui s'intéressent à la préhistoire se feront conduire au *rocher Hadj Mimoun* sur lequel sont gravées des figures humaines et des représentations d'animaux datant de l'époque néolithique.

★ A 15 km sur la route d'Oujda, la *rivière Arbal,* bordée de palmiers et de roseaux, est un lieu ombragé où les habitants viennent parfois se baigner et pêcher. En mai-juin, l'oasis est couverte de lauriers-roses (*defla* en arabe) qui lui ont donné son nom.

ASILAH

IND. TÉL. : 09

Petite ville très chouette, à 45 km au sud de Tanger. Si les maisons blanches et les ruelles étroites rappellent une île grecque, les fenêtres en fer forgé ne font pas oublier que pendant longtemps ce fut un territoire espagnol. La vieille ville, entourée de remparts portugais construits au XVᵉ siècle, a beaucoup de charme. Elle fut très convoitée au cours de son histoire.

Colonie romaine, puis ville arabe, elle résiste aux Normands, mais tombe aux mains des Espagnols en l'an 972. Les Portugais, pour ouvrir leur fameuse route de l'or à travers l'Afrique, n'hésitent pas à affréter 477 navires équipés de 30 000 hommes pour s'en emparer en 1471. Mais les Espagnols reviennent au XVIIᵉ siècle et resteront longtemps maîtres de ce port stratégique. Très grande plage. Asilah est désormais un centre touristique en plein développement.

Adresses utiles

✉ **Poste :** place des Nations-Unies. Ouverte du lundi au vendredi de 8 h à 12 h et de 16 h à 19 h.
■ **Pharmacie :** av. de la Liberté, près de la place Mohammed-V, côté opposé au service de police.

■ **Banque Populaire :** 8, place Mohammed-V.
■ **Taxis :** place Mohammed-V. Liaisons bon marché pour se rendre à la gare ferroviaire, à 2 km de la ville.

Où dormir ?

Attention, hors saison beaucoup d'hôtels et de campings sont fermés.

Très bon marché

🛏 **Hôtel Sahara :** 9, rue de Tarfaya, près de la place des Nations-Unies. ☎ 91-71-85. Très propre, agréable, mosaïque à l'entrée. La douche est en supplément. 15 chambres. Certaines ont des petites fenêtres qui font un peu prison. Accueil froid.
🛏 **Hôtel Asilah :** 79, av. Hassan-II. ☎ 91-72-86. L'entrée se trouve sur le côté. Fermé hors saison. Accueil sympathique. Les chambres du 2ᵉ étage sont les plus agréables car elles donnent sur une grande terrasse avec vue sur les remparts, mais elles n'ont pas de douche. Celles du 1ᵉʳ étage en ont : compter 50 % de plus.
🛏 **Hôtel Marhaba :** 9, rue Zallaka. ☎ 91-71-44. Céramiques dans l'escalier. Les 8 chambres sont très propres mais un peu bruyantes. Belle terrasse donnant sur la médina. Baignoire moyennant un léger supplément. Souvent complet. Spartiate.

Chic

🛏 **Hôtel Al Khaïma :** route de Tanger, à 1 km du centre. ☎ 91-74-28. Fax : 91-75-66. Un très bon hôtel de vacances avec 4 bâtiments autour d'une belle piscine. 74 chambres et 22 studios très bien équipés et admirablement entretenus permettent de passer un séjour agréable.

Plage à proximité. Tennis et night-club. Petit déjeuner original. On y sert de succulentes crêpes un jour sur deux. Seul petit inconvénient : la voie ferrée est proche, mais le trafic est réduit.
🛏 **Atlantis Safari :** sur la route de Tanger, au km 3,5. ☎ 91-70-19. Club avec huttes dans un jardin tropical au bord de la plage. Vous vous baladerez entre les villages de cases de Fès, Meknès ou encore Marrakech. Très bien pour les groupes. Grande piscine entourée d'une belle pelouse. Le prix comprend le petit déjeuner et le dîner. Les patrons sont belges.

Campings

🛏 **As-Sada :** sur la route de Tanger, à 300 m de la sortie de la ville. ☎ 91-73-17. Donne sur la mer. Très bien entretenu. L'un des plus propres du Maroc. Eau potable. Douches avec eau chaude payantes. Petite épicerie. Dispose aussi de chambres dans des bungalows en dur et de cases avec toiture de roseau.
🛏 **Camping Echrigui :** à côté du précédent. ☎ 91-71-82. A 1 km de la gare. Donne directement sur la plage. Ils ont aussi 6 bungalows et une trentaine de cases sans électricité ni eau. Épicerie. Restaurant. Les installations sont propres et l'accueil du patron sympathique.

Où manger ?

⦿⦿ *Chez Pepe* ou *Oceano* : place Zellaka. ☎ 91-73-95. On vient même de Tanger pour sa cuisine et ses serveurs de bonne humeur, malgré l'affluence des touristes espagnols. Tout y est frais et propre. Au mur, tableau avec les poissons du jour. Toujours se faire préciser le prix est une sage précaution. Goûtez leur espadon réputé et leur cuvée spéciale de rosé. Étonnant ! Le service n'est pas compris. Cartes de crédit acceptées.

⦿⦿ *Casa Garcia* : 51, rue Moulay-Hassan-ben-el-Mehdi. ☎ 91-74-65. Sur le front de mer, face au nouveau port. C'était une de nos bonnes adresses mais certains de nos lecteurs en gardent de cuisants souvenirs.

⦿⦿ *Restaurant Sevilla* : 18, av. Iman-Al-Assili. Très propre et accueil charmant. Il y a même des efforts de décoration, ce qui ne gâche rien. Délicieux poisson.

⦿⦿ *La Palmera* : 16, av. Iman-Al-Assili. ☎ 91-77-77. Cuisine espagnole. C'est simple mais bon. Spécialités de poisson.

Ils servent aussi un menu économique.

– *Attention* à certains restaurants de la place, devenus trop touristiques, surtout en saison. Évitez *La Kasbah,* en face de la porte principale, malgré son aspect accueillant. La nourriture y est devenue très quelconque. Ce fut bien, naguère... Allez plutôt voir ceux qui longent les remparts portugais, à côté de la place. Ils ont plus d'authenticité. Essayez par exemple le *restaurant Rabie,* ou le *Miramar,* juste à côté. C'est tout petit, mais certains ont de belles terrasses sous les platanes. Accueil sympa et prix doux. Bons tajines de poisson, brochettes et paellas. Pas de licence d'alcool mais, si vous insistez un peu, vous obtiendrez une bouteille de Coca-Cola remplie de vin. Nombreuses gargotes à proximité des marchés aux légumes et au poisson. Demander les prix avant. Méfiez-vous du poisson en friture car la qualité et la fraîcheur des huiles de cuisson laissent souvent à désirer. Préférez le poisson grillé ou en tajine.

A voir

★ *Souk :* le jeudi. Très coloré, avec une population qui a souvent conservé traditions et costumes locaux.

★ *La ville ancienne :* franchir l'une des trois portes pour y accéder. La *Bâb Homar,* baptisée par les Espagnols *Puerta de Terra,* vous conduit à un dédale de ruelles silencieuses entre deux rangées de maisons peintes. Si les murs sont blancs, les soubassements et les huisseries sont très colorés. Les fenêtres, souvent petites, sont agrémentées d'un moucharabieh que surmonte un auvent. La porte de la Mer, *Bâb-el-Bahar,* mène aux remparts construits par les Portugais au temps de leur splendeur. Un bastion, près d'une tour, permet de découvrir l'Océan et le mouillage des bateaux de pêche. Juste à côté, émouvant cimetière autour d'un marabout. C'est là que tous les habitants, surtout les jeunes, se retrouvent pour le coucher du soleil en fumant de drôles de cigarettes.

★ *Le palais de Raisouli :* sur une petite place à laquelle on accède par un passage voûté au centre des remparts entre la porte de la Mer et le bastion. Raissouni était un brigand de la fin du XIX siècle qui devint une célébrité en enlevant un journaliste anglais et deux Américains. Il les libéra contre une rançon de 14 000 £. Il fut ensuite nommé gouverneur d'Asilah par les habitants de la ville, lassés des excès du pacha. C'est alors qu'il se fit construire ce palais, qui revit chaque année puisqu'il abrite le festival de musique en août. Le reste de l'année, il abrite un centre culturel.

★ Tout au bout de l'avenue Mohammed-V, un petit *café* où, certains soirs, des musiciens jouent de la musique traditionnelle. Ambiance assurée.

★ On peut s'attarder le soir près du *marché aux légumes* ou du *marché au poisson.*

Quitter Asilah

🚌 *Gare routière :* sur la place Mohammed-V. Liaisons pour Tanger (très fréquentes), Meknès, Fès, Rabat et Tétouan.

🚆 *Gare ferroviaire :* à 2 km de la ville sur la route de Tanger. Trains pour Tanger et Casablanca avec correspondance pour Rabat et Marrakech (6 par jour).

LARACHE

Larache était encore, il n'y a pas si longtemps (1956), un protectorat espagnol. Ne pas s'étonner d'y manger d'excellentes paellas et de voir des azulejos décorer la fontaine de la place centrale. Larache est une ville très agréable, pas encore envahie par les touristes et où les Marocains sont accueillants. La médina a beaucoup de cachet, notamment grâce à ses ruelles pentues descendant vers la mer. Des bazars bien approvisionnés et des prix raisonnables. Larache est une étape agréable entre Rabat et Tanger.

L'écrivain Jean Genet y est enterré.

Où dormir ?

Très bon marché

🛏 *Pension Amal :* 10, Abdellah B. Yassine. ☎ 91-27-88. Petite pension, près de la place principale, très sympathique et propre. Petit supplément pour la douche.

🛏 *Hôtel Saada :* avenue Moulay-ben-Abdallah, qui donne sur la place principale. Même genre que le premier. Douche au rez-de-chaussée, dans une espèce de cagibi.

🛏 *Pension Málaga :* pasaje del Teatro, à proximité de l'avenue Hassan-II. ☎ 91-18-68. Accueil sympa. Très propre.

🛏 *Hôtel Cervantes :* 3, rue Tarik-Ibnou-Ziad. ☎ 91-08-74. Ni mieux ni moins bien mais les chambres sont légèrement plus grandes et quelques-unes donnent sur la mer.

Où manger ?

Bon marché

🍴 *Restaurant Lamrini :* rue Ibn-Batouta (le 2ᵉ à gauche au début de la rue), tout près du *Grand Hôtel d'Espagne*. Grillades de mouton, de cœur, de foie, de bœuf, accompagnées de *chakchouka,* de frites et d'énormes salades, le tout pour un prix ridicule. Demander à être servi sur assiette, c'est le même prix qu'en sandwich et c'est plus copieux. Ça permet en outre de sympathiser avec les voisins de table...

🍴 *Restaurant Eskala :* en entrant dans la médina. Excellent tajine aux coings (rare !). Bon service et accueil chaleureux.

🍴 *Restaurant Larache :* rue Hassan-II. Propre et très bon marché.

🍴 *Restaurant Tamsamane :* place de la Liberté. Bon poisson et vraiment stratégique. De sa terrasse on voit toute la ville passer devant soi.

🍴 Beaucoup de *cafés-restaurants,* autour de la place de la Libération, dans un cadre plus accueillant que sur la grand-route, à l'entrée de la ville. S'installer dehors, puis profiter des palmiers, de

Bon marché

🛏 *Grand Hôtel d'Espagne :* 2, av. Hassan-II. ☎ 91-31-95. Refait à neuf. Il a hérité de l'Espagne ses azulejos, et recèle des couloirs labyrinthiques. Chambres superbes. Nous vous recommandons celles qui donnent sur la place. Leurs grandes terrasses vous permettront de siroter un apéritif en contemplant l'animation de la grand-place. Bon petit déjeuner. Le double des pensions précédentes, mais sans comparaison. Excellent rapport qualité-prix.

Chic

🛏 *Hôtel Riad :* 87, rue Mohammed-ben-Abdallah. ☎ 91-26-26 et 29. Calme. Bien situé avec fleurs et palmiers. Chambres correctes. Service rapide avec une certaine volonté de bien faire. Un peu cher malgré tout pour les prestations.

la fontaine, et de la vieille porte en bois sculpté. Vers 16 h-17 h, *churros* (beignets) autour de la place, côté médina. Nombreux restaurants près du port où manger des sardines et autres poissons grillés.

Prix moyens

🍴 *Restaurant Cara Bonita :* 1, place de la Liberté. Nouveau restaurant dont le cadre semi-européen est très agréable. Une bonne adresse où vous pourrez manger d'excellents poissons avec en prime un service sympathique.

Plus chic

🍴 *Restaurant Al Khozama :* 114, av. Mohammed-V. ☎ 91-44-54 et 91-37-71. Excellente cuisine (le cuisinier aurait eu une médaille d'or !) et service soigné. Prix raisonnables.

🍴 *Estrella del Mar :* 68, calle M.-Zerktouni. ☎ 91-22-43. A quelques minutes à pied de la place centrale. Beau décor. Service attentif. Bonne paella entre autres spécialités.

A voir. A faire

Pas grand-chose à première vue, Larache paraît être limitée à une place centrale, avec une jolie vue sur la mer (ne pas regarder les ordures en contrebas).

★ *La médina :* passez la grande porte blanc et ocre, sur la place centrale, pour entrer dans la médina... c'est plus vivant. En outre, à l'entrée de la médina, on trouve des produits artisanaux, à des prix intéressants par rapport à ceux des grandes villes. Évidemment, le choix est beaucoup plus limité. Souk le dimanche.

★ Allez faire un tour sur le *port de pêche,* en contrebas (laissez votre passeport au policier qui garde l'entrée). Animation et couleur locale garanties. En sortant du port, vers la droite à 200 m, très grande terrasse de café agréable.

– Pour se baigner, la *plage* (immense) est de l'autre côté de l'estuaire. Il faut aller au marché au poisson et prendre une barque pour traverser. Promenade superbe.

– Sinon, sortir en voiture de la ville en direction de Tanger et, à la hauteur de Lixus, tourner à gauche. Nombreux cafés en été face à la ville. Ah la vue ! Lovely !

★ *Le Musée archéologique :* plus petit, c'est même que nous la studette avec kitchenette. A moins d'adorer les morceaux de poterie, on s'en passe très bien.

★ *La tombe de Jean Genet :* dans le cimetière chrétien. Continuer la corniche après le marché, passer le cimetière musulman ; le cimetière chrétien se trouve juste à droite, avant le phare et à côté de la... prison. Deux simples pierres, une inscription, l'Océan en vis-à-vis et des mauvais garçons qui traînent. L'auteur des *Bonnes* a réussi son coup !

★ *Lixus :* à 5 km de Larache. D'accord ça monte, mais vous ne le regretterez pas. Au soleil couchant, on a une superbe vue sur Larache, les méandres de l'oued Loukos, l'Océan et les marais salants. Alors un effort ! N'est-ce pas dans les ruines de cette ville romaine fondée par les Phéniciens 7 siècles avant notre ère que, selon la légende, le géant Hercule accomplit le onzième de ses travaux : la cueillette des pommes d'or dans le jardin des Hespérides ? Il chargea, en fait, Atlas d'aller lui ramasser ses fruits et, en échange, il porta à sa place la voûte céleste sur son dos. On ne dit pas combien de temps dura la cueillette. Le théâtre romain du Ier siècle n'a été mis au jour qu'en 1964. Son amphithéâtre, composé d'un hémicycle avec des gradins, comporte aussi une arène. Le site comprend plusieurs temples (dont le plus important, le temple F, couronne l'Acropole), les vestiges d'une entreprise de salaison de poisson avec plus de 100 bassins et les inévitables thermes dont le Tepidarium, ou salle tiède, a conservé son pavage de mosaïque. On y voit Neptune, le dieu de la Mer, dont l'effigie est ornée de pattes de crustacés au-dessus d'une chevelure abondante. Malheureusement, elle a été victime de vandales récemment et le Neptune s'est transformé en Cyclope.

ARBAOUA et SOUK-EL-ARBA-DU-RHARB   IND. TÉL. : 07

Arbaoua, à 12 km de Ksar-el-Kebir, se situe sur la route côtière qui relie Kenitra à Ksar-el-Kebir, à 140 km de Rabat et à 135 km de Tanger. Prendre l'embranchement à la station Pétrom pour pénétrer dans la forêt, après une belle montée à travers les eucalyptus. Cette réserve de chasse de 35 000 ha, l'une des plus belles du Maroc, est un endroit idéal pour pique-niquer.

🛏 *Hostellerie Route de France :* une bonne étape, à prix moyens, avec un restaurant agréable et surtout un excellent accueil.

IOI Il existe un autre *resto,* très simple et bon marché, tenu par des patrons sympa, à la station *Pétrom.*

Souk-el-Arba-du-Rharb, sur la route directe de Kenitra à Ksar-el-Kebir, est un nœud routier important, ce qui explique le nombre de petits cafés-restos où l'on peut se restaurer à bas prix. Souk le mercredi. Nombreux bus et grands taxis pour les environs, principalement pour Moulay-Bousselham.

A voir dans les environs

★ *Banassa :* à 25 km environ. On y accède par la S 210, en passant, soit par Mechra-Ben-Ksiri, soit par Souk Telata-du-Rharb. De cette cité fondée au IIIe siècle avant notre ère, il ne reste plus grand-chose. Ce fut cependant un port important créé par les Romains. On y voit encore les restes d'un forum, ceux d'un capitole et des thermes ayant conservé des mosaïques et des pavements de marbre blanc.

MOULAY-BOUSSELHAM   IND. TÉL. : 07

A environ 40 km de Souk-el-Arba-du-Rharb. Du haut de la ville, vue superbe sur l'Océan et la lagune, séparée de l'Océan par une dune en partie boisée de pins.
La lagune de Merdja Zerga possède une réserve naturelle d'oiseaux, qu'il est possible de visiter en barque à des prix raisonnables.
Les volatiles viennent par milliers hiverner dans ce site exceptionnel. On y découvre des hérons, des flamants roses, des cygnes, des canards siffleurs, des oies cendrées, etc. Une bonne paire de jumelles est utile pour les observer. La plage est propre, car nettoyée par la marée. L'Océan est très dangereux, en raison de ses courants violents, c'est pourquoi il est préférable de se baigner dans la lagune, mais la plage y est très sale. Au sommet des dunes, nombreux tombeaux blancs à dômes de marabouts. Le plus célèbre est celui du saint patron du lieu, Moulay Besselham, c'est-à-dire le seigneur au burnous. Les Marocains aiment venir se recueillir sur sa tombe. En juillet se déroule en son honneur un grand moussem, l'un des plus importants du Maroc.

Où dormir ? Où manger ?

⌂ *Camping :* 500 m avant l'entrée de la ville, sur la gauche. Bien ombragé. Animation le soir, c'est-à-dire guitare électrique jusqu'à 2 h. Bondé, délabré, plutôt cher et guère propre. Accès à la plage. Bruyant et moustiques insistants. Les campeurs enfument le camp tous les soirs pour les chasser.

⌂ *Hôtel le Lagon :* ☎ 43-26-03. Beaucoup d'amis routards s'en plaignent amèrement. Certes, les chambres sont décrépies, mais elles ont une superbe terrasse. Comme le prix demeure correct, c'est à vous de voir si vous êtes prêt à supporter certains désagréments car c'est le seul. En tout cas, vous ne risquez rien à aller boire une bière sur sa terrasse.

|●| *L'Océan :* dans l'avenue principale. Bon resto. Poisson très bien préparé et portions copieuses. Accueil très agréable. Une bonne adresse.

|●| *La Jeunesse :* en ville. Cuisine correcte et l'endroit est sympa. Bon marché. Il est possible de louer des cabanons pour une ou plusieurs nuits. Se renseigner sur place.

Rabat est la véritable capitale du royaume et la deuxième ville impériale du pays. Difficile de résister au charme de cette grande ville provinciale chargée de souvenirs et dotée de magnifiques monuments. Il faut se promener dans la casbah des Oudaïa, boire un thé au café maure avant de visiter le jardin andalou. Le Musée archéologique est incontournable. Le chien de Volubilis, plus vrai que nature et prêt à aboyer, y garde quelques trésors comme le buste de Juba II, roi de Mauritanie, gendre de la reine Cléopâtre et de Marc Antoine.

Salé, sa voisine et sa rivale, qui s'était rendue célèbre par ses corsaires redoutés sur toutes les mers, n'a conservé de son passé tumultueux qu'une belle médina blanche où l'ancien marché aux esclaves est devenu un souk d'artisans œuvrant à l'ombre d'une petite médersa.

La capitale économique, Casablanca, « la Maison Blanche », doit son nom aux marchands espagnols qui, au XIXe siècle, faisaient commerce de la laine de mouton. Depuis, la petite ville s'est transformée en une vaste métropole de plus de 4 millions d'habitants. Son port, le plus important de toute l'Afrique du Nord, a été pendant longtemps le rendez-vous des trafiquants et des aventuriers. La ville s'est beaucoup développée sous le protectorat et est devenue un véritable conservatoire de l'architecture des années 30. Casablanca, Casa pour les habitués, prend aujourd'hui une dimension religieuse avec la mosquée Hassan II, la plus fastueuse du monde arabe et la plus grande après La Mecque.

Entre deux visites culturelles, pourquoi ne pas se livrer aux joies du farniente et des sports nautiques en faisant étape sur l'une des nombreuses plages de la côte ?

Les amateurs de fruits de mer prévoiront une halte à Oualidia pour y faire une cure d'huîtres arrosées d'un petit muscat blanc ou d'un gris de Boulaouane bien frais.

Ce ne sont pas les étapes qui manquent le long de l'Océan. El Jadida, réputée pour son climat et pour sa plage qui s'étire sur plus de 4 km, a conservé son vieux fort portugais si authentique qu'Orson Welles y tourna, en décor naturel, son *Othello*.

La casbah de Boulaouane, à l'écart des itinéraires classiques, permettra à ceux qui ne peuvent se rendre dans le sud de découvrir l'architecture des casbahs.

Safi, premier port sardinier du monde, intéressera plus par son artisanat que par ses conserveries de pêche. Les potiers travaillent encore au tour, faisant naître sous leurs mains des œuvres d'une qualité exceptionnelle. Il sera difficile de ne pas se laisser séduire par leurs productions.

RABAT   IND. TÉL. : 07

Capitale politique et administrative du royaume, Rabat, avec ses 900 000 habitants (y compris Salé) est la seconde ville du pays. C'est un peu Washington par rapport à New York. Plus sage et plus calme. Ville moderne, aérée, agréable et cosmopolite, avec quelques jolis monuments et de larges avenues fleuries, plantées de magnifiques palmiers. Les amateurs d'architecture des années 30 seront comblés. Une grande unité de style, peu de buildings, et tout paraît propre, ordonné et même policé. L'ambiance est celle d'une ville européenne. Elle doit à Lyautey d'avoir été choisie comme centre administratif du pays, ce que rappelle encore aujourd'hui la répartition des ministères, des ambassades et des services publics au voisinage de l'ambassade de France. Cela ne doit pas faire oublier que Rabat est aussi la quatrième ville impériale du Maroc, après Marrakech, Fès et Meknès, qu'elle possède un passé historique et d'intéressants vestiges. De plus, elle jouit d'un climat exceptionnel, le thermomètre ne descendant jamais en dessous de 12 °C et ne dépassant que rarement 23 °C. En été, l'Océan vaporise au-dessus de la ville un voile de brume qui adoucit l'éclat du soleil.

Adresses utiles

Infos touristiques

ⓘ *Office national marocain du Tourisme :* angle avenue Abtal, rue Oued Fas, Rabat Agdal *(hors plan, par B4)*. ☎ 77-51-71. Brochures et infos touristiques. Ne vaut pas le détour.
ⓘ *Syndicat d'initiative :* rue Patrice-Lumumba *(plan D2)*. D'une compétence toute relative.

Services

✉ *Poste centrale :* av. Mohammed-V *(plan D2)*. Ouverte du lundi au vendredi de 8 h 30 à 12 h 15 et de 14 h 30 à 18 h hors saison. En été, de 9 h à 15 h.
■ *Téléphone et poste restante :* dans un bâtiment annexe, juste à côté de la poste centrale, rue Soekarno. Ouvert jour et nuit, 7 jours sur 7.
■ *Pressing :* 104, av. Allal-Ben-Abdallah *(plan D2)*.
■ *Hypermarché :* Marjeanne, à la sortie de la ville en direction de Salé *(hors plan, F1)*.

Argent, banque, change

■ *Distributeurs VISA : BMCI,* bd Mohammed-V, à l'angle avec la poste *(plan D2, 1)*. *Wafa,* bd Mohammed-V à l'angle avec le boulevard Hassan-II *(plan C1, 2)*.

Représentations diplomatiques

■ *Ambassade de France :* 3, rue Sahnoun, Rabat Agdal *(plan B4)*. ☎ 77-78-22.
■ *Consulat :* 9, av. Allal-ben-Abdallah *(plan D1)*. ☎ 76-38-24.
■ *Ambassade de Belgique :* 6, av. de Marrakech. ☎ 76-47-46.
■ *Ambassade de Suisse :* square Berkane. ☎ 76-69-74.
■ *Ambassade du Canada :* 13 bis, Zankat-Jaâfar-Assadik, à l'Agdal *(hors plan)*. ☎ 77-13-75.

Urgences

■ *Pharmacie de nuit :* rue Moulay-Sliman, à côté de la résidence Moulay-Ismail. Ouverte de 20 h à 8 h.
■ *Pompiers :* ☎ 15.
■ *Hôpital Ibnou-Sina (ex-Avicenne) :* sur la route de Casa. A côté de la gare des bus.
■ *Police :* rue Soekarno. ☎ 19.

Loisirs

■ *Journaux français et librairies :* av. Mohammed-V.

■ *Bains-douches :* bd Hassan-II, à côté des remparts, juste au coin à gauche quand on les regarde.

Compagnies aériennes

■ *Royal Air Maroc :* angle de l'av. Mohammed-V et de la rue Al-Amir-Moulay-Abdallah *(plan D2, 3)*. ☎ 76-97-66, 76-96-57 et 58. Fax : 70-80-76. Réservation centrale : ☎ 70-97-10. Ouvert de 8 h 30 à 12 h et de 15 h à 19 h du lundi au samedi.
■ *Air France :* 281, av. Mohammed-V *(plan D2, 4)*. ☎ 70-70-66. Ouvert du lundi au vendredi de 8 h 30 à 12 h 15 et de 14 h 30 à 18 h 30. Le samedi de 8 h 30 à 12 h 45. Permanence téléphonique de 15 h à 18 h.

Transports

🚆 *Gare ferroviaire centrale :* avenue Mohammed-V *(plan D2)*. ☎ 76-73-53. Grande gare propre et modernisée. Journaux, consignes, téléphones et banque BMCE.
🚆 *Gare de Rabat Agdal (hors plan par A4) :* ☎ 77-23-85. Possibilité de rejoindre le centre de Rabat par le bus n° 30.
🚍 *Gare routière :* loin du centre ville *(hors plan par A4)*. Prendre le bus n° 30 (avenue Hassan) ou un petit taxi. Toutes les compagnies y sont présentes et bien sûr la CTM.
✈ *Aéroport de Salé :* à 10 km. Liaisons intérieures pour Casablanca ; vols avec correspondance à Casa pour les autres villes. Seuls les taxis assurent la liaison avec Salé ; fixer le prix au départ. Pour *l'aéroport international* de Casablanca, des bus partent de l'avenue Mohammed-V, face à l'*hôtel Terminus*. Théoriquement, 7 départs par jour, à 5 h, 6 h 30, 8 h 30, 10 h, 12 h, 15 h 30 et 18 h 30. Durée du trajet : 90 mn. On peut réserver la veille. Le « métro » qui relie dorénavant l'aéroport Mohammed-V à Casablanca continue jusqu'à Rabat. Il s'arrête à la gare.
■ *Taxis :* ils sont bleus. La station la plus importante se trouve à la gare ferroviaire.
■ *Automobile Club :* 45, rue Patrice-Lumumba *(plan E2-3)*. Tenu par une Française compétente qui connaît très bien le pays.
■ *Garage Citroën (SIMA) :* à l'angle de la rue du Congo et de la rue du Sénégal *(plan B2)*.

ACHATS

■ *Ensemble artisanal :* rampe Tarik-al-Marsa, à gauche en sortant de la casbah des Oudaïa *(plan Médina, B1).* Le plus soigné du Maroc avec ses boutiques les unes à la suite des autres.

Comment se repérer ?

La moitié des adresses qui suivent sont situées sur la rue Mohammed-V (médina) et l'avenue Mohammed-V qui la prolonge (ville nouvelle).
Pour se rendre de la gare des bus au centre ville, prendre le bus n° 30.

Où dormir ?

Très bon marché

Ces hôtels sont dans la médina *(plan Médina, A3),* quartier un peu dur avec parfois des gens un peu paumés et désœuvrés. Une certaine prudence s'impose. Ils sont regroupés dans deux rues :
– La première à gauche, qui longe les remparts, dès que l'on entre dans la médina par la rue Mohammed-V *(plan C1).* Essayez *les Voyageurs, le Saada* et *l'Alger.* Nous vous déconseillons l'*hôtel du Marché.*
– En descendant la rue Mohammed-V, à droite au n° 219, rue Sebbahi, le choix se joue entre le *Maghreb al jadid,* le *Régina,* l'*Alalam* et le *Marrakech.*

♠ *Le Marrakech :* 10, rue Sebbahi. ☎ 72-77-03 *(plan C1, 11).* Dans la médina, rue à droite dans l'avenue Mohammed-V. A été repeint en rose bonbon et bleu vif. Sommaire mais très propre. Petite cour intérieure calme. Très bon accueil, notre meilleure adresse

EN DIRECT DE LA MÉDINA

♠ *Hôtel Central :* 2, rue Al Basna *(plan D2, 13).* ☎ 70-73-56. C'est une rue sur le côté gauche de l'*hôtel Balima,* quand on regarde la façade. Vous aurez le choix entre des chambres avec salle d'eau ou avec douche collective (payante). Accueil fantaisiste. L'ensemble est un peu sinistre mais les chambres sont plus lumineuses que les parties communes.
♠ *Hôtel Majestic :* 121, bd Hassan-II *(plan C1-2, 14).* ☎ 72-29-97. Belle

dans cette catégorie. Il donne sur une cour et a plusieurs étages. Demandez bien une chambre avec fenêtre. A côté d'une mosquée.
♠ *Auberge de jeunesse :* 34, rue Marrassa *(plan C1, 10).* ☎ 72-57-69. Juste à côté de la médina et de la porte Bâb el Had. Ouverte seulement de 7 h 30 à 10 h, de 12 h à 15 h et de 19 h à 22 h. Léger supplément pour ceux qui ne possèdent pas la carte. Super auberge sympa et très bien placée. En revanche, sanitaires médiocres (douche dans les w.-c. !).

Bon marché

♠ *Hôtel Dorhmi :* 313, av. Mohammed-V *(plan C1, 12).* ☎ 72-38-98. Après les remparts, sur la droite quand vous entrez dans la médina, au-dessus de la Banque Populaire. Ambiance familiale sympa, très propre. Douche payante. Bonne adresse. Souvent complet.

façade. Chambres sur rue bruyantes mais vue agréable. Douche chaude le matin et w.-c. extérieur.
♠ *Hôtel d'Alsace :* 9, impasse Guessous, bd Hassan-II *(plan C2).* En dehors des remparts, en face du Crédit Agricole. ☎ 72-26-11. Simple et très calme. Si les douches payantes avec eau chaude sont correctes, les chambres ne sont pas très bien entretenues.
♠ *Hôtelm Darna :* 24, bd Laalou. ☎ 73-67-87. Un établissement de 24 chambres

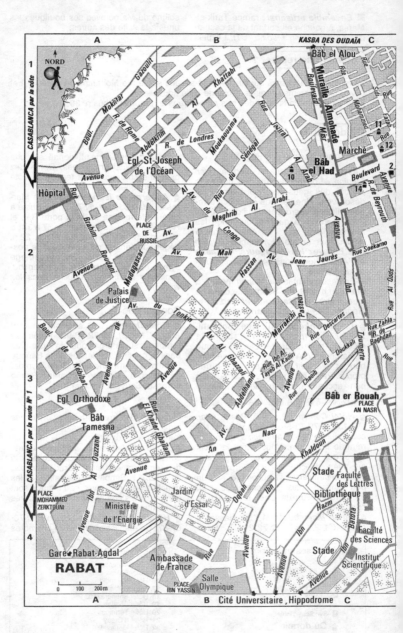

RABAT
0 100 200m

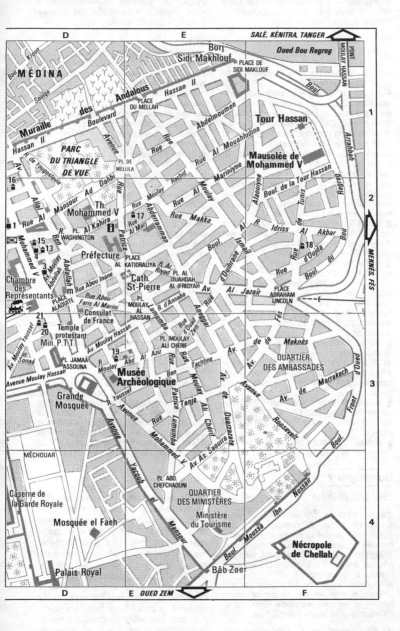

Oued Bou Regreg

PONT MOULAY HASSAN

D **E** **F**

MÉDINA

Bou Kroun

Souiqa

des Andalous

Hassan II

PLACE DE SIDI MAKLOUF

Borj Sidi Makhlouf

PLACE DU MELLAH

Boulevard Hassan II

Abdelmoumen

Tour Hassan

1

Muraille

Hassan II

Av. de Yougoslavie

Allal Ben

Av. R. de Yougoslavie

PARC DU TRIANGLE DE VUE

PL. DE MELLILA

Rue

Rue Ad Dahbi

Rue

Moulay

Rue

Al Mouahhidine

Rachid

Al

Marniyne

Mausolée de Mohammed V

Boul. de la Tour Hassan

Atrahbah

Bou

16

Al Mansour

Th. Mohammed V

Rue Moulay

Abderrahman

Rue

Moulay

Makka

Al

Alaouyne

R. de Tunis

2

1

Rue Al Kahira

PL. Al Kahira

Rue Al Marj

17

Boul.

Al

Ismaïl

R. d'Outhrane

Idriss

Al Akbar

Rue d'Oujda

18

Boul. du

Bagey

PL. WASHINGTON

15

13

4

Mohammed V

Rue Al Mar

Préfecture

Patrice

PLACE AL KATIDRALIYA

R. Ar Riyad

PL. AL OUAHDAH AL-IFRIQYAH

Rue

Av. Al Jazaïr

PLACE ABRAHAM LINCOLN

3

R. de Moulay Abdallah

Rue Abou Inane

Cath. St-Pierre

R. d'Annaba

Anegual

Rue

Fès

Chambre des Représentants

PL. ALAOUITE

Rue Abou Faris Al Marini

PL. MOULAY AL HASSAN

R. Laununba

Rue d'Oued Zem

Av. Al Jazaïr

Quad

21

20

Temple protestant
Min. P.T.T.

Av. Moulay Youssef

Consulat de France

Av. Moulay Hassan

PL. MOULAY ALI CHÉRIF

Av.

de

Meknès

QUARTIER DES AMBASSADES

Front

d'Oued

Sonaâ

PL. JAMAÂ ASSOUNA

19

R. Moulay Abd Al Aziz

Ben

Tachfine

Av.

de

Marrakech

3

Avenue Moulay Hassan

Musée Archéologique

R. Youssef

Patrice

Moulay

Ali Chérif

Lumumba

Tanja

Roosevelt

Boul.

Grande Mosquée

Avenue

Rue

Avenue Mohammed V

Av. de Ouarzazate

MÉCHOUAR

Caserne de la Garde Royale

Yacoub

PL. ABD. CHEFCHAOUNI

Av. As. Saouira

Nassair

QUARTIER DES MINISTÈRES

Ibn

4

Mosquée el Faeh

el

Mansour

Ministère du Tourisme

Boul. Moussa

Nécropole de Chellah

Palais Royal

Bâb Zaer

D **E** *OUED ZEM* **F**

simples qui viennent d'être rénovées (8 disposent d'une baignoire et 16 d'une douche avec eau chaude). Correct et propre. Bon accueil.

Prix moyens

♨ *Hôtel Balima :* av. Mohammed-V. L'entrée est au n° 1 de la rue Tihama, face à la chambre des Représentants *(plan D2, 15).* ☎ 70-86-25 ou 70-79-67. Fax : 70-74-50. Superbe corps de bâtiment de 1926 dont l'intérieur a été revu en 1950. Les chambres sont vastes et confortables. Cet établissement vient de subir un lifting complet. Sa terrasse reste l'une des plus agréables et des plus fréquentées de la ville. En revanche, le cadre du restaurant est nul. Demander les chambres en hauteur pour la super vue sur Rabat et de préférence d'angle car elles sont plus grandes. Un des meilleurs dans sa catégorie, quoique le ménage ne soit pas bien fait.

♨ *Hôtel Splendid :* 8, rue Ghazzah *(plan D2, 16).* ☎ 72-32-83. Patio intérieur avec terrasse et palmiers. 40 chambres. Très central. Toilettes à l'extérieur. Propre.

♨ *Hôtel Royal :* 1, rue Aman *(plan D2).* ☎ 72-11-71 et 72. Fax : 72-54-91. Donne sur l'avenue Allal-ben-Abdallah. Grand hôtel ancien. Bel escalier en marbre. Grandes chambres au mobilier désuet. Toilettes et douche. Demander celles qui donnent sur le parc. Propre. Bon rapport qualité-prix.

♨ *Hôtel d'Orsay :* 1, av. Moulay-Youssef, place de la Gare *(plan D3, 21).* ☎ 70-13-19. Fax : 70-19-26. A l'avantage d'être central. Mais bruyant avec la circulation routière et la proximité de la gare.

♨ *Grand Hôtel :* 19, rue Patrice-Lumumba *(plan E3, 17).* ☎ 72-72-85 et 86. Propre mais aucun charme et accueil moyen.

♨ *Hôtel Yasmine :* angle Zamkat-Marinyne et Makka *(plan E2).* ☎ 72-

20-18, 72-20-51 et 72-20-57. Fax : 72-21-00. Un 3 étoiles bien entretenu. Il vous coûtera 200 F pour une double. Très bon rapport qualité-prix.

Chic

♨ *Hôtel Shéhérazade :* 21, rue de Tunis *(plan F2, 18).* ☎ 72-22-26, 27 et 28. Fax : 72-45-27. Récemment rénové. Propre et situé dans une rue calme, très proche du mausolée de Mohammed V. Pas de climatisation ni de piscine, mais ce manque est largement compensé par la bonne tenue de l'établissement et par la gentillesse du personnel. Excellent rapport qualité-prix.

♨ *Hôtel Chellah :* 2, rue d'Ifni *(plan D3, 19).* ☎ 70-10-51. Fax : 70-63-54. Tout près de la grande mosquée. Moderne et fonctionnel. Jolie vue sur la grande mosquée des étages supérieurs.

♨ *Hôtel Terminus :* 384, av. Mohammed-V *(plan D3, 20).* ☎ 70-52-67 ou 70-06-16. Fax : 70-19-26. En plein centre, à côté de la gare mais pas très folichon. A été rénové récemment. Préférer les chambres sur cour. L'hôtel étant très grand, on trouve assez facilement de la place. Restaurant classique et cher à éviter.

♨ *Hôtel Moussafir :* bd Abderrahmane-Rhafiki. ☎ 77-18-12. Sur la place de la gare ferroviaire d'Agdal. Récent. Simple et de style marocain typique. Piscine. Bruyant, les cloisons ne sont pas très épaisses. Dommage ! Vraiment très excentré.

Camping

♨ *Camping de la Plage :* à Salé, à 2 km au nord de Rabat. Au bord de la mer, mais sans ombrage. Pas terrible. Entouré d'un mur de 2 m de haut ! Douches chaudes payantes. Plages « presque aussi pires » que sur la côte d'Azur. Prix affichés à l'entrée. Accueil sympa. Bar, resto et épicerie.

Où manger ?

Très bon marché

Dans l'avenue Mohammed-V *(plan C1-2),* beaucoup de ressources. Juste après avoir passé la poste, dans l'ordre croissant des numéros, nombreuses échoppes vendant des desserts, puis des fritures, des jus d'orange. Faites-les dans le sens de votre repas !
A signaler aussi, de très bonnes brochettes à manger sur le pouce place Moulay-el-Hassan (ex-place Piétri), près du marché aux fleurs *(plan E2-3).*

|●| *Restaurant de la Libération :* au 256. *Harira* à prix modique.

|●| *Restaurant de l'Union :* au 260. Environ 150 m à gauche après avoir franchi l'enceinte en allant vers le centre de la médina. C'est le menu le moins cher. Menu différent midi et soir. Salle au rez-de-chaussée, ainsi qu'à l'entresol. Repas excellents, variés et copieux. Service efficace. Propreté exemplaire.

|●| *Makaba :* dans le marché central. Ouvert sans interruption. On est assis sur un banc, autour d'une table branlante, près des fourneaux où grésillent, sur la braise, pieds de bœuf et têtes de mouton. Très économique.

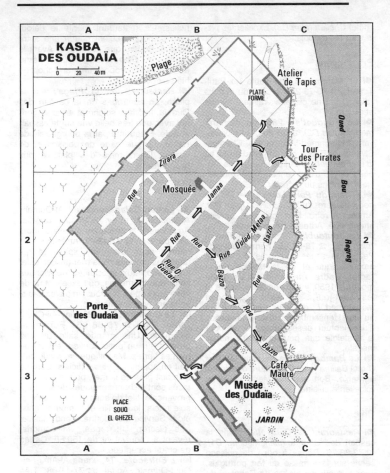

KASBA DES OUDAÏA

0   20   40 m

A   B   C

Plage

Atelier de Tapis

PLATE-FORME

1

Zirara

Tour des Pirates

Rue

Mosquée

Jamaa

Rue

Rue

Rue Oulad Metaa

Bazo

2

Rue O. Guerard

Bazo

Rue

Porte des Oudaïa

Rue

Bazo

Café Maure

Musée des Oudaïa

PLACE SOUQ EL GHEZEL

JARDIN

3

Oued

Bou

Regreg

A   B   C

Bon marché

El Bahia : bd Hassan-II *(plan D1)*. Dans la muraille des Andalous, quand on descend l'avenue Mohammed-V, sur la droite. Quelques tables à l'extérieur de la muraille, un petit jardin intérieur et un salon au premier étage. Très bon rapport qualité-prix. Gagnerait cependant à être un peu mieux entretenu ; dans un cadre pareil, on pourrait parvenir à quelque chose de très bien. Évitez d'y aller le soir. Toilettes redoutables.

Saidoun : dans une cour, av. Mohammed-V, en face du départ des bus pour l'aéroport, au-dessus de la gare *(plan D2-3)*. Fermé le vendredi midi. Spécialités de cuisine libanaise. Alcool.

La Graille : 76, rue Oqba, dans le quartier de l'Agdal. Une adresse pour routards démunis mais où l'on mange à

sa faim. Bonnes pizzas et salades. Impossible de trouver moins cher pour cette qualité.

La Clef : angle rue Matim et av. Moulay-Youssef *(plan D3)*. ☎ 76-19-71. Grand choix de tajines et de brochettes. Agréable terrasse ombragée à deux pas de la gare. Excellente pastilla. Bon rapport qualité-prix. Très fréquenté par les coopérants.

Chez El Ouazzani : place Ibn Yasine, Agdal *(plan B4)*. ☎ 77-92-97. Décor intérieur typiquement marocain. Brochettes, tajines... De nombreux Marocains en ont fait leur cantine ; un très bon signe ! Mais les prix sont faits à la tête du client et il est souvent difficile d'y trouver une place.

Pizzeria Napoli : 8, rue Moulay-Abdelaziz. ☎ 70-38-01. En face de la R.T.M., du Musée archéologique et de l'hôtel *Chellah (plan D3)*. Excellentes pizzas au feu de bois.

Prix moyens

|●| *La Mamma* : 6, rue Tanta (ex-Paul-Tirard). ☎ 70-73-29. A côté du *Balima (plan D2)*. Une pizzeria vraiment sympa et propre.

|●| *Le Fouquet's* : 285, bd Mohammed-V *(plan D2)*. ☎ 76-80-07. Le boulevard Mohammed-V étant les Champs-Élysées de Rabat, on comprend qu'il y ait là un *Fouquet's*. Vient de changer de propriétaire et d'être entièrement rénové. Nous n'avons pu le tester.

|●| *Relais du Père Louis* : rue Dimasheq, derrière l'hôtel *Balima (plan D2)*. Ambiance rétro. Bon, calme et service attentionné. Adresse très agréable.

|●| *Le Koutoubia* : 10, rue Pierre-Parent *(plan E3)*. ☎ 76-01-25. Fermé le lundi. Petite rue située tout près du Musée archéologique et de la Maison de la radio. Cadre marocain, mais style moderne 1950, y compris les couleurs et les abat-jour... Le patron a connu Mohammed V ; d'ailleurs, leur photo est au mur. L'ensemble est triste et le service d'une lenteur désespérante. Plus pour la nostalgie que pour la cuisine assez inégale.

|●| *La Bamba* : rue Tanta, juste derrière l'hôtel *Balima (plan D2)*. Cadre occidental agréable. Bon service. Menu et carte. Excellente cuisine.

Chic

|●| *Restaurant la Caravelle* : dans la casbah des Oudaïa *(plan Médina, B1)*. ☎ 73-38-76. Repas à base de poisson servis sur la terrasse du fort portugais, avec vue sur les plages de Rabat et de Salé.

|●| *Restaurant Borj Eddar* : plage de Rabat (Sidi-el-Yabouri ; *hors plan par C1*). ☎ 70-15-00. Cadre agréable. Spécialités de poisson et fruits de mer. *Pastilla* de fruits de mer et brochettes de lotte. Plus cher que le précédent et beaucoup de groupes.

|●| *Kangourou Grill* : même adresse que l'hôtel *Shéhérazade*. Pourquoi ne pas manger australien dans la capitale marocaine ? Une grande salle au décor original en bambous. Ambiance feutrée et coloniale. Vous voyagerez à travers les grands espaces sous l'œil vigilant des aborigènes. Très exotique. Spécialité de grillades (l'une des meilleures viandes du Maroc) servies sur une planche en bois par des serveuses recrutées pour leur physique mais professionnellement

nulles. Ce restaurant mérite le détour pour ceux qui veulent goûter une autre cuisine. Pourvu que cela dure ! Avant le repas, le ***Boomerang Pub*** (même adresse) vous propose un grand choix de bières et cocktails.

|●| *Restaurant de la Plage* : sur la plage, en contrebas de la casbah des Oudaïa. Intérieur soigné et terrasse abritée avec une très belle vue sur la casbah et Salé. Fréquenté par la bourgeoisie de Rabat. Longue carte de poisson et de viande. Cher, mais des plats à prix raisonnables.

Très chic

|●| *Le Vert Galant* : angle av. Al-Ouman-Al-Mouttahida et av. de Vésoul. Quartier Agdal, vers la place de l'Unesco *(hors plan par B4)*. ☎ 77-42-47. Ambiance très feutrée pour une carte splendide qui marie les produits de la mer (turbot, sole, lotte, loup) aux spécialités de viandes comme le tournedos, ou l'excellent ris de veau aux cèpes. Ne vous en privez pas si vous en avez les moyens.

|●| *Le Goéland* : 9, rue Moulay-Ali-Cherif *(plan E3)*. ☎ 76-88-85. Fermé le dimanche. Une grande salle blanche ouvrant sur un patio couvert, envahi de plantes vertes. Magnifique carte qui mettrait en appétit les plus difficiles. Comme il se doit près de la mer, poisson et crustacés sont à l'honneur (joues de lotte à la provençale, filet de saint-pierre à l'oseille, sole farcie, loup grillé et flambé à l'anis, etc.). Service attentionné. Fond musical très discret. Un repas, vin compris, revient à l'équivalent de 150 FF. Cartes de crédit acceptées.

|●| *L'Entrecôte* : 74, charia Al-Amir-Fal-Ould-Oumeir, Agdal. ☎ 77-11-08. Très excentré, vers l'ouest. Style « maison française ». Pour les nostalgiques, foie gras maison. De plus, et comme le nom ne le laisse pas supposer, délicieuses spécialités de poisson.

|●| *Dinarjat* : 6, rue Belgnaoui *(plan Médina, A2)*, en face de la casbah des Oudaïa. ☎ 70-42-39 et 72-23-42. Parking av. El-Alou. De là, le gardien vous accompagnera muni d'une lanterne jusqu'à ce palais autrement introuvable (pas de pancarte). La carte propose 6 sortes de tajines dont « les envies de femme enceinte », deux variétés de couscous et des poulets aux citrons et oignons, aux citrons et aux olives confites, ou djaj *M'charmel*, c'est-à-dire mariné et doré. Comme dessert, essayez la *pastilla* au lait et aux amandes. Compter 180 F par personne.

Où boire un verre ? Où manger une pâtisserie ? Où sortir ?

🍷 A la terrasse de *l'hôtel Balima :* av. Mohammed-V, dans le centre de la ville nouvelle. A l'heure du pastis, difficile de trouver une table ; c'est plein d'habitués.

🍷 *Au café maure* de la casbah des Oudaïa *(plan Médina, B1),* si vous êtes dans la médina. Vue imprenable sur l'estuaire. Beaucoup de touristes dans la journée mais en fin d'après-midi c'est beaucoup plus calme.

🍷 *Café Jefferson :* à l'intersection de l'avenue Abderrahmane-Aneggaï et de la rue Moulay-Rachid *(plan E2).* Rendez-vous plutôt populaire de la jeunesse locale. Très animé jusqu'à tard dans la nuit.

■ *Pâtisserie Maymana :* 5, rue Zankat-Houara *(hors plan d'ensemble par E4).*

☎ 65-27-14. La patronne est la sœur de Mme Alami, la célèbre pâtissière de Marrakech. C'est vraiment un don dans la famille. Toutes deux réalisent sans conteste les meilleures pâtisseries du pays. Adresse incontournable pour les gourmands.

■ *Lina :* 45, av. Allal-ben-Abdellah. A côté du consulat de France. Un salon de thé franco-belge où vous dégusterez d'excellentes pâtisseries. Ambiance BC-BG. Il est interdit de fumer à l'intérieur. Très à la mode, une bonne adresse pour les gourmands.

■ *Night-club l'Arc-en-ciel :* derrière le *Balima.* Alternance de musique disco et *live* arabe. A partir de minuit, ambiance très chaude et pas un « toubab » en vue.

A voir

★ *La ville moderne :* délimitée par l'avenue Mohammed-V et par le boulevard Hassan-II qui longe la médina. La première, reliant cette médina au palais royal, constitue l'artère principale avec son vaste terre-plein central planté de palmiers et agrémenté de fontaines. C'est là que se trouvent les principaux commerces, les cinémas, la poste, la gare ferroviaire... toute la vie quoi !

En bas, le *parc du Triangle-de-Vue (plan D1)* pourrait être une halte reposante au cœur de l'agitation. Belle végétation mais ce jardin ferme tôt et l'on en est chassé à

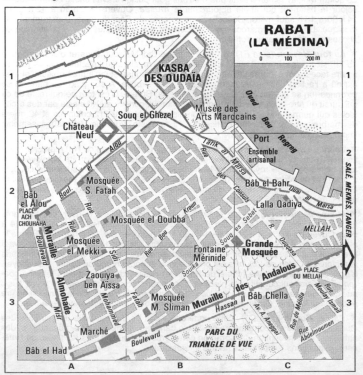

coups de sifflet dès la fin de l'après-midi, à l'heure où l'ombre bienfaisante de ses grands arbres commence à se faire sentir.

★ *La médina (plan D1) :* beaucoup moins pittoresque que celles de Fès et de Marrakech. Même si elle ne présente pas un intérêt majeur, il faut aller flâner dans la rue Souïqua prolongée par le souk couvert, *Es Sebat,* où pour une fois vous ne serez guère tenté, car les produits s'adressent plutôt à une clientèle locale. A gauche, *rue des Consuls,* appelée encore ainsi parce qu'elle fut jusqu'au début du siècle la résidence des représentants des pays étrangers. On y vend maintenant des tapis à la criée, les lundi et jeudi matin. Rien ne vous interdit d'acheter, à condition de bien savoir compter en dirhams ou plutôt en riels, division du dirham (1 dirham = 20 riels et 1 riel = 5 centimes marocains). En continuant, on arrive au souk de la laine, *el Ghezel.* C'est là que, voilà trois siècles, on présentait aux acheteurs éventuels les captifs chrétiens saisis en mer par les pirates.

★ *La casbah des Oudaïa (plan Médina, B1) :* beaucoup plus intéressante. Les Oudaïa étaient les descendants d'une tribu arabe. Ils entrèrent souvent en rébellion contre les sultans chérifiens et finirent par être dispersés, car ils causaient de trop grands ravages. L'un des groupes échoua à Rabat dans cette casbah. Les maisons ont gardé tout leur charme et le site a été bien préservé des constructions modernes. Lieu très reposant.

Allez aussi prendre un thé au *café maure,* très joli et toujours aussi célèbre, avant de visiter le *jardin andalou* (le *café-restaurant Caravelle* aussi est bien) à condition d'échapper au harcèlement des « faux guides » ; ils constituent une véritable mafia et vont jusqu'à vous dire que l'entrée est interdite aux non-musulmans ou que le musée est fermé pour vous conduire sur leur terrasse personnelle, moyennant rémunération. Passez outre. Il est préférable d'être seul dans ce quartier plein de charme et nous vous en dirons autant qu'eux sur la visite.

Vous ne risquez pas de manquer l'entrée, car la porte des Oudaïa, tout en pierre ocre sculptée, forme un ensemble assez étonnant, même si l'on ne s'intéresse guère à l'architecture almohade du XII° siècle.

Le sultan Moulay Ismaïl n'avait pas mauvais goût puisqu'il avait choisi comme lieu de séjour le bâtiment qui abrite aujourd'hui le *musée.* Ouvert de 8 h 30 à 12 h et de 14 h 30 à 18 h sauf mardi. Collections de poteries de Fès, de tapis, d'instruments de musique. Un intérieur marocain y a également été reconstitué. Il y a là quantité de choses que l'on aimerait s'offrir.

★ *La tour Hassan (plan F1) :* près de la place Sidi-Maklouf, minaret d'une mosquée du XII° siècle. Inachevé, il aurait dû culminer à 80 m, alors qu'il n'atteint que 44 m. Ses quatre faces sont décorées différemment. L'une est grise et les autres roses. Cet effet est dû à l'action des brises marines sur le cuivre exposé. A son pied, un parterre de colonnes (on se croirait au Palais-Royal revu par Buren). C'est tout ce qui reste de ce qui aurait dû être la plus vaste mosquée du monde, conçue au XI° siècle par des architectes qui ne manquaient pas d'ambition. Ils avaient prévu 312 colonnes et 42 piliers de marbre pour soutenir un édifice dont il ne reste plus que des soubassements impressionnants.

★ *Le mausolée de Mohammed V :* juste à côté. Chef-d'œuvre de l'art marocain traditionnel. Tout ici est luxe et raffinement ; des matériaux nobles ont été employés partout. Le sarcophage royal d'onyx blanc pakistanais a été dressé sous une coupole d'acajou et de cèdre du Liban, dorée à la feuille. Les vitraux ont été réalisés par Saint-Gobain. Une galerie fait le tour du mausolée où repose, dans un coin, le frère du roi actuel, décédé en 1983.

★ *Musée archéologique :* rue Al Brihi *(plan D3).* Pas facile à trouver. Les habitants ne le connaissent pas. Demander l'*hôtel Chellah* ou la radio-télévision. C'est juste à côté. Ouvert de 9 h à 11 h 30 et de 14 h 30 à 17 h 30 ; en été, de 8 h à 15 h. Fermé le mardi. Quand il n'y a pas beaucoup de visiteurs, ils ont tendance à fermer avant l'heure. Il faut absolument voir l'étonnante collection de bronzes romains trouvés dans la région. Le *Chien de Volubilis* est prêt à bondir et pour un peu on l'entendrait aboyer. L'*Éphèbe versant à boire* (copie de Praxitèle) rivalise de grâce avec l'*Éphèbe couronné de lierre* qui constitue la pièce la plus importante de ce musée. On y voit aussi quelques bustes, dont celui du *roi Juba II,* qui avait épousé la fille de la reine Cléopâtre et de Marc Antoine. On en connaît qui ont moins de chance avec leur belle-mère.

★ *Bâb er Rouah (plan C3) :* cette porte dite « des Vents » rappelle un peu celle des Oudaïa, dont elle est contemporaine. Sur le bandeau, au milieu des arabesques et des entrelacs, une inscription du Coran en caractères coufiques. Dans les salles de l'intérieur, expositions temporaires parfois intéressantes.

★ *Le palais royal (plan D4) :* lors des grandes fêtes religieuses (une ou deux fois par an), on peut voir le cortège royal se rendant vers 12 h 30 à la prière solennelle dans la mosquée El Faeh. Le palais ne se visite pas.

★ *La nécropole de Chellah :* à 2 km du centre ville *(plan F4)*. Entrée payante. Ouverte de 8 h 30 à 18 h. Sur l'emplacement de l'ancienne cité de Sala. Ruines peu spectaculaires hormis la très belle porte d'accès, mais le site est très attachant. Il est envahi par une végétation exubérante. On distingue encore quelques tombeaux et un bassin de pierre dans lequel évoluent poissons et tortues sacrées. Il serait alimenté par une source miraculeuse où vivrait, selon la légende, un poisson couvert d'or. Plus loin, un minaret a conservé en partie son décor polychrome. Il est habité maintenant par des cigognes. Jadis, pour obtenir le titre de *hadj* sans avoir à faire le pèlerinage à La Mecque, il suffisait de faire sept fois de suite le tour du mirhab. On économisait ainsi plusieurs mois de voyage et de fatigue.

Ce que vous pouvez shunter sans regret :
– *Le quartier de l'Agdal,* quartier résidentiel sans aucun intérêt touristique.
– *Le Musée postal,* sauf si vous êtes un fan de la philatélie.
– *La grande mosquée :* dans le souk, récente et sans charme.

Dans les environs

★ *Salé :* à 3 km de Rabat, dont elle est séparée par le fleuve Bou Regreg. Traversée en barque, sinon services réguliers d'autobus et de petits taxis. A pied, pas plus d'une demi-heure de marche. L'ancienne rivale de Rabat a été rabaissée au rang de faubourg, mais sa visite est intéressante, beaucoup plus dépaysante que celle de la médina de Rabat. Il reste beaucoup de témoignages de la splendeur de ce port qui connut la prospérité jusqu'à la fin du XVIe siècle. Commencez la visite par la porte Bâb Mrisa qui enjambait le canal et ouvrait sur l'arsenal maritime. Suivez la rue Bâb-el-Khebbaz, qui conduit à l'ancienne médina avec ses souks. Le plus intéressant est le *souk el Ghezel,* celui de la laine. Y aller de préférence le matin. Après avoir franchi deux passages voûtés et avoir obliqué sur la droite, on arrive à la grande mosquée.
La *medersa,* juste à côté, peut se visiter. Entrée payante de 8 h à 12 h et de 14 h 30 à 18 h. Cela vaut vraiment le coup de découvrir du haut de la terrasse la vue sur Salé, l'estuaire de Bou Regreg et, dans le lointain, les remparts de la casbah des Oudaïa. En sortant de la medersa, passez sous l'arcade qui la relie à la mosquée et tournez à droite pour voir le marabout de Sidi Abdallah ben Hassoun, le patron de Salé.
Si vous avez la chance d'être à Salé la veille du *Mouloud,* vous assisterez à la procession des cierges portés par les barcassiers vêtus d'habits brodés. Le sixième jour du Mouloud, la fête recommence. Elle attire beaucoup de monde. Nombreux sont les musiciens qui passent la nuit à psalmodier d'anciens chants religieux. On peut traverser le cimetière et aller jusqu'au *borj* nord-ouest ou revenir par le boulevard circulaire ou par la rue Kechachin.

★ *Centre artisanal :* pour s'y rendre, sortir de Rabat et prendre la direction de Meknès. Un fléchage « complexe de poterie » indique la route. A environ 5 km de Rabat, à droite au croisement des routes de Meknès et de Oujda. Ateliers de potiers et confection de tapis. Les prix sont marqués et corrects.

★ *Jardins exotiques de Sidi Bouknadel :* à 12 km sur la route de Kenitra, signalés par une simple inscription, à gauche de la route, sur un mur rouge. Prendre le bus n° 23 à Salé. 20 mn de trajet. Ouverts de 9 h à 18 h 30. Entrée payante. Deux circuits fléchés sont proposés : celui sur fond blanc qui demande 1 h 30 et celui sur fond rouge, version abrégée, qui peut être parcouru en 45 mn. C'est un ingénieur français qui a planté ici toutes les plantes exotiques et a réussi, sur 4 ha seulement, à faire cohabiter plantes du Japon, de Chine, d'Afrique, de Tahiti et d'Amérique du Sud. Il a fait don de son œuvre au gouvernement marocain. Visite déconseillée aux filles seules car ces jardins sont sans surveillance et... un lieu de drague.

★ *Les plages au sud de Rabat,* comme celles de *Temara* (souk le samedi) ou de *Skhirat,* sont les plus proches et aussi les plus sûres parce que protégées par des criques. Les plages de Temara (Gayville, Sables d'Or, Val d'Or) se succèdent le long de la route côtière, à 15 km de Rabat. Pour s'y rendre, emprunter le bus n° 45 ou le n° 17 qui va au *zoo.* Ce parc national couvre près de 3 ha dans lesquels certains animaux évoluent en liberté. Accès payant. Signalons aussi la plage de *Bouznikah,* à 20 km.

≜ Hôtel la Felouque : plage des Sables d'Or. 23 chambres en bungalows donnant sur la mer. Le tout est assez délabré. Piscine et jardin. Prix moyens. Le restaurant est agréable. En saison, on mange sur la terrasse. Bonne cuisine mais prix un peu élevés.

≜ Motel Panorama des Sables d'Or : ☎ 74-42-89. Un établissement récent et bien entretenu, au milieu des fleurs. Un endroit de verdure et de fraîcheur. Belle terrasse surplombant la mer. Patron et personnel sympa. Catégorie chic en saison.

★ **Les plages au nord de Rabat** ont l'inconvénient d'être très dangereuses, particulièrement celle **des Nations** où l'on déplore de nombreuses noyades chaque année. Même chose pour **Medhiya plage,** à la hauteur de Kenitra, à 40 km de Rabat, sur la route de Tanger.

≜ L'Atlantique : complexe balnéaire d'un confort très moyen et pratiquant des prix injustifiés. Oublier aussi le restaurant *le Dauphin.* Accueil déplorable. Repas chers et médiocres en quantité et en qualité.

≜ Camping : installé sur un terrain sablonneux, pas ombragé, mais à 300 m de la mer. Il est tenu par trois frères qui s'en occupent convenablement.

★ **Le lac de Rabat :** à environ 20 km. Prendre la direction Meknès, et, à 7 km, tourner à droite vers Outa Hacène. Recommandé aux amateurs de planche à voile.

★ Pour les amateurs de **randonnée,** nous signalons que la division de la cartographie au 31, rue Moulay-Hassan, édite des cartes couvrant tout le Maroc, à des échelles différentes (peu de cartes sont en vente libre à part celles des zones montagneuses les plus touristiques). Heures d'ouverture très limitées. On a le plus de chance vers 10 h ou vers 14 h 30. Prévoir une pièce d'identité.

★ **La forêt de Mamora,** principalement forêt de chênes-lièges. Un peu d'ombre et de calme, à quelques minutes de Rabat. Pour un circuit en voiture, prendre la direction de Meknès jusqu'à Sidi Allal Bahroui et tourner à gauche en direction de Kenitra. Et après la balade en forêt, retour à Rabat par la P2 et la P29.

Quitter Rabat

En avion

✈ **Aéroport de Salé :** ☎ 72-73-93 ou 73-03-16. Change et agences de location de voitures (Europcar, Avis, Hertz). 2 vols quotidiens pour la France (R.A.M. et Air France), 1 vol par jour pour Casablanca.

En train

Départs de la gare centrale *(plan D2)* :
– **Pour Casa-Port et Casa-Voyageurs :** toutes les heures.
– **Pour Tanger :** 4 fois par jour.
– **Pour Meknès et Fès :** 9 fois par jour.
– **Pour Agadir :** 3 fois par jour.
– **Pour Marrakech :** 4 fois par jour (durée : 4 h).
Départs de la gare de Rabat-Agdal :
– **Pour Casa :** toutes les heures (durée : 1 h).
– **Pour Tanger :** 4 fois par jour (durée : 5 h).
– **Pour Oujda :** 1 fois par jour (durée : 9 h).
– **Pour Marrakech :** 6 fois par jour (durée : 4 h).

En bus

✈ **Gare routière :** loin du centre. Prendre le bus n° 30 ou un petit taxi. ☎ 79-51-24. Nombreux bus pour l'ensemble des villes marocaines (Casa, Tanger, Fès, Marrakech, Agadir...).

RABAT-KHENIFRA

★ Pour ceux qui disposent d'un véhicule, cette très belle incursion à l'intérieur du pays consiste à traverser le **massif des Zaërs Zaïane,** avec une halte à Oulmès.
Sortir de Rabat par la route de Kasba Talda et, un peu avant Rommani, au km 75, emprunter sur la gauche la S106 jusqu'à Mâaziz, puis la S209 pour Oulmès. Paysages splendides avec des points de vue à vous couper le souffle. Peut-être y croiserez-vous des sangliers qui affectionnent particulièrement les vallées sauvages et très boisées de la région.

★ *Oulmès :* célèbre pour son eau. La source jaillit à 43°. C'est elle que l'on retrouve sur les tables dans tous les restos du pays. Elle est mise en bouteilles dans une usine de Tarmilate, juste à côté. Oulmès constitue une étape agréable, avec de nombreuses balades à faire aux alentours.

🛏 *Hôtel des Thermes :* ☎ 55-22-93. A Tarmilate, à 12 km, à partir du km 4 sur la route de Khemisset. Prix moyens. Bonne literie mais propreté relative. Demander une chambre donnant sur la campagne. Cuisine européenne. Très calme.

On peut continuer jusqu'à *Khenifra* (ville traitée plus loin) pour rejoindre ensuite Fès ou Béni-Mellal, ou revenir à Rabat par un itinéraire différent : par *Moulay Bouazza* et *Ez-Zhiliga*. Paysage particulièrement saisissant : la route serpente au milieu de forêts de chênes-lièges. Les plus blasés se laisseront toucher par le charme très particulier de la nature.

Si vous rencontrez un autre touriste au cours de cette balade (hormis ceux qui ont les mêmes lectures que vous), on veut bien vous payer des pistaches ! Mais ne divulguez pas trop ces itinéraires confidentiels, sinon dans peu de temps les cars de touristes vont encombrer les routes (déjà très étroites).

KENITRA

IND. TÉL. : 07

L'ancien Port-Lyautey, à 40 km au nord de Rabat, n'a rien de touristique, mais cette grande ville de 300 000 habitants peut être une étape sur cette partie de la côte, lorsque la plupart des hôtels de la région affichent complet. Kenitra est surtout le centre d'une très importante base aéronautique d'où fut fomenté le coup d'État manqué de 1972 contre Hassan II. Le seul attrait de cette ville est la proximité de la plage de Medhiya, à une dizaine de kilomètres (voir « Environs de Rabat »).

Où dormir ?

Prix moyens

🛏 *Hôtel Mamora :* place de l'Hôtel-de-Ville. ☎ 37-17-75 et 37-13-10. Fax : 37-14-46. Cet hôtel très agréable avec son restaurant près de la piscine vient d'être rénové.

🛏 *Hôtel La Rotonde :* 60, av. Mohammed-Diouri. ☎ 37-14-01 et 02. Très bruyant avec son night-club et ses allées et venues perpétuelles dans les couloirs toute la nuit. On ne vous fait pas de dessin. Adresse déconseillée à ceux qui auraient la mauvaise idée de vouloir fermer l'œil. Le restaurant propose des plats corrects.

Chic

🛏 *Hôtel Safir :* place de l'Hôtel-de-Ville. ☎ 37-19-21 à 23. Propre mais un peu vieillot. Demander absolument une chambre côté piscine et éviter celles donnant sur la station-service.

Quitter Kenitra

🚌 *Gare routière CTM :* av. Mohammed-V. Départs pour Tanger, Casablanca et Tétouan.

🚆 *Gare ferroviaire :* au sud de la ville. Liaisons avec Casablanca, Fès, Oujda et Tanger.

– *Liaison pour Medhiya :* taxis collectifs uniquement, ou stop.

MOHAMMEDIA

IND. TÉL. : 32

A 28 km au nord de Casablanca, l'ancienne Fédala fut rebaptisée en 1960 par Mohammed V. Cette ville de plus de 100 000 habitants fait partie du « Grand Casa ». Ce port pétrolier, grâce à sa raffinerie, est aussi le troisième port du pays après Casa et Safi. On y trouve des hôtels de luxe, un champ de courses et un golf. Sa plage, de 3 km, pas très propre, abritée par une digue, est très prisée des Casablancais. Mer chaude, on se baigne dans un univers de terminaux pétroliers.

Où dormir ?

Bon marché

🛏 *Hôtel des Voyageurs* et *Hôtel Castel :* vraiment très simples.

🛏 *Hôtel de la Falaise :* rond-point Pasteur. ☎ 32-48-28. Tenu par une Française. Prix moyens.

Très chic

🛏 *Hôtel Sabah :* 42, av. des F.A.R. ☎ 32-14-51. Fax : 32-14-56. Légèrement moins cher que le *Miramar,* hôtel moderne extrêmement confortable aux chambres spacieuses. Très bon accueil.

🛏 *Hôtel Miramar :* rue de Fès. ☎ 31-24-43. Fax : 32-46-13. A proximité de la plage et du golf 18 trous. Piscine. Tennis. Très beau décor des salons.

Campings

🛏 *Camping Loran :* à 7 km de la ville, en bordure de mer. A éviter. Un des campings les plus sales du Maroc. C'est tout dire. La plage qui est derrière n'est guère plus propre.

🛏 *Camping Oubaha :* à Mansouriah, à 5 km. Ouvert toute l'année.

Où manger ?

Prix moyens

|●| *La Frégate :* rue Oued-Zem. ☎ 32-44-47. Cet établissement propose une excellente cuisine. Paella pour deux énorme, poisson délicieux.

|●| *Le Chaplin's :* 8, rue du Rif. ☎ 32-48-79. Ouvert tous les jours. Tenu par une famille marocaine venue du Canada. A obtenu récemment le prix du resto le plus propre de la ville. Copieux et bon marché.

Chic

|●| *Restaurant du Port :* 1, rue du Port. ☎ 32-24-66. Cadre très agréable. Terrasse fleurie. Service très soigné. Très bonne adresse tenue par des pieds-noirs. Langoustes et homards à prix abordables.

|●| *Restaurant Le Sans Pareil :* av. Ferhat-Hachat. ☎ 32-28-55. Sa terrasse est la plus fréquentée de la ville. Spécialités de poisson. Cuisine de qualité.

A faire

A la plage de Mohammedia, surpeuplée et sale, préférez celle de *Dar Bouazza.* Prendre le bus n° 7, dans le centre, derrière les P.T.T., en direction de la sortie sud de la ville ; puis, au terminus du n° 7, prendre le n° 600 qui va vers El Jadida. Descendre au village de *Dar Bouazza* et aller à pied au bord de l'Océan. Le stop aussi marche assez bien. Sur la plage, belles vagues. Surf possible. Celle de Bouznika, à 17 km au nord, est magnifique elle aussi. Elle se situe à mi-chemin entre Casablanca et Rabat.

DE CASABLANCA A ESSAOUIRA

Le trajet côtier n'est pas d'un intérêt majeur, si vous avez peu de temps ou si vous vous rendez pour la première fois au Maroc. Pourtant, cette route qui relie les anciennes possessions portugaises – Azemmour, El Jadida (ex-Mazagan), Oualidia, Safi, Essaouira, Agadir – comporte quelques curiosités uniques que les amoureux du Maroc prendront le temps de découvrir.

CASABLANCA

IND. TÉL. : 02

Presque inexistante en 1575 quand les Portugais occupèrent l'ancien hameau d'Anfa et lui donnèrent le nom de « Casa Branca ». Développée grâce à Lyautey, Casablanca devint la capitale économique du Maroc et l'un des plus grands ports d'Afrique. La ville, qui ne comptait que 20 000 habitants environ en 1900, en abrite aujourd'hui plus de 4 millions (estimation officielle), ce qui fait d'elle l'une des plus grandes du Maghreb et la cinquième d'Afrique. Elle ne cesse de croître. Son port est le plus important du Maroc, et Casa est devenue le siège des grandes sociétés nationales et internationales. Cet essor est une arme à double tranchant, la zone urbaine s'étendant chaque jour afin de faire face à l'immigration rurale galopante. En trois générations, la population a centuplé. L'architecture est parfois étonnante, mais cette ville d'apparence opulente cache une grande pauvreté et la délinquance y est très élevée.

Les routards motorisés devront s'accrocher à leur volant. La circulation à Casa est souvent dense mais on trouve facilement des places pour se garer (parcmètres ou gardiens). La police est ici particulièrement pointilleuse.

L'arrivée

En avion

✈ L'*aéroport Mohammed-V,* le premier du pays par l'importance de son trafic, est moderne et fonctionnel. Construit par les Français, à 34 km du centre ville. *Office des aéroports,* ☎ 33-90-40. *Air France,* ☎ 33-91-10. *RAM,* ☎ 33-91-00. *Iberia,* ☎ 33-92-60. Dans l'aérogare : bureaux de change, office du tourisme, poste, consigne manuelle et automatique, agences de location de voitures.
Des trains desservent les deux gares de Casa, Casa-Voyageurs et Casa-Port. ☎ 33-92-90. Départs toutes les 30 mn de 6 h à 21 h. Ces trains continuent jusqu'à Rabat. Les « grands taxis blancs » (Mercedes en général) assurent la liaison entre l'aéroport et Casa. Compter un minimum de 200 DH.

En train

🚆 Deux gares : *Casa-Voyageurs*, place Pierre-Sémard *(hors plan Centre, par F2)*, ☎ 24-38-18, et *Casa-Port (plan E1)*, ☎ 22-30-11. Il est préférable de descendre à Casa-Port, plus proche du centre que Casa-Voyageurs, située dans le quartier Roche-Noire. *Attention,* tous les trains ne desservent pas la gare maritime.

En car

🚌 *Gare routière CTM :* 23, rue Léon-l'Africain *(plan Centre, E1-2)*. ☎ 31-20-61. Proche de l'avenue des F.A.R. Consigne. Agence Wasteels (billets BIGE).
🚌 *Gare routière de Benjdia (plan Centre, E4)* : angle bd Lahcen-ou-Ider et rue de Libourne.

Adresses utiles

Infos touristiques

🛈 *Syndicat d'initiative :* 98, bd Mohammed-V *(plan Centre, D2)*. ☎ 22-15-24. Ouvert tous les jours sauf dimanche, de 9 h à 12 h et de 15 h à 18 h 30.
🛈 *Office du tourisme ONMT :* 55, rue Omar-Slaoui *(plan Centre, C3)*. ☎ 27-11-77. Ouvert du lundi au vendredi de 9 h à 12 h et de 15 h à 18 h. Il s'agit en fait

d'un petit bureau dans les locaux du ministère. On se contente de vous donner un prospectus. Ne vaut pas le déplacement.

Services

✉ *Poste principale :* place Mohammed-V *(plan Centre, C2)*. Ouverte de juillet à septembre, du lundi au vendredi de

---

■ **Adresses utiles**

1 Consulat de France
2 Pharmacie de nuit
3 Institut français
4 Marché central
5 Supermarché
6 Royal Air Maroc
7 Air France
🚌 Terminal de bus
    Casa-Port (gare)
🚌 Gare routière C.T.M.
🚆 Gare de Benjdia
🛈 Syndicat d'initiative
✉ Poste

🛏 **Où dormir ?**

10 Auberge de jeunesse
11 Hôtel Colbert
12 Hôtel de Paris
13 Hôtel de Noailles
14 Hôtel Touring
15 Hôtel Guynemer
16 Hôtel Plaza
17 Hôtel Almohades
18 Hôtel Basma
19 Hôtel Toubkal

|●| **Où manger ?**
   Où boire un verre ?

20 Taverne du Dauphin
21 Al Mounia
22 Bar Casablanca
23 Café Marcel Cerdan

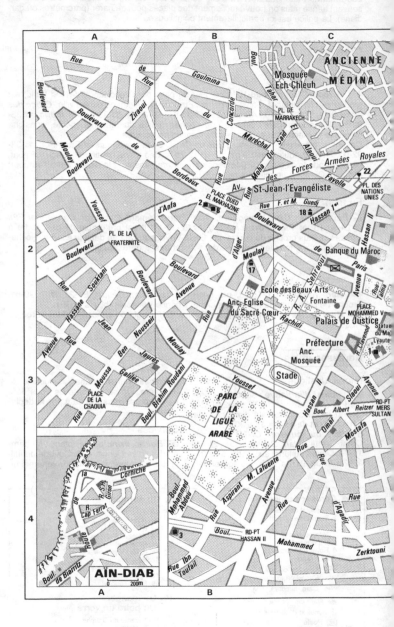

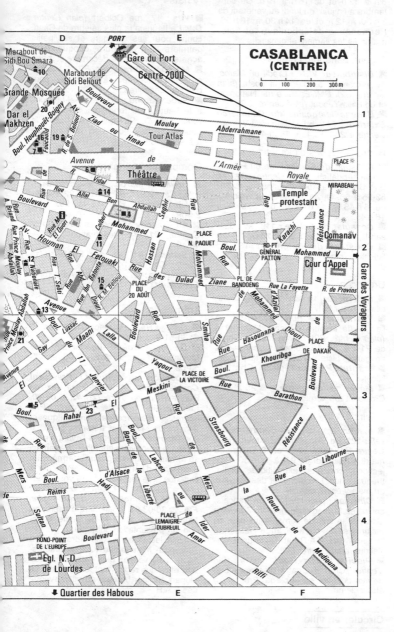

CASABLANCA (CENTRE)

0   100   200   300 m

8 h à 12 h et de 16 h à 19 h. De septembre à fin juin, du lundi au vendredi de 8 h 30 à 12 h et de 14 h 30 à 18 h 30. Permanence téléphonique et télégrammes les samedi et dimanche.

Argent, banques, change

■ *Distributeur VISA :* Crédit du Maroc, av. Hassan-II, à côté de la poste *(plan Centre, C2)*. BMCE, angle rue Nationale et bd Lalla-Yacout *(plan centre, D2)*.
■ *Banque Marocaine du Commerce Extérieur :* 241, bd Mohammed-V *(plan Centre, D2)*, B.P. 425. ☎ 30-41-80.

Représentations diplomatiques

■ *Consulat de France :* rue du Prince-Moulay-Abdallah *(plan Centre, C3, 1)*. B.P. BA 18, Casablanca principal. ☎ 26-53-55 à 58. Ouvert du lundi au vendredi de 8 h 45 à 11 h 45 et de 14 h 40 à 16 h 45.
■ *Consulat de Suisse :* 119, av. Hassan-II *(plan Centre, C2)*. ☎ 26-02-11.
■ *Consulat de Belgique :* 13, bd Rachidi *(plan Centre, B2-C3)*. ☎ 22-29-04.

Urgences

■ *SOS médecins :* ☎ 44-44-44 (à domicile 24 h sur 24).
■ *Pharmacie de nuit :* bd d'Anfa, à l'angle de la place Oued-el-Makhazine *(plan Centre, B2)*. Ouvert tous les jours de 21 h à 7 h. Nombreuses pharmacies de garde. Liste publiée dans la presse.
■ *Institut Pasteur :* place Charles-Nicolle.
■ *Médecins de garde :* ☎ 25-25-21. Croissant rouge marocain.

Loisirs

■ *Institut français (ex-Centre culturel) :* 121, bd Mohammed-Zektouni *(plan Centre, B4)*. ☎ 25-90-77 et 78. Ouvert du mardi au samedi de 9 h à 14 h 30. Projections, concerts, expositions, bibliothèque, vidéo. Le calendrier des activités du mois y est disponible.
■ *Cinémas :* pour les films en français, consultez le magazine gratuit, *7 jours à Casa*, édité chaque semaine. Ils sont en majorité situés entre l'avenue Hassan-II, l'avenue des F.A.R. et l'avenue Lalla-Yacout *(plan Centre, D2)*.
■ *Piscine Eden Rock (hors plan Centre, par D1)*. Quatre piscines d'eau de mer donnant sur la plage. Propre. En été seulement.

Achats

■ *Vita :* 17, rue Colbert *(plan Centre, D2)*. Le fleuriste le plus célèbre de Casa, connu pour ses orangers et ses petits palmiers. La meilleure époque pour acheter se situe entre décembre et mars.
■ *Marché central (plan E2, 4)* : extraordinaires bouquets à composer pour des prix dérisoires.
■ *Supermarché :* bd Rahal-el-Meskini, à la hauteur du rond-point Mers-Sultan *(plan D3, 5)*. Si vous avez oublié la couche-culotte de bébé ou votre mousse à raser favorite.

Compagnies aériennes

■ *Royal Air Maroc :* 44, av. des F.A.R. *(plan Centre, D1, 6)*. ☎ 31-11-22. Réservation centrale : ☎ 31-41-41. Fax : 44-24-09.
■ *Air France :* 15, av. des F.A.R. *(plan Centre, D1, 7)*. Réservations, ☎ 29-40-40.
■ *Sabena :* 41, av. des F.A.R. *(plan Centre, C1)*. ☎ 31-39-91.
■ *Swissair :* 27, av. des F.A.R. *(plan Centre, C1)*. ☎ 31-32-80.

Transports

■ *Garage Renault :* place de Bandoeng. ☎ 30-51-91 ou 30-05-91.
■ *Garage Citroën-Peugeot :* 320, rue Mustapha-el-Maani. ☎ 22-12-08 et 27-53-62.
■ *Location de voitures : President Car*, 27, rue Ahmed-el-Ghali (ex-rue Berthelot ; *plan Centre, D2)*. ☎ 26-07-90. Fax : 27-96-07. Modèles récents. Prix intéressants. Personnel sympathique et dynamique. Transfert aéroport gratuit à condition de les prévenir à l'avance pour qu'ils viennent vous chercher. Ne jamais se rendre à l'agence par un intermédiaire (concierge d'hôtel ou taxi). Téléphoner à l'agence et le responsable ira vous chercher à votre hôtel. *G. Renaissance Car :* 3, rue El Bakri (ex-rue D.-d'Urville, *plan F2)*. ☎ 30-03-01. Également à l'aéroport Mohammed-V. ☎ 33-95-34. Petite réduction sur présentation du guide.
– Tous les loueurs sont représentés à l'aéroport Mohammed-V. Prix intéressants mais vérifiez bien l'état de la voiture et ce que recouvrent les contrats. La plupart ont leur bureau, en ville, avenue des F.A.R.

Circuler en ville

– *Bus :* nombreux, ils desservent non seulement le centre mais aussi la périphérie. Il existe sur les mêmes lignes des bus « ordinaires » déglingués et bondés, très appré-

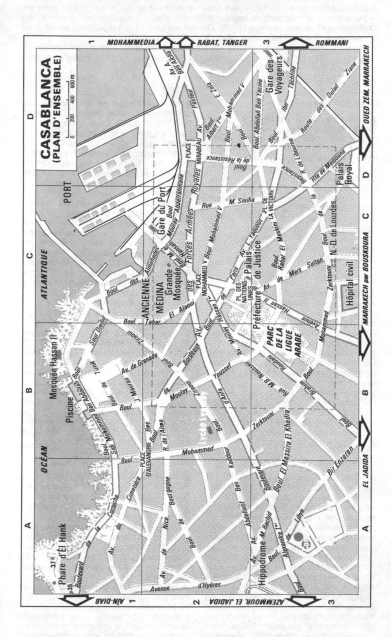

ciés des pickpokets et des bus « plus » qui ne prennent aucun passager en surcharge. A peine plus chers, ils sont de couleur différente. Pour aller au bord de la mer à Aïm Diab, plage et piscine, prendre le n° 9. Dernier retour à 21 h. Le principal terminus se trouve place Oued-el-Makhazine *(plan Centre, B2).*
– *Taxis :* les compteurs sont cachés sous le tableau de bord. Vérifier qu'il fonctionne. Refuser les taxis qui n'ont pas de compteur ou négocier le prix de la course au départ.

Où dormir ?

Très bon marché

🛌 *Auberge de jeunesse :* 6, place Amiral-Philibert *(plan Centre, D1, 10).* ☎ 22-05-51. Aller jusqu'à l'entrée principale du port, puis tourner à gauche et à 150 m encore sur la gauche se trouve Bâb el Bahr (porte de la Marine). L'auberge est sur la petite place, à droite. L'A.J., tout entourée de murs, donne sur une gentille petite place avec en face un café bien agréable ainsi qu'une petite poste avec des téléphones. Carte non obligatoire, mais légère majoration pour ceux qui ne l'ont pas. Fermée de 10 h à 12 h. Une quarantaine de lits. Petit déjeuner. Agréable et relativement propre.

Bon marché

🛌 *Hôtel Touring :* 87, rue Allal-ben-Abdallah *(plan Centre, D2, 14).* ☎ 27-52-16. Près de la gare routière. Ancien, mais agréable. Douche chaude le matin. Certaines chambres disposent d'une salle de bains. Sanitaires communs pour les autres. Le patron refuse les couples illégitimes si l'un des deux est musulman. D'ici peu, il construira un bûcher. Propre et peu cher.
🛌 *Hôtel Colbert :* 38, rue Chaouia (ex-rue Colbert ; *plan Centre, D2, 11).* ☎ 26-82-42. Chambres avec ou sans douche. Simple, propre et calme si vous demandez une chambre qui donne sur le patio (très agréable !). Bon accueil.

Prix moyens

🛌 *Hôtel de Noailles :* 22, bd du 11-Janvier *(plan Centre, D2, 13).* ☎ 20-25-54. Encore une bonne adresse au cœur de Casablanca. Belles chambres et accueil chaleureux. Bar très calme au premier étage.
🛌 *Hôtel Moussafir :* place de la Gare Casa-Voyageurs *(hors plan Centre, par F2).* ☎ 40-19-84. Fax : 40-07-99. Un 3 étoiles dont les prix correspondent à un 2 étoiles de chez nous. Ils ont même des *single* à des prix intéressants pour les voyageurs solitaires. Établissement de charme avec une architecture marocaine moderne plutôt réussie. Beau jardin intérieur. Dommage que cette chaîne place l'ensemble de ses hôtels juste au-dessus des voies ferrées. Bruyant et très excentré.

🛌 *Hôtel de Lausanne :* 24, rue Tata (ex-rue Poincaré ; *plan Centre, C2).* ☎ 26-80-83 et 26-86-90. Central et accueillant. La propriétaire a longtemps vécu à Lausanne. La propreté n'est pas helvétique et les sanitaires pourraient être mieux entretenus. Les chambres sont grandes et certaines disposent d'une petite terrasse. Ascenseur d'époque. Pas de petit déjeuner.
🛌 *Hôtel Guynemer :* 2, rue Mohammed-Belloul (ex-rue Pégoud ; *plan D2, 15).* ☎ 27-57-64 ou 27-76-19. Très central. Chambres propres avec salle de bains, téléphone direct et TV (5 chaînes). Un très bon rapport qualité-prix.
🛌 *Hôtel Plaza :* 18, bd Félix-Houphouët-Boigny *(plan D1, 16).* ☎ 29-76-98 ou 29-78-22. Bien situé, vastes chambres et accueil agréable.
🛌 *Hôtel de Paris :* 2, rue Ech-Charif-Amziane (ex-rue Branly, à l'angle de la rue Prince-Moulay-Abdallah *(plan Centre, D2, 12).* ☎ 27-38-71 ou 27-42-75. Fax : 29-80-69. En pleine rue piétonne, mais assez bruyant. Décor original et de très bon goût, belle salle de bains. Une bonne adresse en plein centre ville. Souvent complet.
🛌 *Hôtel Métropole :* 89, rue Mohammed-Smiha, à 15 mn de la place Mohammed-V *(plan Centre, E2).* ☎ 30-12-13 et 30-41-01. Fax : 30-58-01. Chambres et salle de bains très correctes. Bar avec alcool.

Chic

🛌 *Hôtel de la Corniche :* bd de la Corniche, à Aïn-Diab. ☎ 36-27-82 et 36-30-11. A 4 km au sud de Casablanca. Un 4 étoiles (ce qui signifie un très bon 2 étoiles en France) de construction récente. La plupart des chambres disposent d'une terrasse privée donnant sur la mer. Piscine petite mais propre. Pas d'accès direct à la mer (3 mn à pied). Attention aux courants. On ne veut pas perdre nos lecteurs.
🛌 *Hôtel les Almohades :* av. Moulay-Hassan-Ier *(plan Centre, B2, 17).* ☎ 22-05-05. Hôtel neuf qui reçoit beaucoup de groupes. Restaurant « coffee-shop » après le petit patio et restaurant marocain superbe : un vrai de vrai, complet ! Plateaux de cuivre sur socles en bois, vases avec des roses, plafond en bois peint

(original et bien exécuté). C'est sobre et élégant. Il y a aussi un bar, avec piano à queue. Bon rapport qualité-prix mais l'hôtel est très bruyant et il n'y a pas de parking.

🛏 *Hôtel Basma :* 35, av. Moulay-Hassan-Ier *(plan Centre, C2, 18).* ☎ 22-33-23 et 20-39-26 à 29. Fax : 26-89-36. Bon établissement. Service restaurant très stylé. Coin bar intime. Chambres agréables avec vue magnifique sur la vieille médina et la mosquée Hassan II. Demander une chambre avec balcon et vue sur mer.

Très chic

🛏 *Hôtel Toubkal :* 9, rue Sidi-Belyout *(plan Centre, D1, 19).* ☎ 31-14-14. Bel hôtel de charme rénové. Intime et très confortable.

🛏 *Hôtel Ryad-Salam :* à 3 km au sud de Casablanca, face à la mer. ☎ 39-13-13. Fax : 39-13-45. Une adresse vraiment luxueuse. L'hôtel ondule autour d'un jardin enserrant la piscine à trois vasques... Chambres de deux tailles différentes. Les petites donnent directement sur la piscine. A midi, vous pourrez voir le buffet, au bord de la grande piscine. Prix d'un très bon resto.

– Centre de thalassothérapie *le Lido* qui dépend de l'hôtel, et qui est le premier centre de thalassothérapie d'Afrique.

Campings

🛏 *Camping Oasis :* av. Mermoz. ☎ 25-33-67. De la gare CTM (près de l'avenue des F.A.R.), bus n° 31. Prendre le boulevard Brahim-Roudani qui s'appelle ensuite Mermoz. Bruyant, car situé entre deux avenues et deux stations-service. Interdit aux gens sans tente. Emplacements vastes, herbeux, délimités par des eucalyptus. Sanitaires sales. Libre-service et boulangerie 100 m plus haut. Il y a un petit marché tout près. Quel dommage que ce camping ne soit pas mieux entretenu !

🛏 *Camping-caravaning international les Tamaris :* au km 16 de la route côtière d'Azemmour, à 15 mn de Casablanca. Récent. A 100 m de la plage bondée d'une population locale bruyante. Possibilité de manger sur place. Épicerie. Ambiance familiale sympa.

Où manger ?

Dans la plupart des restaurants de Casablanca, excepté les gargotes, on vous comptera en sus 19 % de taxes et 15 % de service. Pensez-y !

Bon marché

🍽 *Niagara :* 5, rue Jean-Pierre-Favre, face au lycée Lyautey. ☎ 27-55-07 et 26-90-94. Très propre et un peu branché. Beaucoup de jeunes. Sympa et économique.

🍽 *Chez Isaac :* resto casher, juste à côté du précédent si celui-ci est complet. Mêmes prix.

🍽 *L'Intissar :* à l'angle de la rue Colbert et de la rue Allal-ben-Abdallah *(plan Centre, D2).* De nombreux jeunes Marocains fréquentent ce resto où l'on mange essentiellement du poulet rôti.

🍽 Petit *resto de couscous*, en face des Pompiers. Très bon et très copieux.

🍽 Nombreuses *rôtisseries* autour du marché central où l'on peut manger des poulets rôtis à la broche *(plan centre, D2, 4).*

🍽 *Le Boga-Boga :* bd de la Corniche, derrière la boîte de nuit *la Notte* (à Aïn Diab). ☎ 36-68-43. De 17 h à 1 h et le dimanche midi. Ils servent des crêpes autour d'un verre de cidre, beaucoup de salades variées et copieuses. Ambiance très jeune.

🍽 *Restaurant-glacier Timkad :* à côté du précédent. ☎ 31-67-63. Décor en bois. Bon rapport qualité-prix.

🍽 *Restaurant de la Gare :* en face de la gare des voyageurs *(plan d'ensemble, D3).* Pas de carte et décor tristounet mais bonnes brochettes. Excellent rapport qualité-prix pour ceux qui attendent le train.

🍽 *Le Point du Jour :* 27, rue Belloul-Mohammed, à l'angle du boulevard Lalla-Yacout. ☎ 29-30-19. Resto tenu par une famille de Berbères depuis un demi-siècle. Menu complet de cuisine française. Le service est « à l'ancienne ». Il semble que les serveurs datent de la création. Plats simples mais copieux. L'ensemble est très propre. Prix très doux.

🍽 *Le Daoulis :* bd de la Corniche *(plan d'ensemble, A1).* Au-dessus du cinéma *Le Prétexte.* Superbe terrasse sur l'Océan et ses surfeurs. Idéal à midi. Bonnes brochettes.

Prix moyens

🍽 *La Taverne du Dauphin :* 115, bd Félix-Houphouët-Boigny *(plan Centre, D1, 20).* ☎ 22-12-00. Une vieille affaire de famille tenue par des Marseillais. Ah ! leurs crevettes grillées. On ferait des kilomètres pour les dévorer. D'ailleurs, tout est excellent dans ce restaurant qui ne sert que du poisson. Trois salles au choix. On peut aussi manger sur le pouce au bar.

IOI *L'Étoile Marocaine :* 107, rue Allal-ben-Abdallah *(plan Centre, D2)*. ☎ 31-41-00. Très chouette intérieur typique. 16 tables seulement, mieux vaut réserver. A la variété du choix s'ajoutent la gentillesse du personnel, la qualité de la nourriture (très bonnes *harira, pastilla,* méchoui à point...). Pas de vin.

IOI *Le Poussin d'Or :* av. Idriss-Lahrizi, sous les arcades. Portions copieuses. Une mention pour le méchoui (au four) servi au menu.

IOI *Le Petit Poucet :* 86, bd Mohammed-V *(plan Centre, D2)*. ☎ 27-54-20. L'un des restaurants chic d'avant-guerre, qui fut créé en 1920. Parlez-en à des amis pieds-noirs, ils se le rappellent encore, la larme à l'œil. Ce n'est pas une adresse gastronomique, plutôt un lieu de pèlerinage. Au mur, des lettres de Saint-Exupéry, remerciant le patron de son excellente cuisine. N'oubliez pas que Casablanca était une escale de l'Aéropostale sur la ligne Toulouse-Santiago du Chili. Ils servent un menu bon marché. A la carte, on vous offre l'apéritif. Excellent accueil et service attentionné.

Chic

IOI *Le Port de Pêche :* prenez la direction « Port de Pêche », allez vers les douanes et tournez à gauche (avant la grille). Tout droit jusqu'aux policiers, vous y êtes. A 5 mn de l'A.J. ☎ 31-85-61. Il y a des filets par terre. Un restaurant qui brille par l'originalité de son appellation. L'atmosphère est simple et sympathique. A vous de décider entre le poisson en feuilleté, en gratin, en tajine... Ne manquez pas la soupe de poisson, inoubliable. Le poisson vous est présenté avant la cuisson. Personnel nombreux et très attentif. Cependant, le service est un peu long. Si vous n'avez pas réservé, vous ferez la queue dans l'escalier en attendant qu'une table se libère. Cartes de crédit acceptées.

IOI *Imilchil :* rue Vizir-Tazi *(plan Centre, C-D2)*. ☎ 22-09-99. Cuisine marocaine de haute gamme. Cadre agréable. Service attentif et discret. Excellent rapport qualité-prix.

IOI *Al Mounia :* 95, rue du Prince-Moulay-Abdallah. ☎ 22-26-69. Pas loin du consulat de France *(plan Centre, D3, 21)*. Pavillon typiquement marocain avec un jardin. Un des restos les plus agréables de Casa et probablement la meilleure table marocaine de la ville. Goûtez absolument à la *pastilla*. Si vous voulez une table dans le patio, sous le légendaire banian, mieux vaut arriver tôt ou réserver.

IOI *La Corrida :* 59, rue El Harrar, ex-rue Gay-Lussac *(plan Centre, D3)*. Fermé le dimanche et en septembre. Menu d'un bon rapport qualité-prix, même si taxes et service sont en sus. Spécialités espagnoles, dont la paella royale, poisson et fruits de mer, mais pas uniquement. Il y a un jardin. Carte bleue acceptée.

Très chic

IOI *Le Cabestan :* bd de la Corniche, au pied du phare d'El Hank. ☎ 39-11-90. Fermé le dimanche. Tenu par une Française.

IOI *La Mer :* bd de la Corniche, juste à côté du précédent. ☎ 36-33-15 et 36-12-71. Beau cadre et table excellente. Essayez les huîtres de Oualidia gratinées au saumon. Service attentionné. Compter 200 FF avec le vin. Ces deux restaurants sont spécialisés dans le poisson, les fruits de mer et crustacés. Décors agréables dans des villas situées au-dessus de la mer.

IOI *A Ma Bretagne :* bd Sidi-Abderrahmane, à 5 km environ de la sortie de la ville. ☎ 36-21-12. Fermé le dimanche. Table réputée, tenue par des Français. Excellente cuisine mais chère. L'une des bonnes tables de Casa.

IOI *L'Auberge Bavaroise :* à côté du marché central *(plan Centre, D-E2)*. Le patron, marseillais, fait peut-être la tête en permanence, mais sa cuisine (française) est bonne. Commandez le plat du jour.

Où boire un verre ?

Y *Café Marcel Cerdan :* bd Rahal-el-Meskini, à 50 m de l'angle du bd du 11-Janvier *(plan D3, 23)*. Pour les nostalgiques du célèbre boxeur, rien ne manque. Ni les photos au mur, ni les souvenirs, ni un brin d'ambiance canaille...

Y *Café Yasmina :* av. Lalla-Yagout. Très belle terrasse. Cadre agréable.

Y *Bar Casablanca du Hyatt Regency* *(plan C1, 22)* : décoré d'affiches et de photos du fameux film de Curtiz tourné par la Warner. On y boit sous le regard de Humphrey Bogart et d'Ingrid Bergman. Les serveurs sont habillés comme les personnages du film. Les consommations sont chères.

Y *Villa Fandango :* rue Hubert-Giron. ☎ 39-85-08 et 09. Un bar nocturne à l'ambiance hispano-latine (tequila, tapas, bière mexicaine et guitare flamenco). Toujours plein à craquer. Rendez-vous de la jeunesse dorée. Il faut montrer patte blanche à l'entrée et être correctement vêtu. Le cerbère se montre intraitable. Décoration très réussie. Ambiance extraordinaire. Pour s'y rendre, suivre le boulevard de la Corniche et tourner à gauche (dans la rue sans nom) juste avant le restaurant *Croc Magnon.* Grand portail métallique blanc. Attention, les taxis ne connaissent pas.

– Juste en face, nombreux bars dont la terrasse donne sur l'océan et qui servent de délicieux jus de fruits variés : ananas, pomme, pêche...
– Plusieurs **terrasses de cafés** aussi, très agréables, dans le **parc de la Ligue-Arabe,** où il fait bon se mettre au vert.

Où manger une pâtisserie ?

■ **Pâtisserie Bennis :** 2, rue Fkih-el-Gabbas. Dans le quartier des Habous. La plus célèbre pâtisserie de Casablanca. On y mange toutes les spécialités marocaines réputées dans tout le pays. Très très cher.
■ **Pâtisserie La Gourmande :** bd

Mohammed-V *(plan Centre, D2).* Salé ou sucré, tout y est délicieux.
■ **Aux Plats Préparés :** 238, bd Zerktouni *(plan Centre, C4).* Un choix étonnant dans un décor qui ne l'est pas moins. On craque. Retenez-nous, sinon bonjour les kilos !

A voir

Ceux qui s'intéressent à l'architecture de la première partie du siècle seront comblés car Casa a conservé intacts (pour combien de temps encore ?) des immeubles exceptionnels des années 30. Peu de villes au monde ont su sauvegarder un ensemble d'une telle homogénéité. Il y a longtemps, en France, que bien des chefs-d'œuvre ont été détruits par la voracité des promoteurs gloutons. Il n'est pas possible d'énumérer tous les exemples de cette architecture si décriée vers les « années 50 » et qui, depuis peu, semble être reconnue à sa juste valeur. Si nous avons un conseil à vous donner, promenez-vous dans le centre ville et levez le nez. Vous serez surpris.

★ **Le centre ville,** toujours animé, ne manque pas d'intérêt. Allez flâner rue du Prince-Moulay-Abdallah *(plan Centre, D2),* voie piétonne qui relie le boulevard de Paris à la place du 18-Novembre. Là, vous pourrez faire une pause à la terrasse du café *La Chope,* face à la sculpture-fontaine de céramique rose qui rappelle l'œuvre de Henry Moore.

★ **Le marché central :** bd Mohammed-V *(plan Centre, D-E2).* Côté opposé à la poste centrale, et un peu plus loin. Quelle bonne occasion de prendre ses distances avec la circulation automobile et la pollution que de flâner dans ce marché en partie couvert. Fleurs, fruits, viandes, poissons et crustacés sont tellement bien présentés qu'ils mettent en appétit. Ce qui explique peut-être le nombre de restaurants alentour. Une précaution cependant s'impose, en raison de l'animation : pas de signes ostentatoires de richesse et surveillez vos affaires. Gare aux sacs.

★ **L'ancienne médina :** partir de la place Mohammed-V et emprunter la rue du Commandant-Provost *(plan Centre, D1),* derrière l'hôtel *Hyatt Regency.* Ne jamais s'y rendre la nuit : l'endroit est dangereux. D'ailleurs, toutes les boutiques sont fermées. Impossible de conseiller un itinéraire dans cet enchevêtrement de ruelles corsetées dans de sobres et robustes remparts datant du XVIᵉ siècle. Le contraste avec la ville nouvelle est frappant. De la Skala, un ancien bastion, on découvre le port de pêche et les bateaux de plaisance.
On a un faible pour la petite *place de Sidi-Bou-Smara* avec son square, son marabout et ses tombes à l'ombre d'un banian. En sortant, si vous ne vous êtes pas égaré, vous arriverez près de la gare du port et du centre 2000, complexe commercial contemporain. La transition est brutale.

★ **La place des Nations-Unies :** ex-place Mohammed-V, appelée encore, parfois, place Houphouët-Boigny (vous nous suivez ?). A l'ombre de l'ancienne médina bat le cœur de la ville nouvelle avec toutes les grandes artères qui convergent ici : Houphouët-Boigny, F.A.R., Mohammed-V, Hassan-II et Moulay-Hassan-Iᵉʳ. Au milieu des immeubles blancs se détache la masse imposante de l'*hôtel Hyatt-Regency.* Ceux qui veulent excuser cette scandaleuse construction la comparent à un grain de beauté noir sur le visage blanc d'une femme. On se serait bien passé de ce grain et, pour l'oublier, allez donc faire un tour dans l'avenue Mohammed-V *(plan Centre, D2),* voie très animée et commerçante qui a conservé quelques très beaux immeubles des années 30. Les architectes ont su adapter le style de l'époque aux conditions climatiques du Maroc et à ses traditions. Les styles art déco et néo-mauresque font bon ménage.

De la place des Nations-Unies, l'avenue Hassan-II conduit à la place Mohammed-V.

★ **La place Mohammed-V** *(plan Centre, C2-3)* : attention, cette place s'appelait auparavant place des Nations-Unies et cette dernière Mohammed-V. On ne sait pas qui a eu l'idée saugrenue d'intervertir les noms de ces deux places, source de nombreuses erreurs sur toutes les cartes et guides du monde entier. C'est le centre administratif de Casa avec de très beaux immeubles conçus dans les années 20 par un architecte français. L'ensemble est rythmé par d'élégants portiques et, sur les façades blanches, des pierres blondes apportent des notes chaudes. La place est bordée par l'imposant palais de justice.

La *préfecture* (wilaya) est flanquée d'une tour de 50 m qui permet d'avoir un beau coup d'œil sur la ville. Se renseigner, à l'entrée, sur les conditions d'admission. Normalement, on peut pénétrer à l'intérieur du bâtiment, mais les photos sont interdites, pour le jardin tropical et deux grandes peintures de Majorelle (voir le jardin Majorelle à Marrakech). Cette préfecture fut inaugurée dans les années 30 par le sultan de l'époque, accompagné du président de la République française, Albert Lebrun. La *fontaine* lumineuse et musicale (on ne se refuse rien), installée en 1976, devrait permettre d'admirer de savants jeux d'eau accompagnés de musique, mais elle est souvent à sec et sans voix.

Le consulat de france dissimule, derrière ses grilles, la *statue équestre de Lyautey* qui se dressait auparavant au centre de la place. L'avenue Hassan-II conduit au parc de la Ligue-Arabe.

★ **Parc de la Ligue-Arabe** *(plan Centre, B3)* : véritable poumon de la ville, ce parc, que traverse une magnifique allée de palmiers, fut dessiné en 1918. De très beaux arbres, des massifs de fleurs, des arcades et des tonnelles font de l'ensemble un lieu de détente et de repos idéal. De nombreuses terrasses de café incitent à prolonger la pause. A proximité, dans la rue d'Alger, se dresse la masse importante de l'*église du Sacré-Cœur* construite en 1930. Désaffectée, elle doit être transformée en un complexe culturel avec une salle de spectacles.

★ **La nouvelle médina ou quartier des Habous :** bd Victor-Hugo, en face du palais royal *(plan d'ensemble, D3)*. Pour y aller, bus n° 5 du boulevard de Paris. Si vous êtes en voiture, prenez l'avenue Mers-Sultan puis l'avenue du 2-Mars, en vous arrêtant au passage devant la puissante masse de béton de l'*église Notre-Dame-de-Lourdes (plan centre, D4)*, construite par un Français en 1953. Ouverte le matin et l'après-midi. A l'intérieur, série de vitraux exceptionnels couvrant plus de 800 m². En montant le boulevard Victor-Hugo qui longe le parc Murdoch, on aperçoit, après le palais royal, l'ancienne *Mahakma du pacha*, autrefois tribunal musulman et salon de réception du pacha de Casablanca. Décoration assez étonnante.

C'est, aujourd'hui, le siège d'une des préfectures de la ville. L'édifice, terminé dans les années 50, est un beau témoignage du talent des artisans marocains. Plafonds de bois sculptés, murs de stucs ouvragés, parois tapissées de carreaux de faïence et belles grilles de fer forgé. Et tout cela se répète dans une soixantaine de salles et de cours réparties autour d'un jardin intérieur, entouré d'arcades.

Le quartier des Habous est un souk construit par des architectes français au début du siècle, où tout a été conçu pour essayer de conserver l'aspect d'une médina traditionnelle : ruelles étroites, petites places plantées d'arbres, arcades de pierre... On s'imaginerait presque dans un souk bâti pour les besoins d'un film hollywoodien. Nombreuses boutiques d'artisans et magasins de souvenirs. C'est là que se trouve la *pâtisserie Bennis* (voir « Où manger une pâtisserie ? »), dont la façade est très discrète.

★ **La mosquée Hassan-II :** la plus grande au Maghreb et fort peu coûteuse. Visites guidées quotidiennes, sauf vendredi, à 9 h, 10 h, 11 h et 14 h. D'accord, c'est très cher (100 DH), mais ce n'est pas courant de pouvoir pénétrer dans une mosquée marocaine et celle-ci est exceptionnelle par sa démesure et par son luxe et, comme tout le monde le sait, le luxe ça se paie. Après le siècle des cathédrales, voici celui des mosquées. Le roi Hassan II, chef religieux, voulait que la plus grande ville de son royaume soit dotée d'un monument digne de son règne.

On n'a pas lésiné sur les moyens pour bâtir ce gigantesque vaisseau de prière posé sur la mer. Il fallut tout d'abord construire une digue de 800 m, qui fut détruite à l'achèvement des travaux, pour libérer les flots prisonniers de la forêt de pilotis sur laquelle repose l'ensemble. C'est vraiment la mosquée des records. Course contre la montre pour livrer au souverain, en temps prévu, pour son soixantième anniversaire, ce gâteau de béton recouvert de marbre, aux proportions babyloniennes, qui est désormais le monument religieux le plus vaste du monde, après La Mecque. La mosquée occupe 20 000 m² et peut contenir 25 000 personnes dont 5 000 femmes qui ont leur place réservée sur des mezzanines, mais il y a encore beaucoup d'espace avec l'esplanade et les parvis de 80 000 m². A l'heure de la prière, 80 000 pèlerins peuvent prier Allah sans avoir à se pousser du coude.

Le minaret qu'Hassan II voulut « le plus haut édifice de l'islam » culmine à 200 m et se distingue à des dizaines de kilomètres. Ce « nouveau phare de l'islam » est équipé d'un ascenseur et de deux rayons laser de 40 km de portée dirigés en permanence vers La Mecque. On dit que Notre-Dame de Paris pourrait être reconstituée pierre par pierre à l'intérieur de la travée principale de la salle de prière de 200 m sur 100. Son toit en tuile d'aluminium, à 60 m du sol et pesant 1 100 t peut s'ouvrir en 5 mn. Les arcatures en sont fermées mais la lumière est diffusée par cinquante lustres de Venise de 15 m de haut, de 6 m de diamètre, et de 1 200 kilos chacun. Les murs sont de plâtre ciselé, les chapiteaux et les fontaines d'ablution de marbre sculpté, les colonnes de granit (à l'exclusion de celles du mirhab en marbre de Carrare) et les plafonds de cèdre polychrome.

Profusion de zelliges, d'arabesques, de croissants et de lignes brisées. Si les meilleurs artisans marocains ont été réquisitionnés, c'est un architecte français, Michel Pinceau, qui a établi les plans et Bouygues qui a obtenu le chantier.

Le roi a ses appartements derrière le mirhab. Les bains turcs et le hammam, qui se trouvent en dessous auraient dû être ouverts au public, mais ils demeurent mystérieusement fermés.

Tout cela a coûté beaucoup d'argent : 3 milliards de francs, selon les estimations. Mais le roi a demandé à chacun d'apporter son offrande. Les fonctionnaires furent invités à verser l'équivalent d'un mois de salaire, les commerçants à faire un don proportionnel à leurs recettes et les paysans, taxés à l'entrée des souks. « Le zèle des gabelous ne semble avoir épargné que très peu de Marocains. » Les donateurs reçurent en échange un beau diplôme ! Vous en verrez beaucoup dans les vitrines. C'est, pour une partie du peuple, une façon de s'assurer une bonne place dans l'au-delà en « achetant son ticket » dès maintenant. N'est-il pas écrit dans le Coran : « Celui qui construit une mosquée se verra construire par le Très-Haut une maison au paradis » ? Dans ce cas, le souverain est assuré d'avoir au moins un F4 dans l'au-delà. Attention : l'accès autour de la mosquée est bloqué le vendredi entre 11 h et 15 h.

★ *Tour de la Corniche :* bus n° 9 de la place de la Concorde (prolongement de l'avenue des F.A.R.). En voiture, partir de la place Mohammed-V, suivre le boulevard Houphoüet-Boigny et tourner à gauche sur le boulevard Mohammed-ben-Abdallah. Le boulevard de la Corniche conduit au phare d'El Hank (restaurants réputés et chers) à 2 km, puis à l'institut de thalasso *Le Lido*, à Aïn-Diab (à côté de l'*hôtel Ryad-Salam*). ☎ 36-32-44. Les cures ne sont pas remboursées par la Sécurité sociale ! La station d'*Aïn-Diab* est très fréquentée par les Casablancais, surtout pendant les week-ends.

★ *Le Derb Corea :* sur la route de la médina, quartier où tout est moins cher. Ce derb est connu pour être le lieu de rendez-vous des voleurs. Donc si on vous vole, allez faire un tour par là-bas. Si vous retrouvez vos affaires, surtout ne faites pas de scandale ! Contentez-vous de les racheter en marchandant. Dans ce quartier se trouve une rue minuscule bordée d'échoppes de bijoutiers.

★ *Quartier Anfa :* on s'y rend par le boulevard Anfa, *of course (hors plan Centre, par A2)*. Ce quartier résidentiel, avec toutes ses villas entourées de jardins donnant sur de larges avenues, constitue une illustration de l'histoire de l'architecture de 1930 à nos jours. C'est ici que se déroula l'entrevue historique entre Roosevelt et Churchill en janvier 1943, à l'un des moments cruciaux de la Seconde Guerre mondiale. Les deux hommes fixèrent, au cours de ces entretiens, appelés « conférence de Casablanca », la date et les modalités du débarquement de Normandie de juin 1944. Toujours dans le même quartier, de Gaulle rencontra, avant son éviction du comité de libération nationale, le général Giraud, commandant civil et militaire qui partageait alors le pouvoir avec lui.

Quitter Casablanca

En avion

Pour se rendre à l'aéroport Mohammed-V (à 34 km), train au départ de Casa-Voyageurs.
Départ toutes les 30 mn de 6 h à 21 h. Durée du trajet : environ 30 mn.

En bus

Départ de la gare CTM pour toutes les destinations à travers le Maroc, et même vers les pays d'Europe. Renseignements : ☎ 31-20-61.
– *Rabat :* toutes les heures (1 h).
– *Tanger :* 6 par jour (6 h).

– *Fès :* 8 par jour (5 h), Meknès (4 h).
– *Marrakech :* 5 par jour (4 h 30).
– *Agadir :* 6 par jour, le soir (9 h).
– *Ouarzazate :* 1 par jour (7 h).

Refuser catégoriquement toutes les propositions d'automobilistes « draguant » les voyageurs autour de la gare routière pour les conduire à leur lieu de destination, moyennant une petite participation inférieure au prix du billet de bus. Arnaque assurée au cours du trajet !

🚌 *Gare routière de Benjdia :* angle du boulevard Lachcen-ou-Ider et de la rue de Libourne *(plan E4).* On y trouve toutes les compagnies indépendantes. Moins de confort que la CTM, mais plus économique et surtout beaucoup plus de départs. Très pratique, par exemple, si vous allez à Essaouira. Vous y trouverez de très nombreux bus au lieu des 2 de la CTM.

En train

Départs de la gare de *Casa-Voyageurs :*
– *Pour El Jadida :* 1 départ le soir seulement. Se rabattre sur le taxi collectif.
– *Pour Marrakech :* 3 fois par jour. Train neuf très confortable en seconde classe.
– *Pour Meknès et Fès :* 1 fois par jour.
– *Pour Rabat :* toutes les heures.
– *Pour Tanger :* 3 par jour.
– *Pour Agadir :* 3 par jour.

Départs de la gare de *Casa-Port :*
– *Pour Meknès et Fès :* 3 fois par jour.
– *Pour Oujda et Nador :* un départ le soir.
– *Pour Rabat :* toutes les heures.

En taxi collectif

– *Pour Rabat :* départ du boulevard Hassan-Seghir, derrière la gare routière. Compter 1 h 15.
– *Pour El Jadida :* se faire conduire au boulevard Laouïna. Départs fréquents. Compter 1 h 15. A peine plus cher que le train.

AZEMMOUR

IND. TÉL. : 03

A 17 km d'El Jadida, sur la route de Casablanca (nombreux bus). Cette petite ville toute blanche se dresse sur une falaise au bord d'une rivière au nom poétique de « Mère du printemps ». La casbah, à l'écart des circuits touristiques, est assez authentique avec ses souks pittoresques. Ses remparts portugais sont bien conservés et on peut en faire le tour.

Où dormir ? Où manger ?

🏨 *Hôtel de la Victoire :* 308, av. Mohammed-V, à côté de la station de bus.

🍴 *Restaurant La Perle :* sur la plage d'Haouzia. Décor soigné avec de vraies nappes et une terrasse donnant sur la plage. Nourriture très correcte à prix raisonnables. Une bonne étape sur la route.
– Petits restos simples mais économiques en ville.
– Petits restaurants sur la place, devant l'entrée de la médina.

A voir

★ *Souk* le mardi et *moussem* en août.

★ La *plage* est à *Haouzia*, à 2 km. Très longue et très populaire, elle est surtout fréquentée par des vacanciers marocains.

★ Jolie vue que celle de la *médina* qui se détache sur les flots verts de l'Oum er Rbia. Jolie vue également, de la rive vers l'embouchure, à l'extrémité nord-ouest de la médina. Le passage à travers celle-ci montre quelques beaux encadrements de portes et des cheminées genre « pigeonniers » qui rappellent... la Grèce.

★ D'Azemmour à El Jadida, la côte est une immense plage, partout accessible par une route asphaltée, sûre et surveillée, en été.

EL JADIDA

IND. TÉL. : 039

De cette cité balnéaire, l'ancienne Mazagan, que Lyautey considérait comme « la Deauville du Maroc », il ne faut pas manquer les remparts et la citerne portugaise. El Jadida (80 000 habitants), jumelée avec Sète, est aussi une cité industrielle. Plusieurs usines importantes s'y sont implantées et le port minéralier de Jorf Lasfar donne à la ville un nouvel essor. C'est, il est vrai, le premier port africain d'exportation de phosphate (le Maroc détient 75 % des réserves de notre planète). 16 millions de tonnes transitent chaque année dans ce qui était auparavant un tranquille petit port de pêche spécialisé dans les crustacés. La station balnéaire équipée d'un golf, de manèges équestres et d'hôtels clubs est très appréciée des Marocains. Elle risque, en revanche, de décevoir les routards qui voudraient y passer plus de quelques heures.

Adresses utiles

🖪 *Syndicat d'initiative :* place Mohammed-V *(plan A2).* Ouvert de 8 h 30 à 12 h et de 14 h 30 à 18 h 30 ; en été de 9 h à 15 h. Fermé le week-end.
■ *Distributeurs VISA :* BMCE, à l'angle de l'avenue Ibn-Khaldoun et Fquih-M'hamed-Errafii (en face de l'*hôtel de Bruxelles*). Crédit du Maroc, 2, av. Jamia-el-Arabia (à côté de la poste). *Wafa,* bd Mohammed-V (à côté de la poste).
■ *Agence Telibav :* 35, av. Mohammed-V *(plan B3).* ☎ 35-46-12. Fax : 35-23-46. Tenue par un Français et une Marocaine qui se proposent d'aider nos lecteurs de leurs conseils dans tous les domaines : logement, visite, réservation de véhicules, etc.
■ *Clinique El Jadida :* rue de Tunis. En cas de pépin de santé. Le médecin-chef a fait ses études en France. Personnel compétent. Locaux propres, ce qui n'est pas le cas de l'hôpital Mohammed-V qu'il faut absolument éviter.
■ *Centre artisanal :* sur le plateau. De la place de la Poste *(plan A2),* suivre l'avenue Fquih-M'hamed-Errafii et monter sur la butte au-dessus du lycée Charcot. Prix fixes. Assez décevant. Rien d'extraordinaire.

Où dormir ?

Très bon marché

Les hôtels, quoique nombreux, sont souvent complets et il est recommandé d'arriver tôt.

🛏 *Hôtel du Port :* bd de Suez *(plan B2, 10).* Près des vendeurs de sardines grillées sur le port. Simple mais correct. 2 chambres ont vue sur le port. Douche chaude commune.

Bon marché

🛏 *Hôtel Moderne :* av. Hassan-II *(plan A2, 11).* Petit jardin très sympa, chambres propres mais bruyantes. Très souvent complet. Restaurant agréable à prix modérés dans le patio et bar.
🛏 *Hôtel Bruxelles :* 40, av. Ibn-Khaldoum *(plan A3, 12).* ☎ 34-20-72. Propres, les chambres sont peintes en bleu délavé et blanc. Un peu bruyant. Garage. Bon rapport qualité-prix avec douche et w.-c. dans les chambres.

Prix moyens

🛏 *Hôtel de Provence :* 42, av. Fquih-M'hamed-Errafii *(plan A3, 13).* ☎ 34-23-47 et 34-41-12. Fax : 35-21-15. Calme et dans le centre. Chambres vastes et propres. Bon accueil et bon restaurant. L'hôtel étant souvent complet, il est préférable de réserver.

Chic

🛏 *Le Palais Andalou :* bd Docteur-de-Lanoë *(hors plan par A3).* ☎ 34-37-45 et 35-16-90. Près de la vieille ville et du quartier commerçant. Demander l'hôpital Mohammed-V, c'est juste à côté. Cet hôtel est installé dans l'ancien palais du pacha, construit en 1947 et surélevé dans les années 80. Les chambres entourent un énorme patio, recouvert de zelliges multicolores et de stucs, avec au centre une grande vasque de marbre blanc. Des petits salons hispano-mauresques, délimités par des arcs brisés, sont disposés sur le pourtour, avec de profonds sofas où il fait bon écouter le clapotis de l'eau... Superbe ! Dommage que la nourriture ne soit pas à la hauteur du cadre.
🛏 *Hôtel Marah :* av. de la Ligue-Arabe *(plan C4, 14).* ☎ 34-41-70 à 72. Magnifique hall et vastes chambres donnant sur la mer, le tout avec accès direct à la plage.
🛏 *Hôtel Doukkala :* av. El-Jamaa-al-Arabia *(plan C4, 15).* ☎ 34-37-37. 100 chambres et belle piscine, mais très mal entretenu et sale. Il semble que le ménage ne soit jamais fait. Au restaurant, les plats marocains doivent être commandés la veille. Repas quelconques. Adresse à éviter à tout prix.

Très chic

▲ *Royal Golf Hôtel :* à 7 km, sur la route de Casablanca. ☎ 35-41-41 à 48. Fax : 35-34-73. Il s'agit, en fait, d'une villa du Club Med ouverte toute l'année au public. Situé dans un environnement exceptionnel, cet hôtel, mitoyen à un parcours de golf, est bordé, d'un côté, par une forêt d'eucalyptus et, de l'autre, par l'océan Atlantique. Les 107 chambres, confortables et climatisées, sont réparties dans 3 bâtiments autour d'une très belle piscine avec solarium. Rien ne manque au confort de celui qui souhaite faire halte ici : hammam, sauna, tennis, jardins, 5 restaurants, 3 bars, sans oublier la traditionnelle animation du club et sa table incontournable. Pour un repas, il ne vous en coûtera que de 100 à 130 F mais vous ne risquez pas d'être déçu par la qualité et encore moins par la quantité. Compter de 180 à 260 F par personne en chambre double la nuit avec petit déjeuner. Réduction de 10 % sur présentation du *Guide du Routard* de l'année. Une étape idéale pour se refaire une santé dans un cadre très agréable.

Camping

▲ *Camping international :* av. des Nations-Unies *(plan C4, 16)*. Terrain propre et accueillant. Ceci est tellement exceptionnel au Maroc que nous devons le signaler à tous ceux qui voudraient y planter leur tente. Pourvu que cela dure !

Où manger ?

I●I *Chikitos (Akil Mustapha) :* rue François, près du port, à l'entrée du souk, dans une petite ruelle à gauche. Décor de mosaïques. On n'y mange que du poisson. Excellentes petites soles frites à un prix très doux. Fréquenté surtout par les Marocains. Pas cher.

I●I *Ali Baba :* sur la route de Casa, avenue Al Jamaa-al-Arabia. Très bon accueil, bonne cuisine et prix corrects. Service impeccable et rapide. Excellente adresse.

I●I *Café de la Broche :* à côté du cinéma Le Paris. Bons menus avec couscous et tajines pour pas cher. Service lent. Pas d'alcool mais on peut apporter son litron pour le boire discrètement.

I●I *Restaurant de l'hôtel de Provence :* 42, av. Fquih-M'hamed-Errafii *(plan A3)*. Pour sa terrasse intime, son ambiance sympa et sa cuisine.

I●I *Restaurant du Port :* à l'intérieur du port, tout au bout. Très belle vue sur les bateaux et sur les remparts de la cité portugaise.

A voir

★ *Les remparts et la cité portugaise (plan A-B1) :* les remparts édifiés au milieu du XVIIe siècle par un Italien, à la solde des Portugais, devaient protéger la ville durant deux siècles. Ils comprenaient 5 bastions dont 4 ont été reconstruits après le siège mené par les Arabes, en 1769, sous la conduite de Sidi Mohammed ben Abdallah. Le bastion du Saint-Esprit permet d'accéder au chemin de ronde. Du bastion de l'Ange, très belle vue sur la citadelle portugaise prise dans son corset de pierre. La porte de la Mer, aujourd'hui condamnée, servit à la fuite des assiégés. Elle donne d'ailleurs sur une petite plage où devaient les attendre les embarcations. A l'intérieur de l'enceinte on peut voir encore quelques anciennes constructions avec des balcons de ferronnerie.

★ *La Citerne portugaise :* ouverte tous les jours de 8 h 30 à 12 h et de 14 h à 18 h. En été de 8 h à 12 h 30 et de 14 h à 19 h. Nous vous laissons la surprise de découvrir ce que l'on peut faire avec quelques colonnes, des voûtes et un peu d'eau. Elle faisait partie du château construit par les Portugais en 1514. On pense qu'elle servit de magasin ou de dépôt d'armes avant d'être transformée en citerne. La salle souterraine, presque carrée, comporte 6 nefs avec des voûtes d'arête reposant sur 25 colonnes ou piliers massifs. Ce qui est surprenant, c'est l'éclairage que procure une ouverture circulaire faite dans la voûte. Le reflet dans l'eau crée, à certaines heures, une impres-

---

■ Adresses utiles	♠ Où dormir ?
🚌 Gare des bus	**10** Hôtel du Port
ⓘ Informations touristiques	**11** Hôtel Moderne
✉ Poste	**12** Hôtel de Bruxelles
	13 Hôtel de Provence
	14 Hôtel Marah
	15 Hôtel Doukkala
	16 Camping international

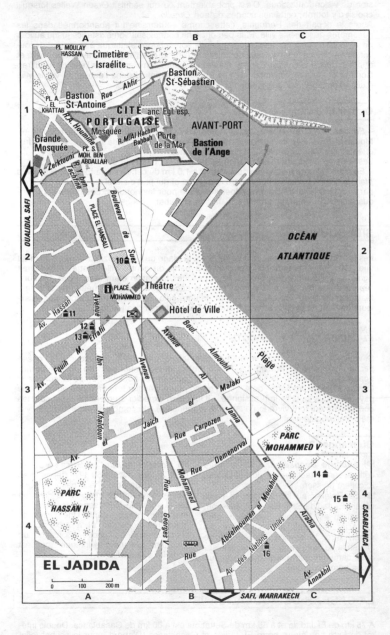

EL JADIDA

sion de vision fantastique. C'est probablement ce qui séduisit Orson Welles lorsqu'il choisit d'y tourner certaines scènes de son *Othello*.
Après le départ des Portugais, cette citerne souterraine fut abandonnée dans les décombres de la vieille ville. Plus personne ne connaissait son existence jusqu'au jour de 1916 où un petit épicier voulant agrandir son échoppe s'attaqua à un mur et découvrit émerveillé cette vaste salle souterraine. A noter que l'architecte avait tout prévu et que les joints des carreaux du sol étaient en plomb afin d'empêcher l'eau de s'infiltrer. Comme on peut le constater avec la maquette exposée dans l'entrée, la vieille ville était, à l'époque portugaise, une île.

Quitter El Jadida

– *En bus :* la gare routière, av. Mohammed-V, à l'angle de la rue Abdelmoumen-el-Mouahidi *(plan B4),* se trouve, à 10 mn du centre, sur la route de Safi. Départs fréquents pour Safi, Marrakech et pour Casablanca.
Les taxis collectifs pour Casablanca se trouvent au même endroit.
– *En train :* la gare de chemin de fer étant à 1,5 km du centre sur la route de Safi *(hors plan par A1),* il existe un bus faisant la navette et qui part de la place au pied des remparts, devant l'ONCF. Se renseigner sur place pour les horaires. Les billets sont vendus à l'ONCF. Train rapide entre El Jadida et Rabat.

SIDI BOUZID   IND. TÉL. : 03

Les routards motorisés peuvent se rendre à la plage de Sidi Bouzid, à environ 7 km au sud. Les autres prendront le bus n° 2, à partir du centre ville. Cette plage serait agréable si l'eau n'y était pas froide et polluée ; la station étant dépourvue d'égouts, l'épuration se fait par puits perdus dans le sable, et à quelques mètres de la plage. Maladies de peau assurées au retour. Malgré cela, beaucoup de monde, c'est d'ailleurs devenu un endroit branché, surtout fréquenté par des jeunes.

EL JADIDA-SAFI, PAR LA CÔTE

Si vous partez d'El Jadida, la route côtière, la plus jolie, est bien indiquée. On passe par la plage de Sidi Bouzid. Les deux routes se rejoignent près de *Jorf-el-Lasfar,* appelé cap Blanc ou « falaise jaune ». Des goûts et des couleurs, on ne discute pas ! Ce cap a été récemment « doté » d'un grand port minéralier très moderne qui gâche le paysage, mais sa taille impressionne... Il faut bien expédier à un endroit de la côte les phosphates qui font vivre le pays (avec le tourisme). Un complexe pétrochimique y a été installé également.

Où manger ?

|●| *Auberge Beauséjour :* sur la route côtière, en direction de Jorf-el-Lasfar. Excellent poisson.
|●| *Le Relais :* au km 26, sur la route côtière El Jadida-Safi. Excellent poisson. Le patron est français. Son menu peut rassasier les plus affamés sans les ruiner. Il a la licence d'alcool. Forte affluence le week-end. Accueil chaleureux dans un cadre agréable pour un repas gargantuesque.

|●| *Hôtel-restaurant La Brise :* à 37 km d'El Jadida. ☎ 34-69-17. Repas très copieux et bon marché à base de poisson et de fruits de mer, servis dans un cadre agréable. Terrasse avec vue sur la mer et les marais salants. Une dizaine de chambres correctes et à prix moyen. Demi-pension obligatoire. Constitue un excellent dépannage lorsque tout est complet à Oualidia.

LA CASBAH DE BOULAOUANE

A 75 km de El Jadida et à 55 km de Settat qui est à 60 km de Casablanca. Double intérêt de faire ce détour, entre El Jadida et Casablanca. D'abord, pour la casbah elle-même, ensuite pour les paysages. Pour ceux qui n'iraient pas dans le Sud (route des Mille Casbahs), ce crochet permettra d'avoir une idée de l'architecture des casbahs.

L'accès à la casbah se fait par la S 128, une petite route sur la gauche, 5 km après Boulaouane. La direction est celle d'Im Fout (27 km). Tourner ensuite à gauche, c'est signalé. Très belle vue sur la casbah avant l'arrivée. Parking près de la porte monumentale qui date de 1710. Un gardien fait visiter. Il vous dira où prendre les photos mais il a tendance à demander le double de ce qu'on lui donne ; il faut donc fixer le prix au départ. Intéressante visite d'une demi-heure jusqu'en haut du minaret de l'ex-mosquée, comprenant la traversée de quelques pièces des appartements du sultan, dont la décoration a disparu, et une promenade sur une partie des remparts. Très beaux points de vue sur la campagne que traverse l'oued Oum er Rbia.

OUALIDIA   IND. TÉL. : 03

A 80 km d'El Jadida, sur la route de Safi (66 km). Services de bus. Charmante plage en anse, protégée de l'Océan par une barre d'îlots. C'est la plage la plus calme de la côte atlantique (en ce qui concerne les vagues). Ses huîtres sont célèbres. Surveillance d'un maître-nageur muni d'un Zodiac. Sable très fin et propre. L'Océan forme une lagune attirante, mais attention, il est froide et ces deux goulets qui relient la lagune à l'Océan sont dangereux. Beaucoup d'habitants de Marrakech, de Casablanca et de coopérants, l'été. Voir leurs bungalows ou leurs maisons plus somptueuses, en descendant vers la plage.

– **Souk :** le samedi. Important marché.

Où dormir ? Où manger ?

Comme partout sur cette côte, arriver très tôt dans la journée pour obtenir un lit. En plein été et le week-end, la capacité d'accueil est nettement insuffisante. D'ailleurs tous les hôtels en profitent pour imposer la demi-pension. Heureusement, Oualidia est l'une des seules villes du Maroc dont les hôtels proposent une bonne cuisine. Pour une fois, c'est donc là que vous mangerez, même si vous n'y logez pas.

Bon marché

⌂ Camping Oualidia Les Sables d'Or : en bas de la descente, près de la plage. Emplacements ombragés de mimosas. Bon accueil. Douches chaudes payantes.

|●| Le parc à huîtres n° 7 : à droite à l'entrée de la ville en venant de Casa. Très connu pour les dégustations sur place autour d'une grande table conviviale. Ne pas oublier d'apporter son pain, son citron, son beurre et son vin blanc...

Prix moyens

⌂ Motel-restaurant A l'Araignée Gourmande : Oualidia Plage (il faut descendre vers le camping au bord de la plage). ☎ 36-61-44 et 36-64-47. Le patron a ouvert à côté **La Langouste** où l'on trouve les mêmes prestations qu'à L'Araignée avec un « plus » côté hôtelier. Réservation indispensable. Accueil chaleureux, chambres propres et vastes pour un prix très raisonnable. Restaurant tenu par Ahmed. Spécialité : le festival du coquillage. Accueil sympathique. Excellent rapport qualité-prix. Mais il semble aujourd'hui dépassé par son succès. La quantité, qui a fait la réputation de la maison, devrait laisser un peu plus de place à la qualité. De plus, le nouveau cadre n'a pas la convivialité du précédent. Allons, il faut se ressaisir !

⌂ Hôtel de la Lagune : ☎ 36-64-77.

Vue panoramique sur l'anse de la plage, jardin soigné, terrasse où l'on peut manger avec vue et brise de mer. Salle de restaurant avec des boiseries de style marocain, ainsi qu'une zone pour tables hautes, une zone pour tables basses. Un agréable effort de décoration, qui fait oublier que le resto a... la dalle en pente (ça penche dans le sens de la plage !). Menu touristique copieux. Pas de carte. Chambres propres, avec douche, eau chaude et parfois, si on se débrouille bien, un peu d'eau froide. *Attention :* les prix annoncés à l'arrivée ne tiennent pas toujours compte du service ni des taxes. Se les faire préciser à l'avance.

⌂ Hôtel-restaurant de l'Hippocampe : ☎ 36-61-08. Fax : 36-64-99. Fléché dans la descente. Vue exceptionnelle sur la lagune. Jardin parfaitement entretenu. Piscine impeccable. Les bungalows ont été refaits et, de leur terrasse, on a la plus belle vue sur la baie. Restaurant de poisson très fréquenté.

⌂ Motel Chems : ☎ 36-64-78. C'est le dernier hôtel sur la lagune. Les chambres sont minables avec des murs insalubres, des rideaux déchirés et des sanitaires très moyens. Tout est déglingué, sale et mal entretenu. Seul avantage, les chambres disposent d'une terrasse individuelle. Petit déjeuner nul. Tennis. Le plus proche de la mer. Son restaurant, comme les autres, propose un menu gastronomique avec du poisson pratiquement à volonté. Dommage que l'entretien laisse vraiment trop à désirer. Allons, un effort !

VERS SAFI

La route continue vers Safi. Impressionnantes cultures de tomates. Le paysage devient ensuite plus désertique. Malheureusement, c'est lorsqu'il devient désertique qu'il est le plus beau. On comprend également, lorsque se lève, en été, la brume de mer (après 10-11 h du matin), ce que veut dire l'expression « la mer est d'un bleu d'azur ». Tout au long de la route, grandes plages désertes. Au cap Beddouza, belle petite auberge avec terrasse donnant sur la mer. 10 km avant Safi, au pied de la falaise.

★ *Plage de Lalla Fatna :* une vraie merveille. On y accède par une petite route goudronnée. C'est indiqué. Petite auberge en haut.

SAFI

Safi est une ville plus industrielle que touristique. Une grande partie des phosphates destinés à l'exportation transite par son port. Du sulfate de calcium est produit par une usine de l'Office chérifien des phosphates, situé à une dizaine de kilomètres au sud de Safi en bordure de mer ; l'usine rejette d'ailleurs dans la mer des eaux chargées de cet acide, et ce, sans complexe.

C'est aussi un port sardinier important. Après une nuit de pêche, les bateaux déchargent leur cargaison de sardines aux usines de conserves qui les mettent en boîte.

Safi abrite quelques monuments portugais, un quartier de potiers et une médina très animée le soir. Juste de quoi vous inciter à aller jeter un coup d'œil dans cette ville de près de 300 000 habitants.

– *Souk :* le lundi matin.

Adresse utiles

🄳 *Syndicat d'initiative :* av. Moulay-Youssef *(plan B2).* Ouvert du lundi au vendredi de 9 h à 14 h.
✉ *Poste :* place de l'Indépendance *(plan A2).* Ouverte du lundi au vendredi de 8 h à 12 h et de 15 h à 18 h. Samedi de 9 h à 13 h.

■ *Téléphone :* poste centrale, place Administrative, dans la vieille ville. Ouverte de 8 h à 21 h tous les jours.
■ *Consulat de France :* rue Chaouki. ☎ 46-27-97 et 46-22-86.

Où dormir ?

Bon marché

🛏 *Camping :* à 3 km sur la route de Sidi Bouzid *(hors plan par B1).* Belle vue sur la ville de la terrasse mais loin de la mer. Piscine payante. Ombragé. Ouvert toute l'année. Les sanitaires devraient être mieux entretenus.
🛏 *Hôtel de l'Avenir :* sur la route qui mène au port. A droite quand on vient de la gare, juste avant le terminus des taxis. Eau chaude. Douche payante. Essayez d'avoir une chambre avec vue sur la mer.

Prix moyens

🛏 *Hôtel Assif :* av. de la Liberté *(plan C2, 10).* ☎ 62-23-11. Fax : 62-18-62. Récent, bon accueil, chambres spa-

cieuses et confortables ; babouches amphibies pour la salle de bains... Resto au cadre agréable. Cuisine soignée et copieuse. Excellent rapport qualité-prix.
🛏 *Hôtel les Mimosas :* Zankat Ibn Zaidoune *(plan C3, 11).* ☎ 46-32-08. Fléché quand on arrive d'El Jadida. A côté du précédent. Confort et propreté laissent à désirer. Prix injustifiés. Le bar n'est guère fréquenté une fois la nuit tombée.

Plus chic

🛏 *Hôtel Atlantide :* rue Chaouki *(plan B2, 12).* ☎ 46-21-60. Situé dans le quartier résidentiel et dominant la médina, à côté de l'*hôtel Safir.* Cet établissement a le charme désuet des palaces de Deauville ou de Biarritz dans les années 30.

Où manger ?

Bon marché

Grand choix de restaurants qui servent tous d'excellents poissons. Il y en a pour toutes les bourses. Les plus plates se contenteront de sardines grillées dans les souks ou de tables simples dans le centre ville comme :

|●| **Restaurant de Safi :** 3, rue de la Maraine, près de la place de l'Indépendance *(plan A2)*. Très bien et pas cher.
|●| **Le Poulet d'Or :** 65, av. Mohammed-V, en face du cinéma Roxy. Bonne cuisine.
|●| **Calypso :** place de l'Indépendance *(plan A2)*.
|●| **Café M'Zoughen :** place de l'Indépendance *(plan A2)*. Agréable surtout pour ses pâtisseries.
Les autres passeront vite à la rubrique suivante.

Prix moyens

|●| **Restaurant de la Poste :** 40, place de l'Indépendance *(plan A2)*. ☎ 46-31-75. Au premier étage, au-dessus du *Café de la Poste*. Cuisine française et spécialités de fruits de mer de première fraîcheur.
|●| **Restaurant La Trattoria, Chez l'Italienne :** 2, route de l'Aouinate. ☎ 62-09-59. Excellente cuisine familiale à base de poisson. Pâtes bien préparées, comme il se doit. Une bonne adresse à prix sages.
|●| **Refuge Sidi Bouzid :** sur la route d'El Jadida, à 3 km sur la gauche. Bon restaurant en bordure de mer avec une belle vue. Menu très copieux. Langouste à la carte.

A voir

★ **Le château de la Mer ou Kasr el Bahr :** en face de la place Sidi-Boudhab *(plan A2)*. Accès par un escalier dans un petit passage souterrain. En remontant, franchir la grande porte. Des pièces d'artillerie, fondues en Europe, constituent la majorité des objets exposés. Belle vue panoramique sur la mer où les bateaux attendent leur tour pour entrer dans le port.

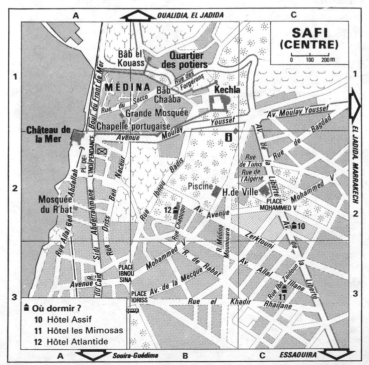

★ *Les fabriques de poterie :* à ne pas manquer. Elles sont toutes groupées dans le quartier de Bâb Chaâba *(plan B1)*. Demandez à en visiter une. Il en existe de deux sortes : pour les objets de forme (vases, plats à tajine, etc.) et pour les tuiles. Essayez de visiter les deux et d'assister à toute la chaîne du trempage, séchage, pétrissage de l'argile et de la peinture des objets.

Mohammed Ftis, au 18 *bis*, a inventé un ingénieux dispositif pour la fermeture de bonbonnières permettant de savoir si les gamins ont chapardé ou non. Arrêtez-vous aussi au n° 7 et demandez à *Ahmed Serghini* de vous montrer sa caverne d'Ali Baba. Il existe aussi des fabriques où l'on produit de la faïence « vieux Rouen » et autres copies, vendues à des antiquaires...

★ Allez flâner dans la *médina (plan A-B1).* Une ruelle, qui donne à chaque extrémité dans la rue du Socco, regroupe les petits restos de poisson. Pas cher, mais avoir le cœur accroché. Petits hôtels dans la médina. Restos et cafés place de l'Indépendance, face au château de la mer.

★ *La Kechla* ou *Borj el Dar (plan B1),* ancienne forteresse portugaise du XVI° siècle, abrite un intéressant *musée de la Céramique,* grande spécialité de Safi. Ouvert tous les jours, excepté le mardi, de 8 h 30 à 12 h et de 14 h à 18 h. Les céramiques de Fès, Meknès et Safi sont agréablement présentées.

Vous pouvez shunter le reste :

★ *La chapelle portugaise* ou *El Kanissa Elbourtogalia (plan A1) :* suivre le passage touristique qui débute dans la rue du Socco, dans la médina ; elle est souvent fermée. Contient des sculptures, des armes, des emblèmes du Saint-Siège.

Quitter Safi

🚌 *Gare routière :* rue du Président-Kennedy *(plan A-B3)*. Liaisons fréquentes avec Casablanca, Essaouira, Agadir et Marrakech.

🚂 *Gare ferroviaire :* au sud de la ville *(hors plan par A3)*. Principalement réservée au trafic des marchandises. Changement obligatoire à Benguerir pour Casablanca et Marrakech.

FÈS, MEKNÈS
ET LE MOYEN ATLAS

Une grande partie de l'histoire du Maroc s'inscrit dans cet itinéraire prodigieux, au cœur du pays. Fès, ville mémoire, cité impériale, héritière de la culture andalouse et berceau de l'ex-empire chérifien, est un haut lieu béni des dieux. Cette ville-musée a su maintenir ses traditions avec son université, son artisanat et ses petits métiers tout en devenant une cité moderne active. Il faut voir, de la nécropole des Mérinides, le labyrinthe de sa médina inchangée depuis le Moyen Age.

Fès el Bali est la plus vaste et la plus ancienne des médinas marocaines. Les quatorze portes d'accès mènent à un enchevêtrement de passages, de couloirs d'escaliers, de petites cours où la lumière a bien du mal parfois à pénétrer. Tout cet univers fantastique s'est développé autour de la mosquée de Karaouiyne qui peut accueillir jusqu'à 20 000 pèlerins. Classée au Patrimoine mondial de l'humanité, cette médina ne cessera pas de vous surprendre. Du souk aux épices, plein d'odeurs, à celui des dinandiers, bruyant avec le martèlement des burins, vous passerez devant les étals de bouchers et devant ceux, plus appétissants, des pâtisseries dégoulinantes de miel avant d'arriver dans le quartier des tanneurs. D'une terrasse, vous découvrirez un univers difficile à imaginer, à l'aube du XXIe siècle, avec tous ces hommes qui foulent, jambes nues dans des cuves, les peaux avant de les teindre. On vous proposera probablement de respirer un bouquet de menthe pour échapper à l'odeur pestilentielle qui règne ici.

Quand les Mérinides s'emparèrent du pouvoir, au XIIIe siècle, ils construisirent une ville nouvelle, hors les murs, pour leurs palais somptueux. C'est ainsi que naquit Fès el Jédid, c'est-à-dire Fès la Nouvelle.

Meknès, ancienne ville impériale, doit son essor à Moulay Ismaïl, grand bâtisseur qui, avec une ardeur inlassable, entreprit de la doter de monuments grandioses. Pendant un demi-siècle, palais, jardins, fontaines, terrasses allaient surgir du vaste périmètre des murailles. La main-d'œuvre avait été recrutée parmi les esclaves chrétiens. Malgré les attaques du temps, il reste encore des kilomètres de murailles ocre jaune, des portes monumentales aux faïences vertes, des écuries d'une taille démesurée, des arsenaux et des palais pour le harem. Ville d'un seul roi, mais dont le règne devait durer 55 ans, Meknès n'en finit pas de faire rêver.

Volubilis, la ville au nom de fleur, constitue le site romain le plus important du Maroc. Sur ses ruines plane encore le souvenir de l'éphèbe Juba II, roi de Maurétanie. Cette cité au pouvoir évocateur avec son capitole, son arc de triomphe et ses villas décorées de précieuses mosaïques, se dresse comme un défi au temps au pied du mont Zerhoum.

La ville sainte de Moulay Idriss, la cité aux toits verts qui surplombe les ruines, abrite le marabout le plus vénéré du Maroc...

Mais tous ces hauts lieux de culture – où est gravée dans la pierre la mémoire du pays – ne doivent pas faire oublier leur environnement exceptionnel, avec les forêts de cèdres de la région d'Azrou et d'Ifrane, ou les cascades d'Ouzoud et leur décor champêtre qui aurait pu inspirer le peintre Hubert Robert. Tout cela, vous le découvrirez dans cette région en traversant les magnifiques paysages du Moyen Atlas.

FÈS

Fès, c'est trois villes en une : Fès la jeune (la ville nouvelle), sans autre intérêt que ses hôtels, construite au temps du protectorat, Fès la demi-vieille (officiellement *Fès el Jédid*), édifiée au XIIIe siècle par les Mérinides, et Fès la vieille, nommée *Fès el Bali*, bâtie sous Idris II en 809. Cette dernière, la plus ancienne des cités médiévales du monde musulman, constitue la plus belle médina de toutes celles qu'on connaît au Maroc et l'une des mieux conservées.

Peuplée d'artisans célèbres et de marchands avisés, Fès est depuis toujours l'une des villes les plus réputées de l'islam.

Chronologiquement, elle abrita la première des grandes universités, avant Paris et Oxford. Ce fut une ville de lettrés, de théologiens, puis, avec le reflux hispano-mauresque, une ville d'artistes andalous, d'artisans ou de devins. C'est maintenant la capitale culturelle du Maroc ainsi qu'un des centres religieux les plus importants du pays.

L'artisanat reste le moteur économique de la cité. La main-d'œuvre bon marché est alimentée par l'énorme flux de population venant des campagnes et montagnes environnantes. Tous ces petits métiers épuisants et peu rentables permettent d'imaginer l'ambiance d'une ville au Moyen Age.

Fès a toujours joué un rôle important dans la vie intellectuelle du pays et on a longtemps considéré cette « cité de la foi et du savoir » comme « l'Athènes de l'Afrique ».

Fès en péril

« Dévorée par ses habitants », la ville, qui ne comptait que 250 000 âmes il y a 20 ans, atteindra probablement le million d'habitants pour la fin du siècle. La médina a vu sa population tripler, avec l'afflux de ruraux sans travail qui viennent se réfugier ici dans l'espoir de profiter un peu de la manne de cette « cité qui changeait en or tout ce qu'elle touchait et qui, aujourd'hui, rongée par la gangrène, n'en continue pas moins, comme si de rien n'était, à jeter de la poudre aux yeux des visiteurs. » (Patrick Francès, *Le Monde*).

L'appel lancé en 1980 par un des directeurs de l'Unesco, pour tenter de sauver ce qui pouvait l'être encore, fut entendu. Les urbanistes hésitent toujours entre maintenir une cité vivante ou en faire une ville musée.

Tout le monde se penche sur le problème de cette malade pour la maintenir en survie et sauvegarder tout ce que sa mémoire a pu emmagasiner, au cours de son existence prestigieuse.

Adresses utiles

Infos touristiques

🚩 *Délégation régionale du tourisme* (plan Ville nouvelle, B1) : place de la Résistance . ☎ 62-34-60 ou 62-62-97. Ouvert du 15 septembre au 15 juin de 8 h 30 à 12 h et de 14 h 30 à 18 h. En été de 8 h à 15 h. Fermé les samedi et dimanche.

🚩 *Syndicat d'initiative :* place Mohammed-V (plan Ville nouvelle, B3). ☎ 62-47-69. Mêmes horaires que la Délégation, mais ouvre en plus le samedi de 8 h 30 à 12 h. Installations rudimentaires, mais renseignements précis. Guides officiels à tarifs très raisonnables.

Services

✉ *Poste :* dans la ville nouvelle, à l'angle de l'avenue Hassan-II et du boulevard Mohammed-V (plan Ville nouvelle, B2). Bureau de poste restante. Ouvert de 8 h 30 à 12 h et de 14 h 30 à 18 h 30. Le samedi de 8 h 30 à 12 h. Bureau de poste annexe, place de l'Atlas, et dans la médina, place Batha. Ouvert aux mêmes heures.

■ *Téléphone* (plan Ville nouvelle, B 2) : à la poste centrale. Entrée par le boulevard Mohammed-V. Ouvert tous les jours de 8 h à 21 h.

Argent, banques, change

■ *Change :* dans toutes les banques et, en dehors des heures d'ouverture, dans la plupart des hôtels. Si vous avez des difficultés, allez à l'*hôtel des Mérinides* ou à l'*hôtel de Fès*. Le bureau de change est ouvert de 7 h à 22 ou 23 h tous les jours.

■ *Distributeurs VISA:* BMCE, place Mohammed-V (plan Ville nouvelle, B3, 3) ;

■ **Adresses utiles**

1 Institut français
2 Royal Air Maroc
3 Banque B.M.C.E.
4 Centre artisanal

🛏 **Où dormir ?**

10 Auberge de jeunesse
11 Hôtel Volubilis
12 Hôtel Savoy
13 Hôtel Kairouan
14 Hôtel Jeanne d'Arc
15 Hôtel Excelsior
16 Hôtel Central
17 Hôtel Amor
18 Hôtel Olympic
19 Hôtel Landaghri
20 Grand Hôtel
21 Hôtel Moussafir
22 Hôtel Splendid
23 Hôtel Sophia
24 Hôtel Mounia
25 Hôtel Volubilis

Crédit du Maroc : angle bd Mohammed-V et rue Mokhtar-Soussi.

Représentation diplomatique

■ *Consulat de France :* av. Albou-Obeida. ☎ 62-55-47 et 48.

Urgences

■ *Pharmacie de nuit (plan Ville nouvelle, B 1) :* à la municipalité, bd Moulay-Youssef. ☎ 62-33-80. Ouvert de 20 h à 8 h.
■ *Police :* ☎ 19.
■ *Hôpitaux :* ils sont nombreux, ainsi

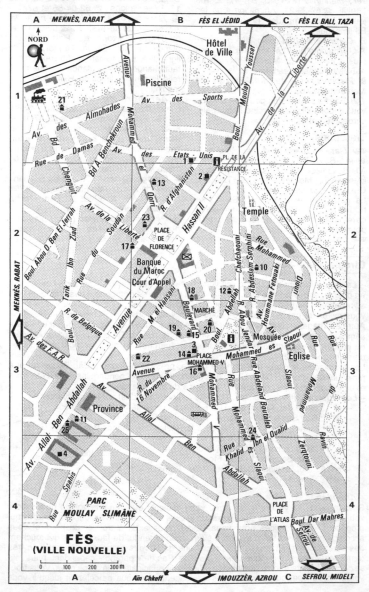

FÈS (VILLE NOUVELLE)

0   100   200   300 m

que les cliniques mais n'offrent pas tous les mêmes garanties. Le plus important est l'*hôpital Ghassani,* quartier Dhar Mehraz. ☎ 62-27-76 et 77.

Loisirs

■ *Institut français (ex-Centre culturel ; plan Ville nouvelle, B1, 1) :* 2, rue Loukili. ☎ 62-39-21. Animation tous les jours. Leur demander le programme. Bibliothèque.

■ *Centre artisanal (plan Ville nouvelle, A4, 4) :* à côté du *PLM Volubilis.* L'un des plus agréables du Maroc. Prix raisonnables affichés. Très beaux tapis.

■ *Piscines :* celle de l'*hôtel Zalagh,* rue Mohammed-Diouri *(plan Ville nouvelle, C2).* Entrée payante un peu chère. Nous vous déconseillons la piscine municipale, surpeuplée et sans hygiène.

Transports

🚌 *Gare routière CTM (plan Ville nouvelle, B3) :* bd Mohammed-V. ☎ 62-20-43. Liaisons sur Casablanca, Rabat, Marrakech, Meknès, Tanger, Tétouan, Ouezzane, Oujda.
La gare routière Laghzaoui (SMTL) se trouve rue Ksar-el-Kébir, juste derrière la gare CTM. Ses bus desservent principalement le Moyen Atlas.
🚌 La *nouvelle gare routière* se trouve

dorénavant à Bâb Boujeloud. La CTM devrait prochainement intégrer cette nouvelle gare. A Bâb Ftouh, gare principalement pour le Rif.

■ *Taxis collectifs :* gare routière à Bâb Mahrouk. ☎ 63-60-32.

■ *Royal air Maroc (plan Ville nouvelle, B2, 2) :* 54, av. Hassan-II. ☎ 62-55-16 et 17. Réservations : ☎ 62-04-56 et 57.

🚆 *Gare ferroviaire (plan Ville nouvelle, A1) :* rue Imarate-Arabia . ☎ 62-50-01 et 62-51-32. Liaisons de Rabat, Casablanca, Meknès, Oujda, Tanger. Pas de ligne directe en venant de Marrakech et il faut changer à Casablanca. Le bus n° 19 relie la gare à la place Rsif, donc à la médina.

✈ *Aéroport de Fès Saïs :* route d'Imouzzer, à 15 km. Standard : ☎ 62-48-00 ; *Royal Air Maroc :* ☎ 62-47-12 et 65-21-61. Principalement des vols intérieurs, mais aussi quelques vols internationaux. Bus n° 16 qui mène à la gare ferroviaire. Toutes les heures ; 30 mn de trajet. Voir « Quitter Fès ».

■ *Garage Renault :* 26, rue du Soudan ; à côté de la place de Florence *(plan Ville nouvelle, A2).* ☎ 62-22-32. Fermé entre mi-juillet et début septembre.

■ *Garage Auto Maroc (Fiat ; plan Ville nouvelle, B3) :* rue Mohammed-es-Slaoui. ☎ 62-34-35.

Circuler dans Fès

– *Les petits taxis :* si vous êtes en voiture, sachez que la circulation dans Fès est tout un poème, et que, même avec un plan de la ville, on se trompe toujours quand on veut aller dans un endroit précis de la médina. Pour épargner votre essence, vos nerfs, et vous éviter de payer le parking habituel, on vous conseille de prendre un petit taxi. Autre avantage, vous pouvez entrer par une porte, vous balader, et sortir par une autre sans avoir de marche à faire pour retrouver votre voiture. De plus, les taxis possèdent en principe un compteur (exigez sa mise en marche), ce qui évite pour une fois les dures négociations.
Les principales stations sont dans le centre, près de la poste, à Bâb Boujeloud et à proximité des grands hôtels. Signalons quand même que, pendant les mois d'été, taxis et bus doublent leurs prix devant l'affluence de la demande.
– *Les bus :* les principales lignes de bus (souvent bondés) sont les suivantes :
  – n° 1 : place des Alaouites - Dar Batha, à proximité de Bâb Boujeloud.
  – n° 2 : Bâb Semarrine - Quartier Hassani ou Sidi Brahim.
  – n° 3 : jaune : Bâb Ftouh - Place de la Résistance. Blanc : Bâb Ftouh - Gare.
  – n° 9 : Dar Batha - Route de Séfrou.
  – n° 10 : Bâb Guissa - Bâb Boujeloud - Gare.
  – n° 12 : Bâb Boujeloud - Bâb Ftouh.
  – n° 18 : Sidi Boujida - Bâb Ftouh - Dar Batha.
  – n° 19 : Place Rsif - Gare.

– *Attention !*
Si vous venez en voiture à Fès avec votre véhicule ou avec une voiture de location, vous serez pris en charge aux abords de la ville, dès votre arrivée, par des motards qui proposent leurs services pour vous guider, vous aider à trouver un hôtel et vous accompagner durant votre séjour. Il s'agit, bien entendu, de faux guides qui touchent des commissions sur toutes les prestations qu'ils vous proposent. Soyez donc très ferme et refusez catégoriquement toute aide. Pas de « parano » cependant, mais relisez notre chapitre sur les guides non officiels, la principale plaie de ce pays. Vous trouverez un peu partout, en ville, des adolescents qui vous harcèleront jusqu'à vous

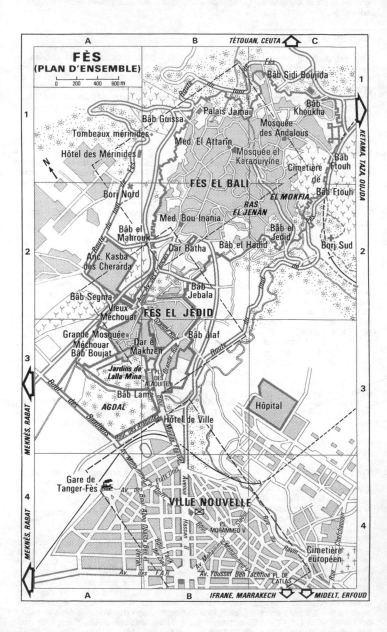

FÈS
(PLAN D'ENSEMBLE)

0   200   400   600 m

TÉTOUAN, CEUTA

KETAMA, TAZA, OUJDA

Bâb Sidi Boujida

Bâb Guissa

Palais Jamaï

Bâb Khoukha

Tombeaux mérinides

Mosquée des Andalous

Hôtel des Mérinides

Med. El Attarîn

Mosquée el Karaouiyine

Bâb Ftouh

Cimetière de

FÈS EL BALI

Bâb Ftouh

Bori Nord

EL MOKFIA

RAS EL JENÂN

Med. Bou Inânia

Bâb el Jedid

Bâb el Mahrouk

Dar Batha

Bâb el Hadid

Bori Sud

Anc. Kasba des Cherarda

Bâb Jebala

Bâb Segma

Vieux Méchouar

FÈS EL JÉDID

Grande Mosquée Méchouar

Bâb Diaf

Bâb Boujat

Dar el Makhzen

Jardins de Lalla Mina

PL. DES ALAOUITES

Bâb Lame

AGDAL

Hôpital

Hôtel de Ville

MEKNÈS, RABAT

Gare de Tanger-Fès

VILLE NOUVELLE

PL. MOHAMMED V

MEKNÈS, RABAT

Cimetière européen

Av. des F.A.R.

Av. Youssef Ben Tachfine   PL. DE L'ATLAS

IFRANE, MARRAKECH

MIDELT, ERFOUD

gâcher le plaisir de la visite. Une police touristique a été récemment mise en place. A suivre...

Comment se repérer ?

Fès est déjà un ensemble complexe avec ses trois villes, mais les choses se compliquent encore avec la toponymie des rues. En effet, la plupart ont des doubles noms et on en a trouvé qui en possédaient trois différents. Même les Fassi ne s'y retrouvent pas. De plus, ils ont la fâcheuse tendance d'effacer toutes les indications en français pour ne conserver que celles en « vermicelles », comme ils disent. Dur ! Nous avons utilisé généralement le nom le plus commun. Avec un peu de patience, on arrive toujours à trouver l'adresse que l'on cherche. Bon courage !

Où dormir ?

Fès est une ville dont les ressources hôtelières sont vieillissantes. Ne vous attendez donc pas à des miracles de confort. L'eau chaude est l'exception, l'eau froide ne coule pas toujours toute la journée (à vérifier systématiquement). Les meilleurs hôtels étant souvent pleins, on ne peut voir la chambre que vers midi.

Il est préférable de réserver, principalement lors des périodes de vacances scolaires et en été. Malgré cela, nous avons pisté les meilleurs rapports qualité-prix. On espère qu'ainsi vous économiserez temps et transpiration !

DANS LA MÉDINA

Très bon marché

🛏 *Hôtel Lamrani (plan Fès el Bali, B4, 10) :* à l'entrée du petit Talâa, à gauche. ☎ 63-44-11. Sommaire mais propre, ce qui est rare dans la médina. Demander les chambres derrière, plus calmes.

🛏 *Hôtel du Commerce (plan Fès el Jédid, A3, 10) :* place des Alaouites, à Fès el Jédid. ☎ 62-22-31. Simple, propre et accueillant. 5 chambres, les 2, 3, 4, 5 et 6 donnent sur la place, face au Palais royal. Que demande le peuple ?

🛏 *Hôtel Erraha (plan Fès el Bali, A4, 11) :* face au garage des bus, avant Bâb Boujeloud), un peu après le parking des

bus. ☎ 63-32-26. Faïence au sol et aux murs des w.-c. et de la douche. Lits avec sommiers défoncés. Bruyant en raison des bus. Sommaire mais propre. Demander les chambres derrière, plus calmes.

🛏 *Hôtel du Jardin Public (plan Fès el Bali, A4, 12) :* à proximité des deux précédents, dans une ruelle. ☎ 63-30-86. Plus calme, mais très mal entretenu. Essayez d'avoir la chambre 32. Son petit balcon et sa vue sur les toits de la médina et les tombeaux mérinides font oublier bien des désagréments : chambres et sanitaires sales, carreaux cassés, meubles branlants, etc.

DANS LA VILLE NOUVELLE

Très bon marché

🛏 *Auberge de jeunesse (plan Ville nouvelle, C2, 10) :* 18, rue Abdeslam-Serghini. ☎ 62-40-85. Propre. Eau chaude en hiver seulement. Ouverte de 8 h à 9 h, de 12 h à 15 h et de 18 h à 22 h. Il faut donc rentrer avant.

Contrairement à l'habitude, il y a des pensions abordables dans la ville nouvelle. Elles sont plutôt mieux tenues que celles de la médina.

🛏 *Hôtel Volubilis (ne pas confondre avec l'autre qui est très chic ; plan Ville nouvelle, A3, 11) :* 42, bd Chefchaouini, près de la station Mobil. ☎ 62-04-63. Très simple mais propre et bon accueil. Les petites chambres ne vous ruineront

pas, quoique le prix soit établi à la tête du client. Douches froides. Prendre son petit déjeuner au café *Volubilis*, à côté. Un bon rapport qualité-prix.

🛏 *Hôtel Savoy (plan Ville nouvelle, B2, 12) :* bd Abdellah-Chefchaouni. ☎ 62-06-08. Simple et accueillant.

🛏 *Hôtel Kairouan (plan Ville nouvelle, B2, 13) :* 84, rue du Soudan. ☎ 62-35-90. Non loin de la gare ONCF. Chambres avec bains correctes. A côté, café-pâtisserie du même nom au décor moderne, où l'on peut prendre le petit déjeuner. Demandez à voir plusieurs chambres. Gardiennage des voitures dans la rue.

🛏 *Hôtel Jeanne d'Arc (plan Ville nouvelle, B3, 14) :* 36, av. Slaoui. ☎ 62-12-23. Propre. En cours de rénovation durant notre visite.

♣ **Hôtel Excelsior** (plan Ville nouvelle, B3, 15) : 107, rue Larbi-el-Kaghat, à l'angle du boulevard Mohammed-V. ☎ 62-56-02. Vieux et mal entretenu. Grandes chambres avec douche et literie défoncée. Eau chaude en hiver seulement. Sanitaires sales.

♣ **Hôtel Central** (plan Ville nouvelle, B3, 16) : 50, rue Brahim-Roudani, près de la place Mohammed-V. ☎ 62-23-33. Calme. 34 grandes chambres dont 14 avec salle de bains. Sinon, douche payante. Propre, cependant literie moyenne et eau parfois manquante. Il est préférable d'arriver le matin pour obtenir une chambre.

♣ **Hôtel Amor** (plan Ville nouvelle, A-B2, 17) : 31, rue Arabie-Saoudite. ☎ 62-27-74. 35 chambres mal entretenues. Chauffage en hiver. Une des rares adresses dans cette catégorie ayant un bar fréquentable.

Prix moyens

♣ **Hôtel Landaghri** (plan Ville nouvelle, B3, 19) : 10, rue Abbasse-el-Mssadi. ☎ 62-03-10. 20 chambres, dont 18 avec salle de bains. Pas très propre, douche froide. Petite cour intérieure. Chauffage en hiver. Demander une chambre qui ne donne pas sur la rue. Les faux guides y jacassent jusqu'à une heure tardive. Bar. Salon et restaurant. Hôtel en piteux état et mauvais accueil.

♣ **Hôtel Errabie** (plan Ville nouvelle, C4) : 1, rue de Tanger, route de Séfrou. ☎ 64-01-00. Chambres agréables avec salle de bains mais très bruyantes. Parking gardé. Un peu excentré, mais bonne adresse dans cette catégorie. Petit déjeuner cher et médiocre, allez le prendre ailleurs.

♣ **Grand Hôtel** (plan Ville nouvelle, B3, 20) : bd Chefchaouini. ☎ 93-20-26. Accueil sympathique. Salon marocain et chambres vastes. Certaines ont la climatisation. Très central.

♣ **Hôtel Olympic** (plan Ville nouvelle, B2, 18) : bd Mohammed-V, Lachachi Belhajd, angle n° 3. ☎ 62-24-03 et 62-45-29. Fax : 62-45-29. Demander une chambre sur cour, plus calme. Parking gardé.

Chic

♣ **Hôtel Moussafir** (plan Ville nouvelle, A1, 21) : place de la gare ONCF, av. des Almohades. ☎ 65-19-02 à 08. Fax : 65-19-09. 75 chambres équipées de téléphone, télévision, climatisation silencieuse, bains. Demander les chambres sur cour, plus calmes. Piscine. Beau jardin. Petit déjeuner copieux et bonne

table. Buffet au dîner. Prix imbattables et bon accueil. Une adresse comme on aimerait en trouver plus souvent au Maroc. Nous vous conseillons de réserver. Souvent complet. Ils agrandissent pour répondre à la demande.

♣ **Hôtel Splendid** (plan Ville nouvelle, B3, 22) : 9, rue Abdelkrim-el-Khattabi. ☎ 62-21-48. Un établissement de 70 chambres climatisées pas si splendide que ça, mais acceptable. Il faut fuir le menu, ainsi que la salle à manger, dont le décor est très laid ! Tous les groupes y descendent. Très propre. Petite piscine bien agréable en été. Le service laisse à désirer.

♣ **Hôtel Sofia** (plan Ville nouvelle, B2, 23) : 3, rue du Pakistan. ☎ 62-42-65 à 68. Moderne, avec des chambres confortables, une piscine, un bar et un night-club. Très bien situé.

♣ **Hôtel Reda :** à Aïn Chkeff, à 6 km. ☎ 60-09-78. Fax : 60-10-78. Vastes chambres bien aménagées, disposées autour d'une grande piscine ombragée. Très couru l'été, mais plutôt plaisant après la chaleur et la poussière de Fès.

♣ **Hôtel Mounia** (plan Ville nouvelle, C4, 24) : 60, rue Asilah. ☎ 62-48-38. Les 95 chambres sont confortables, mais petites.

Très chic

Il est impossible de ne pas citer les « hôtels-monuments » de Fès, classés 5 étoiles luxe. Nous souhaitons que vous puissiez, un jour, y descendre.

♣ **Le Palais Jamaï** (plan Fès el Bali D-E1) : à Fès el Bali. ☎ 63-43-31. Fax : 63-50-96. Le Palais Jamaï est l'ancien pavillon de plaisance d'une grande famille fassie (de Fès), élevé au XVIIIe siècle. Dans un magnifique jardin andalou sont disséminés des fontaines et des bassins aux motifs géométriques en zellige (céramique colorée). On peut déjeuner sur place dans le superbe restaurant marocain **Al Fassia**, où l'on a tout loisir d'admirer les plafonds peints et les décorations de stuc. Spectacle le soir : danseuses et musiciens plutôt meilleurs qu'ailleurs. Éviter l'autre resto de l'hôtel, international, cher et quelconque. Le prix d'une chambre double avec vue sur la médina est très élevé (il faut ajouter le prix du petit déjeuner). A ce niveau de prestations et de prix, plus la peine de négoter quelques dirhams : se le faire servir sur sa terrasse privée et profiter de la vue sur la médina et sur ses mosquées. Dommage que la piscine soit si petite. A notre avis, l'établissement est quelque peu surfait et les prestations ne sont pas à la hauteur des tarifs.

🛏 **Hôtel Jnan Palace :** av. Ahmed-Chaouki. ☎ 65-22-30 et 65-39-65. Fax : 65-19-17. Splendide établissement, construit sur 4 niveaux dans un magnifique parc de 6 ha, en plein cœur de la ville nouvelle, avec somptueuse piscine. Beau jardin. Service grand luxe. Vastes chambres, calmes, avec salle de bains en marbre et mosaïques. Plusieurs restaurants, dont un marocain : **l'Herbier de l'Atlas.** Cuisine traditionnelle mais inégale : la *pastilla* au lait est excellente, les tajines et les brochettes sont, en revanche, bien quelconques.

🛏 **Volubilis** (plan Ville nouvelle, A3, 25) : av. Allal-ben-Abdallah. ☎ 62-11-26. Catégorie 4 étoiles. L'entrée est très marocaine, avec une fontaine typique à l'intérieur. Les chambres sont disposées autour du jardin et de la piscine, et desservies par un long couloir. Air conditionné. Balcon où l'on peut prendre son petit déjeuner en écoutant le chant des oiseaux, et admirer un magnifique jardin avec piscine. Il s'agit d'un hôtel-club

vendu en exclusivité par les voyages FRAM.

Camping

🛏 **Camping du Diamant Vert :** sur la route d'Ain-Chkeff. C'est fléché à partir de la ville nouvelle. Prendre la direction d'Ifrane, puis à droite vers Ras-el-Ma. Desservi par des bus jusqu'à 19 h (départ en face de la poste). Très ombragé et sanitaires propres. Magasin d'alimentation et de boissons. Petit resto et sandwiches. La location donne accès au complexe touristique du même nom avec piscine, jeux, toboggans aquatiques. Le camping est bondé en juillet et août, surtout le week-end, malgré les prix élevés, qui incluent l'accès à la piscine. Beaucoup de faux guides à l'entrée du camping.

Hors saison, les installations nautiques sont laissées à l'abandon. Il ne reste qu'un tapis d'eau verte, dans le fond de la piscine.

🛏 **Camping municipal :** fermé depuis des années. Devrait rouvrir. On peut espérer qu'il sera en état... la première année.

Où manger ?

DANS LA MÉDINA

Quelques magnifiques restaurants installés dans des anciennes demeures. Tous sont très touristiques et possèdent des bazars. Ouverts uniquement à midi. Pas d'alcool.

Bon marché

Juste après Bâb Boujeloud à droite, ou après Bâb Ftouh (mais c'est loin !), on trouve des échoppes de brochettes et petits plats pour le pouce, soupes, etc., lorsqu'on monte vers le quartier des Andalous, en traversant le pont Sidi el Aouad après la rue des Teinturiers, ou bien lorsqu'on monte la rue qui va de la porte el Attarin vers le palais Jamaï (il y en a plein une rue !). Hormis ces endroits, vous en rencontrerez relativement peu, car elles sont isolées, et donc plus difficiles à trouver. Une spécialité des petits bars où l'on vend aussi des pâtisseries et des jus d'oranges pressées avec une boule de glace au parfum de votre choix. Original. Si vous tombez sur un marchand de nougat, c'est souvent bon et pas cher. Ces deux dernières spécialités sont plus faciles à trouver près de la mosquée Qaraouiyyîn et de la Zaouiya de Moulay Idris.

🍴 **Restaurant Bouayad :** à côté de la porte Bâb Boujeloud. Propreté moyenne. Bons tajines. Malheureusement depuis peu on vous impose le menu (copieux). Néanmoins très pratique et surtout ouvert 24 h sur 24.

🍴 **Restaurant des Jeunes, chez Hamid :** 16, Serrajine. A l'entrée de la médina, à la porte Bâb Boujeloud. Un petit bistrot où l'on mange de tout pour trois fois rien. Patron et serveurs adorables.

🍴 **Restaurant Tijani :** 4, souikt Debban, tout près de Sidi Ahmed Tijani. Patron sympa, cadre typiquement marocain. Un peu cher pour la qualité.

🍴 **Restaurant Palais Vizir** (plan Fès el Bali, E3) : 39, Rahabt-el-Kaïss. Décor typiquement fassi. Très copieux. Rapport qualité-prix très correct. Pas d'alcool.

Plus chic

🍴 **Le Palais de Fès** (plan Fès el Bali, E3) : 16, Boutouil-Qaraouiyyîn. Au-dessus du marchand de tapis. ☎ 63-47-07. Ouvert à midi seulement. Neuf menus, dont un sur commande (méchoui). Salons magnifiques dans de petites salles autour d'un patio central servant de magasin de tapis. De la terrasse panoramique, on peut compter les tuiles vernissées du toit de la mosquée Qaraouiyyîn et contempler la médina de Fès. Vous pourrez déjeuner dans le

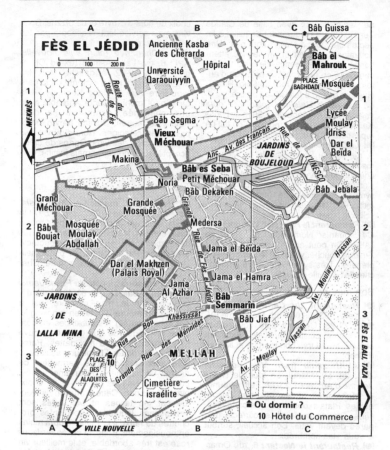

FÈS EL JÉDID

0   100   200 m

MEKNÈS

Ancienne Kasba des Cherarda
Université Qaraouiyyin
Hôpital
Route du tour de Fès
Bâb el Mahrouk
PLACE BAGHDADI   Mosquée
Bâb Guissa
Bâb Segma
Vieux Méchouar
Anc. Av. des Français
JARDINS DE BOUJELOUD
Lycée Moulay Idriss
Dar el Beïda
Makina
Bâb es Seba
Petit Méchouar
Noria
Bâb Dekaken
Bâb Jebala
Grand Méchouar
Grande Mosquée
Grande Rue de Fès el Jédid
Medersa
Bâb Boujat
Mosquée Moulay Abdallah
Dar el Makhzen (Palais Royal)
Jama el Beïda
Jama el Hamra
Av. Moulay Hassan
Rue UNESCO
Jama Al Azhar
Bâb Semmarin
Bâb Jiaf
JARDINS DE LALLA MINA
Rue Bou Khessissat
Rue des Merinides
MELLAH
Av. Moulay Hassan
PLACE DES ALAOUITES
Grande Rue
Cimetière israélite
FÈS EL BALI, TAZA
VILLE NOUVELLE

🛏 Où dormir ?
10 Hôtel du Commerce

---

calme avec en prime une vue magnifique. Aux dernières nouvelles, le dynamique propriétaire envisageait d'ouvrir une annexe à côté, dans une belle maison nouvellement acquise. Le service est effectué par des femmes.

|●| Dar Saada (plan Fès el Bali, D3) : souk Attarin. ☎ 63-33-43. Ouvert uniquement à midi. Magnifique décor. La salle donne sur un patio central avec une verrière. Quatre menus, le plus cher comprenant une *pastilla.* On peut commander du vin et des alcools. C'est encore une bonne adresse, plus chère que la précédente. A la carte, compter 150 FF par personne avec demi-bouteille de vin. Auparavant ils vendaient aussi des tapis mais le magasin a été transféré ailleurs. On peut donc déguster leurs spécialités en toute tranquillité, quand l'endroit n'est pas envahi de touristes !

|●| Restaurant Palais Mnebhi : 15, souikt Ben-Safi. ☎ 63-38-93. Ce n'est peut-être pas la meilleure cuisine de Fès, mais c'est ici que Lyautey a vécu lorsqu'il est arrivé. Et c'est pas mal, pas mal du tout... Malheureusement, l'accueil laisse souvent à désirer...

– Éviter le **Palais de Merinides,** 99, Zkak-Rouah, en bas du Grand Talâa (rien à voir avec l'hôtel du même nom). Ancien palais avec décor splendide mais nourriture nulle lors de notre dernier passage.

DANS LA VILLE NOUVELLE

Très bon marché

|●| La Tour d'Argent (plan Ville nouvelle, B3) : 30, av. Slaoui. Pour l'adresse attention, il y a trois Slaoui dans le coin. Il s'agit de l'avenue (pas de la rue) Mohammed-es-Slaoui (pas Slaoui-Zerktouni). A ne pas confondre avec celle de Claude Terrail. Ouvert uniquement de juillet à fin septembre. On ne s'y ruine pas. Une douzaine de tables et un service attentionné. Pas de licence de vin. On se consolera en regardant le paysage d'automne qui tapisse le mur du fond. Rafraîchissant quand il fait 35° à l'ombre.

|●| *Sandwich Bajelloul* (plan *Ville nouvelle, A1)* : 2, av. Saoudia. A 50 m de l'*hôtel Kairouan*. Pour un prix modique, on fait un repas correct. Ils ont des plats au choix.

|●| *Le Chamonix* (plan *Ville nouvelle, B3)* : 5, rue Moktar-Soussi, angle bd Mohammed-V. Il y a un grand poster représentant une vue du Canada, à côté des glaces. Au plafond, énorme ventilateur. Le patron, sympa, est originaire de Casablanca. Correct et économique mais devrait mieux surveiller la qualité de sa cuisine.

|●| *Restaurant le Rex* (plan *Ville nouvelle, C4)* : quartier Normandie, 52, place de l'Atlas. On peut acheter son steak chez Amid, le boucher voisin, et le leur donner à préparer. Très sympa. Peut-être le moins cher de Fès, ville nouvelle.

Bon marché

|●| *Restaurant du Centre* (plan *Ville nouvelle, B3)* : 105, bd Mohammed-V. ☎ 62-28-23. Ce petit café vous offrira une bonne cuisine familiale. Excellent accueil. Menu très bon marché et licence d'alcool.

|●| *Al-Khozama* (plan *Ville nouvelle, B3)* : 23, av. Slaoui, en face de l'*hôtel Jeanne d'Arc*. ☎ 62-23-77. Petit déjeuner et repas fixes à des prix très raisonnables. Plats exposés sur une carte plastifiée. Cuisine copieuse et correcte préparée devant vous. Bon accueil, surtout si vous êtes nombreux...

|●| *Restaurant le Nectar :* 6, rue Omar-el-Mokhtar (près de l'*hôtel Mounia*). Établissement récent. Menus copieux. Fait aussi salon de thé l'après-midi.

Prix moyens

|●| *Le Nautilus* (plan *Ville nouvelle, B2)* : 44, av. Hassan-II. Dans l'*hôtel de la Paix*. Bonne table avec une belle carte. Paella sur commande. Goûtez aux rognons au madère préparés devant vous. Il est prudent de réserver. Petite salle banale en sous-sol. Bon accueil mais service très lent.

|●| *Chez Vittorio* (plan *Ville nouvelle, B3)* : 21, rue Brahim-Redani ou rue Nador. C'est la première rue à droite, après la place Mohammed-V, en allant vers la gare CTM. Juste en face de l'*hôtel Central*. ☎ 62-47-30. Endroit intime avec lumière tamisée, mais bruyant. Typiquement italien. Petite musique d'ambiance. Cuisine italo-française. Excellente viande. Pâtes bien quelconques. Grand choix de hors-d'œuvre et de pizzas. Bons vins mais service lent. N'accepte pas les cartes de crédit.

|●| *La Cheminée* (plan *Ville nouvelle, A2)* : 6, av. Lalla Asmae (ex-bd Chenguit). ☎ 62-49-02. A gauche sous les arcades dans la rue qui monte de la gare ferroviaire vers la place Kennedy. A la carte ou 4 menus. Décor agréable avec une cheminée, comme il se doit. Ambiance feutrée. Cuisine franco-marocaine. Service soigné. Hors-d'œuvre très copieux. Carte des vins. Cartes de crédit acceptées. Un peu cher mais justifié. Une bonne adresse.

Très chic

|●| *Restaurant marocain Al Fassia, Palais Jamaï* (plan *d'ensemble, B1)* : là aussi, étonnant décor où l'on peut tout à loisir admirer les plafonds peints et les décorations de stuc. Dîner-spectacle avec musiciens et danseuses plutôt meilleur qu'ailleurs. Carte intéressante. Cher bien sûr.

|●| *Al Ferdaous :* à côté du *Palais Jamaï* (plan *Fès el Bali, D1)*. ☎ 63-43-43. La différence, sur le plan culinaire, est à l'image du maître d'hôtel en smoking et des (charmantes) restauratrices en costume folklorique de bon goût. On trouve ici la véritable *harira* aux dattes. Parce qu'il y a des dattes ! Dans une assiette, à côté. Les salades fines permettent de nourrir un régiment. Pour une armée, prenez les salades riches. Vaste choix, pimenté ou non. Cette profusion est voulue car les tajines et brochettes sont servis sans légumes. Succulentes brochettes de faux-filet. *Tajine-kaddra* moins enthousiasmant. Enfin, la cuvée *ferdaous* rosé est très abordable, et le meilleur vin qu'on ait bu au Maroc. Spectacle tous les soirs. Si vous voulez éviter le supplément, allez-y vers 20 h 30, ça ne commence qu'à 22 h. On signale que le repas se déroule à un rythme nonchalant, ce qui permet d'écouter un peu de musique et de voir la première attraction. Vérifier que l'addition ne comprend pas le spectacle.

|●| *Restaurant El Ambra* (hors plan *Ville nouvelle, B4)* : 47, route d'Immouzer. ☎ 64-16-87. Dans les quartiers périphériques de la ville nouvelle, étonnante suite de maisons particulières très luxueuses, conçues pour la plupart par de jeunes architectes marocains. On y va pour le cadre (grande maison traditionnelle) et l'étonnante collection d'objets ethnographiques anciens (bijoux, instruments de musique, etc.). On y mange mal et c'est très cher. On est beaucoup plus attentif à vous vendre quelque chose qu'à vous servir une bonne cuisine.

Où boire un verre ? Où prendre son petit déjeuner ?

Nombreuses terrasses sur l'avenue Hassan-II.
De moins en moins de bars où boire de la bière, et aucun à Fès el Bali ou Fès el Jédid.

■ **Boulangerie-pâtisserie de Florence :** 1, av. de France *(plan Ville nouvelle, B2).* ☎ 62-34-80. Excellente pâtisserie qui, en annexe, fait également fast food. Accueil sympa et cadre agréable. Pour un prix ridicule, les petites pizzas sont succulentes. Évitez les toilettes : redoutables.

■ **Salon de thé-pâtisserie l'Épi d'Or :** 85, bd Mohammed-V *(plan Ville nouvelle, B3).* Cadre un peu kitsch. Excellentes viennoiseries et pâtisseries. Ils servent de délicieux jus de fruits à base de lait et de pâte d'amande.

♟ **Café-glacier la Fontaine :** dans le bas de l'avenue Hassan-II, sur le rond-point, à proximité de l'office du tourisme.

♟ **Café la Médaille :** av. Hassan-II. Le rendez-vous de la jeunesse fassie. Fait aussi restaurant avec des spécialités italiennes et... sénégalaises !

■ **Pâtisserie-salon de thé Oued Adhabab :** bd Mohammed-V, entre l'office du tourisme et l'*hôtel Central (plan Ville nouvelle, B3).* Excellents petits pains au chocolat. Délicieuses pâtisseries au kilo.

♟ **Café de la Noria** *(plan Fès el Jedid, B2)* : dans le parc de Bâb Boujeloud. Très agréable, calme et en retrait, au bord d'un petit oued dont l'ancienne noria rappelle le temps où les étudiants se retrouvaient là pour couper les roseaux pour leurs exercices de calligraphie. D'ailleurs, certains le font toujours.

■ **Pâtisserie-salon de thé Le Printemps :** rue de Tanger, en bas de l'*hôtel Errabie (plan Ville nouvelle, C4).* Petits déjeuners à prix doux.

Vue d'ensemble

A ceux qui ont la chance d'être motorisés, nous conseillons, pour mieux comprendre la ville, d'en faire le tour. C'est la meilleure façon de l'appréhender comme le faisaient les voyageurs qui, après des jours de marche, découvraient, émerveillés, ces longues murailles ocre partant à l'assaut des collines verdoyantes et surmontées de minarets ciselés. On conçoit alors que Fès ait pu rivaliser avec Cordoue ou Bagdad.
Quoique différent de nos jours, le tour de la ville a conservé beaucoup de son charme. L'idéal serait de le faire à deux reprises : une fois très tôt le matin et une seconde fois, au coucher du soleil. Compter 15 km de circuit. Partir de l'avenue Hassan-II. Se munir d'un bon plan de ville et le suivre « au tracé », car il n'y a aucune indication et il très facile de se tromper de route.
Ne pas manquer, pour ceux que cela intéresse, la visite du *musée d'Armes* au Borj nord *(plan Fès el Bali, A2).* Très belle collection d'armes blanches de toutes les époques. De l'esplanade, belle vue sur la médina.

A voir dans la médina

Si vous ne voulez pas être sans arrêt harcelé par les faux guides, nous vous conseillons de prendre un guide officiel pour visiter tranquillement la médina. Si vous tenez cependant à vous y rendre seul, sachez que la plus simple est de pénétrer par la porte Boujeloud (Bâb Boujeloud ; *plan Fès el Bali, A4).* De ce côté, les ruelles sont en pente douce. C'est là que se trouve la plus forte concentration de « faux guides ». Il est donc préférable de commencer par Bâb Batha ou par Bâb Ftouh *(plan d'ensemble, C1).* Quelle que soit votre porte d'entrée, évitez de vous rendre dans la médina dans une tenue provocante qui risquerait de choquer les gens qui vivent ici. Les shorts et les épaules nues, principalement pour les femmes, sont déconseillés, surtout pendant la période du ramadan.
Il est très difficile de vous donner un véritable itinéraire à travers la médina. On s'y perd vite, mais avec plaisir...
Tout au long de cette balade, vous serez assailli, enivré par toutes sortes d'odeurs, de couleurs et de bruits. Ne craignez surtout pas de vous égarer dans ce labyrinthe où chaque pas sera l'occasion d'une découverte. Enfin, que l'on ait ou non l'intention d'acheter, on ne résiste pas à l'envoûtement de l'atmosphère incomparable de ce gigantesque bazar.

★ **Dar Batha :** cette construction hispano-mauresque *(plan Fès el Bali, B4)* possède l'un des musées d'Art populaire les plus intéressants du Maroc : tapis aux points noués, bijoux berbères, dinanderies, poteries (les célèbres bleus de Fès) et panneaux de plâtre sculpté dans le plus beau style marocain. Ouvert tous les jours sauf mardi, de 8 h 30 à 12 h et de 14 h 30 à 18 h. Visite accompagnée d'un gardien.

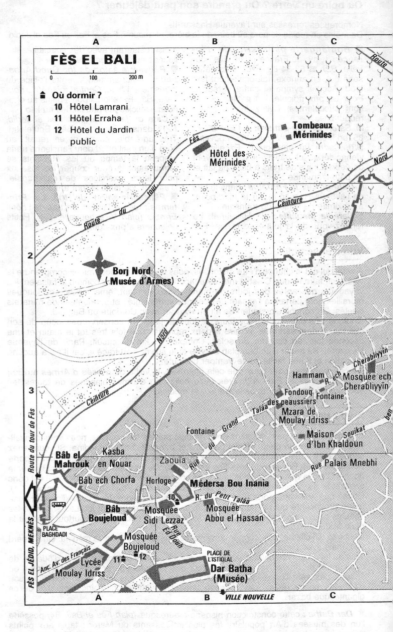

FÈS EL BALI

0   100   200 m

⌂ **Où dormir ?**
10 Hôtel Lamrani
11 Hôtel Erraha
12 Hôtel du Jardin
    public

Tombeaux Mérinides

Hôtel des Mérinides

Route du tour de Fès

Ceinture

Borj Nord
(Musée d'Armes)

Route Nord

Ceinture

Cherabliyyin

Hammam R. ech Mosquée ech Cherabliyyin

Fondouq Fontaine
des peaussiers
Talâa Mzara de
Moulay Idriss

Fontaine du Grand Maison Souikat
d'Ibn Khaldoun

Route du tour de Fès

Bâb el Mahrouk

Kasba en Nouar

Zaouïa Rue

Bâb ech Chorfa

Horloge **Médersa Bou Inania**

Rue Palais Mnebhi

10 R. du Petit Talâa

Bâb Boujeloud

Mosquée Sidi Lezzaz

Mosquée Abou el Hassan

PLACE BAGHDADI

Mosquée Boujeloud

11⌂ ⌂12

PLACE DE L'ISTIQLAL

FÈS EL JÉDID, MEKNÈS

Anc. Av. des Français

Lycée Moulay Idriss

Dar Batha (Musée)

A   B *VILLE NOUVELLE* C

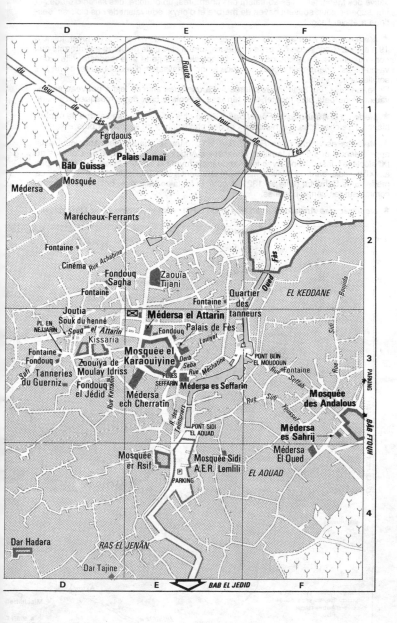

Les *medersas,* très nombreuses à Fès, étaient des internats religieux construits à l'initiative des Mérinides. Elles abritaient des chambres, un oratoire, des salles d'études et une superbe cour, souvent pavée de marbre et d'onyx, équivalent de nos cloîtres, destinée à élever l'esprit.

★ **Medersa Bou Inania** *(plan Fès el Bali, B4)* : ouverte de 8 h à 18 h en hiver, jusqu'à 19 h en été. Prodigieuse richesse intérieure, même si la salle de prière est interdite aux non-musulmans. À gauche de l'entrée principale, une porte plus modeste, dite « des va-nu-pieds », permettait à ceux-ci, grâce à une canalisation d'eau courante, de ne pas souiller le lieu saint.
Cette medersa, qui avait été restaurée il y a quelques années, est à nouveau en travaux. On ne peut plus monter à la terrasse, et voir la cour de la mosquée d'à côté.

★ **Medersa el Attarin** *(plan Fès el Bali, E3)* : la plus intime, avec sa vasque de marbre blanc... Les chambres des historiens et des philosophes ne se visitent plus.

★ **Medersa es Sahrij** *(plan Fès el Bali, F3)* : dans le quartier des Andalous, ainsi appelé depuis que 8 000 familles, chassées d'Andalousie par le calife de Cordoue au IX⁰ siècle, s'y installèrent. Avec les Kairouanais fuyant la Tunisie et les juifs regroupés au XIV⁰ siècle dans le Mellah, ils représentaient l'élite intellectuelle de la ville. La medersa es Sahrij fut bâtie en 1321. A côté, la fontaine Najjasine, brillante et colorée, comme sur les cartes postales.

★ **Mosquée des Andalous** *(plan Fès el Bali, F3)* : contemporaine de la Qaraouiyyîn,

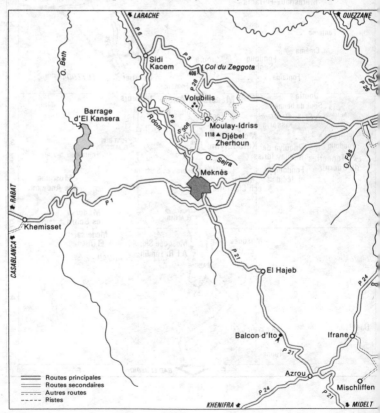

cette mosquée est surtout intéressante pour l'auvent de bois sculpté et peint qui surmonte sa grande porte.

★ *Place en-Nejjarîn (plan Fès el Bali, D3)* : très silencieuse, avec sa fontaine protégée d'un auvent de cèdre sculpté. Cette place regroupe les menuisiers qui travaillent le bois de cèdre.

★ *Souk du Henné (plan Fès el Bali, D3)* : sur cette jolie place avec deux arbres et une fontaine, on vend non seulement des plantes servant pour la teinte des cheveux et des mains, mais divers colorants naturels utilisés pour le maquillage, tels que le khôl et le *ghassoul,* terre savonneuse employée pour se laver les cheveux.

★ *Dar Mnebhi :* aujourd'hui restaurant de luxe, ce fut en 1912 la résidence de Lyautey. Décoration très intéressante (voir « Où manger ? »).

★ *La Joutia (plan Fès el Bali, D3)* : marché au sel, aux poissons et aux œufs.

★ *Souk des Tanneurs chouara (plan Fès el Bali, E-F2)* : malgré l'odeur difficilement supportable, du moins au début, il faut absolument monter sur les terrasses, en versant son obole, pour saisir l'étendue de ces tanneries et le nombre d'artisans qui y travaillent. Le spectacle est fabuleux. Les peaux sont d'abord rasées de leurs poils, trempées dans des cuves remplies de chaux, ensuite lavées et enfin teintes grâce à des colorants, naturels pour la plupart. Elles seront alors tannées puis séchées.

★ *Souk des Teinturiers (plan Fès el Bali, E3)* : le long de l'oued Fès, on trouve plusieurs échoppes où l'on teint les tissus de laine et de coton.

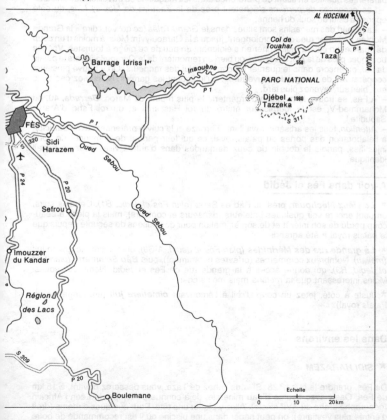

LA RÉGION DE FÈS-MEKNÈS

★ *La Qaraouiyyîn (plan Fès el Bali, E3)* : c'est la mosquée des Kairouanais, fondée au IX⁰ siècle par une femme, Fatma Bent Mohammed el Feheri ; ce fut l'une des plus grandes universités de l'Islam, avec el Azhar, au Caire et la Zitouna, à Tunis. Son minaret est le plus ancien du monde musulman. Sylvestre II, pape français né à Aurillac, étudia ici. Il est malheureusement impossible de visiter la Qaraouiyyîn ; toutefois, par les vantaux ouverts, on peut voir les vasques cerclées de mosaïques, les cours dallées de marbre, et les deux kiosques, construits aux XVI⁰ et XVII⁰ siècles, fidèles répliques de ceux de la cour des Lions de l'Alhambra de Grenade.

Achats

Tout le monde n'a pas les moyens d'acheter un tapis... Rabattez-vous sur les couvertures, après avoir consulté la rubrique « Magasins, achats et artisanat » au début de l'ouvrage. Fès est la capitale de l'artisanat, ne l'oubliez pas. Sachez aussi que les souks sont en général deux fois moins chers que ceux de Marrakech.
— Les *poteries bleues et blanches* sont une des spécialités de Fès. Le quartier des potiers est à la sortie de la ville, sur la route de Taza, repérable d'assez loin grâce à la fumée de ses fours. On y accède par une mauvaise route (150 m seulement) sur la gauche. Grand choix, notamment *chez Fakhkhari Hamida* qui a un magasin en sous-sol.
— Les *plateaux en bronze*, les *poufs*, les *vases en terre cuite recouverts de cuir*, etc., abondent. On rappelle qu'on paie moins cher et qu'on a de bons renseignements sur les différentes qualités en allant de préférence dans les magasins où travaillent les artisans.
— Les *essences de parfums* s'achètent près de la *Zaouiya de Moulay Idris*, du côté opposé à celui du souk du henné.
— La plupart des magasins sont situés dans le *Grand Talâa* (ce qui veut dire « la Grande Montée »...) et les rues qui le prolongent, jusqu'à la Qaraouiyyîn. Mais, à moins d'un coup de chance, on paiera moins cher en s'éloignant un peu de ce piège à touristes. Voir les boutiques près de la *place Nejjarîn*, ou bien en remontant de la *Qaraouiyyîn* vers le palais Jamaï, ou encore dans le quartier proche de celui des tanneurs. On y trouve plusieurs coopératives de tissage de couvertures, qu'indiquent les gamins. N'achetez pas avec eux, bien sûr, revenez plus tard.
— A Fès, se trouve le magasin d'argenterie le plus réputé du Maroc. *Berrada,* 40, bd Mohammed-V, est le fournisseur attitré du roi Hassan II et du roi Fahd d'Arabie Saoudite !
— *Attention,* tous les artisans travaillant le bronze et le cuivre prétendent avoir participé à l'élaboration des portes du palais royal, ce qui leur permet de demander des prix injustifiés, parfois le double de ceux demandés dans d'autres villes pour un travail identique.

A voir dans Fès el Jédid

★ *Le vieux Méchouar,* près de Bâb es Seba *(plan Fès el Jédid, B1).* Certains soirs, on peut encore voir quelques bateleurs (danseurs et conteurs), mais la place a beaucoup perdu de son intérêt et de son animation pour des raisons de sécurité depuis que le palais royal a été agrandi.

★ *La grande rue des Mérinides (plan Fès el Jédid, A-B3),* qui traverse le ghetto juif *(mellah).* Nombreux commerces (orfèvres notamment), puis *Bâb Semmarîn (plan Fès el Jédid, B3),* qui donne accès à la grande rue de Fès el Jédid. Nombreux souks. Moins intéressant que la médina mais moins cher.

★ Juste à côté, jetez un coup d'œil à l'émouvant *cimetière juif* (en contrebas du Palais royal).

Dans les environs

★ *SIDI HARAZEM*

De Fès, prendre le bus n° 28. Si vous venez de Taza, vous passerez devant, à 15 km de Fès. Oasis avec source d'eau minérale, déjà connue du temps de Léon l'Africain (géographe arabe du XVI⁰ siècle). Allez y piquer une tête. Pour quelques dirhams (droit d'entrée plus vestiaire), on peut nager dans une piscine où il est recommandé de boire la tasse (35 °C, gaz carbonique à volonté). Mais beaucoup trop de monde et c'est vraiment sale. Cet hideux complexe touristique se révèle intéressant car la population locale l'a récupéré en s'y installant. Les dirigeants marocains qui ont voulu concurrencer le Club Méditerranée ont raté leur coup. Justifie le détour au passage, mais pas l'excursion. Souk le mardi. On trouve des tapis et couvertures berbères dans une enceinte derrière le souk. Affaires possibles quand on prend le temps. Site peu attrayant mais, après vous être rafraîchi, allez faire une balade dans les montagnes alentours.

🛏 **Hôtel PLM :** à côté de la source. ☎ 69-00-57. Fax : 69-00-72. Moderne et chambres spacieuses très correctes. Prix raisonnables et bonne solution de rechange quand Fès est surchauffée.

★ *SEFROU*

A 28 km au sud de Fès, sur la route P 20 en direction de Boulemane. Petite ville de 38 000 habitants située au pied du Moyen Atlas, à plus de 800 m d'altitude. Elle fut renommée dès le XIIᵉ siècle comme centre d'échanges entre le Nord et la plaine du Tafilalet. C'est encore aujourd'hui un centre agricole important. Chaque année, on y célèbre une importante fête des Cerises en juin et le moussem de Sidi Lahcen Lyoussi (un sage local), en août. Souk le jeudi. Sefrou se compose de deux parties : la ville moderne et la vieille médina prise dans de beaux remparts anciens. Cette médina est traversée par l'oued Agaï qui coule dans une étroite gorge et sort régulièrement de son lit. Elle sépare la vieille médina et ses souks du mellah, cet ancien quartier juif qui abritait encore 17 000 juifs dans les années cinquante. Les derniers sont partis après la guerre des Six-Jours, en 1967. Après la mosquée El Kébir, traverser le pont pour aller voir les anciens moulins à eau, très endommagés lors de la crue de 1977. Sefrou est une ville où il fait bon flâner. Ne pas hésiter à s'aventurer dans les ruelles et dans les souks très animés. On y rencontre très peu de touristes.

Où dormir ? Où manger ?

🛏 **Hôtel-restaurant Sidi Lahcen Lyoussi :** sur la route de Sidi-Lahcen-Lyoussi. ☎ 66-04-77. 22 chambres, un restaurant et un bar réservé aux résidents ainsi qu'une piscine qui n'est pas toujours pleine. Prix moyens.
🛏 **Camping municipal :** à 2 km du centre. Suivre la rue Ziad, passer devant

l'*hôtel Sidi Lahcen Lyoussi* et tourner ensuite sur la gauche. ☎ 67-33-40. Douches chaudes.
🍴 **Café-restaurant Oumnia :** bd Mohammed-V, dans la ville moderne, face au palais de justice. ☎ 66-06-79. Décor marocain agréable et cuisine très correcte à prix moyens.

Quitter Fès

En bus

Il vaut mieux prendre d'avance son billet, surtout pour Marrakech, car les bus, peu nombreux, sont souvent complets.
– **Pour Beni Mellal :** 1 départ quotidien, le soir.
– **Pour Marrakech :** 2 départs quotidiens, un le matin, l'autre le soir.
– **Pour Tanger :** 2 départs quotidiens.
– **Pour Al Hoceima :** 1 départ (7 h pour la traversée du Rif, peu recommandée).
– **Pour Tétouan :** 1 départ.
– **Pour Meknès :** liaisons toutes les heures.
– **Pour Rabat :** 6 départs quotidiens minimum. La CTM a des bus climatisés (3 h 30 environ).

En train

– **Pour Casablanca :** 3 départs quotidiens.
– **Pour Marrakech :** 1 départ.
– **Pour Oujda et Nador :** 1 départ.
– **Pour Meknès :** plusieurs fois par jour en 45 mn.

En voiture

De Fès à Meknès, il n'y a que 60 km. Prendre la route d'Aïn Chkef *(plan Ville nouvelle, par B4)*. Nous conseillons d'effectuer le parcours à l'heure du déjeuner pour s'arrêter à **Mhaya**, à 15 km de Fès. Tout au long de la rue principale de ce village, des boucheries vendent une viande excellente que l'on mange sur place. Nombreux petits restaurants où l'on fait griller sur la braise des brochettes, des steaks, des entrecôtes succulentes. Ceux qui apprécient les abats pourront se régaler d'une tête de veau à la vapeur mais sans sauce gribiche.

En avion

Pas de service de bus pour se rendre à l'aéroport, à 15 km.
– Liaisons intérieures avec des vols pour Casablanca, Dakhla, Er Rachidia, Laayoune, Marrakech, Tanger et Tantan.
– Liaisons internationales nombreuses : vols réguliers pour Lyon, Marseille, Nice, Paris et Toulouse ainsi que pour Bruxelles, Genève et Zurich.
Pour tous renseignements : ***Royal Air Maroc***. ☎ (aéroport) 62-47-12 et 65-21-61.

IMOUZZER DU KANDAR   IND. TÉL. : 05

La route qui relie directement Fès à Azrou, en passant par Ifrane et Imouzzer du Kandar (la P 24) est très agréable. Parfaitement goudronnée, elle traverse des paysages de moyenne montagne.
Vous pouvez faire une halte à 40 km de Fès, dans cette station de montagne fréquentée surtout l'été par les Marocains en quête de fraîcheur. Le vieux village berbère, avec ses ruelles en terre, vaut le coup d'œil.
A l'intérieur de la casbah des Aït Seghrouchen, on voit encore quelques curieuses habitations souterraines.

Où dormir ? Où manger ?

On y trouve de très bons hôtels d'où l'on peut rayonner vers les rivières à truites et partir à la cueillette aux champignons (ah ! les cèpes, oh ! les morilles).

Prix moyens

🛏 *Hôtel-restaurant des Truites :* à l'entrée d'Imouzzer, sur la gauche en venant de Fès. ☎ 66-30-02. Hmm... en mangeant ses petits escargots, suivi d'une truite et d'un cuissot de sanglier, on contemple toute la vallée. Après un repas aussi pantagruélique, rien ne vaut une petite sieste dans le jardin, ou dans les chambres. Même si les commodités se trouvent sur le palier, cet hôtel familial est bien plaisant. Prix moyens.
🛏 *Hôtel Royal :* sur la route, au centre du village. ☎ et fax : 66-30-80 ou 66-31-86. Confortable mais sans charme.
🛏 *Hôtel Chahrazed :* à côté du précédent. ☎ 66-36-70. Fax : 66-34-45. Moderne et sans surprises.

A voir dans les environs

★ *LES LACS DAYET AAOUA ET DAYET IFRAH*

Accès en direction d'Ifrane. Ces lacs karstiques (ce que l'on appelle dolines dans le Jura), à l'exception de deux d'entre eux, sont à sec. Circuit d'environ 2 h. Les deux tiers se font sur une route goudronnée et la fin sur une piste carrossable. Le tout n'est pas toujours bien fléché. Permet de s'aventurer dans des contrées sauvages où ne vivent que quelques bergers.

🛏 *Hôtel-restaurant Chalet du Lac :* à Dayet Aaoua, à 17 km d'Ifrane. ☎ 66-32-70. Tenu par des Français. Cadre agréable, repas de qualité. Bon service. Les chambres sont chauffées en hiver. Fermé le mardi. Le manque d'eau oblige parfois les propriétaires à fermer l'hôtel.

Plus au sud, la montagne est aride ; la région est peu fréquentée par les touristes. Les villages comme *Ait Ameur Ouabid* et *Boulemane* semblent accrochés à la montagne. Prévoir de quoi se restaurer.

IFRANE   IND. TÉL. : 05

Cette station d'altitude fut créée de toutes pièces en 1929. La ville est composée de villas étonnamment luxueuses, de chalets somptueux et d'hôtels de grande classe. Le roi y a son palais d'hiver. Dans les environs, forêts de cèdres. C'est un havre de verdure et de fraîcheur. Le dépaysement est tel qu'on ne se croirait plus au Maroc. On peut d'ailleurs y skier en hiver. Les pistes sont à quelques kilomètres, à **Mischliffen**. Ifrane peut être le point de départ d'excursions intéressantes comme le *circuit des dayets* (lacs de cratère). Les pistes sont mauvaises et mal signalées (voir plus loin). Des guides de montagne, qui se disent formés par des professionnels de Chamonix, vous proposeront leurs services.

Où dormir ?

Possibilité de passer la nuit chez l'habitant mais prix injustifiés et propreté laissant souvent à désirer.

♨ *Camping :* à 1 km du centre ville. Fermé hors saison. Très fréquenté en juillet-août. Très agréable, pelouse, arbres, sanitaires corrects.

Prix moyens

♨ *Grand Hôtel :* av. de la Marche-Verte. ☎ 56-62-03. Fax : 56-64-07. Dans une vaste demeure montagnarde, style années 30. Était fermé lors de notre passage. Va-t-il être rénové ? Il en a grand besoin. Chambres spacieuses qui accusent leur âge, sentent un peu le renfermé et sans eau chaude parfois. Surtout, pas de chauffage en hiver !

Très chic

♨ *Hôtel Mischliffen :* ☎ 56-66-07 et 56-66-14, 17 et 18. Fax : 56-66-23. Superbe décoration. Vient d'être rénové et repris en main. On y mange très bien et le service est parfait. D'ailleurs, les ministres d'Hassan II y séjournent régulièrement en hiver. Prix en conséquence. 106 chambres confortables, très chères (c'est un 5 étoiles) mais les prix peuvent être négociés, sinon aller autre part. Restaurant très quelconque avec des prix injustifiés.

Où manger ?

|●| *Café-restaurant de la Rose :* 7, rue des Érables. ☎ 56-62-15. A 30 DH l'omelette, on se croirait à Saint-Tropez. De plus, cuisine très quelconque. Dommage, le cadre est plutôt sympa.

|●| *Café-restaurant la Paix :* av. de la Marche-Verte. ☎ 56-66-75. Sympathique terrasse en été. Petits plats pas chers.

Où boire un verre ? Où manger une pâtisserie ?

⍾ *Le Chamonix :* dans la rue principale. Simple et pas cher.
■ *Boulangerie Le Croustillant :* la meilleure de la région. Certains coopérants viennent de Meknès pour y déguster les excellentes pâtisseries et son pain... croustillant ! A ne pas manquer pour le

petit déjeuner.
⍾ *Cookie Craque :* av. des Tilleuls. ☎ 56-71-79. Chaises contemporaines, photos de Doisneau au mur, on se croirait presque à New York. Savoureuses pâtisseries à prix très raisonnables.

A voir

★ *Les cascades de la Vierge :* non fléchées ; pour s'y rendre, le mieux est de prendre la route de Meknès en suivant le fléchage « source Vitel » jusqu'à la source (grand espace dégagé sur la droite à environ 4 km), puis de remonter à pied le cours d'eau.
La source est aménagée. Il y a beaucoup de monde le week-end. Parking payant. Possibilité d'acheter des écrevisses.
On peut remonter le cours d'eau jusqu'à Ifrane. En arrivant à Ifrane, zone de bassins aménagés, promenades et aires de repos. L'ensemble est cependant un peu décevant.
La route S309 qui continue vers Meknès est surprenante. On se croirait à certains

endroits dans nos forêts domaniales. Le paysage est ensuite alterné de plaines arides et de déserts de cailloux.

A voir dans les environs

★ CIRCUIT DU DJEBEL TAZZEKA

Longue excursion de 150 km qui conduit jusqu'aux portes de Taza. Les paysages de la D 311 entre Sidi Abdallah des Rhiata et Taza sont splendides. La route étroite, sinueuse et asphaltée peut être coupée entre décembre et mai. Ce parcours étonnant permet de voir le *gouffre de Friouato*. Impressionnant. Il faut descendre 550 marches et les remonter ! Se munir d'une lampe torche. Un gardien vous accompagne. Des concrétions tapissent les parois de ce gouffre exploré sur 750 m de longueur et jusqu'à une profondeur de 245 m.

Exiger du guide la visite des salles intérieures, sans le supplément qu'il demande quand on arrive au fond du gouffre. Lui interdire aussi de casser les stalactites pour obtenir un pourboire. Il n'en restera bientôt plus ! Attention à la seconde partie du gouffre dont l'accès est étroit, la pente raide et le sol très glissant. Une lampe torche est indispensable.

Les grottes du Chiker, voisines, explorées par Norbert Casteret, ne peuvent être visitées. Toute la région, très belle, est classée parc national.

AZROU   IND. TÉL. : 05

A 80 km de Fès, petite bourgade tranquille en altitude qui doit son nom à un gros piton rocheux (*Azrou* signifie rocher). Pour ceux qui font la route entre Meknès et Azrou en passant par El Hajeb, s'arrêter, à 15 km, au *belvédère d'Ito*. Beau point de vue sur les montagnes aux tons ocre jaune. Meilleur moment : le matin, quand on a le soleil dans le dos. Vendeurs de fossiles et de minéraux.

Originalité d'Azrou : les toits de tuiles vertes. Le « Megève paysan » est à 1 200 m d'altitude. Beaucoup de nids de cigognes sur les cheminées. Ne pas manquer la forêt de cèdres et ses singes. On peut aussi visiter la coopérative artisanale, en direction de Khenifra, après la casbah. On y tisse des tapis et on y sculpte le bois de cèdre.

Où dormir ? Où manger ?

Très bon marché

♠ *Auberge de jeunesse :* en haut de la ville. Sur la route de Midelt. Vue superbe sur la vallée. Terrasse. Ressemble à une auberge alpestre. 44 lits.

♠ *Hôtel Ziz :* sur la place, en face de l'*hôtel des Cèdres*, emprunter le passage piéton entre les échoppes, puis sur la petite place prendre à droite. C'est à 50 m. Établissement très simple avec douche froide commune sur le palier.

♠ *Hôtel des Cèdres :* sur la place, en plein centre. ☎ 56-23-26. Chambres très ordinaires mais propres, avec eau chaude capricieuse. Douches collectives et w.-c. extérieurs. Un peu bruyant ! Au restaurant, plats marocains et européens de bonne qualité. La grillade de poisson est copieuse. Fonctionne au ralenti hors saison. Le service alors n'est plus le même. Bon rapport qualité-prix, mais attention : le café est le lieu de rendez-vous de tous les faux guides du coin. Ils chercheront à vous faire acheter des tapis à des conditions soi-disant intéressantes (pour eux).

Prix moyens

♠ *Hôtel Panorama :* à 500 m du centre. ☎ 56-20-10. Belle construction ancienne, située au calme à l'écart du centre ville. A été récemment rénové et offre de belles chambres avec salle de bains, simples mais propres et confortables. Grande salle de resto au rez-de-chaussée où l'on sert une bonne cuisine. Bar avec jolie terrasse extérieure. Le patron, très dynamique et sympathique, se soucie de votre bien-être. Une bonne adresse. Prix moyens.

Très chic

♠ *Hôtel-restaurant Amros :* 7 km avant Azrou en venant de Meknès. ☎ 53-36-81, 82 et 83. Fax : 56-36-80. Un 4 étoiles tout neuf en pleine nature et très agréable mais cuisine décevante. Piscine. Belle colonie de cigognes sur les toits et les cheminées de l'hôtel.

– Éviter le *restaurant Atlas,* près du centre artisanal. Pas de prix affichés et ceux demandés sont injustifiés.

A voir dans les environs

★ *Le belvédère d'Ito :* à 15 km sur la route de Meknès (voir plus haut).

★ *Le lac Afenourir et les sources de l'Oum-er-Rbia :* circuit de près de 195 km avec une partie qui n'est pas toujours très bonne. Sortir d'Azrou par la route de Midelt et, après 8 km, suivre l'indication « route touristique des Cèdres », qui va jusqu'à l'embranchement de la route d'Aïn Leuch. Le plus célèbre de ces cèdres ne mesure pas moins de 10 m de circonférence à la base. Compter 1 km de piste pour atteindre les rives du lac Afenourir. Aïn Leuh est un gros village construit dans un vallon. On peut continuer la route (S 303) sauf en saison des pluies, pour arriver, après 32 km, à proximité des sources. Il ne faut pas plus de 15 mn pour atteindre les sources (voir « Environs de Kenifra »). On peut revenir par cette ville et rejoindre Azrou par la route directe P 24 qui traverse Mrirt.

★ *Mrirt :* à 32 km au sud-ouest, sur la route de Khenifra. Célèbre pour son grand marché du jeudi. Authentique. Intéressant pour se tremper dans l'ambiance en toute décontraction. Touristes absents, sauf ceux qui ont les mêmes mauvaises lectures que vous.

TAZA   IND. TÉL. : 05

Véritable porte entre le Maroc occidental et le Maroc oriental, cette ville joua un rôle stratégique important dans le passé. Aujourd'hui, malgré ses 100 00 habitants, ce n'est qu'une grande cité administrative répartie en deux quartiers distincts : la vieille ville, sur une colline, et, à 3 km, la ville nouvelle, sans intérêt. C'est là, cependant, que se trouvent les gares ferroviaire et routière, la poste (rue de Fès), l'office du tourisme (av. de Tétouan). Taza est surtout une ville étape pour la visite du *djebel Tazzeka,* circuit de 125 km environ qui demande une journée complète (voir plus haut).

Où dormir ? Où manger ?

⌂ *Hôtel de l'Étoile :* 39, av. Moulay-Hassan, sous les arcades à l'entrée de la médina. ☎ 27-01-79. Magnifique décor de pierres et de mosaïques avec des chambres donnant sur un patio rose comme les joues d'une jeune fille. Très bon marché.

⌂ *Hôtel du Dauphiné :* place de l'Indépendance. ☎ 67-35-67. Dans un immeuble art déco. Vastes chambres avec des salles de bains comme on n'en

fait plus, séparées des chambres par des verrières. Beaucoup de charme et bien tenu. Prix moyens. Salle de restaurant dans le même style.

⌂ *Camping :* à éviter, vraiment trop limite.

|●| *Restaurant Majestic :* 26, bd Mohammed-V. Salle avec mezzanine. Accueil sympa et cuisine à prix corrects. De toute façon, il n'y a guère le choix mis à part la table de l'*hôtel du Dauphiné.*

A voir

Uniquement la *médina.* Pour s'y rendre de la ville nouvelle, prendre le bus, place de l'Indépendance. Dans l'ordre, on verra :

★ *Le bastion :* au bout du boulevard de la Résistance. Édifice appartenant aux remparts de l'ancienne casbah du XVIe siècle. Ses murs en brique ont 3 m d'épaisseur et sont, à certains endroits, couverts de graffiti de bateaux.

★ *La mosquée des Andalous :* construite au XIIe siècle, elle a conservé son minaret d'époque. Juste à côté, sur la gauche, *maison de Bou Hamara,* avec quelques vestiges de son ancien décor en plâtre sculpté. Son propriétaire se proclama, en 1902, sultan de Taza. Il fut chassé par les armées chérifiennes, emprisonné à Fès et mis en cage comme un fauve avant de leur être donné en pâture, en 1908.

★ *Les souks :* autour de la mosquée du marché. Noter que le minaret de cette mosquée est plus large au sommet qu'à sa base. Ces souks ont l'avantage d'être assez peu fréquentés par les touristes.

★ *La grande mosquée :* tout au bout de la médina. Réputée pour sa magnifique coupole mais, à moins de vous convertir à l'islam, pas question d'y pénétrer.

MEKNÈS

Ancienne capitale chérifienne, et aujourd'hui grande ville de rassemblement des Berbères. Sans avoir le charme de Fès, Meknès en impose avec Bâb Jama en Nouar et Bâb Mansour el Aleuj, ses gigantesques portes. C'est la ville d'un seul homme : Moulay Ismaïl. Avec une volonté inébranlable, il voulut faire une ville à son image et rasa l'ancienne casbah mérinide et tout ce qui appartenait au passé pour réaliser son rêve de pierre. Ce souverain, contemporain de Louis XIV, voulut marquer son règne par une œuvre grandiose. Mais le charme de Meknès ce sont aussi les paysages qui l'entourent, car la ville est plantée au cœur d'une belle région avec des arbres centenaires au pied du massif montagneux du Zerhoum.

L'arrivée

– *En train :* descendre à la station Amir Abdelkader *(plan E1)*. C'est la plus proche du centre de la ville nouvelle.
– *En bus :* de la gare routière à la ville nouvelle, prendre un bus (n°s 3 ou 7), 100 m au-dessus de la gare, après être passé sous une porte. Cela vous évitera d'être assailli par les chauffeurs de taxi qui vous proposent d'y aller pour un prix exorbitant. Avec la CTM, vous arrivez en plein centre.

Fête

– *Le Mouloud de Meknès :* rassemblement gigantesque avec de nombreuses fantasias, devant les remparts de pisé de la ville. Séances de transes et cérémonies religieuses de la secte des Aïssaoua. L'une des fêtes les plus grandioses et les plus vraies. Durant le mois d'août. Mais la fantasia n'a pas eu lieu depuis quelques années.

Adresses utiles

🔹 *Office du tourisme :* place Batha-l'Istiqlal, ou place administrative, dans la ville nouvelle *(plan E2)*. ☎ 52-44-26. A gauche, face à la poste. Ouvert du lundi au vendredi de 8 h à 12 h et de 14 h 30 à 18 h. Horaires variables selon les saisons.
🔹 *Syndicat d'initiative :* palais de la Foire *(plan D2)*. ☎ 52-01-91. Juste à côté de la grande porte jaune. Informations touristiques. Mêmes horaires que l'office du tourisme.
■ *Institut français, ex-Centre culturel (plan D2, 1) :* Zenkat Farhat Hachad, av. Hassan-II. ☎ 52-40-71. Fermé de mi-juillet à début septembre. Personnel très accueillant et très compétent. Programme mensuel des manifestations (concerts, ciné-club, théâtre, conférences, vidéo jeunes).
■ *Royal Air Maroc (plan E1) :* 7, av. Mohammed-V. ☎ 52-09-63 et 64.
✉ *Poste (plan E2) :* place administrative. Ouverte en semaine de 8 h à 12 h et de 16 h à 19 h en été, hors saison de 8 h 30 à 12 h et 14 h 30 à 18 h 30. Permanence de la poste et du téléphone ouverte chaque jour de 8 h à 21 h.
■ *Distributeurs VISA :* BMCE, 88, av. des F.A.R. *(plan F2, 2)*. Wafa, dans l'avenue Mohammed-V *(plan F2, 3)*. Crédit du

Maroc, dans l'avenue Mohammed-V *(plan E2, 4)*.
■ *Pharmacie centrale (plan E1, 5) :* av. Mohammed-V. ☎ 52-11-81. Ouverte tous les jours.
■ *Pharmacie de nuit (plan E2, 6) :* à l'hôtel de ville. ☎ 52-26-64. Ouverte de 20 h 30 à 8 h 30.
■ *Hôpitaux : Mohammed-V,* ☎ 52-11-34, ou *Moulay Ismaïl,* ☎ 52-28-05 et 06.
■ *Polyclinique Cornette-de-Saint-Cyr :* 22, esplanade du Docteur-Giguet. ☎ 52-02-62 et 63. Direction française et chirurgiens européens. Cette clinique semble préférable, en cas de pépin, aux deux hôpitaux.
■ *Ensemble artisanal :* av. Riad. ☎ 53-08-08 et 53-07-84. Tarifs réglementés mais accueil lamentable. Tout est mal présenté et les objets n'y sont pas toujours de bonne qualité.
■ *Garage Renault (plan E1) :* 4, av. Mohammed-V. ☎ 52-11-44.
■ *Police :* ☎ 19.
■ *Piscines :* les 2 piscines publiques sont à déconseiller en raison de leur manque d'hygiène. Toutes les piscines d'hôtels sont accessibles moyennant un droit d'entrée. Voir, entre autres, celle de l'*hôtel Rif*, en plein centre ville *(plan E2, 19)*.

Où dormir ?

DANS LA VILLE NOUVELLE

Très bon marché

≜ **Auberge de jeunesse** *(plan C1, 10)* : av. Okba-ibn-Nafi, près du stade municipal et de l'*hôtel Transatlantique*. ☎ 52-46-98. Réception, de mai à fin septembre, de 7 h à 10 h, de 12 h à 16 h et de 19 h à minuit, dimanche de 7 h à 10 h et de 18 h à minuit. Hors saison, de 8 h à 10 h, de 12 h à 15 h et de 18 h à 22 h 30 ; dimanche, de 8 h à 10 h et de 18 h à 22 h 30. Les horaires ne sont pas toujours respectés. Moderne. Carte des A.J. obligatoire, sauf hors saison mais on paie un peu plus cher. Attention aux agissements d'une certaine Zohra (pas la grande). Elle a plus d'un tour dans son sac.

Bon marché

≜ **Hôtel Continental** *(plan F2, 11)* : 92, av. des F.A.R., angle de l'avenue Mohammed-V. ☎ 52-54-71 et 52-50-86. Ce fut un grand hôtel. Ce qu'il en reste est à la proportion de l'aquarium dans l'entrée. Bruyant. Demander une chambre sur cour. Les téléphones sont d'origine mais servent de décor. La plomberie aussi. Pas d'eau chaude.

≜ **Hôtel Toubkal** *(plan F2, 12)* : 49, av. Mohammed-V. ☎ 52-22-18. 23 chambres spacieuses et lumineuses, avec lavabo et bidet. Grande salle de bains (payante) à l'étage. Simple et propre. L'établissement a été repeint. Juste au-dessus de la gare CTM. Très bruyant. Boules Quiès indispensables. Ne jamais payer plusieurs nuits d'avance : cela vous empêcherait d'aller dormir ailleurs.

Prix moyens

≜ **Hôtel Majestic** *(plan E1, 13)* : 19, av. Mohammed-V. ☎ 52-20-35 et 52-03-07. Le nouveau gérant tente de redonner vie à ce qui fut l'un des très bons hôtels de Meknès. 42 chambres très propres avec des salles de bains très fatiguées. Évitez les chambres sur la rue Atlas avec ses cafés bruyants jusqu'à une heure avancée de la nuit. Celles sur cour sont plus calmes, c'est normal. Excellent accueil à nos lecteurs. Petit déjeuner servi dans un salon marocain. Bonne adresse dans cette catégorie.

≜ **Hôtel Ouislane** *(plan E2, 14)* : 54, av. Allal-ben-Abdellah. ☎ 52-17-43 et 52-48-28. Sans grand charme mais avec douche chaude, air climatisée et w.-c. Correct.

≜ **Hôtel Excelsior** *(plan F2, 15)* : 57, av. des F.A.R., près du carrefour avec l'avenue Mohammed-V. ☎ 52-19-00. S'il ne reste de l'ascenseur que la cage, et une ampoule dans la chambre, le reste est mieux tenu. Les chambres qui donnent sur l'avenue des F.A.R. sont bruyantes, mais elles ont une douche (10 en tout sur les 31) avec de l'eau chaude le matin. Confort sommaire (literie et mobilier de qualité moyenne), mais propre. Salon agréable et aéré à l'étage.

Chic

≜ **Hôtel Bâb Mansour** *(plan F2, 16)* : 38, rue Abdelkader. ☎ 52-52-39. Fax : 51-07-41. Chambres propres avec salles de bains agréables. Très bonne literie. Air conditionné (important en été à Meknès). Bon rapport qualité-prix, c'est d'ailleurs pour cela que les groupes descendent dans cet hôtel. Restaurant à éviter. Dommage qu'il n'y ait pas de piscine.

≜ **Hôtel Akouas** *(plan F2, 17)* : 27, rue Emir-Abdelkader. ☎ 51-59-67. Fax : 51-59-94. Juste en face du précédent. C'est le dernier-né des hôtels de Meknès. Chambres impeccables et confortables. Belle décoration marocaine. Petit bar très

---

■ **Adresses utiles**

1 Institut français
2 Banque B.M.C.E.
3 Distributeur W.A.F.A.
4 Crédit du Maroc
5 Pharmacie centrale
6 Pharmacie de nuit

≜ **Où dormir ?**

10 Auberge de jeunesse
11 Hôtel Continental
12 Hôtel Toubkal
13 Hôtel Majestic
14 Hôtel Ouislane
15 Hôtel Excelsior
16 Hôtel Bâb Mansour

17 Hôtel Akouas
18 Hôtel Volubilis
19 Hôtel Rif
20 Hôtel Transatlantique
21 Camping Agdal

|●| **Où manger ?**

30 Free Time
31 Marhaba
32 Restaurant Gambrinus
33 Annexe du Métropole
34 La Coupole
35 Le Dauphin
13 Pizzeria Le Four (voir Hôtel Majestic)
13 Montana (voir Hôtel Majestic)

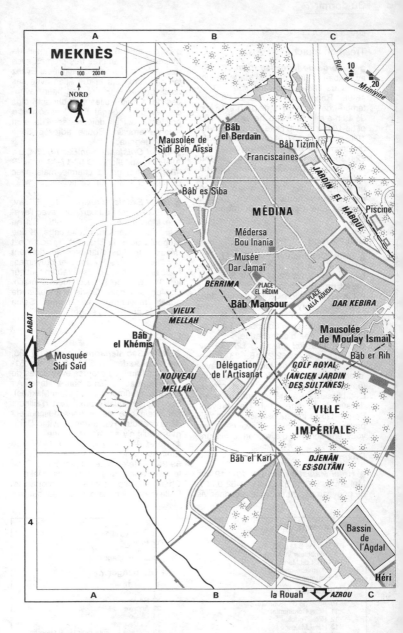

MEKNÈS

0   100   200m

NORD

Rue el Mrainyine
10
20

Bâb
el Berdaïn

Mausolée de
Sidi Ben Aïssa

Bâb Tizimi

Franciscaines

JARDIN EL HABOUL

Bâb es Siba

MÉDINA

Piscine

Médersa
Bou Inania

Musée
Dar Jamaï

BERRIMA

PLACE
EL HÉDIM

PLACE
LALLA AOUDA

DAR KEBIRA

Bâb Mansour

VIEUX
MELLAH

RABAT

Bâb
el Khémis

Mausolée
de Moulay Ismaïl

Bâb er Rih

Mosquée
Sidi Saïd

NOUVEAU
MELLAH

Délégation
de l'Artisanat

GOLF ROYAL
(ANCIEN JARDIN
DES SULTANES)

VILLE

IMPÉRIALE

Bâb el Kari

DJENÂN
ES SOLTÂNI

Bassin
de
l'Agdal

Héri

la Rouah   AZROU

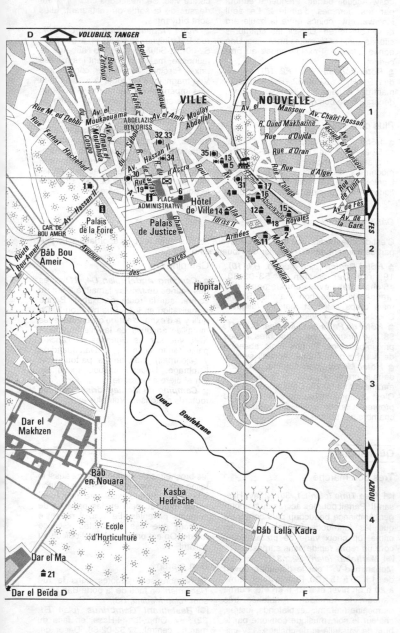

cosy. Accueil parfait. Fréquenté surtout par les hommes d'affaires. Le seul inconvénient : coincé entre le boulevard et la voie ferrée. Choisir les chambres situées sur le côté, moins bruyantes. Une bonne adresse. Prix identiques au précédent.

♠ *Hôtel Volubilis (plan F2, 18) :* 45, av. des F.A.R. ☎ 52-50-82. Bel établissement des années 50. Chambres vastes ; décoration de bon goût.

Plus chic

♠ *Hôtel Rif (plan E2, 19) :* rue d'Accra. ☎ 52-25-91 à 94. Fax : 52-44-28. Cet établissement ancien a été rafraîchi et modernisé. Bon accueil et bien tenu. L'entrée et le bar sont très caractéristiques. Petite piscine, agréable en plein

centre ville. Se méfier des chambres au-dessus de la sortie du restaurant. Elles sont bruyantes.

♠ *Hôtel Transatlantique (plan C1, 20) :* rue El-Mriniyne. ☎ 52-50-51 à 56. Fax : 52-00-57. Situé tout près de l'auberge de jeunesse, mais pas vraiment les mêmes prix... Piscine. Tennis. Air conditionné. Vue magnifique sur toute la médina et la ville impériale. Allez-y au moins boire un verre le soir, quand la ville s'illumine de tous ses feux, qui se reflètent dans les eaux troubles de l'oued Boufekrane. 120 chambres agréables mais vieillissantes. Les jardins sont bien entretenus. Buffet autour de la piscine et resto marocain réputé. Le bar a été refait dans le plus pur style art déco. L'accueil, toutefois, laisse beaucoup à désirer. Compter le double du prix de l'*hôtel Rif.*

DANS LA MÉDINA

C'est dans la médina que le routard trouvera les chambres les plus abordables. La plupart se trouvent dans le quartier de Rouamazine.

♠ *Hôtel Régina (plan Médina, B3, 10) :* 19, rue Dar Semen. ☎ 53-02-80. 45 chambres avec uniquement des grands lits. Très bon marché. Simple mais draps sales et matelas fatigués. Douche et w.-c. collectifs limites.

♠ *Hôtel de Paris (plan Médina, C3, 11) :* 58, rue Rouamazine. Chambres à des prix imbattables. Propre, mais absence de douche dans l'hôtel. Accueil sympa.

♠ *Hôtel Maroc (plan Médina, C4, 12) :* dans la première partie de la rue Rouamazine. ☎ 53-00-75. Dans une impasse. C'est indiqué. Chambres et toilettes propres. Douche froide. Demander une chambre sur la cour.

Campings

♠ *Camping Agdal (plan D4, 21) :* près des écuries de Moulay Ismaïl, à 2 km du centre, sur la route de Rabat. Bonne signalisation en ville. Bus n°s 2 ou 3. Ce qu'il y a d'extra, c'est qu'on est dans les murailles antiques de la ville impériale, avec vue sur les cigognes de l'ancien palais (en tout cas, il y en avait quand on y séjournait). Des arbres partout pour l'ombrage. Douche chaude (payante). Vin et bière à l'épicerie.

♠ *Camping de Moulay Idriss :* pour les routards motorisés. Voir plus loin.

Où manger ?

Très bon marché

I●I *Free Time (plan E1, 30) :* 2, av. Hassan-II. Parfait pour les accros du hamburger. Ambiance beaucoup plus conviviale que les fast-foods français avec, en prime, un choix varié de pizzas. Idéal pour un repas rapide sans surprise.

I●I *Marhaba (plan E2, 31) :* 23, av. Mohammed-V. Pour le déjeuner, ouvert de 11 h 30 à 15 h 30. Pour le dîner, ferme à 20 h en hiver et à 21 h en été. Fermé pendant le ramadan. Ambiance très marocaine (céramique, plafonds, lustres, chaleur le soir, musique couverte par le bruit de vaisselle et de chaises...). Ventilateurs. Très bon petit resto, dont on vous recommande spécialement la soupe et

les brochettes de viande. Goûtez aussi le tajine aux oignons et la viande de mouton à la vapeur. Soupe excellente mais forte, servie avec du pain et des espèces de beignets pimentés. Le soir, il ne reste souvent que des brochettes. Service rapide. On est prié de laisser la place au suivant.

Bon marché

I●I Nombreuses gargotes dans la rue *Dar-Smen,* en face de la porte Bâb Mansour *(plan Médina, B3).*

I●I *Restaurant Gambrinus (plan E1, 32) :* av. Omar-Ibn-el-Hass, en face du marché central. ☎ 52-02-58. Décor grivois et rigolo comme tout. On y voit un noble qui tire la jupe d'une belle, un pois-

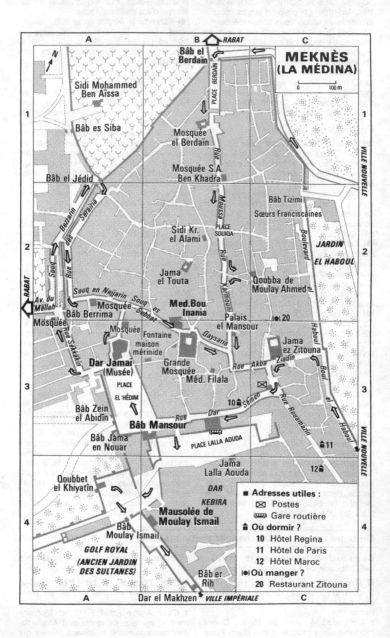

MEKNÈS (LA MÉDINA)

0   100 m

N

RABAT

VILLE NOUVELLE

RABAT

Bâb el Berdaïn

PLACE BERDAÏN

Sidi Mohammed Ben Aïssa

Bâb es Siba

Mosquée el Berdaïn

Rue

Mosquée S.A. Ben Khadra

Bâb el Jédid

Berrain

Rue des Seraïria

Souq

Rue

Bâb Tizimi

Sœurs Franciscaines

Rue Mousse

Sidi Kr. el Alami

PLACE SOUIQA

Rue Karmouni

JARDIN EL HABOUL

Boulevard

Jama el Touta

Souq en Nejjarin

Souq es Sebbat

Med.Bou Inania

Qoubba de Moulay Ahmed el

Mosquée

Bâb Berrima

Palais el Mansour

|●|20

Mosquée

Rue Sekkakin

Mosquée

Fontaine maison mérinide

Qaysaria

Jama ez Zitouna

Ziadin

Rue Akba

Haboul

Boul.

Dar Jamaï (Musée)

Grande Mosquée

Méd. Filala

Rue Rouamzin

Rue el Haboul

PLACE EL HÉDIM

Bâb Zein el Abidîn

10 🛏 Sémen

Bâb Mansour

Rue Dar

Bâb Jama en Nouar

PLACE LALLA AOUDA

VILLE NOUVELLE

🛏 11

Jama Lalla Aouda

12 🛏

Qoubbet el Khiyatîn

DAR

KEBIRA

Mausolée de Moulay Ismaïl

Bâb Moulay Ismaïl

GOLF ROYAL (ANCIEN JARDIN DES SULTANES)

Bâb er Rih

Dar el Makhzen ⁕ VILLE IMPÉRIALE

■ **Adresses utiles :**
- ✉ Postes
- 🚌 Gare routière
- 🛏 **Où dormir ?**
  - 10 Hôtel Regina
  - 11 Hôtel de Paris
  - 12 Hôtel Maroc
- |●| **Où manger ?**
  - 20 Restaurant Zitouna

son qui fume le cigare, un cochon avec des lunettes et plein d'autres détails croustillants qu'on vous laisse découvrir. Ajoutons que le restaurant est bien tenu et qu'on y mange fort correctement. Trois bonnes raisons d'y aller.

|●| Restaurant Montana *(plan E1, 13) :* 4, rue Atlas, face à la pizzeria *Le Four*. ☎ 52-09-68. Accueil sympathique et service rapide. Brochettes ou fruits de mer très corrects. Une bonne adresse. Ils servent aussi de l'alcool.

Prix moyens

|●| Annexe du Métropole *(plan E1, 33) :* 11, rue Charif-Idrissi. ☎ 52-56-68. Juste à côté du marché central, en face de l'enseigne Renault. Décor marocain très agréable. Vraiment authentique avec stuc et céramique. Deux menus de cuisine marocaine. Petites portions. Cartes de crédit acceptées. *Attention* : à ne pas confondre avec le *Métropole*. Souvent des groupes.

|●| La Coupole *(plan E1, 34) :* angle av. Hassan-II et Zenkat-Ghana. ☎ 52-24-83. Cadre merveilleusement rétro. Menus à prix fixes comprenant taxes et services. Carte marocaine et européenne (rôti de veau, assiette anglaise), Bon rapport qualité-prix. Grand choix de viande.

|●| Restaurant Zitouna *(plan Médina, C2, 20) :* 44, Jamaa-Zitouna. ☎ 53-02-81. Dans la médina, près de la porte Bâb Tizimi. Très bon accueil. Repas à l'orientale, dans un cadre de palais arabe avec petits jets d'eau. Serveurs en tenue locale. Très agréable quand il n'est pas envahi le midi par des groupes. Le patron réhabilite chaque année de nouvelles pièces de cette ancienne demeure bourgeoise marocaine. Pas de licence d'alcool. Gros avantage, on n'est pas obligé de prendre un menu.

|●| Pizzeria Le Four *(plan E1, 13) :* 1, rue Atlas. ☎ 52-08-57. C'est la première rue sur la gauche en sortant de l'*hôtel Majestic*. Cadre agréable et bon accueil. Petite salle au premier. Spécialités de pizzas rectangulaires, servies sur une planche en bois. Mais il y a aussi des plats de pâtes, de viande, etc. Prix un peu trop élevés pour la quantité et la qualité qui n'est pas constante.

|●| Pizzeria la Mama *(plan E2) :* rue de Paris. On y prépare devant vous de bonnes pizzas. Excellente ambiance et accueil sympa. Le rendez-vous des jeunes.

Plus chic

|●| Le Dauphin *(plan E1, 35) :* 5, av. Mohammed-V. ☎ 52-34-23. Une carte très riche. L'un des seuls restaurants de Meknès où vous trouverez un grand choix de poisson frais. Ambiance feutrée. Service impeccable. Fréquenté par les coopérants, c'est toujours bon signe. Une excellente adresse pour un routard qui veut se faire plaisir. L'entrée du restaurant se fait par derrière, la salle donnant sur l'avenue étant réservée aux groupes.

|●| Palais Terrab *(plan à l'est de F1) :* 18, av. Zerktouni. ☎ 52-14-56 et 52-61-00. Deux menus copieux à des prix abordables. Décor de type palais marocain. Bon rapport qualité-prix. Dommage que les groupes soient les privilégiés de ce restaurant.

|●| La Case : 8, bd Moulay-Youssef. ☎ 52-40-19. Fermé le lundi. Autrefois, le restaurant gastronomique de Meknès. Bonne cuisine française comme le propriétaire. Carte très étendue (asperges vinaigrette, boudin blanc à la normande, endives à la parisienne, filets de saint-pierre, cailles aux cerises, filets pays d'Auge). Viande de qualité. Restaurant déconseillé si le patron est absent... Un peu cher, d'autant plus que le décor est ringard.

|●| La Hacienda : route de Fès, à la sortie de la ville, loin du centre. ☎ 52-10-92. Night-club, bars et piscine ouverte de juin à fin septembre. 2 restaurants : *El Coche* et *El Rancho*. Terrasse en été. Décor espagnol de type opérette. Recommandé surtout pour le déjeuner, ce qui permet de faire un plongeon dans la piscine l'après-midi à condition que ses nombreuses fissures ne l'aient pas vidée ! Bonnes grillades au feu de bois. Cadre reposant avec une vue superbe sur le massif de Zerhoun.

Où boire un verre ? Où manger une pâtisserie ?

Ce ne sont pas les adresses qui manquent à Meknès. C'est une ville où les habitants ont l'habitude de s'asseoir à une terrasse.

■ Moosberger *(plan E1) :* av. Hassan-II, à côté du marché central. Spécialité de pâtisseries marocaines et françaises.

♀ L'Élysée : 4, rue de Paris. Décor moderne. Très propre et pas cher. Bons petits déjeuners. Spécialités de jus de fruits.

♀ Café l'Opéra : 7, bd Mohammed-V. Belle terrasse en plein air et en plein centre ville. Excellentes pâtisseries.

♀ Café Alpha *(plan E1) :* bd Mohammed-V, en face du restaurant *Marhaba*. Ambiance tamisée et miroirs teintés qui transformant un cachet d'aspirine en croissant doré. Idéal pour le petit déjeu-

ner. Excellentes pâtisseries marocaines.
♀ La Coupole : av. Hassan-II. Ambiance conviviale pour un bar à bières marocain.

♀ Café La Tulipe : rue Marraket-el-Heri. Agréable terrasse en retrait de l'avenue Mohammed-V, au calme et loin du bruit.

Où sortir ?

– Night-club de l'hôtel Bâb Mansour : on y fait la fête dans une ambiance chaleureuse au rythme d'un orchestre de musique arabe.

– Le Diamant Vert : en dessous de l'*hôtel Akouas* et en face de la précédente. Même ambiance que dans l'autre. Tout aussi sympathique.

A voir

Comme à Fès et à Marrakech, les « faux guides » rendent souvent la visite extrêmement pénible vu la chasse aux touristes qui s'ensuit. La fermeté s'impose.
La vieille ville, bâtie sur un plateau, est protégée par de gigantesques remparts. Pour visiter la médina, garer sa voiture sur le parking de Bâb Mansour (repaire de faux guides), ou bien près du mausolée de Moulay Ismaïl *(plan Médina, B4)*.

★ **Mausolée de Moulay Ismaïl :** traverser le méchouaar. Ouvert de 9 h à 12 h et de 15 h à 18 h, sauf le vendredi matin. Accès payant. Tenue correcte exigée. Il faut bien entendu se déchausser. C'est l'une des mosquées du Maroc que les non-musulmans peuvent visiter. Car, au cours d'une visite officielle, le maréchal Lyautey refusa de rester à l'entrée de la mosquée, alors que le sultan y pénétrait pour prier. A côté des tombeaux de la famille de Moulay Ismaïl, vous pourrez voir deux pendules offertes par Louis XIV. Moulay Ismaïl reçut ce don lorsque le roi refusa de lui accorder la main de sa fille. On voit deux grandes salles, dont une avec fontaine pour les ablutions.

★ **Bâb Mansour el Aleuj** *(plan Médina, B3)* : la plus importante et la plus remarquable des portes de Meknès. Elle fut achevée en 1732 par le fils de Moulay Ismaïl. On dit qu'elle serait l'œuvre d'un chrétien converti à l'islam, ce qui lui vaut d'être appelée aussi la porte du Renégat.

★ **Musée Dar Jamaï** *(plan Médina, A3)* : ouvert de 9 h à 12 h et de 15 h à 18 h 30. Fermé le mardi et certains jours de fêtes religieuses. Peut-être le plus beau musée des Traditions du Maroc. Beau jardin andalou avec des cyprès.

★ **Les souks :** au cours de votre balade dans les souks, essayez de voir les anciennes **kissarias,** mieux conservées que celles de Marrakech, en ce sens qu'elles n'ont jamais été remaniées. On y vend des tissus. Elles sont dans le coin situé entre le Dar Jamaï et Bou Inania, autour de la grande mosquée *(plan Médina, B3)*. Des ventes aux enchères ont lieu vers 14 h.

★ **Bâb el Jédid** *(plan Médina, A1-2)* : vous y trouverez le marché aux puces. Ce sont des particuliers qui vendent leurs affaires. Possibilité de marchandage ou de troc. A côté se trouvent le marché au blé et le souk des tanneurs.

★ **Qoubbet el Khiyatîn** *(plan Médina, A4)* : un ancien pavillon où les sultans avaient l'habitude de recevoir leurs hôtes étrangers. A côté, on voit d'anciens silos transformés en prison souterraine, où croupirent de nombreux Marocains et des milliers d'Européens capturés lors des batailles navales de jadis. Ils ont fait les murailles de la ville. D'ailleurs, en arrivant d'Azrou, vous en verrez d'imposantes ; on ne sait plus qui a voulu jouer aux Chinois pour relier Meknès et Marrakech. Ça n'a pas fait une longue muraille... Attention, pour voir, il faut prendre la route vers la ville nouvelle. Entrée payante.

★ **Héri es Souani** *(plan d'ensemble C-D4)* : ces réserves (accès payant), construites par Moulay Ismaïl, avaient des murs épais qui facilitaient la conservation des aliments. On y voit aussi des puits qui ont donné à ces bâtiments leur nom de *Dar el Ma* (« maison de l'Eau »). Dans ces réserves furent tournées quelques scènes de *la Dernière Tentation du Christ,* d'après Nikos Kasantzakis.
Les greniers de Moulay Ismaïl, appelés aussi écuries parce qu'ils pouvaient accueillir plus de 10 000 chevaux, se situent un peu plus loin. Au-dessus du Dar el Ma, de la terrasse, vue imprenable sur toute l'ancienne cité impériale et sur le bassin de l'Agdal. Café sympathique. Cette réserve fut réalisée par Moulay Ismaïl pour se prémunir contre la pénurie d'eau en cas de siège prolongé. Elle est alimentée par des kilomètres de canalisations souterraines provenant directement de la montagne.

★ **Le village des potiers :** en dehors de la ville. Sortir de la médina par Bâb Tizimi *(plan Médina, C2)* puis traverser la rivière. On peut entrer dans les ateliers et voir les artisans travailler.

★ **Les haras de Meknès :** assez loin du centre, sur la route d'Azrou, après l'Académie royale. Se visitent du lundi au vendredi aux heures de travail, sans problème. On vous laisse entrer sans payer et on peut se balader presque partout. Les employés sont très gentils. Les étalons sont dans les bâtiments à gauche de l'entrée. On peut les voir se promener tôt le matin (vers 8 h). Les juments sont évidemment plus loin, à presque 1 km par un chemin qui part du bâtiment des étalons. Cadre champêtre alors qu'on se trouve en pleine ville.

Quitter Meknès

En train

Deux gares ferroviaires desservent la ville : l'une, rue de l'Émir-Abdelkader (rue parallèle à l'avenue Mohammed-V, mais en bas), l'autre, avenue des F.A.R., à la hauteur de la grande mosquée, à plus de 1 km du centre de la ville nouvelle.

– **Pour Casablanca et Rabat :** 9 trains par jour.
– **Pour Fès :** en 45 mn. Départs fréquents. A notre avis, préférable au bus.
– **Pour Tanger :** 5 trains par jour.
– **Pour Marrakech :** 6 trains par jour en 10 h.
– **Pour Oujda :** 6 trains par jour.

En bus

Les cars CTM intervilles partent du 47, av. Mohammed-V *(plan F2)*. ☎ 52-25-83. De la médina à la gare CTM intervilles : bus n° 7.

– **Pour Casablanca :** 7 par jour en 4 h.
– **Pour Chefchaouen :** compter 6 h, via Fès.
– **Pour Fès :** 7 par jour en 50 mn.
– **Pour Ifrane et Azrou :** 2 par jour.
– **Pour Ouezzane :** 2 par jour, via Fès.
– **Pour Rabat :** 9 par jour en 3 h.
– **Pour Tanger :** 1 par jour en 5 h.
Compagnies privées : départs au pied de la colline de Bâb Mansour, av. du Mellah, sur la gauche en direction de Rabat. Pas de cars pour Volubilis, aller à Moulay Idriss. Faire ensuite du stop.

En grand taxi

De la station située un peu après Bâb Mansour *(plan B3)*, liaisons pour Fès et Moulay Idriss.

Par avion

Voir aéroport de Fès.

Dans les environs

★ MOULAY IDRISS

Petite ville sainte, à 22 km de Meknès. Moulay Idriss est le nom d'un descendant de Fatima, la fille de Mahomet. Moulay Idriss islamisa toute cette région et mourut empoisonné. Adossée à une montagne, c'est actuellement une ville sainte car elle possède la tombe de ce personnage particulièrement vénéré chez les musulmans du Maghreb. On y a construit un minaret cylindrique qui n'a pas un charme fou, mais dont la forme inhabituelle rappelle La Mecque. D'ailleurs, le pèlerinage jusqu'à ce village équivaut chez les musulmans de condition modeste au voyage à La Mecque. Souk le samedi matin. Grand pèlerinage national annuel fin août-début septembre. Il dure plusieurs jours. Beaucoup d'ambiance : cortèges, danses...
Le site est vraiment très chouette, mais on ne peut dormir que chez l'habitant car c'est une ville sainte. Pas d'hébergement commercial, aucun hôtel. Guides insistant pour vous amener à la terrasse d'où l'on domine la ville et la plaine de Volubilis. Ils n'hésitent pas, même, à jouer les agents de la circulation pour vous « guider » ensuite.

Il faut monter à travers les petites ruelles jusqu'au sommet de la colline pour avoir une vision d'ensemble puis redescendre dans le souk et l'animation, après avoir respiré le calme d'en haut.

La visite des monuments est interdite aux non-musulmans. Une pancarte très discrète l'annonce à côté des marchands de bougies.

De Meknès, bus toutes les heures. Départs de la gare routière près de Bâb Mansour. Le dernier bus repart de Moulay Idriss vers 19 h. Des camionnettes assurent la liaison Moulay Idriss-Volubilis pour une petite somme.

🛖 *Camping Zermoune Belle Vue :* à 14 km de Meknès, sur la route de Moulay Idriss (9 km). Le cadre est très agréable. Petite piscine payante. Café. Restaurant et allée avec jets d'eau, quand il y en a. Le patron, Abdou, a dû visiter l'Alhambra de Grenade. C'est sympathique et ombragé ; il y a même des orangers près de la maison du propriétaire. Bonne cuisine servie dans un décor typique. Les sanitaires auraient besoin d'être refaits mais c'est, paraît-il, prévu. Ce camping, bien tenu, a l'avantage d'être en pleine nature et à proximité de trois sites touristiques importants. Pour y séjourner, il est préférable d'être motorisé.

🍴 *Restaurant El Baraka :* dans le haut de la ville de Moulay Idriss. Bonne cuisine marocaine. Accueil sympa. Prix moyens.

★ *BOUFAKRANE*

A 17 km de Meknès. Ceux qui se rendent à Azrou peuvent faire halte pour déjeuner au *restaurant Beau Séjour.* Agréable. Cuisine marocaine et européenne. Ils servent aussi du vin. Cartes de crédit acceptées.

VOLUBILIS

Ville au nom de fleur. Les ruines romaines les plus importantes du Maroc, sur lesquelles plane encore le souvenir de l'éphèbe Juba II, roi de Maurétanie, se dressent comme un défi au temps, au milieu de la plaine. Une cité au pouvoir évocateur avec son capitole, son arc de triomphe de Caraccala, ses thermes, sa basilique et son artère principale bordée de villas aux précieuses mosaïques. Une visite à ne pas manquer.

Comment se rendre à Volubilis ?

Meknès est à 31 km et Moulay Idriss à 5 km seulement. Des camionnettes font la navette au départ de Moulay Idriss. Le site est ouvert toute la journée. En été, penser à prendre un chapeau et une réserve d'eau. Pas d'ombre et le soleil tape dur. Accès payant : 20 DH. Vaste parking devant l'entrée. Il est conseillé de prendre un guide pour saisir toutes les richesses de cette cité romaine mais on pourra se contenter de suivre l'itinéraire fléché que nous vous conseillons et qui permet de voir les monuments essentiels.

Un peu d'histoire

Volubilis est sans conteste le site le plus intéressant du Maroc. La date de sa fondation est imprécise mais certains pensent qu'il était déjà habité à l'époque du néolithique. La ville fut l'une des capitales de Juba II, roi de Maurétanie dans les premières années de notre ère. Par la suite, Caligula, empereur célèbre par sa cruauté et sa tyrannie, y aurait séjourné à plusieurs reprises. Aux IIᵉ et IIIᵉ siècles, la ville se dota de magnifiques monuments. On estimet sa population à 20 000 habitants à l'époque. C'est la pression des tribus berbères sur les Romains qui entraîna le déclin de la cité. Ces tribus, christianisées, l'occupèrent jusqu'à la fin du VIIIᵉ siècle. Puis Idriss Iᵉʳ fut proclamé « imam » de la ville. Elle reprit alors le nom de Oualili (« Lauriers-Roses ») qu'elle portait au temps de Juba II. Le site fut abandonné après la fondation de Fès, « l'Athènes de l'Afrique ». En 1755, le séisme qui anéantit Lisbonne renversa aussi les quelques monuments de Volubilis épargnés par le temps. Un siècle plus tard, en 1874, le site fut identifié et fouillé par des archéologues français. La plupart des objets trouvés ont été transférés au musée archéologique de Rabat.

Où dormir ? Où manger ?

♠ *Volubilis :* village Fertassa, en face de Volubilis. ☎ 54-43-69 et 54-44-05 à 07. Fax : 63-63-93. Un nouvel établissement classé 4 étoiles A avec une vue superbe sur la plaine et le site de Volubilis. 42 chambres très calmes. Piscine. Mais pourquoi l'architecte a-t-il conçu des escaliers en colimaçon qui rendent difficile l'accès à l'étage des routards un peu âgés ou porteurs de bagages lourds ? C'est une erreur de conception. Excellent service. Catégorie chic.

I●I *Restaurant-café :* à l'entrée du site. Les tajines sont très corrects. Service rapide et souriant. Un endroit idéal pour se rafraîchir et acheter des boissons. Nous espérons qu'il y a toujours des nids de cigogne, juste à côté.

A voir

★ La visite commence par le quartier sud de la ville. Une *huilerie* sur la gauche rappelle que Volubilis tira une grande partie de sa richesse des oliveraies qui l'entourent. Les olives étaient pressées et leur jus recueilli dans une rigole circulaire avant d'aboutir dans de grands bassins de décantation.

★ La *maison d'Orphée* est la plus riche de ce quartier. Elle tire son nom d'une mosaïque dans la salle de réception illustrant son mythe. A gauche de l'entrée, dans ce qui était la salle à manger *(triclinium),* neuf dauphins s'ébattent dans les vagues.

★ Les *thermes de Gallien* étaient chauffés avec des chaudières en bronze. Il reste encore quelques salles chaudes et piscine.

★ Sur la droite s'élevait le *capitole* dont quelques colonnes ont été relevées et reconstituées en partie.

★ Le *forum,* relativement petit, était le centre de la cité mais il n'en reste plus grand-chose. La *basilique* qui jouxte le capitole, lieu de promenade couvert en cas de mauvais temps, servait aussi de tribunal et de salle de réunion pour la curie, c'est-à-dire le conseil municipal.

★ La *maison au Desultor* abrite une fresque représentant un athlète se livrant à des acrobaties au cours d'une compétition. La règle du jeu consistait à sauter d'un char ou d'un cheval pendant la course et à remonter aussitôt. L'athlète représenté exhibe la coupe de la victoire et chevauche un âne, à l'envers.

★ C'est dans la *maison* voisine *du Chien* que les archéologues découvrirent la fameuse statue en bronze que l'on peut admirer au musée de Rabat.

★ L'*arc de triomphe* s'élève sur l'avenue principale, le Decumanus Maximus, qui traversait toute la ville de la porte de Tanger. Inutile de vous dire que c'était là que se trouvaient les plus belles demeures et le palais du procurateur. Ne nous étonnons pas d'y trouver les plus belles mosaïques.

★ La *maison de l'Éphèbe* est surnommée ainsi car on y découvrit la très belle statue d'un adolescent. Celle-ci est exposée aujourd'hui, elle aussi, au musée de Rabat. Consolons-nous en admirant le pavement de la salle à manger aussi somptueux qu'un tapis et dont la partie centrale représente une déesse chevauchant un curieux animal marin.

★ Passons ensuite dans la *maison aux colonnes* de forme circulaire avant de voir dans celle du *cavalier Bacchus* guidé par l'amour découvrant Ariane dormant sur la plage de Naxos. Tout un programme.

★ La *maison aux travaux d'Hercule* présente une décoration très recherchée. Dix des douze travaux sont encore bien conservés. Admirez le décor floral et le beau portrait du héros dans le médaillon carré central. Les plus érudits tenteront de se remémorer les 12 travaux mais on n'est pas ici à « Questions pour un champion ». D'autres mosaïques intéressantes décorent les maisons de « Bacchus » et des « Quatre Saisons » ainsi que celle du « Bain des nymphes ». Ce que l'on appelle le « palais Gordien » devait être la résidence du procurateur romain, le gouverneur de la région. La demeure était vaste et somptueuse mais il n'en reste pas grand-chose.

★ Passons vite à la *maison de Vénus,* la plus riche de tout le site. On y trouva non seulement de magnifiques pavements de mosaïque mais aussi de véritables tré-

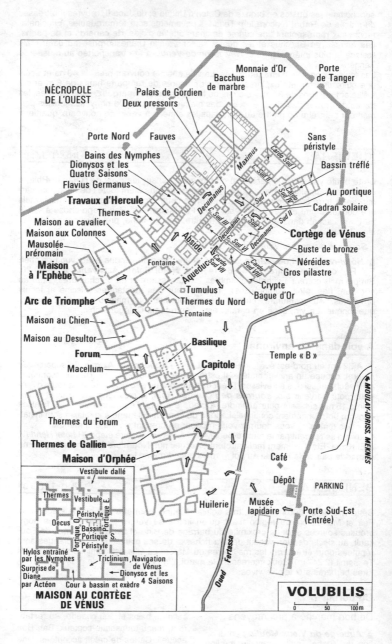

NÉCROPOLE
DE L'OUEST

Monnaie d'Or

Bacchus
de marbre

Porte
de Tanger

Palais de Gordien
Deux pressoirs

Porte Nord

Fauves

Sans
péristyle

Bains des Nymphes
Dionysos et les
Quatre Saisons

Bassin tréflé

Flavius Germanus

Au portique

Travaux d'Hercule

Cadran solaire

Thermes

Maison au cavalier

Cortège de Vénus

Maison aux Colonnes

Abside

Buste de bronze

Mausolée
préromain

Fontaine

Néréides
Gros pilastre

**Maison
à l'Ephèbe**

Aqueduc

Crypte
Bague d'Or

Arc de Triomphe

Tumulus

Thermes du Nord

Maison au Chien

Fontaine

Maison au Desultor

Basilique

Forum

Temple « B »

Macellum

Capitole

Thermes du Forum

Thermes de Gallien

Maison d'Orphée

Café

Dépôt

PARKING

Musée
lapidaire

Huilerie

Porte Sud-Est
(Entrée)

Maximus

Cardo Sud I

Cardo
Sud II

Cardo
Sud IV

Sud I

Sud II

Decumanus

Sud III

Decumanus

Decumanus

Sud V

Cardo
Sud VI

Cardo
Sud VII

Cardo
Sud VIII

MOULAY-IDRISS, MEKNÈS

Oued Fertassa

Vestibule dallé

Thermes

Vestibule

Péristyle

Portique E

Oecus

Bassin

Portique O

Portique S

Péristyle

Hylos entraîné
par les Nymphes

Triclinium

Navigation
de Vénus

Surprise de
Diane
par Actéon

Cour à bassin et exèdre

Dionysos et les
4 Saisons

**MAISON AU CORTÈGE
DE VÉNUS**

VOLUBILIS

0   50   100 m

sors comme les bustes en bronze de Caton d'Utique et de Juba II, œuvres maîtresses du musée de Rabat (encore lui). Tous les pavements sont remarquables, principalement ceux représentant une course de chars attelés d'oies, de canards et de paons, une autre avec Bacchus et les quatre saisons, enfin Diane surprise au bain. Mais l'œuvre la plus intéressante, la *Navigation de Vénus*, a été transportée au musée de Tanger.

Les fouilles sont loin d'être terminées. La ville antique couvrait près de 40 ha et seuls une quinzaine ont été explorés. Elle était entourée de remparts hauts de 6 m et qui s'étiraient sur près de 3 km. Au cours de la promenade, remarquez, dans les rues, les traces des roues des chars et celles des plaques d'égouts. De nouvelles fouilles permettront peut-être de mettre au jour, dans les années à venir, de nouveaux quartiers.

KHENIFRA
IND. TÉL. : 05

Cette petite ville (13 000 habitants) du Moyen Atlas, sur les rives de l'Oum er-Rbia, a souvent été appelée « la ville rouge », ses constructions étant toutes de la couleur carmin de la terre que l'on trouve ici. L'intérêt de cette grosse bourgade est limité, mais elle constitue une étape pratique sur l'axe Fès-Marrakech. Pas grand-chose à voir à part une casbah dans la médina et une autre, très en ruine, près du pont de Moulay Ismaïl, sur l'autre rive.

– *Souk :* le dimanche. Vaut le coup d'œil. Animé.

▲ *Hôtel-restaurant de France :* quartier F.A.R., ouest Khenifra. ☎ 58-61-14. Simple mais correct. Éviter les chambres sur rue (les plus nombreuses), très bruyantes. Au restaurant, cuisine très quelconque. Le vin, servi en carafe, est une piquette vendue beaucoup trop cher.

▲ *Hôtel Salam Azzayani :* ☎ 58-60-20. Établissement de 58 chambres, situé au cœur des montagnes. Piscine et tennis pour cet hôtel malheureusement très mal entretenu. Catégorie chic.

A voir dans les environs

★ A 32 km au nord-est sur la route d'Aïn-Leuh, l'*Aguelmane Azigza*, un superbe lac naturel, occupe un ancien cratère. Il est entouré de chênes verts. Très poissonneux, on y pêche aussi des écrevisses. Il faut aller encore un peu plus loin sur la route d'Aïn-Leuh pour parvenir aux *sources de l'Oum er Rbia*, le plus long des fleuves marocains. 15 mn suffisent pour atteindre, à pied, le site où l'eau surgit entre les falaises dans un bouillonnement continuel. Le long du chemin qui mène à la falaise sont installées des tentes où vous pourrez vous reposer en prenant un thé à la menthe.

Ceux qui se rendent par la route à Beni Mellal éviteront de faire étape à l'*hôtel Henri IV*, à El Ksiba. Établissement mal entretenu. Accueil nul. Nourriture immangeable. On ne demande pas de la « poule au pot », mais quand même !

BENI MELLAL
IND. TÉL. : 03

Cette ville de 95 000 habitants, très active et jeune, peut être une bonne étape entre Fès et Marrakech. La région n'est qu'un immense verger qui bénéficie de nombreuses sources et de la proximité du barrage de Bine el Ouidane. Charles de Foucault, au siècle dernier, vantait déjà la richesse de ses plantations. Les oranges sont réputées pour être parmi les meilleures du Maroc. La ville est dominée par le djebel Tassemit (2 247 m). Souk intéressant le mardi. On peut y acheter de grandes couvertures berbères aux teintes vives.

Où dormir ?

De bon marché à prix moyens

▲ *Auberge du Vieux Moulin :* en direction de Kasba Tadla, nouvelle médina. ☎ 48-27-88. Établissement de 10 chambres, très bien entretenues, avec salle de bains et eau chaude. Au restaurant, menu touristique copieux. Bar. Bon accueil. Cartes de crédit acceptées. Une excellente adresse.

▲ *Hôtel El Amria :* bd des F.A.R. ☎ 48-

35-31. Simple mais bien tenu. Bon accueil. Douche commune avec eau chaude.

▲ *Hôtel des Voyageurs :* bd Mohammed-V. ☎ 48-24-72. Confort très moyen et mauvais accueil. Les chambres de devant donnent sur la ville et la vallée.

▲ *Hôtel Beni Mellal Atlas :* à l'angle du boulevard Hassan-II et de la rue Chaouki. ☎ 48-92-11. Chambres propres avec douche et climatisation. Une bonne adresse mais bruyante. Resto servant des spécialités locales. Prix moyens. Cartes de crédit acceptées.

▲ *Hôtel de l'Ain-Asserdoun :* bd des F.A.R. ☎ 48-34-93. Nouvel établissement, le long du souk. Douche chaude et toilettes dans les chambres. Propre. Cuisine pour touristes. Accueil sympa.

▲ *Hôtel Es Saada :* 129, rue Tarik-Ibn-Ziad. ☎ 48-29-91. Très simple mais très bon marché.

▲ *Hôtel Gharnata :* av. Mohammed-V. ☎ 48-34-82. Douches froides dans les chambres et w.-c. lamentables. Établissement très bruyant. Au resto, menu européen unique, banal mais copieux. Beaucoup de passage. Cartes de crédit acceptées.

Chic

▲ *Hôtel-restaurant El Bassatine :* à la sortie de Beni Mellal, sur la route de Fkiben-Salah-Casa. ☎ 48-22-47. Fax : 48-68-06. 63 chambres climatisées. Établissement qui a beaucoup perdu avec le départ de la Française qui le tenait. L'entretien laisse désormais à désirer. La nourriture aussi. Il est préférable de s'abstenir d'y manger. Les prix des chambres doivent être négociés car ils sont totalement injustifiés.

Où manger ?

|●| *Restaurant Set Agadir :* 155, bd el Hansali. ☎ 48-14-48. Il n'y a pas d'enseigne mais situé entre les restaurants *Sandwiches Noundia* et *Zerab*. Préférer l'étage pour sa fraîcheur et sa vue sur la petite place avec fontaine en céramique bleue. Repas très copieux, nourriture et cadre plaisants. Tout cela pour un prix incroyablement dérisoire. Il vaut mieux arriver tôt pour éviter la foule car ce restaurant est bondé aux heures de repas. Restaurant Dounia Day : av.

|●| *Mohammed-V.* ☎ 48-45-35 et 48-22-31. *Salle à l'étage. Propre et moderne. Décoration de bon goût. Climatisation. Bonne cuisine avec un excellent rapport qualité-prix.*

|●| *Restaurant de l'auberge du Vieux Moulin :* en direction de Kasba Talda. ☎ 48-27-88. Une vraie salle d'auberge avec son décor de bois et ses nappes de couleur. Menu très avantageux et bon marché. De plus, ils servent de l'alcool. Cartes de crédit acceptées.

Où dormir ? Où manger aux environs ?

▲ *Hôtel Chems Tazarkount :* à 3 km sur la route de Marrakech. ☎ 48-81-00. Fax : 44-00-94. Hôtel classé 4 étoiles. Très belle entrée avec jet d'eau illuminé le soir. Grandes chambres avec radio, T.V., bar et climatisation. Bar. Cuisine quelconque servie dans un restaurant qui ressemble à une salle d'attente de gare. Piscine et tennis. Cartes de crédit avec supplément.

▲ *Hôtel Ouzoud :* à 3 km sur la route de

Marrakech. ☎ 48-37-52. Fax : 48-85-30. Même style que le précédent. Ces deux établissements se partagent la clientèle des voyages organisés. Piscine et tennis. Cartes de crédit acceptées.

|●| *Restaurant Assaise :* à Oulad M'Barek, à une douzaine de kilomètres sur la route de Marrakech. ☎ 25. Au milieu d'un jardin fleuri, on vous servira une cuisine marocaine très inégale selon les jours.

Salons de thé

■ *Salon de thé Azouhour :* 241, av. Mohammed-V. Fermé le midi. A côté de l'*hôtel Gharnata*. Gourmandises délicieuses. Très propre. Superbe décoration

intérieure mais accueil glacé.

■ *Salon de thé El Afrah :* place Afrique. Pâtisseries excellentes et très bon jus d'orange.

A voir

★ **Aîn Asserdoun :** au-dessus de Beni Mellal, à 3,5 km du centre. Appelée aussi « source du Mulet ». Elle approvisionne la ville, et de grands jardins y ont été aménagés. Prendre un petit taxi à l'aller et redescendre à pied. On peut aussi s'y rendre en bus. Demander « La Source ». Un jardin public a été aménagé autour de cette source. De là, une petite route en lacet de 1 km monte au borj de Râs el Aîn d'où l'on a une magnifique vue sur toute la plaine du Talda. Champs d'oliviers et vergers se succèdent jusqu'à l'horizon.

Dans les environs

★ **Souk des Ouled Nemâa :** si vous êtes à Beni Mellal un samedi, ne manquez pas ce souk important et très intéressant, à 35 km au sud-ouest. Pour s'y rendre, prendre la route de Marrakech et, à 21 km, emprunter sur la droite la S134. Service régulier de bus.

★ **Le barrage et le lac de Bin-el-Ouidane :** à une trentaine de kilomètres de Beni Mellal en direction des cascades d'Ouzoud. Paysage étonnant. La couleur de l'eau de ce lac de retenue de 3 735 ha sort tout droit d'une carte postale. Ce barrage ambitieux, le plus grand du Maroc, achevé en 1955, a permis de développer considérablement les cultures dans la région. Il fournit aussi en énergie une grande partie du centre du Maroc.

🛏 **Auberge du Lac :** hôtel-bar-restaurant. Au bord de l'oued. ☎ 5. Douches chaudes mais confort très sommaire et tout se dégrade. Cuisines européenne et marocaine. Boissons alcoolisées. Possibilité d'excursions.

★ **Azilal :** toujours sur la route des cascades d'Ouzoud, à 27 km après le barrage de Bin-el-Ouidane et 38 km avant d'arriver aux cascades. Ville sans grand intérêt de plus de 40 000 habitants, situé à 1 360 m. Souk le jeudi. Azilal est le point de départ des excursions dans le massif du M'goun.

🍴 **Restaurant-snack Le Passage :** av. Hassan-II, non loin de la mosquée. Cuisine simple mais bonne et copieuse. Le jeune patron est sympa. Une halte agréable.

🛏 **Hôtel Tanout :** sur la route de Beni Mellal. ☎ 45-82-81. Correct et accueil sympa. Prix moyens. Le personnel vous aidera à trouver un moyen de transport pour atteindre les cascades (compter 50 mn de route).
– L'hôtel des Cascades est à éviter.

★ **Kasba Talda :** à 30 km sur la route de Rabat et de Casablanca. Sa citadelle, l'une des plus importantes du Maroc, et son pont à dix arches qui enjambe l'oued er Rbia valent un petit détour. Souk le lundi.

🍴 **Restaurant Salem :** av. Mohammed-V. Simple, mais bons tajines et brochettes. Moustache, le proprio, est un personnage pittoresque.

🛏 **Hôtel Bellevue :** sur la route Fès-Marrakech. ☎ 41-81-72. Bel établissement avec des chambres propres et spacieuses donnant sur le jardin et sur la piscine. Hall de réception de style oriental contemporain avec coupole peinte. Bon accueil. Prix moyens.

Quitter Beni Mellal

🚌 **Gare routière CTM :** sur la route de Marrakech. ☎ 48-20-35. Liaisons très fréquentes pour Marrakech en 3 h 30. Pour Fès, au moins 3 liaisons quotidiennes en 5 h.

LES CASCADES D'OUZOUD

Situées à 120 km au sud de Beni Mellal, à 150 km au nord-est de Marrakech et à 38 km d'Azilal, ces étonnantes chutes d'eau de 110 m de hauteur, classées parmi les plus beaux sites du Maroc, constituent l'une des attractions naturelles les plus remarquables de l'Atlas marocain. Pressez-vous d'y aller car les autorités touristiques commencent à s'intéresser sérieusement à ce site. L'endroit, peu à peu, devient connu et trop fréquenté. Les alentours commencent à être jonchés de détritus, sans oublier les marchands de souvenirs et les faux guides. De nombreux promoteurs guettent le coin mais, jusqu'à maintenant, tous leurs projets, heureusement, ont échoué. Les étudiants marocains connaissent l'endroit et sont nombreux à y camper. Évitez d'y aller le week-end. Il y a trop de monde.

Comment s'y rendre ?

– *En bus :* de Beni Mellal, prendre le bus pour Azilal, à 62 km (départs, en principe, à 5 h, 10 h, 12 h et 16 h), puis continuer en taxi de louage ou en stop pour les 38 km restants ; de Marrakech, 2 bus quotidiens pour Azilal (8 h 30 et 15 h 30, s'il n'y a pas de changement), puis continuer vers les cascades en taxi ou en stop. Voir à « Azilal » dans les environs de Beni Mellal.
– *En voiture :* Marrakech, emprunter la RP 8 (ex 24) pendant 54 km et 4 km après Tamelatete, suivre la S 508 en direction d'Azilal. 20 km après Tamamt prendre à gauche le RP 3103 (ex D 1811) qui, après 16 km, conduit aux cascades. Ce dernier tronçon devait être terminé pour ce printemps
De Fès, quitter la RP 8, 46 km après Beni Mellal, à El Khémis des Oulad Ayad en direction de Aït Attab. Passé ce village, il reste encore 16 km pour atteindre les cascades par la RP 3103.

Où dormir ? Où manger ?

▲ *Camping de la Rivière :* cadre sympa sous les orangers. Mais le camping est une véritable poubelle. Un seul sanitaire. Pas de lavabo ni de douche. La toilette collective se fait dans une retenue d'eau de la rivière. De plus, il est extrêmement bruyant.
▲ Plusieurs autres petits *campings* très sommaires, souvent surchargés, avec des conditions d'hygiène lamentables et, bien entendu, sans électricité. Le camping sauvage dénature le site, principalement dans le bas de la cascade, squattérisé par des campeurs sans scrupules qui s'y construisent de véritables abris.

▲ *Hôtel Dar es Salam :* Sordide. Ils font aussi camping. Sanitaires déplorables.
|●| Plusieurs *cafés* le long du sentier. Nos préférences vont aux *Café des Amis, Printemps Éternel, El Minzah, Café Jour et Nuit* et *Imouzzer* (voir plus loin). Il faut savoir que ces cafés n'ont pratiquement rien à proposer pour déjeuner. Il faut souvent se contenter d'une omelette. Les conditions d'hygiène y sont totalement ignorées. Prudence de rigueur. Ne boire que des boissons capsulées ou du thé dont l'eau a été bouillie.

A voir

Les deux routes débouchent sur un vaste terre-plein avec un parking payant. C'est le lieu de rendez-vous des faux guides, faux étudiants, dragueurs, etc. On peut s'adresser au guide agréé Omar Benilâabassi en exigeant qu'il vous présente son badge portant le numéro I 88929.
En empruntant le sentier de droite qui surplombe la cascade, on découvre, à quelques mètres, les anciens moulins à eau. En continuant la descente par cette rive naturelle, on arrive vers le lieu-dit « jardin des singes » et le bas de la cascade. Le sentier de gauche, qui commence entre le parking et l'hôtel, est le chemin touristique où se succèdent de petits cafés qui se disputent la clientèle (ils sont très inégaux et n'offrent pas tous les mêmes garanties d'hygiène). Sur la rive droite, Ahmed, le patron du *Café Imouzzer,* prépare un des meilleurs thés de la cascade.
C'est à proximité que vous pourrez atteindre le promontoire, au milieu de la cascade, et voir l'eau se précipiter dans une cuvette verdoyante au milieu d'un arc-en-ciel quasi permanent. Spectacle féerique que celui de ce voile liquide qui se déchire et s'écoule sur deux niveaux distincts non visibles d'en haut. En continuant à descendre vers le fond de la vallée, on atteint les bords d'un lac circulaire. N'essayez par d'imiter certains Marocains qui plongent dans le bassin. Il n'y pas de profondeur et de nombreux accidents sont à déplorer chaque année. On tient à conserver nos lecteurs.
Le nom d'*Ouzoud* vient du mot berbère *Izide* qui signifie « délicieux », et c'est vraiment l'adjectif qui convient lorsqu'on se baigne dans les eaux fraîches du lac sous la douche de la cascade. Les amateurs de pêche peuvent essayer d'attraper quelques poissons.

L'idéal est de faire le tour complet, c'est-à-dire de rejoindre le parking par l'autre rive (la droite).

En remontant la rivière jusqu'à sa source. Vous rencontrerez des tortues, des crabes, dans un cadre superbe : falaises rouges, figuiers de Barbarie, lauriers-roses. Avec un peu de chance, on peut aussi surprendre des familles de singes de l'Atlas. On les verra plus facilement au coucher du soleil.

A voir dans les environs

A ceux qui voudraient rayonner dans la région, le guide officiel de montagne Lahoucine Khallouk pourra proposer des balades pédestres jusqu'au confluent de l'*oued Ahid* et de l'*oued Ouzoud* en passant par le village, dit mexicain, de *Tanaghmalt*.

MARRAKECH ET LES MONTAGNES DU HAUT ATLAS

Marrakech n'est pas la capitale du Maroc mais c'est elle qui a donné son nom au pays. On ne peut concevoir un séjour au Maroc sans visiter celle que l'on a surnommée la « Perle du Sud ». On dit que son origine est due à un homme bleu, du nom de Youssef ben Tachfine, qui avait planté sa tente ici pour un court séjour ; mais ce nomade mangea tant de dattes qu'il fit surgir une palmeraie autour de son campement. S'il revenait aujourd'hui, il ne reconnaîtrait rien de son oasis transformée en une grande cité grouillante et parée de magnifiques monuments. Marrakech ne peut laisser indifférent mais il faut savoir l'aborder et s'imprégner de l'atmosphère qui règne dans sa médina, dans ses souks et dans ses monuments religieux comme les tombeaux saadiens. Il faut savoir oublier les hordes de touristes qui ne font que passer et le côté factice de certains spectacles qui leur sont destinés. Pour bien comprendre Marrakech et l'apprécier, il faut y séjourner un peu. Alors cette ville impériale apparaît comme un joyau serti dans l'écrin naturel que forment autour les montagnes du Haut Atlas. A moins d'une heure de la capitale des Almoravides, lorsque les chaleurs de l'été rendent toute visite insupportable, il est possible de goûter aux joies de la montagne sur les pentes de l'Oukaîmeden et de suivre la vallée de l'Ourika en longeant le lit de son oued capricieux.

MARRAKECH   IND. TÉL. : 04

C'est le cœur du Maroc. Marrakech, Marocco, le nom du pays vient de là. Et puis, pendant plus de deux siècles (du XIᵉ au XIIIᵉ), elle fut capitale berbère.

Une légende dit que lorsqu'on a planté la Koutoubia au cœur de la ville, celle-ci a tellement saigné que tous les murs des maisons en ont gardé cette couleur rouge, omniprésente, et qui constitue le fond du drapeau marocain.

Il n'est pas interdit de rêver à Marrakech... sauf en regardant les spectacles de la place Jemaa-el-Fna. Routards, ouvrez vos yeux, en essayant de ne pas remarquer les hordes de toutous(ristes). Ce n'est pas facile. Malgré eux, Marrakech reste fascinante, et on en connaît plus d'un qui y est resté plus d'une semaine, pour voir chaque soir la Jemaa-el-Fna, pour marchander longuement dans les souks aux heures chaudes de l'après-midi ou encore rêver, un matin de printemps, devant les monts enneigés au bord de la Menara.

Il faut en revanche revoir ses idées reçues sur l'accueil chaleureux des gens au Maroc et à Marrakech en particulier... Même le journal l'*Opinion* avait déjà, il y a quelques années, tiré la sonnette d'alarme : tous les touristes se plaignent des sollicitations permanentes dont ils sont l'objet. C'est vrai que ça peut devenir difficilement supportable. Le pire, c'est qu'un refus poli de votre part ne les décourage nullement... Voir le chapitre « Guides et faux guides » au début de cet ouvrage. L'agressivité de certains jeunes vis-à-vis des touristes fait partie du quotidien, sans parler des vols qui se généralisent. Attention aux sacs portés en bandoulière et aux portefeuilles dans les poches. Ne jamais changer au noir. La chute vertigineuse du tourisme dont les Marrakchis sont les principaux responsables ne fait qu'aggraver les choses.

C'est pourquoi les Marocains eux-mêmes nomment la ville « arnakech ».

> Au moment de mettre sous presse nous apprenons que la plupart des numéros de téléphone de Marrakech sont en cours de changement. Le 16, très efficace, vous indiquera, si besoin est, le nouveau numéro.

Comment se déplacer dans Marrakech ?

En bus

Économiques et très fréquents, mais moins pendant le week-end. Idéal pour aller de la médina à Gueliz. Ils partent de la place Youssef-ben-Tachfine *(plan d'ensemble, D3)* ou de la place Jemaa-el-Fna et s'arrêtent à 23 h en été mais à 21 h le reste de l'année. Les tickets se prennent dans les bus et leurs prix (2 à 3 DH) varient selon la durée de la course. On peut se procurer la liste des lignes à l'office du tourisme. Il y a une trentaine de lignes en tout. Voici les principales :
– *N° 1 :* de la place Jemaa-el-Fna à l'entrée de la palmeraie. Elle suit l'avenue Mohammed-V et relie la ville ancienne à la ville nouvelle (Guéliz).
– *N° 7 :* de la place Jemaa-el-Fna à la route de Targa en suivant l'avenue Mohammed-V jusqu'au lycée Victor-Hugo. Elle dessert l'Institut français (ex-Centre culturel français). Ligne assez bondée (les taxis essaient d'en profiter).
– *N° 8 :* de la place Jemaa-el-Fna, suit l'avenue Mohammed-V, dessert Bâb Doukkala, l'avenue Hassan-II et la gare ONCF.
– *N° 11 :* de la place Jemaa-el-Fna aux jardins de la Ménara et à l'aéroport. Dessert au passage l'avenue Mohammed-V jusqu'à la poste de Marrakech principal à Guéliz. Suit l'avenue Hassan-II puis l'avenue de France (camping municipal) en longeant l'Hivernage.
– *N° 21 :* de la place Jemaa-el-Fna à la gare ferroviaire par l'avenue Mohammed-V.
– *N°s 5, 9 et 15 :* de la place Jemaa-el-Fna, autour des remparts, Bâb Debbagh, Sidi Youssef ben Ali.
– *N°s 3, 10 et 23 :* comme la ligne n° 8 jusqu'à la gare ONCF.
– *N°s 14 et 28 :* de la poste de Marrakech principal (Guéliz) vers la gare ONCF puis Massira 1.

En taxi

On les trouve un peu partout, principalement place Jemaa-el-Fna, à la gare routière et sur l'avenue Mohammed-V. Ils n'ont pas de compteur. Négociez le prix (10 à 15 DH pour une course moyenne en ville mais plus cher pour la palmeraie ou une destination périphérique). Restez ferme et ayez l'appoint, ce qui abrège généralement les palabres. On ne peut pas monter à plus de 3 personnes. De l'aéroport au centre ville, compter au minimum 70 DH.

En calèche

Pour les nostalgiques, une autre façon de se déplacer en ville à condition de bien débattre le prix et d'en fixer le montant avant le départ. Il existe un tarif officiel affiché dans les calèches (aux dernières nouvelles, 60 DH l'heure ou environ 20 DH pour une course). Bien entendu, les cochers semblent l'ignorer. Il peut servir de base à des négociations serrées. Station principale face au Club Méditerranée, à côté de Jemaa-el-Fna *(plan d'ensemble, D3)*. Choisir de préférence une calèche avec des chevaux pas trop vieux. Les calèches n'étant pas placées dans l'ordre de départ, comme nos taxis, on peut faire son choix.
Nombreuses autres stations à proximité des grands hôtels. A signaler que Marrakech est une des rares villes du Maroc à avoir pu conserver ce mode de transport, plein de charme. On peut monter à 4 personnes.

A deux-roues

– **Location de vélos, motos, scooters et mobylettes :** les Marrakchis en sont de fervents utilisateurs et on peut en louer, à proximité de la place Jemaa-el-Fna, à **Marrakech Motos** chez Jamal Boucetta, 31 *bis*, bd El Khattabi (route de Casablanca), ☎ 44-83-59, à côté de l'*hôtel Hamra*, et chez **Adoul Abdallah,** 14 *bis*, bd El Khattabi, à côté du précédent, ☎ 43-22-38, ainsi que devant la station Sahia Safir à l'Hivernage. Discuter le prix. La mobylette permet plus facilement d'échapper aux faux guides et de visiter tranquillement la ville.

En voiture

A éviter dans la médina où les ruelles sont trop étroites, sinon, pas de problème. On trouve toujours à se garer moyennant un bakchich au gardien (1 DH le jour et 5 DH pour la nuit). Attention à la fourrière (oui, cela existe !). Il vous en coûtera une amende modeste mais également plusieurs heures de patience, dont une à attendre que l'on retrouve le policier détenant les clés de l'armoire à P.V. Authentique ! Ne jamais se garer place Jemaa-el-Fna. C'est interdit. Fourrière assurée.

– *Location de voitures :* comparer les prix des agences à l'aéroport. Font parfois des réductions à nos lecteurs et aux étudiants. Spécial mise en garde : nous avons recommandé par le passé certaines agences de location que nous avons dû supprimer des éditions suivantes en raison du mécontentement de nos lecteurs (tarifs trop élevés, voitures en mauvais état, contrats non respectés). Certaines continuent de se prétendre recommandées par nous. Se méfier. Ce n'est plus du tout le cas aujourd'hui, bien au contraire. Les prix peuvent varier du simple au double entre deux agences. Ne conclure aucun contrat sans avoir vu et examiné le véhicule (état des pneus, présence d'une roue de secours, etc.).

Celles qui semblent donner actuellement le plus de satisfaction en offrant à nos lecteurs les meilleures garanties, ce qui ne veut pas dire les prix les plus bas (il est préférable d'avoir un véhicule en bon état à quelques dirhams de plus) sont :

■ *Jet Car :* Pampa voyage Maroc, 213, bd Mohammet-V *plan Guéliz 3, A-B2, 7) :* Dans l'immeuble de la RAM, en étage. ☎ 43-10-52 et 43-87-30. Fax : 43-87-31 et 44-64-55. Loueur sérieux avec des conditions intéressantes. Réservation possible depuis la France.

■ *Najm Car :* permanence à l'*hôtel Pacha* (plan Guéliz, *B1, 25),* ☎ 43-13-26 et 43-13-27, ainsi qu'à l'*hôtel Gallia* (plan hôtels Médina A2, *21).* ☎ 44-59-13. On peut aussi les contacter directement : ☎ 43-78-91 et 43-79-09.

■ *Stinia :* 141, av. Mohammed-el-Béqual, 3e étage, appartement 20. ☎ 44-88-50. Fax : 43-21-27. Attention à ne pas se tromper d'étage, il y a un autre loueur dans le même immeuble.

■ *Lune Car :* 111, rue de Yougoslavie *(plan Guéliz, A2).* ☎ 43-43-69 et 44-73-54. Ils louent aussi des 4 × 4 et des vélos. Seul loueur à proposer des 4 × 4 en bon état.

■ *Atis-Car,* 76, bd Abdelkarim-el-Khattabi (c'est la route de Casablanca à partir de l'avenue Mohammed-V). ☎ 43-48-16 et 43-64-18.

■ *Concorde Car :* 154, bd Mohammed-V *(plan Guéliz, A1).* ☎ 43-11-16 (24 h sur 24). ☎ et fax : 44-61-29.

■ *Ballouty Trans :* av. Allal-el-Fassi, complexe Dar Al Hamra, immeuble B, appartement 10. ☎ 30-79-81. Fax : 30-19-37.

Adresses utiles

Infos touristiques

🛈 *Office national du tourisme marocain* (plan Guéliz, A1) : à l'angle de l'avenue Mohammed-V et de la place Abd-el-Moumin-ben-Ali. ☎ 43-61-79. Fax : 43-10-97. Bus n° 1. Ouvert, en principe, de 8 h 30 à 12 h et de 14 h 30 à 18 h 30. Pendant le ramadan et en été, de 9 h à 15 h. Aimables, mais moyens très limités. Permanence de guides officiels assurée pour la visite de la ville. Tarifs pour la journée et pour la demi-journée : 50 DH la demi-journée et 100 DH la journée.

Services

✉ *Poste centrale* (plan Guéliz, B2) : place du 16-Novembre, à Guéliz et bureau de la médina, place Jemaa-el-Fna. Permanence téléphonique et télégraphique assurée jusqu'à 21 h, week-end et jours fériés inclus.

■ *Téléphone :* nombreuses cabines publiques autour de la poste, ainsi que près du palais des Congrès. On trouve un peu partout des kiosques avec des téléphones à carte au même tarif que la poste. Assurent la vente des timbres. Ouverts tous les jours. Font aussi fax et photocopies.

Argent, banques, change

■ *American Express* (plan Guéliz, A2, 4) : *Voyages Schwarz,* rue de Mauritanie, au 1er étage. ☎ 43-66-00 et 03. Retraits avec la carte American Express de 8 h 30 à 11 h 30 et de 14 h 30 à 16 h 30 du lundi au vendredi. Fermé les samedi et dimanche. En cas de perte ou de vol s'adresser à eux pour être dépanné.

■ *Change :* nombreuses banques à Guéliz et dans la médina, généralement ouvertes de 8 h à 14 h et de 16 h à 18 h, sauf pendant le ramadan où elles n'ouvrent que le matin. Change possible à la réception des grands hôtels et au syndicat d'initiative, av. Mohammed-V (ouvert jusqu'à 19 h) ou, juste à côté, à la *BMCI* (jusqu'à 20 h).

■ *La BMCI* (plan hôtels Médina, A1-2, 1), près de l'*hôtel de Foucauld*, à 50 m de la place Jemaa-el-Fna, est ouverte, aussi, les samedi et dimanche de 9 h 30 à 11 h 30 et de 16 h à 19 h. Distributeur de billets à l'extérieur.

Représentations diplomatiques

■ *Consulat de France* (plan d'ensemble, D3) : rue Ibn-Khaldoun, à côté

de la Koutoubia. ☎ 44-17-48 et 44-40-06.
Ouvert de 8 h 30 à 11 h 45.

■ *Consulat de Belgique :* pas de représentation, s'adresser à Casablanca.

Urgences

■ *Pharmacie de garde (plan d'ensemble, C2) :* rue Khalid-ibn-Oualid et

dans le quartier industriel, à côté des bureaux de la communauté urbaine et de l'administration de Marrakech. Chez les pompiers. ☎ 43-04-15.

■ *Médecins généralistes :*
– Dr Mghazli. MA. *(plan Guéliz, A-B2, 7) :* 213, av. Mohammed-V, 2e étage. ☎ 43-43-23.

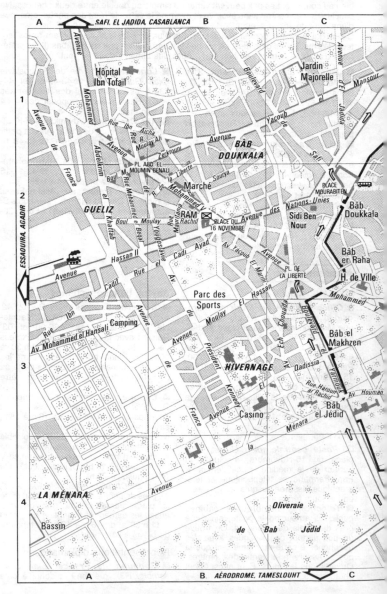

– Dr Haraki *(plan Guéliz, A-B2, 7)* : Saada-IV, M'Hamid. ☎ (cabinet) 44-35-29 et (domicile) 44-49-53.
– Dr Benzakour *(plan Guéliz, A-B2, 7)* : 213, avenue Mohammed-V, 4ᵉ étage. ☎ (cabinet) 43-40-38 et 43-85-68, (domicile) 31-02-72, (portatif GSM) 02-13-42-55.

■ *Ophtalmologiste (plan Guéliz, A-B2, 7)* : Dr Jamali Azzedine, 213, av. Mohammed-V, 1ᵉʳ étage. ☎ 44-95-25.
■ *Dentiste (plan Guéliz, A-B2, 7)* : Dr El Qabli Hicham, 213, av. Mohammed-V, 2ᵉ étage. ☎ (cabinet) 44-86-04 et (domicile) 31-34-88.
■ *Polyclinique du Sud (plan Guéliz,*

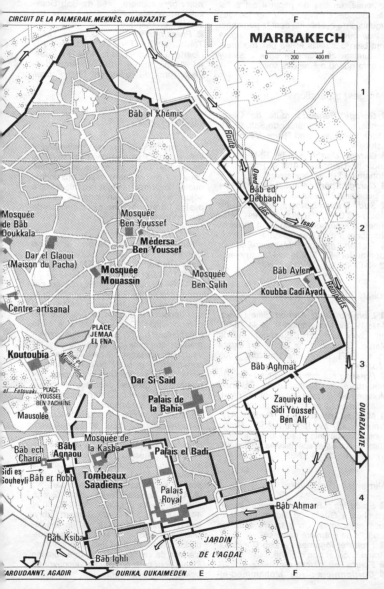

A1, 5) : 2, rue de Yougoslavie, à l'angle de la rue Ibn-Aicha. ☎ 44-79-99. Fax : 43-24-24. La meilleure adresse pour se faire soigner. Ils sont correspondants de Inter Mutuelles Assistance.

■ *Hôpital public Ibn Touffaïl (plan Guéliz, A1, 6)* : rue Abdelouahad-Derraq. La Polyclinique du Sud étant très coûteuse, en cas de pépin il est aussi possible de s'adresser au service des urgences de cet hôpital dont le personnel est dévoué et compétent. Les étrangers sont bien accueillis et les prix modérés. Un touriste accidenté et sans argent y recevra quand même des soins.

Garages, réparations

■ *Garage Renault :* route de Casablanca, après le carrefour de Safi. ☎ 43-30-89. Fait aussi Land Rover. Vérifier sa facture.
■ *Garage Dhabi :* 53, bd El-Mansour-Eddhabi. Demander Abd el Rani ou Si Mohammed (très compétents).
■ *Garage Shérif :* 4, rue Souira, près de la papeterie *Tabarka*.
■ *Sud Transmission :* 8-10 *bis*, bd Moulay-R'Chid, Guéliz. Pièces détachées et accessoires auto (sauf pneus et chambres à air). Très honnête.
■ *Station Agip :* bd El-Mansour-Eddhabi (demander El Mouladi Mohammed). ☎ 43-07-20.

Loisirs et photo

■ *Librairie Chatr Ahmed (plan Guéliz, A1)* : 19, av. Mohammed-V. ☎ 44-79-97. Un choix complet d'ouvrages sur le Maroc. Si vous avez oublié ou égaré votre GDR favori, ils pourront vous dépanner.
■ *Presse :* nombreux kiosques dans la médina et à Guéliz, dans l'avenue Mohammed-V, principalement à proximité du marché et de l'office du tourisme.
■ *Matériel photo (plan Guéliz, A1)* : Wrédé, 142, av. Mohammed-V. Grand choix. Compétents et serviables. Ils sont aussi opticiens et spécialistes de lentilles cornéennes. ☎ 43-57-39.

Alimentation et divers

■ *Épiceries :* nombreux petits supermarchés à Guéliz, bd Mohammed-V et rues adjacentes. On y trouve tous les produits de première nécessité.
■ *Fruits et légumes :* à Bab Doukkala. Grand choix et bon marché.
■ *Fleurs :* au marché de Guéliz.
■ *Cordonniers :* rue Mohammed-el-Bakhal et rue de la Liberté, près de la *pâtisserie de Mme Alami*. Utiles si vos chaussurent vous lâchent.
■ *Salon de coiffure pour femmes :* Chez Daisy, av. Mohammed-el-Begal, face à l'*hôtel Oudaya*. Malgré son nom, la coiffeuse est espagnole.
■ *Bureaux de tabac ouverts toute la nuit :* gare routière, près de Bab Doukkala et gare ONCF. Pour ceux qui seraient en manque.
■ *Pressings :* juste à côté de l'*hôtel Toulousain*, rue Tarik-ibn-Ziad, rue de la Liberté, à peu près en face de la *pâtisserie Alami*, et 64, rue Mohammed-el-Beqal, près du *restaurant Petit Poucet*.

Agences de voyages

Elles sont très nombreuses mais spécialisées pour la plupart dans les voyages de groupe. Nous en avons sélectionné deux qui conviennent mieux aux individuels. La première peut organiser votre séjour à la carte, en fonction de vos désirs. La seconde ne s'occupe que de randonnées.

– *Pampa Voyage Maroc :* 213, bd Mohammed-V *(plan Guéliz, A-B2, 7)*. Dans l'immeuble de la RAM, en étage. ☎ 43-10-52 et 43-87-30. Fax : 43-87-31 et 44-64-55. Cette agence, dirigée par une petite équipe belgo-marocaine, offre tous les services classiques mais surtout une découverte du pays en profondeur et personnalisée. Des voyages à la carte organisés par une petite équipe expérimentée qui aime ce splendide pays et veut faire partager sa passion. Ils vous conseilleront et vous guideront pour la visite des villes, des sites historiques, des montagnes, jusque dans les dernières petites vallées, et du désert, jusque dans les provinces sahariennes du Grand Sud. Toutes prestations, en voiture de location avec ou sans chauffeur, en 4 × 4, à pied, avec des mulets ou des chameaux pour partir à la découverte du pays et de ses habitants. N'hésitez pas à passer par eux aussi pour les réservations de certains hôtels, ils ont de bonnes conditions. Vous pouvez les contacter avant le départ.
■ *Atlas Sahara Treks (plan Guéliz, B2)* : 72, rue de la Liberté. ☎ 44-93-50 et 44-75-00. Fax : 44-96-69. Bernard Fabry, son dynamique directeur, est un spécialiste de la randonnée et du voyage sportif. Le Maroc, où il vit depuis longtemps, n'a plus de secrets pour lui. Une adresse idéale pour ceux qui veulent découvrir en trek un Maroc différent.

Transports

🚌 *Gare routière (plan d'ensemble, C2)* : place El-Mourabiten, à Bâb Doukkala, à l'extérieur des remparts. De grands taxis assurent au départ de la gare routière le transport vers la gare ONCF et vers la place Jemaa-el-Fna.
Nous conseillons d'aller prendre le billet la veille et de vérifier les horaires. La gare est fonctionnelle et bien organisée. Juste à côté, nombreux taxis collectifs pour Essaouira, Agadir, etc. A vous de choisir.
– Les bus de la *CTM* partent aussi du boulevard Zerktouni, près du *Café de la Renaissance (plan d'ensemble, A2).*

🚃 *Gare ferroviaire (plan Guéliz, A2,)* : à Guéliz, av. Hassan-II. ☎ 43-65-49.
✈ *Aéroport (hors plan d'ensemble, C4)* : à 6 km au sud. Pas de navette. ☎ 44-78-62. Compter 70 DH maximum. Si l'on est un peu chargé, possibilité de prendre place Jemaa-el-Fna le bus n° 11 qui dessert l'enceinte de l'aéroport. Le reste est à faire à pied ! Rares le samedi et le dimanche.
■ *Royal Air Maroc, Air France, Sabena* et *Swissair (plan Guéliz, A-B2, 7)* : 197, av. Mohammed-V. ☎ 44-64-44 et 43-62-05. Laissez sonner longtemps.

Hammams

■ *Hammam Dar el Bacha :* rue Fatima-Zohra. En venant du Club Méditerranée, sur le trottoir de gauche. Un décor qui évoquait jadis celui d'un palais des *Mille et Une Nuits.* La salle la plus chaude est tout en marbre blanc. Ouvert tôt le matin pour les hommes puis pour les femmes et à nouveau pour les hommes en fin d'après-midi.
■ *Hammam Salama :* bd de Safi, der-

rière la station-service, vers les jardins Majorelle *(plan d'ensemble, C1).* Deux parties : l'une réservée aux femmes, l'autre aux hommes.
■ *Hammam Semlalia :* sur la route de Casablanca à la fin de l'av. Mohammet-V, à 500 m du feu.
■ *Hammam Iman Raha :* sur la route de Safi près de la mosquée.

Certains hôtels ont leur propre hammam mais on s'y retrouve entre touristes et tout le charme est rompu.

Spécial sports

■ *Tennis :* tous les grands hôtels ont un court réservé à leurs clients. Voir le *Royal Tennis-Club,* rue Aouadi-el-Makhazine, à Guéliz. ☎ 43-19-02.
■ *Piscine municipale (plan d'ensemble, D3)* : rue Abou-el-Abbès-Sebti, à côté de la Koutoubia. Deux superbes bassins, entourés de palmiers. Grand plongeoir. Très bon marché. Vérifier tou-

tefois l'état de l'eau. Rien que des hommes.– La plupart des grands hôtels acceptent, moyennant un droit d'entrée, l'accès à leur piscine. Les filles y sont plus à l'aise. Tenue correcte exigée.
■ *Ski* (pourquoi pas ?) : sur les pistes de l'Oukaïmeden, à 80 km de Marrakech. Beaucoup de monde le week-end (surtout le dimanche).

Spécial culture

■ *Institut français (ex centre culturel) ; par (hors plan Guéliz, A1)* : route de la Targa, jbel Guéliz, près du lycée Victor-Hugo et de l'école Renoir. Ouvert de 8 h 30 à 12 h et de 14 h 30 à 18 h 30 et le jeudi jusqu'à 22 h. Fermé le lundi. Son architecture est particulièrement réussie. Bibliothèque (nombreux ouvrages sur le monde arabe et l'islam, salles de conférences, théâtre, cinéma, un amphithéâtre

pour les représentations de plein air. Une sorte de minicentre Pompidou, avec des activités ouvertes à tous.
■ *La cafétéria,* ouverte de 11 h 30 à 18 h 30, est un lieu idéal pour rencontrer de jeunes Marocains qui s'intéressent à notre culture. Se renseigner sur les programmes édités chaque mois : expositions, théâtre, cinéma. *Attention :* fermée pour vacances de juillet à septembre.

Cinémas

Les salles amputent tellement les films qu'ils pourraient vous en projeter deux en une seule séance. Le son est souvent si mauvais que l'on ne comprend qu'un ou deux mots par phrase.

■ Seule la salle du *Colisée*, bd Zerktouni *(plan Guéliz, A1)*, qui vient d'être rénovée, a un équipement technique excellent. Elle programme de bons films récents !

■ Nombreux cinémas populaires programmant des films arabes à proximité du square de Foucauld *(plan d'ensemble, D3)*. Uniquement pour l'ambiance de la salle. Attention aux portefeuilles.

Spécial nuit

■ Le *Paradise* et le *Star House,* les night-clubs de l'*hôtel Pullman,* juste à côté du *café du Jet d'Eau (plan d'ensemble, C2)*.
■ *Le Diamant Noir (plan d'ensemble, C2)* : discothèque de l'*hôtel Marrakech.*
■ Deux *casinos (plan d'ensemble, B3)* : l'ancien, près de l'*hôtel Es-Saadi* et le

nouveau dans l'*hôtel Mamounia,* où vous pourrez tenter quelques dirhams dans les machines à sous.
■ *Les dîners-spectacles folkloriques* sont souvent frelatés et artificiels. Voir plutôt, à notre rubrique « Où manger ? », nos tables d'hôte recommandées.

Fêtes et manifestations

– *Festival de Marrakech :* se renseigner à l'office du tourisme. Il permet de mesurer la richesse et l'importance du folklore marocain, que ce soit par les danses, les chants ou les costumes. Une vingtaine de troupes différentes se produisent dans le palais El Badi qui peut accueillir plus de 2 000 spectateurs.
– *Festival de musique classique :* en juin dans le *palais de la Bahia.*
– *Souk de chameaux :* au quartier de Douar Laaskar, à 5 km de Marrakech, tous les jeudis de 6 h à 14 h. Assez décevant. Un très vaste enclos ne contenant que des ânes, mulets et chevaux avec quelques rares dromadaires harnachés uniquement pour les touristes, et la balade sur le dos de ladite bestiole coûte une petite fortune. A éviter, vu que, en prime, c'est loin du centre, dans un coin sans intérêt.
– *Moussem :* à Ourika, début août ; à Asni, début juillet ; à Moulay Brahim, début février.

Où dormir ?

Attention : en période de vacances scolaires françaises, ne pas arriver à Marrakech en fin d'après-midi, tous les hôtels risquent d'être complets.

AUTOUR DE LA PLACE JEMAA-EL-FNA

Très bon marché

Tous nos hôtels de cette catégorie sont regroupés dans le secteur de Derb-Sidi-Bouloukat *(plan hôtels Médina)*. Pour s'y rendre, de la place Jemaa-el-Fna, longer l'*hôtel CTM,* franchir la voûte et suivre le riad Zitoun-el-Kédim et tourner dans la première ruelle à droite, à 100 m environ. On arrive directement à nos premières adresses : hôtels *Médina* et *Essaouira.* On peut aussi accéder à ce quartier, de l'autre côté en empruntant la rue Bâb-Agnou qui part de la place Jemaa-el-Fna, sur le côté droit de la banque Al Maghrib. Tourner ensuite dans la première impasse à gauche où se trouve l'*hôtel Central.* Quel que soit l'établissement

recherché, ne jamais demander son chemin. Le coin est plein de rabatteurs qui exigent des hôteliers une commission pour vous avoir guidé à leur établissement. La carte des hôtels de la Médina vous évitera d'avoir recours à leurs services.
🛏 *Hôtel Essaouira (plan hôtels Médina, B1,11)* : 3, Derb-Sidi-Bouloukat. ☎ 44-38-05. 30 chambres avec lavabo réparties autour d'un patio très agréable. Deux douches chaudes (payantes), dont une dans les w.-c. La literie est neuve. Accueil sympa. On peut bronzer ou prendre une consommation sur la terrasse, bien agréable, avec, en prime, une

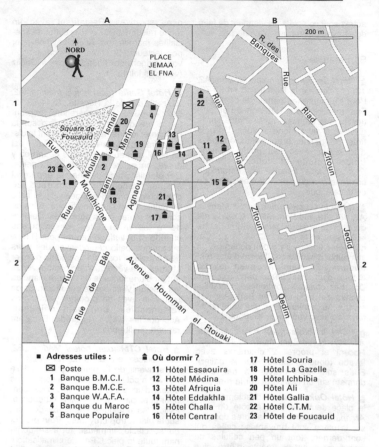

■ **Adresses utiles :**
⊠ Poste
1 Banque B.M.C.I.
2 Banque B.M.C.E.
3 Banque W.A.F.A.
4 Banque du Maroc
5 Banque Populaire

🛏 **Où dormir ?**
11 Hôtel Essaouira
12 Hôtel Médina
13 Hôtel Afriquia
14 Hôtel Eddakhla
15 Hôtel Challa
16 Hôtel Central

17 Hôtel Souria
18 Hôtel La Gazelle
19 Hôtel Ichbibia
20 Hôtel Ali
21 Hôtel Gallia
22 Hôtel C.T.M.
23 Hôtel de Foucauld

belle vue sur la médina. Petite biblio-thèque de prêt. Change.

🛏 *Hôtel Médina (plan hôtels Médina, B1, 12)* : 1, Derb-Sidi-Bouloukat. À côté de l'*hôtel Essaouira*. ☎ 44-29-97. Établisse-ment de 15 chambres, qui ressemble plus à une habitation marocaine qu'à un hôtel. Accueil sympathique. Chambres avec lavabo et douche chaude gratuite sur le palier. Patio de céramique et ter-rasse. Bien entretenu. Tout est d'une propreté exemplaire. Une excellente adresse. Servent aussi le petit déjeuner.

🛏 *Hôtel Afriquia (plan hôtels Médina, A1, 13)* : 45, Derb-Sidi-Bouloukat, à quel-ques pas de la place. Prendre dans la rue Bâb-Agnou la première à gauche et c'est au fond à droite, après l'*hôtel Central*. ☎ 44-24-03. 28 chambres, avec des murs carrelés et lavabos individuels, réparties autour d'un patio. Douche chaude collective payante. Belle terrasse sur le toit pour bronzer. L'hôtel est bien

entretenu. Les chambres sont payables d'avance.

🛏 *Hôtel Eddakhla (plan hôtels Médina, A1, 14)* : 43, Derb-Sidi-Bouloukat. Tou-jours dans la même rue, mais tout au bout. ☎ 44-23-59. 30 chambres propres avec murs carrelés et lavabo. 3 douches payantes avec eau chaude.

🛏 *Hôtel Challa (plan hôtels Médina, B1-2, 15)* : quand on est dans la Riad-el-Zitoum-el-Kédim, tourner dans la deuxième rue à droite. C'est là. ☎ 44-29-77. Agréable établissement de 10 chambres à l'étage, réparties autour d'un patio avec une fontaine entourée de quatre orangers. Très calme. Douche payante. Terrasse. Bon accueil et prix très doux.

🛏 *Hôtel Central (plan hôtels Médina, A1, 16)* : 59, Derb-Sidi-Bouloukat. ☎ 44-02-35. Terrasse et courette intérieure. 29 chambres avec 3 douches collectives (2 froides et une chaude qui est payante) et 4 w.-c. Vraiment très sommaire. Si les autres sont complets. Ils viennent de faire des travaux que nous n'avons pas vus.

Bon marché

🛏 *Hôtel Souria (plan hôtels Médina, A2, 17)* : 17, rue de la Recette. ☎ 44-59-70. Pour s'y rendre, en partant de Jemaa-el-Fna, prendre la rue Bâb-Agnaou et tourner dans la première ruelle étroite sur la gauche. C'est au fond à droite. Un petit hôtel de 10 chambres, toutes équipées d'un lavabo avec eau froide. Douche froide gratuite et douche chaude payante. Jolie fontaine de céramique contre le mur du patio. Le moins cher de cette catégorie.

🛏 *Hôtel la Gazelle (plan hôtels Médina, A2, 18)* : 12, rue Bani-Marîn. C'est la rue qui part de la place Jemaa-el-Fna, entre la banque et la poste. ☎ 44-11-12. Cet hôtel était encore, il y a peu de temps, un immeuble d'habitation. Il vient d'être restructuré. 28 chambres avec lavabo autour d'un très beau patio couvert. Douches chaudes communes. L'établissement est tenu par des Berbères très sympa. Au dernier étage, une toute petite terrasse avec vue sur la Koutoubia.

🛏 *Hôtel Ichbibia (plan hôtels Médina, A1, 19)* : 1, rue Bani-Marîn. ☎ 43-49-47. Récent et propre. 27 chambres avec lavabo (douche chaude sur le palier). Elles sont très bruyantes car elles donnent sur un couloir et sur la rue.

🛏 *Hôtel Oukaïmeden :* directement sur la place Jemaa-el-Fna, à côté du café *Argana*. La dizaine de chambres donnant sur la place sont bruyantes ; celles qui sont derrière font un peu cellules de moine mais ont le mérite d'être plus calmes. Sanitaires médiocres mais propres. Douche payante avec eau chaude. Très jolie vue depuis la terrasse. Le prix des chambres est calculé en fonction du nombre d'occupants et varie selon la saison. Pour les irréductibles de la place Jemaa-el-Fna.

Prix moyens

🛏 *Hôtel Ali (plan hôtels Médina, A1, 20)* : rue Moulay-Ismaïl. ☎ 44-49-79. Fax : 43-36-09. A 50 m de la place Jemaa-el-Fna, sous les arcades. Patio avec salon intérieur ombragé. Grande terrasse avec vue imprenable sur la place, sur la Koutoubia et toute la ville. Les 36 chambres climatisées ont une salle de bains. La plupart ont aussi des balcons. Garage et bureau de change. Cartes de crédit acceptées. Organisation d'excursions classiques et de randonnées sportives. Restaurant avec un menu raisonnable. Le soir, buffet de spécialités marocaines. Accueil sympa pour nos lecteurs. Si l'hôtel est complet, on vous dirigera sur l'*hôtel Farouk* à Guéliz (voir plus loin).

🛏 *Hôtel Gallia (plan hôtels Médina, A2, 21)* : 30, rue de la Recette. ☎ 44-59-13. Fax : 44-48-53. Pour s'y rendre, emprunter la rue qui longe l'*hôtel Tazi* sur la gauche et tourner à gauche devant le dispensaire de l'Arsa Mokta. Le *Gallia* est un hôtel un peu caché mais quand on y arrive, on est récompensé de sa peine. Cet établissement de charme appartient à une Française. Il comprend 20 chambres, dont 16 équipées d'une salle de bains. 7 ont l'air conditionné. Elles ne sont pas toutes aussi agréables. Demander à les visiter. Elles possèdent eau chaude et chauffage central pour l'hiver. Magnifique patio central avec des murs de céramique rose, un splendide palmier et toute une végétation de plantes vertes autour d'une fontaine de marbre blanc où les oiseaux viennent se désaltérer. Salon marocain avec de profonds sofas. Prix raisonnables. Bon petit déjeuner. Accepte les cartes de crédit. Excellent rapport qualité-prix.

🛏 *Hôtel CTM (plan hôtels Médina, B2, 22)* : place Jemaa-el-Fna. ☎ 44-23-25. En souvenir de la gare des bus qui se trouvait à côté. Les chambres sont bâties autour d'un grand patio. Elles possèdent pour la plupart salle de bains ou douche. Évitez les quelques chambres donnant sur la place, trop bruyantes. Pour profiter du spectacle, immense terrasse dominant toute la place. Pas de climatisation. Le moins cher de cette catégorie mais il n'est vraiment pas terrible. Petit déjeuner obligatoire.

🛏 *Hôtel de Foucauld (plan hôtels Médina, A1, 23)* : square de Foucauld. ☎ 44-54-99. Fax : 44-13-44. A 50 m de la place Jemaa-el-Fna. 40 chambres avec bains, eau chaude et téléphone. Propre. Un peu bruyant, surtout pour celles qui donnent sur la place. Carte VISA acceptée.

🛏 *Hôtel Islane (plan d'ensemble, D3)* : 279, av. Mohammed-V, en face de la Koutoubia. ☎ 44-00-81 et 83. Fax : 44-00-85. Proposent 30 chambres propres et climatisées. Éviter les cinq qui donnent sur la rue. Petit déjeuner compris dans le prix. Restaurant en terrasse sur le toit avec salle climatisée et vue sur la Koutoubia. Location de voitures. Cartes de crédit acceptées. Petit parking payant.

ΠΛΝ9 GUÉLIZ (ville nouvelle)

Si l'on doit rester plusieurs jours à Marrakech, il est préférable de descendre dans un hôtel de Guéliz. On y est un peu moins harcelé par les faux guides que près de la médina.

Très bon marché

🏠 **Auberge de jeunesse** *(IYHF ; plan d'ensemble, A3)* : rue El-Jahid. ☎ 43-28-31. Pas très facile à trouver. Derrière le camping, à 5 mn de la gare, donc éloignée du centre et déconseillée à ceux qui ne disposent pas de moyen de transport. Le quartier est calme. Propre. Cour intérieure et terrasse. Douche froide seulement. Petite épicerie bien approvisionnée. Attention aux horaires : les portes ouvrent de 8 h à 9 h, de 12 h à 14 h et de 18 h à 22 h. Se renseigner sur place. Carte de membre indispensable.

🏠 **Camping municipal** *(plan Guéliz, A3, 20)* : av. de France. ☎ 44-60-85. Pour s'y rendre, bus n° 3 ou n° 8 de la place Jemaa-el-Fna. Sol caillouteux et poussiéreux. Sanitaires innommables. La piscine voisine est payante et l'eau sale quand il y en a ! Ce camping, bruyant et cher, est une véritable honte pour la municipalité qui n'a jamais rien fait pour que cette capitale du Sud ait un terrain de camping digne de ce nom. Accueil déplorable. On a même du mal à distinguer le personnel des faux guides qui sévissent dans le camping. A éviter. On vous aura prévenu.

Bon marché

🏠 **Hôtel Toulousain** *(plan Guéliz, B1, 21)* : 44, rue Tarik-ibn-Ziyad. ☎ 43-00-33. Très calme parce que construit un peu en retrait de la rue, autour de deux patios très agréables. L'un possède un magnifique palmier. 32 chambres au total, dont 13 avec douche individuelle carrelée. Bien entretenu. Une adresse à conseiller, compte tenu de la modicité des prix et de la gentillesse de l'accueil. Quelques places de parking pour voitures et motos (ferme à 23 h pour préserver le sommeil des clients). Pas de petit déjeuner, ce qui permet d'aller le prendre dans un des nombreux cafés alentour.

🏠 **Hôtel des Voyageurs** *(plan Guéliz, A1, 22)* : 40, bd Zerktouni. ☎ 44-72-18. A côté du précédent. Façade étroite et curieusement décorée. La plupart des 26 chambres (dont 16 avec douche individuelle) donnent sur le couloir intérieur et n'ont donc pas de fenêtres sur la rue. Elles ne sont bruyantes que si vos voisins le sont. Évitez celles qui donnent sur la façade. La plus agréable est celle qui ouvre sur la terrasse. Propre. Dites-nous si les radiateurs fonctionnent quand il fait froid... Pas de petit déjeuner mais nombreux cafés, juste à côté.

🏠 **Hôtel Franco-Belge** *(plan Guéliz, A1, 23)* : 62, bd Zerktouni. ☎ 44-84-72. Depuis plus de dix ans qu'on en parle, il n'a pas bougé. Va-t-il résister à la vague de promotion immobilière qui a déjà fait abattre les deux immeubles de part et d'autre ? Les chambres donnent sur un patio intérieur où l'on peut se reposer à l'ombre des orangers. Très calme. Il y en a 14 avec douche collective payante et 7, un peu plus chères, avec douche et toilettes individuelles.

🏠 **Hôtel Farouk** *(plan Guéliz, A2, 24)* : 66, av. Hassan-II, près de la grande poste, à l'angle de la rue Mauritania. ☎ 43-19-89. Fax : 43-36-09. Au total, 36 chambres avec douche chaude. Restaurant. Bureau de change. Organisation d'excursions et location de voitures. Cartes de crédit acceptées. Même direction que l'*hôtel Ali*. Parking gardé.

De prix moyens à chic

🏠 **Hôtel du Pacha** *(plan Guéliz, B1, 25)* : 33, rue de la Liberté. ☎ 43-83-99 et 43-26-27. Fax : 43-13-26. Derrière le marché central. Établissement de 39 chambres bien entretenu. Celles donnant sur le patio intérieur sont très calmes et plus agréables. Elles sont toutes équipées d'une salle de bains ou d'une douche individuelle. La moitié de l'hôtel est climatisée mais cela ne fonctionne pas toujours très bien. Restaurant agréable : demi-pension obligatoire en pleine saison, c'est-à-dire du 1er mars à fin mai.

🏠 **Hôtel Tachfine** *(plan Guéliz, A1, 26)* : bd Zerktouni, à l'angle de la rue Mohammed-el-Beqal. ☎ 44-71-88. Établissement de 50 chambres bien entretenues et joliment décorées. Salles de bains aux murs de céramique bleue. Chaque chambre a son balcon, le téléphone et la climatisation. Au dernier étage, terrasse et solarium. Restaurant et bar décorés avec goût. Mais petit déjeuner cher et chiche. N'accepte pas les cartes de crédit.

🏠 **Hôtel Amalay** *(plan Guéliz, A1, 27)* : 87, av. Mohammed-V. ☎ 43-13-67 et 43-14-08. Fax : 43-15-54. Même style et même direction que le précédent mais moins agréable et accueil à revoir. Les 40 chambres sont équipées de salles de bains décorées de motifs arabes. Celles qui donnent à l'arrière sont moins bruyantes. Climatisation inefficace. Chauffage. Restaurant agréable offrant un grand choix et un menu de qualité. Ouvert toute la journée. Mêmes prix que le *Tachfine*. Change. Là aussi, belle terrasse au dernier étage.

♠ *Hôtel El Harti (plan Guéliz, A2, 28)* : 30, rue Cadi-Ayad. ☎ 44-80-00. Fax : 44-93-29. Juste derrière la poste. 54 chambres climatisées avec téléphone. Certaines sont petites. A chaque étage, les numéros 7 (107, 207, 307, etc.) sont plus vastes. Petite piscine sur la terrasse. Garage fermé. Bon accueil. La table est correcte mais le service beaucoup trop long.

♠ *Hôtel Moussafir (plan Guéliz, A2, 29)* : av. Hassan-II, place de la Gare. ☎ 43-59-29 à 35. Une centaine de chambres avec, pour la plupart, air conditionné silencieux. Jardin avec belle piscine. Demander une chambre sur le jardin ; les autres sont bruyantes. Restaurant avec un menu offrant un excellent rapport qualité-prix. Comme dans tous les établissements de cette chaîne, la décoration est très réussie et tout est fonctionnel. Une excellente adresse. Cartes de crédit acceptées.

♠ *Hôtel Oudaya (plan Guéliz, A1, 30)* : 147, av. Mohammed-el-Beqal. ☎ 44-85-12 et 44-71-09. Fax : 44-54-00. Cet hôtel récent propose 82 chambres simples réparties dans deux bâtiments autour d'un patio avec une piscine originale. Air conditionné. Change. Sauna et hammam sur réservation. Restaurant bien quelconque. Le personnel pourrait être plus aimable. Beaucoup de faux guides à proximité. N'accepte pas les cartes de crédit.

♠ *Hôtel Hasna (plan Guéliz, B2, 31)* : 247, av. Mohammed-V. ☎ 44-99-72 à 74. Fax : 44-99-94. Bien situé entre la médina et Guéliz. 50 chambres avec télévision. Petite piscine. Terrasse sur l'avenue. Accueil courtois et personnel souriant, ce qui est de plus en plus rare au Maroc. Tout l'hôtel est climatisé et les chambres insonorisées. Restaurant servant de la cuisine européenne et marocaine mais pas d'alcool.

♠ *Hôtel Amine (hors plan d'ensemble, par A1)* : av. Abdelkrim-el-Khettabi, Semlalia, à la sortie de la ville en direction de Casablanca. ☎ 43-63-76 et 43-13-52. Fax : 43-81-44. Établissement calme de 112 chambres réparties dans des pavillons de 3 étages. Agréable piscine. Beaucoup de verdure. L'hôtel est surtout fréquenté par des groupes mais comme ils sont en excursion dans la journée, ce n'est pas trop gênant. Les salons et parties communes viennent d'être refaites. Bar. Petit déjeuner sous forme de buffet. Cartes de crédit acceptées. Prix spécial pour nos lecteurs, sur présentation du *Routard* de l'année. Compter 230 FF la double. Petit déjeuner compris.

Très chic

♠ *Hôtel Tafilalet (hors plan d'ensemble, par A1)* : av. Abdelkrim-el-Khettabi, sur la route de Casa, après le précédent, B.P. 582. ☎ 44-98-18 et de 43-80-69 à 76. Fax : 44-73-32. Remarquablement géré par une Française, cet établissement de 84 chambres séduit, avec ses salons, sa piscine chauffée, son sauna, sa grande salle de restaurant, son gril au bord de la piscine, son solarium, ses boutiques, mais surtout sa gentillesse de tout le personnel. Les chambres ont toutes un balcon sauf quelques-unes du rez-de-chaussée. Établissement offrant toujours des « petits plus » comme ces gerbes de fleurs qui égaient le hall de réception. Compter 320 FF environ.

♠ *Hôtel Kenzi Semiramis (hors plan d'ensemble, par A1)* : av. Abdelkrim-el-Khettabi, sur la route de Casablanca, quartier Semlalia, B.P. 525. ☎ 43-13-77 et 44-64-46. Fax : 44-71-27. Les 182 chambres sont vastes, luxueuses et disposent de deux lits de 1,40 m. Air conditionné et terrasse donnant sur les superbes jardins. Patios intérieurs. Piscine hollywoodienne au milieu de la verdure. Au petit déjeuner, excellent buffet avec de succulentes crêpes marocaines. Quatre restaurant dont un au bord de la piscine, piano-bar, boutique, tennis, solarium. Tout a été prévu pour que l'on n'ait plus envie de quitter ce 5 étoiles, y compris les tarifs exceptionnels proposés à nos lecteurs de 300 à 400 FF la double, selon la saison, petit déjeuner compris. Une excellente affaire pour ceux qui apprécient le confort. Cartes de crédit acceptées.

♠ *Hôtel Tichka (hors plan d'ensemble, par A1)* : av. Abdelkrim-el-Khattabi, sur la route de Casablanca. ☎ 44-87-10. Réservation et prix spéciaux par *Maroc Hôtel* à Paris (☎ 47-55-09-09) et à Bruxelles (☎ 218-59-38 ou 217-40-20). Un architecte français et un décorateur américain ont uni leurs imaginations pour créer un véritable bijou de l'art arabe. Le hall, avec ses colonnes qui s'étirent vers le ciel, est une belle réussite. Tout comme la piscine et sa mosaïque bleu nuit. Portes en cèdres, zelliges. Il vous coûtera l'équivalent de 700 FF la nuit. Réduction de 15 % sur place pour nos lecteurs sur présentation du guide.

Spécial folies !

♠ *Hôtel Es-Saadi (plan Guéliz, B3, 32)* : au cœur du quartier de l'Hivernage. ☎ 44-88-11 et 44-70-10. Fax : 44-76-44. Magnifique ensemble de 150 chambres, très luxueuses et climatisées. Service attentionné, ce qui devient rare au Maroc. Piscine chauffée, hammam, sauna et salle de musculation. Pour aller au casino, il n'est pas nécessaire de sortir de l'enceinte de l'hôtel. On se demande ce qui manque. Restaurant gastronomique. Compter 1 000 FF la nuit.

♣ **Hôtel la Mamounia** : av. Bâb-el-Jedid (plan d'ensemble, C3). ☎ 44-39-81. Le plus luxueux probablement de tout le continent africain. En tout cas, le plus chargé d'histoire. Winston Churchill y passa une partie de sa retraite à y peindre (mal) des palmiers. Il faut dire que le parc de 5 ha, entretenu par 70 jardiniers, est plein de curiosités botaniques avec ses oliviers centenaires, son palmier à deux têtes, ses bougainvillées et ses amarantes à plumes.

Le palace a été restauré par un Français, André Paccard, grand spécialiste de l'art islamique. Il lui fallait en 152 jours, pas un de plus (entre deux saisons), refaire une beauté à cette vieille coquette de 171 chambres, 49 suites, 3 villas et 8 suites à thèmes. 2 700 ouvriers dont 149 artisans furent nécessaires pour lui redonner une nouvelle jeunesse. Cette rénovation tellement fastueuse a coûté plus cher que la construction de l'hôtel. Le roi lui-même en prit ombrage et finit par renvoyer toute l'équipe de décorateurs. En fait, la débauche d'argent n'a jamais été bonne pour l'art. Le résultat est bien trop clinquant et « nouveau riche ».

Maurice Ravel, Rita Hayworth, Orson Welles, Richard Nixon, Jimmy Carter, Henry Kissinger, Yves Montand, Catherine Deneuve sont venus prendre ici un peu de repos. A défaut de pouvoir s'y offrir une suite, on peut toujours aller au piano-bar, l'un des endroits les plus agréables de Marrakech. On peut prendre son verre sur le piano. Le pianiste est américain, et souvent noir. Cela dit, bien souvent des cerbères, à l'entrée de l'hôtel, interdisent l'accès à ceux qui n'y ont pas de chambre surtout si le roi ou un ambassadeur y séjourne. S'habiller correctement si on veut franchir le seuil.

Résidences

Si vous devez séjourner un certain temps à Marrakech, cette formule de location est la plus intéressante, surtout si vous êtes plusieurs. Elle offre de nombreux avantages : autonomie et liberté de prendre ses repas sans avoir à fréquenter quotidiennement le restaurant. Cette formule se développe considérablement. L'office du tourisme possède la liste des résidences de la ville. Nous en avons sélectionné trois pour vous :

♣ **Résidence Les Palmiers** (plan Guéliz, A1, 33) : 96, bd Zerktouni. ☎ 44-75-04. Une petite résidence de 19 appartements en plein centre ville. Chacun d'eux peut héberger 4 personnes. Ils se composent d'une entrée, d'un séjour avec un lit d'appoint, d'une grande chambre avec balcon, d'une kitchenette équipée, d'une salle de bains et de toilettes séparées. Service de chambre gratuit. Le standing est moyen (pas de télévision ni de climatisation) mais la propreté est de rigueur. Le propriétaire, un compatriote, veille au grain (de poussière). Autre avantage : le beau jardin intérieur et les prix très compétitifs. Compter 140 FF la nuit pour deux et moins de 1 000 FF la semaine. Bien entendu, demander l'un des 9 studios donnant sur le jardin, les autres sont trop bruyants.

♣ **Résidence El Bahja** (plan Guéliz 000, 34) : angle rues Ibn-Aïcha et Mohammed-el-Beqal. ☎ 44-81-19 et 44-81-22. Fax : 34-60-63. Une devise justifiée : « Bien être et se sentir chez soi, c'est habiter là. » Cette résidence de 13 appartements est bien entretenue. Studios ou appartements pouvant abriter une famille ou toute une bande de copains. Magnifiques salles de bains, cuisines bien équipées, chauffage central, climatisation, téléphone, balcons et terrasses avec solarium sur le toit. Possibilité de commander des plats marocains à la réception. Bureau de change. Cartes de crédit acceptées. Prix à la journée, à la semaine (1 500 FF environ), à la quinzaine ou encore pour de longs séjours. Forfaits suivant la saison. Excellent rapport qualité-prix.

♣ **Résidence Ezzahia** : av. Mohammed-Abdelkrim-el-Khattabi, sur la route de Casa (hors plan d'ensemble, par A1). ☎ 44-62-44 et 44-62-54. Fax : 43-00-28. 44 studios répartis sur les quatre étages de ce bâtiment, desservis par ascenseur. Chaque studio possède entrée, salle de bains, cuisine équipée, salle de séjour avec lit d'appoint, chambre et balcon. Le ménage est fait chaque jour. Piscine. Cafétéria et restaurant. L'environnement n'est pas très beau et les studios donnant sur l'avenue sont bruyants mais tout est bien entretenu. Cartes de crédit acceptées.

MAISONS D'HÔTE DANS LA MÉDINA

Il est possible de louer des maisons au cœur de la médina. Certaines maisons historiques ont été restaurées dans ce but en respectant l'architecture et les matériaux traditionnels. Calme et dépaysement dans un cadre authentique. Une excellente façon de découvrir la ville de l'intérieur, hors des circuits balisés, et de savourer à l'ombre des orangers cet art de vivre qui fait encore la réputation de Marrakech. De quatre à dix chambres par maison avec salle de bains ou cabinet de toilette. Les chambres entourent le patio et la fontaine. Soleil et farniente sur les terrasses. Les maisons ont chacune leur charme et leur personnalité, bassin ou hammam privé ; certaines de ces maisons sont de véritables petits palais.

Marrakech-Médina vous ouvre les portes de ces maisons et y organise votre séjour. Service hôtelier à domicile. On vient vous chercher à l'aéroport. Une cuisinière est là pour vous préparer des bons petits plats, des tajines. Une bonne façon de goûter la cuisine marocaine qui n'est jamais meilleure que préparée à la maison.

La formule convient à ceux qui comptent séjourner en famille ou avec des copains. Les maisons sont louées d'un bloc, ce qui signifie que plus on est nombreux plus les prix sont légers. Un beau palais *(riyad)* avec 6 chambres, 5 salles de bains, un hammam, séjour avec coin du feu, terrasse et tour avec point de vue revient à 1 100 FF par jour avec petit déjeuner, service et prise en charge à l'aéroport compris. Faites vos calculs. Possibilité aussi de location de chambres chez l'habitant.

– Pour renseignements et réservations, adressez-vous à : *Marrakech-Médina.* ☎ 19-212-4-44-24-48 ou 43-43-55 (répondeur et fax). Cette société est gérée par un Européen très compétent et sérieux.

▲ *Dar El Farah :* Arsat Bouachrine, Riad-Zitoun-El-Jdid. Accès facile. En face de la Provence de l'ancienne Médina. Parking gardé. ☎ (19-214-4) 44-10-19. Fax : 42-75-22. Le propriétaire de ce beau *riyad* met 3 chambres avec leur salle de bains à la disposition de ses hôtes qui ont aussi accès aux salons, à la piscine et à la terrasse-jardin. L'ensemble est décoré avec goût. Compter 400 FF pour une double petit déjeuner compris. Le propriétaire, un Français, va chercher ses hôtes à l'aéroport.

Où manger ?

DANS LA MÉDINA

Sur la place, très bon marché

Le soir, à partir de 18 h, la place Jemaa-el-Fna *(plan d'ensemble, D3)* devient un vaste restaurant de plein air où de nombreuses gargotes proposent à des prix très bas des grillades, des brochettes et des poissons cuits devant vous. Mais les règles d'hygiène ne sont pas toujours bien respectées, quoique les services sanitaires effectuent désormais des contrôles réguliers. En été, la chaleur n'arrange pas les choses. Souvent, on vous sert de la brebis pour du mouton. C'est moins cher, mais quelle « tourista » !

I●I *Chez Chegrouni (plan d'ensemble, D3) :* à côté du *café Montréal.* Tout en terrasse et signalé par une grande enseigne. Un des restos les moins chers de la ville. *Tajines* variés et bonnes soupes délicieuses, yaourts super. Brochettes. Addition légère. Si on y va tard, on a plus de chance d'avoir une place, sinon il faut attendre... Un bon signe. On y côtoie la population du quartier. Le patron éloigne d'office faux guides et quémandeurs de toute sorte.

Juste à côté de la place, très bon marché

Tout autour de la place Jemaa-el-Fna *(plan d'ensemble, D3)* on peut manger pour pas cher du tout dans les cafés. Le repas classique se compose de grillades de mouton avec un morceau de pain, le tout accompagné d'un verre de thé à la menthe. Un repas complet pour quelques dirhams. Une aubaine pour les fauchés qui ont bon appétit. Les prix sont toujours affichés. Allez rue Bani-Marîn, entre la poste et la banque. Nous y avons testé pour vous quelques adresses. Les meilleures sont les deux premières.

I●I *Laiterie Toubkal (plan hôtels Médina, B1) :* juste avant la rue Riad-el-Zitoum-el-Kédim. Brochettes, soupes et, bien entendu, des yaourts qui sont excellents. Terrasse agréable pour observer l'animation de la place. Une excellente adresse.

I●I *Restaurant de l'hôtel Ali (plan hôtels Médina, A1, 20) :* rue Moulay-Ismaïl, sous les arcades. Le soir, buffet marocain à volonté avec musique et chants traditionnels en prime. **I●I** *El Bahja, chez Ahmed (plan hôtels Médina, A2, 18) :* juste à côté de l'*hôtel de la Gazelle,* au n° 41. ☎ 44-03-44. On y mange toutes les spécialités marocaines.

I●I *Restaurant du Progrès :* même style et mêmes prix que le précédent.

I●I *Chez Hadj Brik :* uniquement grillades, brochettes, méchoui et merguez. **I●I** *Casse-croûte des Amis, chez Ela-*

mouni Elghassi : à côté de *El Bahja* et en face du cinéma.

Bon marché

|●| Café-restaurant Argana : sur la place Jemaa-el-Fna. Salle en terrasse assez touristique mais agréable. Ils ont des plats très abordables et un excellent thé à la menthe.

DANS GUÉLIZ

Très bon marché

|●| Café Agdal *(plan Guéliz, A1, 50) :* 86, av. Mohammed-V. ☎ 44-87-07. Face à l'*hôtel Amalay.* Ouvert jusqu'à minuit. On y sert des petits déjeuners copieux et économiques (les moins chers que nous connaissions). Très grand choix à la carte, à des prix vraiment surprenants. Petite salle au 1er étage. Pas d'alcool. Fait aussi glacier. Son menu a un rapport qualité-prix étonnant. Succulents jus de fruits maison.

|●| Chez Hassan *(plan Guéliz, A1, 51) :* 23, rue Ibn-Aïcha, en face de la résidence El Bahja. ☎ 43-24-38. Tenu par un jeune Berbère, ce petit restaurant, d'une propreté exemplaire, se compose d'une micro-salle et d'une terrasse sur la rue. Bonnes grillades, *tajines* du jour et couscous sur commande. Pas de raffinements gastronomiques mais on en est sûr de la qualité et le service est sympa. On peut se restaurer pour l'équivalent de 15 FF avec une salade, un tajine et du thé à la menthe. Pas d'alcool.

|●| Café de l'Escale *(plan Guéliz, A2, 52) :* rue de Mauritanie, près de l'office du tourisme. Il ne faut pas être allergique aux vapeurs d'alcool pour traverser ce bistrot, où les habitués font une consommation considérable de bière, afin d'atteindre la salle du fond où l'on sert un très bon poulet grillé et des brochettes accompagnées de frites succulentes (les meilleures de Marrakech). Déconseillé aux non-fumeurs et aux fervents défenseurs de la ligue anti-alcoolique. Dieu est parfois loin. Calme au déjeuner et possibilité de manger en terrasse. Ils servent aussi du vin. Un repas vous coûtera à peine 15 F. Qui dit mieux ?

|●| Chez Tony Mahmoud *(hors plan Guéliz, par A2) :* rue Ibn-Sahl, à quelques pas de la gare ferroviaire. Spécialités de brochettes et de poulets grillés. Restaurant sous une tonnelle, agréable à la belle saison. Ils servent de la bière et du vin.

|●| Signalons aussi à ceux qui se trouvent dans le quartier, à proximité de la résidence El Bahja, rue Mohammed-el-Beqal, en haut de l'avenue Mohammed-V

(plan Guéliz, A1), plusieurs petits *restaurants de grillades* comme *chez Hassan* recommandé plus haut, avec des tables sous les arbres, en saison, et qui pratiquent des prix très doux.

Bon marché

|●| Café Sindibad *(plan Guéliz, B2, 53) :* 212, av. Mohammed-V. ☎ 43-01-36. Résidence Élite. Terrasse agréable où il n'est pas toujours aisé de trouver une place. Grand choix de plats simples mais bons. Ils proposent même des hamburgers avec des légumes pour un prix dérisoire, des salades, des omelettes, des sandwiches et des grillades. Bons petits déjeuners. Service sympa. Pas d'alcool.

|●| La Crêperie : 72 *bis,* av. Mohammed-V. ☎ 43-77-11. Ouvert tous les jours pour le déjeuner et à partir de 16 h 30, sauf le dimanche. Grand choix de crêpes sucrées et salées (sicilienne, japonaise, florentine, hawaïenne, paysanne, norvégienne... nous en passons et des meilleures). Salades et, pour ceux qui seraient allergiques aux crêpes, quelques plats de viande et de poisson mais là, les prix dérapent et appartiennent à la catégorie suivante. Cidre belge. Ce n'est pas une blague.

|●| Restaurant Bdr *(plan Guéliz, A1, 55) :* rue de la Liberté, derrière le marché. Cuisine marocaine simple mais bonne (excellent poulet au citron) et plats européens. Mais il ne faut pas être allergique à la télévision. Très bruyant mais bon rapport qualité-prix.

|●| Le Petit Poucet *(plan Guéliz, A1, 56) :* 56, av. Mohammed-V. Un classique dont le décor n'a guère changé depuis la fin du protectorat mais, rassurez-vous, les murs ont été repeints. Le menu comporte : hors-d'œuvre, entrée, plat garni et dessert. Pas génial mais c'est correct. Terrasse en saison.

De prix moyens à chic

|●| Restaurant de l'Institut hôtelier (ITHTM ; *plan Guéliz, A3, 69) :* av. de France. Face au camping. ☎ 44-89-49 ou 45. Ouvert au public pour le déjeuner seulement, du lundi au vendredi, sauf pendant les périodes de vacances (Pâques, Noël et de la fin mai au 15 octobre). Réservation téléphonique conseillée la veille ou au plus tard le matin avant 10 h. Cuisine et service effectués par les élèves. Menu de 4 plats servi dans un cadre agréable. Compter 100 DH, boisson non comprise. Le rapport qualité-prix est excellent mais ils sont exempts de taxes et n'ont pas de charges de personnel.

|●| Catanzaro *(plan Guéliz, B1, 57) :* rue Tarik-ibn-Ziyad, à côté de l'*hôtel Toulou-*

sain, derrière le marché central. ☎ 43-37-31. Ce restaurant, ouvert midi et soir (sauf le dimanche et en août), est spécialisé dans les grillades au feu de bois et dans les pizzas. Le décor est très agréable, et l'accueil sympathique et attentionné. La propriétaire, une Française, règne sur un personnel discret et efficace. La viande est d'une qualité exceptionnelle. Grand choix de pâtes, dont les excellentes tagliatelles aux crevettes et calmars ainsi que les lasagnes. Très bon café qui ravira les amateurs. Une des bonnes adresses de la ville. Le restaurant ne désemplit pas et il est indispensable de réserver si on ne veut pas faire la queue dans l'entrée.

|●| *Bagatelle* (plan Guéliz, A2, **58**) : 101, rue de Yougoslavie. ☎ 43-02-74. Fermé le mercredi et en septembre. Un bon restaurant dirigé par un couple de Français très sympathiques. La patronne mitonne de bons petits plats. Il faudrait goûter à tout, de sa terrine de pintade à sa mousse au chocolat, en passant par sa soupe à l'oignon. En saison, on mange dans un magnifique jardin intérieur couvert de vigne. A notre avis, une table qui vaut autant pour la qualité de sa cuisine franche et sans prétention que pour la gentillesse de ses patrons.

|●| *Restaurant le Jacaranda* (plan Guéliz, A1, **59**) : 32, bd Mohammed-Zerktouni, au carrefour des Cafés, en face des Négociants. ☎ 44-72-15. Fermé le mardi toute la journée et le mercredi midi. Une adresse classique de Marrakech. Chef et direction français. La salle a gardé son style d'auberge de campagne avec sa grande cheminée, ses poutres et ses murs de crépi blanc. A l'extérieur, petite terrasse agréable. Au déjeuner seulement, deux menus économiques T.T.C. offrant un excellent rapport qualité-prix (41 FF et 53 FF). Également un menu gastronomique servi midi et soir. A la carte, très grand choix : huîtres de Oualidia (excellentes), profiteroles de la mer à la fondue de poireaux, ris de veau au miel, loup flambé au pastis, tournedos cordon rouge, confit de canard aux pommes et aux cèpes. Les prix, à la carte, sont bien entendu en fonction de votre choix et de votre appétit. Ils restent raisonnables, compte tenu de la qualité et du service stylé. Attention cependant aux 19 % de TVA en supplément à la carte, qui font très vite grimper les prix. Cartes de crédit acceptées.

|●| *Restaurant l'Entrecôte* (plan Guéliz, A1, **60**) : 55, bd Zerktouni. ☎ 44-94-28. Fermé le dimanche. Tenu par Isabelle et Gilles, des compatriotes. Ils proposent plusieurs menus très intéressants dont un pour les enfants, ainsi qu'un plat du jour avantageux. Les portions sont copieuses. A la carte, spécialités de viande d'une qualité irréprochable (côte à l'os, escalope de veau au roquefort, entrecôte à la bordelaise, gigot d'agneau, etc.), poisson et pâtes. Bonne carte des vins. Cartes de crédit acceptées. De plus, le décor est agréable.

|●| *Panarea Club* (plan Guéliz, A2, **61**) : 82, av. Hassan-II. ☎ 43-01-08. Ouvert tous les jours de 16 h à 3 h. Fermé durant le Ramadan et en été. Normal, les patrons retournent en Italie dans leur île natale des Éoliennes. Giuseppe et Pino ont su créer un décor original pour leur restaurant qui tient à la fois de la brasserie, du café et du bar et où l'on aime à se retrouver entre amis. Inconditionnels du couscous et du *tajine* s'abstenir. Rien que des spécialités italiennes. Excellentes *pasta* et *risotti* variés (risotto, jaune, vert, rouge, rose et blanc). Crêpes salées et sucrées qui portent toutes des noms d'opéra (Tosca est à la crème de marrons glacés et Turandot au miel et amandes). On peut composer un repas non conformiste selon sa faim et ses moyens. Grand choix de cocktails. C'est d'ailleurs le seul endroit de la ville, à part les night-clubs, où l'on peut prendre un verre et se restaurer à une heure tardive. Terrasse sur la rue.

|●| *Restaurant le Jardin* (plan Guéliz, B2, **62**) : rue Oum-Rabia, immeuble Nakhîll. ☎ 43-31-92. Une salle résolument moderne, aux murs roses, avec de petites lampes sur les tables. Nombreuses salades et crêpes salées, dont la « Rockefeller », la plus chère, comme il se doit. Grand choix de grillades et, chaque jour, une suggestion du chef.

|●| *Rôtisserie du Café de la Paix* (plan Guéliz, A2, **63**) : 68, rue de Yougoslavie. ☎ 43-31-18. Affiliée à la chaîne des rôtisseurs, cette brasserie possède un jardin agréable. Les tables sont disposées sous les arbres autour d'une fontaine centrale. Carte importante, mais cuisine inégale. Choisir les grillades, leur spécialité, ou le plat du jour. A la note viennent s'ajouter quelques dirhams pour le couvert plus les 19 % de taxes. Nous préférons cependant son vis-à-vis, *le Bagatelle*, qui est nettement meilleur.

Très chic

|●| *Le Pavillon* (plan d'ensemble, D2) : 47, Derb Zaouïa, à Bâb Doukkala, en face de la mosquée, au fond d'une impasse. ☎ 39-12-40. Ouvert tous les soirs pour le dîner, sauf le mardi. Il est préférable de réserver. Le propriétaire, un décorateur français, a ouvert ce restaurant exceptionnel dans un très beau *riyad* caché au fond de la médina. Le décor, à lui seul, mériterait une visite. 4 petits salons sont répartis autour d'un

patio avec bassin, planté d'orangers. Mais il ne faut pas oublier la cuisine, faite par Didier, un chef français, qui est excellente. La carte varie selon le marché du jour. Parmi les spécialités : saladine d'escargots, rillettes de saumon, feuilleté de cervelle, lotte au safran, faux-filet au roquefort, éventail de magrets de canard, feuillantine de fraises, soufflé au citron. On ne sait que choisir ! Pour accompagner votre repas, commandez une bouteille d'amazir ou d'aït soual, de bons vins marocains rarement proposés. Service discret et stylé (plus 10 % sur la note). Un repas exceptionnel dans un décor qui ne l'est pas moins. Très belle collection de tableaux et d'objets d'art. Fond musical discret. Une véritable fête pour les yeux et pour les papilles. Carte VISA acceptée. Compter 180 FF avec le vin. Vous ne les regretterez pas.

|●| *La Trattoria (plan Guéliz, A2, 64)* : 179, rue Mohammed-el-Beqal. ☎ 43-26-41. Fermé le lundi. Gian-Carlo, un Italien, anime ce restaurant élégant décoré par l'Américain Bill Willis (le décorateur de l'*hôtel Tichka*). On y retrouve toute la *gentry* locale. Gian-Carlo est un maître de maison exceptionnel et il cuisine aussi d'une façon remarquable. Spécialités italiennes bien sûr. Vin compris. Encore une bonne adresse pour les gourmets.

|●| *L'Orangerie (hors plan d'ensemble par A1)* : rue Allal-ben-Ahmed, derrière l'hôpital civil de Guéliz. ☎ 43-20-70. Fermé le lundi. Françoise et Pierre sont à la tête de ce restaurant de cuisine française. Belle carte de poisson. Spécialités de marinades. Cadre agréable avec des salles climatisées ouvrant sur un magnifique jardin. Ajouter au prix des plats 19 % de TVA.

RESTAURANTS TYPIQUEMENT MAROCAINS

Nous avons éliminé tous ceux qui présentent des spectacles folkloriques et sont envahis chaque soir par des cars de touristes. Ils sont généralement d'une médiocrité affligeante et les prix demandés exorbitants. Nous en avons retenu un dans le centre ville et un dans la médina :

|●| *Al Fassia (plan Guéliz, B2, 65)* : 232, av. Mohammed-V. ☎ 43-40-60 ou 43-79-73. Beau décor typique avec deux grands salons marocains, en bordure d'un jardin avec de petits kiosques. Restaurant tenu par des femmes. A midi, elles servent un déjeuner très correct à prix fixe pour une centaine de francs, boisson non comprise. Le soir, à la carte, compter le double avec le vin compris. Accueil agréable, empressé et souriant ;

de plus, la cuisine est excellente. Cartes de crédit acceptées.

|●| *Douirya (plan des Palais, C2)* : 14, Derb J'Did-Hay-Essalam, juste à côté du palais de la Bahia. ☎ 40-30-30. Décor typique avec plusieurs petits salons au premier étage, autour d'un beau patio. Service attentionné. Deux menus gastronomiques. Boisson non comprise. Ouvert aussi au déjeuner.

TABLES D'HÔTE

Quatre adresses exceptionnelles, mais sur réservation exclusivement. Celles-ci sont à faire directement par vous et par téléphone. Éviter les intermédiaires de tout genre tels que concierges ou employés d'hôtels, guides (vrais ou faux), calèches, taxis. Lors de votre réservation téléphonique, on vous dira comment venir ou, mieux, on viendra vous chercher. Les chauffeurs de taxis à qui vous demandez de vous conduire au restaurant X ont toujours quantité d'arguments pour vous conduire chez Y même si vous avez réservé chez X. De cette façon, ils touchent une commission chez Y qui ne figure pas dans nos adresses recommandées !

|●| *Ksar Es Saoussan (Palais des Iris)* : ☎ 44-06-32. Dans l'ombre des ruelles de la médina, ce ksar tombait en ruine. Jean-Laurent Graulhet, un Français, l'a découvert au hasard de ses promenades et en est tombé amoureux. Abandonnant 30 ans de vie parisienne, il lui a redonné vie. Selon la saison, on peut dîner soit dans le patio à ciel ouvert où coule une fontaine, soit dans les petits salons de ce ksar qui a retrouvé sa splendeur d'antan. Avec ou sans cravate, on s'y sent à l'aise

comme si l'on était invité chez un ami. La cuisine marocaine préparée par Naïma et Fatima y est raffinée. Le couscous est fameux, les *tajines* aussi, mais que dire de la *pastilla* au lait et amandes parfumée à la fleur d'oranger, sinon qu'elle est inoubliable, comme la soirée d'ailleurs. Service discret avec cérémonie des ablutions avant et après le repas. Fond musical classique ou musique « gnaoua », selon l'état d'âme du propriétaire. Trois menus d'importance croissante selon votre appétit et votre budget : 150 F, 200 F ou 270 F pour le gastronomique. Ils comprennent tous l'apéritif maison et une demi-bouteille de vin. Thé à la menthe et petits fours viennent clore cet excellent repas. Le nombre volontairement restreint de tables contribue à un bien-être convivial dans une ambiance d'une élégante simplicité. L'accès est facile : au carrefour de l'office de l'artisanat, av. Mohammed V, tourner à gauche en venant de Guéliz. Tout droit. Passer sous la voûte et, 100 m plus loin à droite, vous avez l'entrée de la rue des Ksour. C'est fléché.

|●| Dar Marjana (la Maison de Corail) : ☎ 44-11-10 et 44-57-73. Très beau palais dans la médina. On est reçu comme un prince par Chaouqui, le maître de maison. L'apéritif est servi à la belle saison dans le patio rectangulaire débordant de plantes. On peut en profiter pour admirer les somptueuses boiseries d'origine, du milieu du XIXe siècle, en écoutant les vieilles mélopées arabes d'un étonnant musicien. Il faudra cependant s'arracher à la magie du lieu pour passer dans l'un des deux salons où votre table sera décorée et vos initiales dessinées en pétales de rose. Vaisselle et cristaux d'un grand raffinement. On vous servira alors probablement l'une des meilleures cuisines de Marrakech. Spécialités : le pigeon au *trid* et le *tajine M'Kfoul* (agneau et tomates caramélisées), entre autres, car on ne saurait tout énumérer, et les plats se succèdent pendant que deux musiciens gnaouas viennent faire une surprenante démonstration de leur art. Service irréprochable d'un personnel stylé. Chaouqui a l'œil à tout et chaque soir il renouvelle son spectacle. Du grand art. Une seule fausse note : la danseuse du ventre, qui vient briser l'enchantement de cette soirée. Sa prestation nous fait basculer du monde des Mille et Une Nuits dans celui de Pigalle ! Forfait par personne pour la soirée, boisson comprise : environ 350 FF. Tenue correcte exigée.

|●| Dar Yacout (la Maison de Saphir) : 72, Sidi-Ahmet-Soussi. ☎ 31-01-04 et 31-01-58. Fax : 30-72-09. Même style que le précédent. Palais restauré par Bill Willis. Très belle piscine entourée de bambous. On débute la soirée en prenant un verre dans les salons du premier. Un chanteur accompagnera de sa guitare de vieilles mélodies andalouses. On dîne au rez-de-chaussée ou dans le patio en été. Spécialités d'épaule d'agneau à la vapeur et de *tajine* de poisson. Le propriétaire, Mohammed Zkhiri, aime bien faire la fête. La soirée risque de se prolonger. Vous ne regretterez sûrement pas d'avoir passé une soirée digne d'un prince des Mille et Une Nuits pour l'équivalent de 350 FF tout compris.

|●| Restaurant Le Tobsil : 25, Zaouit-el-Hadar par Riad Laarouss. ☎ 44-40-56 et 44-40-52. Ouvert tous les jours pour le dîner seulement. En pleine médina, un magnifique *riyad* du XVIIe siècle. La réussite est étonnante : décor remarquable par son raffinement avec son patio, ses salons et même une cheminée pour dîner au coin du feu. La cuisine est préparée par des Marocaines selon des recettes traditionnelles. Quelques musiciens discrets accompagneront votre repas. Vous passerez un moment inoubliable dans un décor de rêve. Compter 300 FF environ par personne. Réservation conseillée. On vous indiquera alors comment parvenir au cœur de la médina.

Où manger une glace ? Où acheter une pâtisserie ?

DANS LA MÉDINA

■ **Pâtisserie El Baadi** (plan d'ensemble, D3) : rue Fatima-Zohra. Elle part du Club Med jusqu'à Bâb Doukhala. On achète et on consomme sur place, au dernier étage, d'excellentes pâtisseries marocaines et de bons jus d'amande.

■ **Pâtisserie Mik-Mak** (plan hôtels Médina, A1, 20) : av. Moulay-Ismaïl, à côté de l'hôtel Ali. A quelques pas de Jemaa-el-Fna. Ouverte sans interruption. Bon petit déjeuner.

A GUÉLIZ

■ **Al Jawda, Chez Mme Alami** (plan Guéliz, A2, 66) : 11, rue de la Liberté.

☎ 43-14-22. Ouvert de 8 h à 20 h 30. La façade est si petite qu'on peut passer à côté. L'une des meilleures pâtisseries du Maroc. « Le prix attire la clientèle, mais la qualité la retient », dit leur publicité. La qualité y est mais les prix aussi (très cher). Nous en connaissons plus d'un qui risque de craquer. Goûtez une corne de gazelle et vous serez convaincu.

■ **Chez Mirgon** (plan Guéliz, A1, 67) : av. Mohammed-V, en face du marché de Guéliz. Un très grand choix de pâtisseries. Les meilleurs millefeuilles de la ville.

■ **Glacier Oliveri** (plan d'ensemble, A2) : bd El-Mansour-Eddahbi, au bout de la rue, sur la gauche avant d'arriver au croisement. Une dynastie de glaciers dont la maison mère est à Casablanca. Cette succursale permet désormais aux

Marrakchis de savourer des glaces exceptionnelles.

■ *Pâtisserie Hilton (plan Guéliz, A1, 68) :* rue de Yougoslavie, au carrefour, à côté de *Boule de Neige.* Beaucoup de choix, mais la qualité n'est pas celle de *Chez Mme Alami.*

Où boire un verre ? Où prendre le petit déjeuner ?

DANS LA MÉDINA

Ne pas manquer les nombreuses terrasses de café qui dominent la place Jemaa-el-Fna. Spectacle permanent. Citons celle du *Glacier,* de l'*hôtel de France* ou de l'*Argana,* où le thé à la menthe est excellent. Ils servent, bien entendu, des petits déjeuners et même des repas. La vue compense souvent la médiocrité de ce que l'on sert. Possibilité de boire un jus d'orange sur la place Jemaa-el-Fna, en passant. Ne pas en abuser : gare à la « tourista ».

❦ *Laiterie Baadi (plan d'ensemble, D3) :* bd Fatima-Zohra, derrière l'hôtel *Les Almoravides.* ☎ 44-43-69. Un bar en terrasse avec de bons petits déjeuners. Excellents pains au chocolat, service impeccable.

DANS GUÉLIZ

Ce ne sont pas les endroits qui manquent, à commencer dans l'ordre par la place de la Liberté *(plan d'ensemble, C2).*

❦ *Café le Jet d'Eau :* dans un immeuble moderne de style art déco. On peut aussi s'y restaurer à n'importe quelle heure. Ouvert très tard le soir. Juste pour une courte halte car la salle ressemble un peu à un hall d'aéroport. Discothèque ouverte toute la nuit.

❦ *Panarea Club (plan Guéliz, B2, 61) :* 82, av. Hassan-II. ☎ 43-01-08. Ouvert tous les jours de 16 h à 3 h. Fermé en été et pendant le Ramadan. Grand choix de cocktails. Un endroit branché, pratique aussi pour les noctambules qui ont une petite faim. Mais pour le petit déjeuner, il faut vraiment avoir fait la grasse matinée. Les quatre angles du carrefour des boulevards Mohammed-V et Zerktouni *(plan d'ensemble, A1)* sont occupés par quatre cafés. Vous pouvez choisir votre terrasse à l'ombre ou au soleil.

❦ *Café Renaissance (plan Guéliz, A1) :* place Abdul-Moumen-ben-Ali. Prendre l'ascenseur qui conduit à une terrasse surplombant toute la ville. Un endroit privilégié lorsque le coucher de soleil donne aux maisons et aux remparts une teinte rouge sang. Les serveurs, comme le décor, sont d'époque (années 50). Alcool servi aux non-musulmans. Beaucoup de quémandeurs et de dragueurs à la terrasse du rez-de-chaussée.

❦ *Café Les Négociants :* en face du précédent. Propre et bon marché. Excellent petit déjeuner. Terrasse agréable quand il n'y a pas trop de circulation.

❦ *Café Siroua :* 20, bd Zerktouni, juste à côté du précédent. ☎ 44-62-26. Ouvert jour et nuit. Une excellente adresse dans un décor style années 50. Excellents petits déjeuners. Jus d'orange frais et bons cafés. Les glaces sont très bonnes. Petite salle intime au 1er étage.

❦ *Boule de Neige (plan Guéliz, A1, 68) :* 30, rue de Yougoslavie, à l'angle de l'avenue Mohammed-V. ☎ 43-52-19. Le rendez-vous des jeunes « dans le vent », entre 18 h et 22 h. Très sympa. Ses yaourts sont uniques. On vous sert de la baguette beurrée, des jus de fruits frais, des viennoiseries. Le café est bon mais le service est lent.

❦ *Café Sindibad (plan Guéliz, B2, 53) :* 212, av. Mohammed-V. ☎ 43-01-36. Bon petit déjeuner économique. Personnel sympa.

Comment se repérer ?

Marrakech est formée de deux villes très différentes :

– *La médina,* ou vieille ville, entourée de remparts, au centre de laquelle bat son cœur : la place Jemaa-el-Fna. Les souks bordent la partie nord de cette place. Tous les pôles d'intérêt se trouvent répartis dans cette médina ou à proximité.
– *Le Guéliz,* ou nouvelle ville. Hors des remparts et créée sous le protectorat, elle s'étend autour d'un axe principal : l'avenue Mohammed-V, longue de plusieurs kilo-

mètres et qui relie la Koutoubia au djebel Guéliz. C'est là que se trouvent regroupés les grands hôtels, les loueurs de voitures, les commerces et les grands cafés.

Si vous devez rester quelques jours à Marrakech, faites l'acquisition du plan détaillé de la ville édité par les éditions POL. Un répertoire alphabétique, à la fin, permet de s'y retrouver rapidement et d'éviter bien des pas inutiles. En vente dans toutes les librairies et chez certains marchands de journaux de la ville.

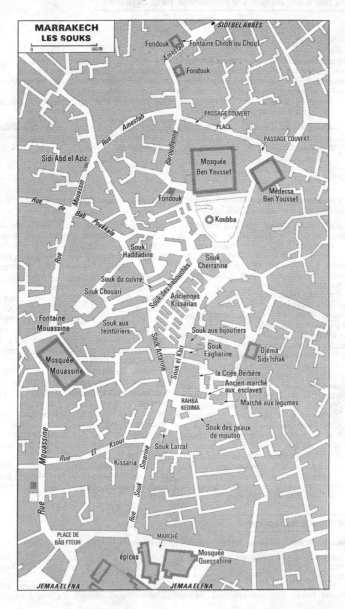

A voir

Lorsque le roi est en résidence d'hiver, certains monuments et musées peuvent être fermés au public. Dans les souks, la plupart des magasins sont fermés le vendredi, entre 11 h et 16 h. Ils ferment tous à l'occasion de certaines fêtes (Aït le Kebir, fête du Trône).

Nous vous présentons les principaux centres d'intérêt dans l'ordre duquel il est logique de les découvrir. Mais si vous ne devez rester à Marrakech qu'une seule journée (ce qui, soit dit entre nous, serait un crime) il ne faut manquer sous aucun prétexte les deux hauts lieux que sont la place Jemaa-el-Fna et les souks.

Marrakech n'est pas une ville qui séduit toujours au premier abord ; il faut savoir la mériter un peu, surmonter ses premières impressions et oublier les sollicitations permanentes de ses guides, dont le seul but est de vous extorquer le maximum de dirhams.

LA MÉDINA

★ **Le minaret de la Koutoubia** *(plan d'ensemble, D3)* : la tour Eiffel locale. Restauration en cours qui risque de durer plusieurs années. Tout le monde le connaît et il sert de point de repère. Beaucoup plus vieux que notre fringante centenaire puisqu'il date du XIIᵉ siècle. Il servit de modèle à la Giralda de Séville. Son décor est différent sur chaque face. Cette tour (70 m), aussi haute que celles de Notre-Dame de Paris, est couronnée d'un lanternon surmonté de quatre boules dorées. La légende, qui embellit tout, voudrait nous faire croire qu'elles sont d'or pur et que l'influence des planètes leur permet de tenir en équilibre ! On ne visite pas l'intérieur avec ses six salles superposées autour desquelles une rampe permettait, autrefois, d'atteindre la plate-forme à cheval. La mosquée de la Koutoubia ou « des Libraires » doit son nom aux bouquinistes qui se tenaient autour au XIIᵉ siècle.

★ **La place Jemaa-el-Fna** *(plan d'ensemble, D3)* : son nom signifie « Assemblée des morts », en mémoire de l'époque où les criminels y étaient exécutés et leur tête exposée pour servir d'exemple. C'est aujourd'hui le quartier le plus vivant de toute la ville. Tout tourne autour d'elle : premier centre d'intérêt touristique, proche des souks, point de repère essentiel d'où partent les promenades qu'on effectue dans la ville, cette place possède aussi de nombreux emplacements de parking gardé (un dirham, siouplaît...). N'hésitez pas à fréquenter les terrasses de la *Brasserie du Glacier*, de l'*Hôtel de France* et de l'*Agdal*, qui permettent d'avoir le meilleur point de vue sur l'ensemble de cette place.

La place Jemaa-el-Fna est un immense théâtre de plein air au spectacle continu. Jusqu'au début des années 80, c'était à la fois la gare routière et un marché aux puces permanent, installé dans des baraques de bois, qui faisaient de cet endroit une véritable extension des souks. Un décret chassa tous ces marchands du temple. Mais ce lieu a vite retrouvé son animation avec des « ambulants » qui assurent la permanence du spectacle, attirant nombre de badauds à toute heure.

★ **Les souks :** quand la police touristique ne sévit pas, pénétrer seul dans les souks relève de l'exploit. Si vous n'arrivez pas à échapper à tous ces guides autoritaires qui s'imposent aux touristes, prenez-en un, en vous mettant bien d'accord sur le prix au départ (malgré cela, il arrivera qu'on vous demande le double à l'arrivée ; soyez ferme) et refusez systématiquement tout achat car la présence d'un accompagnateur a le pouvoir singulier de faire progresser les prix, puisque le marchand devra lui verser une commission.

Le *souk des Teinturiers* se trouve à l'intersection de deux ruelles ; empruntez celle de gauche. Ce souk a perdu une grande partie de son activité avec les teintures industrielles, mais les quelques ateliers subsistants fonctionnent encore d'une manière artisanale. Il change d'aspect selon l'étendage des étoffes et des laines. Un régal pour les photographes, mais il faut savoir attendre ou revenir pour obtenir le cliché superbe. Ne pas hésiter à s'aventurer dans les venelles alentour. En continuant vers la gauche, on atteint le *souk Chouari*, celui des vanniers et des tourneurs sur bois. Toujours sur la gauche, le *souk Haddadine*, où vous serez guidé par le martèlement des ferronniers. Sur la droite, le *souk des Cuivres*, où les dinandiers ciselent, à coups de burin, plateaux et autres petits souvenirs. Dans le *souk Smata* règne une odeur de cuir frais. C'est là que, dans de minuscules échoppes, les cordonniers cousent leurs babouches suivant des méthodes ancestrales. Dans le *souk Cherratine*, on travaille aussi le cuir mais ici les modèles ont changé et se sont adaptés aux touristes.

★ *La medersa Ben Youssef :* près de la Koubba et de la mosquée Ben Youssef, qui ne méritent pas que l'on s'y attarde. En revanche, la medersa est l'un des monuments les plus intéressants de la ville. Accès payant. Visite tous les jours de 8 h à 12 h et de 14 h 30 à 18 h, sauf Aïd el Kebir et Aïd es Seghir. Cette école coranique pouvait contenir jusqu'à 900 élèves, que l'on entassait dans une centaine de cellules visibles au 1er étage. Ils partageaient leur temps entre l'étude des textes sacrés et la prière. On voit d'ailleurs la salle de prière, face à l'entrée de la grande cour, avec ses colonnes de marbre supportant les chapiteaux.

★ *Retour aux souks :* revenir par le *souk el-Kebir*, où les maroquiniers tiennent boutique. A droite, s'ouvrent les *kissarias*, réservées au commerce des étoffes. Ce sont les mieux conservées de tout le Maroc avec celles, plus petites, de Meknès. Certains plafonds ont encore leur charpente de bois de cèdre. Nos chères lectrices pourront s'attarder dans le souk suivant, le *souk des Bijoutiers*. Mais il faut savoir distinguer l'argent de ses imitations, sinon, fortes chances de se faire rouler.
En obliquant sur la gauche, on débouche sur la *place de Rahba-Kedima*, ancien marché aux grains et... aux esclaves. On y négocie maintenant des poules, des légumes, des peaux de chèvre, des fripes et des ustensiles de cuisine. Sur le côté droit, plusieurs boutiques, avec dans leurs bocaux des plantes médicinales. Nous vous recommandons : *Majid's,* marchand d'herbes où l'on donne des explications sur les propriétés de chacune. Si vous perdez vos cheveux, essayez le *rhassoul* qui, dilué dans de l'eau tiède, forme une boue à placer sur la tête pendant cinq minutes. Vous pouvez aussi remplacer votre dentifrice habituel par des bâtonnets d'écorce de noyer avec lesquels vous frotterez désormais vos petites canines. Le *zoac*, récipient de terre cuite enduit de poudre de coquelicot, tiendra lieu aux coquettes de fard et de rouge à lèvres. N'oublions pas les aphrodisiaques, comme la cantharide-coléoptère, dont la poudre se dilue dans une tasse de café, ou encore des thés propices à réveiller certains membres paresseux. Les plus circonspects se contenteront de quelques mélanges d'herbes pour barbecue, comme celui appelé « tête de magasin » et qui ne contient pas moins d'une trentaine d'espèces différentes.
Sur le côté gauche de cette place très animée, un immeuble couvert de tapis indique l'entrée du *souk Zrabia*, dit la Criée berbère (tous les jours, sauf le vendredi). Il n'est pas nécessaire d'être accompagné, mais si vous êtes avec un ami arabe (pas un guide), vous pourrez acheter des cuirs, des caftans et des tapis, deux à trois fois moins chers que dans les boutiques. Votre parcours se terminera au *souk Smarine*, qui aboutit au marché des fruits secs et à celui des potiers, avant de revenir place Jemaa-el-Fna. Cet itinéraire n'est qu'une proposition, et nous espérons que vous vous serez perdu maintes fois pour faire des découvertes personnelles.

LES AUTRES MONUMENTS DE LA MÉDINA

Partir de la porte Bâb Agnaou *(plan des Palais, A3)*, qui est l'une des plus belles des remparts de la ville, avec sa pierre d'un séduisant gris bleuté. Son nom, qui signifie « porte du Bélier sans corne », viendrait du fait qu'elle a perdu les deux tours qui l'encadraient auparavant.

★ *La mosquée d'El-Mansour,* dite aussi « mosquée de la Casbah » *(plan des Palais, B3)*, se repère aisément à son minaret aux entrelacs de couleur turquoise, qui se détache du ciel. Vous ne pourrez rien voir d'autre puisque la mosquée, dont la salle de prière ne comprend pas moins de onze nefs, est réservée aux musulmans. Cette construction paraît toute neuve, mais elle est, en fait, aussi âgée que la Koutoubia. Yacoub el-Mansour la fit édifier au XIIe siècle mais elle fut reconstruite après une explosion en 1569. On lui donna alors aussi le nom de mosquée « aux pommes d'or » car les boules de sa lanterne auraient été réalisées avec l'or des bijoux de l'épouse de Yacoub el-Mansour.

★ *Les tombeaux saadiens (plan des Palais, A3) :* la porte d'entrée est au fond d'une petite impasse sur la gauche, après le mur de la mosquée. La visite est libre mais payante. Ouvert de 9 h à 11 h 45 et de 14 h 30 à 17 h 30 ou 18 h. Fermé le mardi en principe. Comme ces tombeaux n'étaient accessibles que par la mosquée, ils furent préservés jusqu'en 1917, date à laquelle on eut l'idée de faire percer une porte favorisant leur accès sans avoir à traverser l'enceinte sacrée. Bien joué ! L'ensemble comporte plusieurs koubbas autour d'un cimetière envahi de fleurs. Le premier mausolée est composé de 3 salles. La première possède un riche mirhab. La seconde, la salle centrale, abrite la tombe de Moulay Ahmed el-Mansour, mort de la peste à Fès en 1603, et qui repose, entouré de ses fils, sous une coupole de cèdre doré que supportent douze colonnes de marbre de Carrare. La troisième salle, dite « des Trois

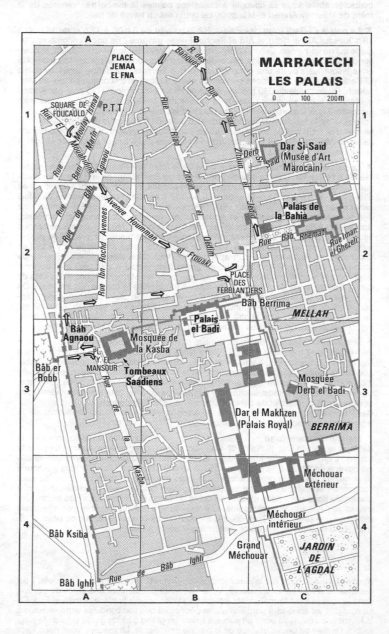

**MARRAKECH
LES PALAIS**

0   100   200 m

PLACE
JEMAA
EL FNA

SQUARE DE
FOUCAULD
P.T.T.

Dar Si-Saïd
(Musée d'Art
Marocain)

Palais de
la Bahia

Rue Bâb Rhemat

PLACE
DES
FERBLANTIERS

Bâb Berrima

MELLAH

Bâb
Agnaou

Palais
el Badi

Mosquée de
la Kasba

Bâb er
Robb

PL.
Y EL
MANSOUR

Tombeaux
Saâdiens

Mosquée
Derb el Badi

Dar el Makhzen
(Palais Royal)

BERRIMA

Méchouar
extérieur

Bâb Ksiba

Méchouar
intérieur

Grand
Méchouar

JARDIN
DE
L'AGDAL

Bâb Ighli

Rue de Bâb Ighli

Niches » abrite des tombes d'enfants. Elle est aussi richement décorée. Le second mausolée abrite sous sa coupole à stalactites peintes la tombe très vénérée de la mère de Moumay Ahmed el-Mansour. Le jardin est un havre de paix.

★ **Le palais El-Badi** (plan des Palais, B2-3) : ouvert de 8 h 30 à 12 h et de 14 h 30 à 18 h 30, sauf Aïd el Kebir et Aïd el Seghir. Entrée payante : ne pas s'encombrer d'un guide qui ne sert à rien. Suivre l'itinéraire fléché et traverser le souk du Mellah, le quartier des Juifs, pour atteindre la place des Ferblantiers, dominée par les tours de pisé entre lesquelles s'ouvre une porte étroite, la Bâb Berrima, qui donne accès au palais El-Badi. Ces ruines grandioses servent de cadre au festival folklorique annuel de Marrakech. De ce palais de 360 pièces, construit en un temps record (25 ans) par Ahmed el-Mansour après sa victoire lors de la bataille des Trois Rois en 1578, il ne subsiste aujourd'hui que les structures. Il était pourtant considéré à l'époque comme une merveille. Où est le fabuleux décor de marbres d'Italie, de mosaïques et de revêtement de feuilles d'or ? Un certain Moulay Ismaïl se servit copieusement au passage pour son palais de Meknès. Malgré cela, l'endroit a beaucoup d'allure. Dommage que l'accès à la terrasse soit désormais interdit.

★ **Le palais de la Bahia,** c'est-à-dire de la Belle (plan des Palais, C2) : aucune signalisation à l'extérieur. C'est la grande porte à côté du Restaurant de la Bahia. Pour accéder à l'entrée, suivre le chemin bordé d'orangers. Visite, obligatoirement accompagnée d'un guide, de 8 h 30 à 11 h 45 et de 14 h 30 à 17 h 45. Ces horaires peuvent toutefois varier selon la saison. Construite vers 1880, cette riche demeure de Ba Ahmed, vizir des souverains Moulay Hassan et Abdelaziz, est un chef-d'œuvre de l'art marocain. Sur plus de 8 ha, des appartements superbement décorés débouchent sur des patios fleuris. Pour profiter de cette visite, il faudra ralentir votre guide qui, pressé de passer au client suivant, aura tendance à accélérer le pas. Ce serait dommage ; il y a tant de choses à voir. A l'exception d'un appartement, toutes les pièces furent conçues de plain-pied, étant donné l'embonpoint du grand vizir, lequel roulait plus qu'il ne marchait. Tout le marbre provient d'Italie et fut troqué par les Marocains contre des kilos de canne à sucre. Il y a longtemps que le sucre a fondu mais le marbre, lui, est resté. On visite le salon de réception, la salle du Conseil avec son plafond exceptionnel, l'appartement de la favorite et la grande cour autrefois réservée au gynécée du sultan qui ne possédait pas moins de quatre épouses et vingt-quatre concubines. Quel tempérament ! Lyautey, qui n'avait pas mauvais goût, avait fait de ce palais sa résidence.

★ **Dar Si Saïd** (plan des Palais, C1) : visite payante accompagnée de 9 h à 11 h 45 et de 14 h 30 à 17 h 45 sauf mardi et jours fériés ; le vendredi, ouvre 15 mn plus tard l'après-midi. En sortant du palais de la Bahia, prendre le riad Zitoum-el-Jedid puis obliquer sur la droite. Cette ancienne maison de la fin du siècle dernier renferme un musée d'art marocain. On ne va quand même pas détailler les collections pièce par pièce, mais on conseille, à l'étage, la chambre de l'épouse favorite, pour ses splendides tapis. Les amateurs d'armes et de bijoux berbères ne seront pas déçus.
Dans l'entrée, un tableau donne des précisions intéressantes sur l'artisanat de la région de Marrakech et du sud du Maroc.

★ **Maison Tiskiwin** (plan des Palais, C2) : 8, rue de la Bahia, entre le palais de la Bahia et le musée Dar Si Saïd. ☎ 44-33-35. Pas bien signalée mais insister pour la trouver. L'enseigne en fer forgé peinte en blanc est assez discrète. Normalement elle est ouverte de 9 h 30 à 12 h 30 et de 15 h à 18 h 30. Frapper à la porte et la gardienne vous ouvrira (modique droit d'accès). On vous remettra un texte très bien fait pour commenter la visite. Il s'agit de la collection privée de Bert Flint, un Hollandais, qui a rassemblé dans cette belle maison du début du siècle les matériaux et les techniques utilisés par les artisans marocains. Chaque matière est représentée par une seule région ou une seule ville. Très intéressant pour mieux connaître l'art de ce pays. D'ailleurs, l'architecture de la maison justifie à elle seule sa visite.

FLÂNER DANS LA MÉDINA

Avec plus de 600 ha, c'est la plus étendue du Maghreb. Bien que ce soit possible, il est déconseillé d'y pénétrer en voiture. Vous trouverez difficilement une place de parking dans le coin et il est formellement interdit de stationner sur la place Jemaa-el-Fna. Ce ne sont pas les soi-disant gardiens qui empêcheront que l'on conduise votre véhicule à la fourrière ou qu'on lui pose un sabot. Il existe un grand parking gardé près de la Koutoubia, l'entrée se trouve en face de la piscine municipale. La médina, vous nous avez compris, se visite à pied. Elle est le complément indispensable des monuments de la ville et des souks.

C'est dans le dédale de la médina que bat le vrai cœur de Marrakech : dans ses ruelles sinueuses, dans les anciens *foundouks* (caravansérails) qui entourent les souks, et autour de ses patios, de ses fontaines, de ses jardins d'orangers, au cœur de ses maisons dont le calme offre le plus rafraîchissant contraste avec le tumultueux désordre des souks. N'hésitez pas à passer la tête sous les grandes portes à arcades qui bordent certaines rues, à vous engager dans les ruelles... A Marrakech, il faut oser se perdre un peu.

Il y a deux sortes de rues dans la médina. D'abord les rues principales, bordées de commerces et de boutiques. Elles mènent toujours quelque part, vers les portes des remparts ou vers la place. Puis il y a les ruelles qui desservent les quartiers, ou *derbs*. Ce sont des ruelles étroites et pittoresques, cernées de murs et de portes. Parfois couvertes par des pièces d'habitations *(sabas),* on n'y trouve aucune boutique. Ce sont pour la plupart des impasses qui ne mènent qu'aux maisons. Elles sont numérotées de droite à gauche ; la première porte à gauche vous indique donc le nombre de maisons du *derb.* Si vous êtes perdu au fond d'une de ces ruelles, une seule solution : faites demi-tour, puis à chaque embranchement prenez la voie qui semble la plus fréquentée. C'est d'ailleurs un bon truc si vous cherchez à rejoindre la place Jemaa-el-Fna : choisissez à chaque hésitation la rue la plus animée. En fin d'après-midi, les Marrakchis se dirigent en masse vers la place, vers 20 h ou 21 h, le flux s'inverse !

Chaque quartier de la médina s'organise autour de sa mosquée, de sa fontaine, de son hammam. Chaque maison est centrée sur son patio ou son jardin – ces maisons construites autour d'un jardin sont appelées *riyads* – et ce sont toutes ces constructions collées les unes aux autres qui forment la médina comme un tissu horizontal quasi continu dans lequel se faufilent les ruelles, un curieux tapis de terre et de chaux d'où émergent çà et là un minaret ou la tête ébouriffée d'un palmier.

Difficile de comprendre Marrakech sans avoir goûté l'ambiance de ses *riyads,* sans être monté voir, des terrasses, l'étonnant spectacle de la ville.

La médina de Marrakech a été classée par l'Unesco sur la liste du Patrimoine mondial. On espère beaucoup que ce sera l'occasion pour les Marrakchis de prendre des mesures pour enrayer le processus de destruction lente des quartiers anciens, empêcher les constructions sauvages sur les toits, le morcellement des maisons et le dépeçage des anciens palais dont on retrouve les portes et les plafonds en pièces détachées dans les bazars.

Ceux qui ne sont pas trop fauchés pourront même habiter ici et vivre d'une façon princière en louant un *riyad* (voir « Où dormir, Maisons d'hôte »). Ce sera la meilleure façon de découvrir l'âme de Marrakech et la façon de vivre de ses habitants. Une expérience inoubliable.

GUÉLIZ

C'est la ville nouvelle créée, en dehors des remparts, par les Français sous le protectorat. L'avenue Mohammed-V, longue de 3 km, tracée par un architecte du maréchal Lyautey, relie ce quartier moderne à la médina. C'est là que se trouvent les sièges des compagnies, les principales administrations, les agences de voyages, tous les commerces de luxe, les grands cafés, la poste et le marché central. Il n'y a pas grand-chose à voir mais il ne faut cependant pas manquer :

★ **Le marché couvert** *(plan Guéliz, A1, 8) :* av. Mohammed-V. Ce ne sont pas les souks, bien entendu, mais il y a encore des marchands vendant des produits locaux. Les prix sont plus intéressants que dans les souks. Les résidents y font leurs achats. Tout autour, ce ne sont plus que boutiques pour touristes où l'on propose tous les plagiats de marques célèbres, au quart de leur prix européen.

★ **La place Abd-Moumen-ben-Ali** *(plan Guéliz, A1) :* pour ses terrasses de café qui occupent trois de ses quatre coins. Les principaux hôtels et restaurants se trouvent à côté, boulevard Zerktouni, rue de la Liberté et rue de Yougoslavie.

★ **L'Hivernage** *(plan d'ensemble, B-C3) :* un quartier résidentiel où se situent la plupart des grands hôtels. Beaucoup de verdure et de calme. Un endroit idéal pour se promener, loin du bruit.

★ **Le Palais des congrès :** av. de France *(plan d'ensemble, B3).* La grande nouveauté de la ville. Cet ensemble, bâti sur cinq niveaux, ne contient pas moins de six salles, dont la plus grande, l'Impériale, contient 2 800 places (plus que l'Opéra de Paris).

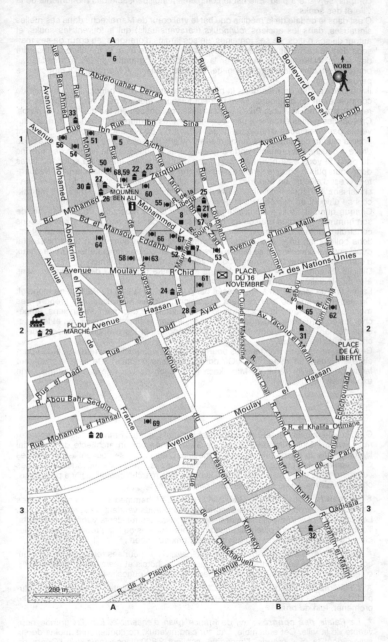

■ **Adresses utiles :**

- ☐ Office de tourisme
- ✉ Poste
- 🚂 Gare ferroviaire
- 4 American Express
- 5 Polyclinique du Sud
- 6 Hôpital public
- 7 R.A.M., agences de voyage, médecins
- 8 Marché

🛏 **Où dormir ?**

- 20 Camping municipal
- 21 Hôtel Toulousain
- 22 Hôtel des Voyageurs
- 23 Hôtel Franco-belge
- 24 Hôtel Farouk
- 25 Hôtel du Pacha
- 26 Hôtel Tachfine
- 27 Hôtel Amalay
- 28 Hôtel El Harti
- 29 Hôtel Moussafir
- 30 Hôtel Oudaya
- 31 Hôtel Hasna
- 32 Hôtel Es-Saadi

- 33 Résidence El Bahja

🍴 **Où manger ?**

- 50 Café Agdal
- 51 Chez Hassan
- 52 Café de l'Escale
- 53 Café Sindibad
- 54 Restaurant la Crêperie
- 55 Restaurant Bdr
- 56 Restaurant le Petit Poucet
- 57 Restaurant Catanzaro
- 58 Restaurant Bagatelle
- 59 Restaurant Jacaranda
- 60 Restaurant l'Entrecôte
- 61 Panarea Club
- 62 Restaurant le Jardin
- 63 Rôtisserie du Café de la Paix
- 64 Restaurant la Trattoria
- 65 Restaurant Al Fassia
- 66 Pâtisserie Al Jawda
- 67 Pâtisserie Mirgon
- 68 Pâtisserie Hilton et Café Boule de neige
- 69 Restaurant de l'Institut hôtelier

★ *Jardin Majorelle (plan d'ensemble, C1) :* bus n° 4 sur Jemaa-el-Fna. Mais il est d'usage de s'y rendre en calèche. A ce propos, une promenade en calèche n'est pas chère, si on est assez malin pour faire remarquer que ça va moins vite que le petit taxi et que donc ça doit être moins cher (C.Q.F.D.). Pour ceux qui s'y rendent en voiture, prendre, dans l'avenue Yacoub, une rue sur la gauche. C'est très mal signalé. Racheté par Yves Saint-Laurent qui l'a offert à la municipalité de Marrakech, ce jardin, ouvert de 9 h à 12 h et de 15 h à 19 h en été, et de 9 h à 12 h et de 14 à 17 h en hiver. Entrée payante. L'ancien atelier du célèbre décorateur nancéien, qui était venu soigner ici sa tuberculose, a été transformé en petit musée de l'Art islamique. Accès payant. Il est fermé le lundi et en août. On y voit aussi des aquarelles de Majorelle consacrées à des paysages du Sud marocain. C'est lui qui avait eu l'idée audacieuse de peindre les murs de sa villa d'un bleu-mauve qui contraste avec la végétation luxuriante. Idéal pour une promenade en fin d'après-midi.

★ *Le tour des remparts :* il faut un véhicule pour longer les 19 km de murailles couronnées de 200 tours carrées et percées de 9 portes. Suivre les flèches portées sur le plan d'ensemble de Marrakech. Les parties les plus intéressantes de cette ceinture de pisé rose sont celles de l'Hivernage et du *souk de Bâb el-Khémis* ou « marché du Jeudi », très animé le matin, pour la vente des bestiaux (surtout des ânes).
Plus loin, à *Bâb el-Debbagh,* c'est le quartier des tanneurs. On est guidé par les odeurs. On fait séjourner les peaux dans de la chaux pour en enlever les poils puis, après les avoir lavées, on les met pendant deux semaines dans de la fiente de pigeon pour les assouplir. On les lave de nouveau et on les trempe dans des bassins contenant de l'écorce de chêne et des déchets de blé pour chasser les odeurs. Enfin, on leur fait subir un dernier bain dans une eau contenant du mimosa du Brésil (ce dernier est cultivé au Maroc, c'est plus économique). Chaque vendredi matin, marché berbère dans le quartier des tanneurs.
Le circuit conduit ensuite au *jardin de l'Agdal,* un vaste verger planté d'oliviers et d'arbres fruitiers.

Dans les environs

★ *Le tour de la palmeraie :* emprunter la route de Casablanca pour effectuer ce circuit de 22 km. Sur plus de 13 000 ha, une immense palmeraie souvent bordée de murs en pisé. On estimait à environ 150 000 le nombre de palmiers irrigués par un réseau de canalisations souterraines, dites *khettaras.* Ce système très ancien permet de capter l'eau des nappes phréatiques et de l'amener en surface. Depuis quelques années, une grande partie de cette palmeraie est livrée aux promoteurs et on ne voit plus du tout l'intérêt de cette promenade. Il y aura bientôt autant de maisons que de palmiers.

★ *La Menara :* nous conseillons plutôt le tour du bassin de la Menara, surtout au soleil couchant. Agréable et moins loin (à 2 km de Bâb el-Jedid). Prendre le bus n° 11, derrière la Koutoubia. C'est la promenade des amoureux, en fin d'après-midi. Normal quand on sait que le pavillon servait aux rendez-vous amoureux des sultans qui, si l'on en croit la légende, avaient l'habitude de se débarrasser de l'heureuse élue en la noyant au petit matin dans les eaux du bassin. Ce lieu est un havre de paix après le tumulte de Jemaa-el-Fna. Beaucoup de Marocains viennent y savourer un peu de tranquillité. Il est possible, en s'adressant au gardien, d'accéder au balcon du pavillon moyennant un bakchich.

★ *La vallée de l'Ourika :* voir ci-dessous « Les montagnes du Haut Atlas ».

Quitter Marrakech

En bus

Les bus partent de la nouvelle gare routière, place El-Mourabiten à Bâb Doukkala, à 1 km de la gare ferroviaire *(plan d'ensemble, C2)*. Prenez garde que l'on ne vous fasse pas payer les bagages à main.
Possibilité de manger à la gare routière. Plusieurs échoppes proposent de la nourriture à avaler sur le pouce.
– *Pour Fès :* 9 à 10 h de trajet, suivant l'âge du bus.
– *Pour Essaouira :* ligne souvent chargée. S'y prendre plusieurs heures à l'avance. 7 bus par jour. 3 à 4 h de route.
– *Pour Ouarzazate :* 3 bus par jour, dont un à 14 h. Environ 7 h de trajet. Réserver sa place. Partir tôt pour éviter la chaleur. La route est superbe. Essayer d'avoir une place à gauche, les paysages sont plus chouettes. La route passe par le plus haut col du Maroc, le Tizi N'Tichka, à 2 260 m d'altitude. A Ouarzazate, correspondance pour Er Rachidia.

En train

– *Pour Rabat ou Casablanca :* train direct à 9 h. Compter 3 h pour Casa et 1 h de plus pour Rabat.

En avion

– Pas de service régulier de navettes pour se rendre à l'aéroport (à 6 km). ☎ 44-78-62. Négocier le prix avec un petit taxi. Se renseigner auparavant auprès de la compagnie aérienne ou de l'office du tourisme sur le tarif raisonnable.
– Le *bus n° 11* conduit à 200 m de l'aéroport de Marrakech. Il part toutes les 20 mn de la place Jemaa-el-Fna. Très rare le samedi et le dimanche.
– La *RAM (Royal Air Maroc)* assure des liaisons régulières intérieures pour : Oujda, Tanger, Tetouan, Casablanca et Fès, ainsi que des vols à destination des principales villes françaises : Bordeaux, Lyon, Marseille, Nice, Paris, Strasbourg et Toulouse.
– *Air France* assure aussi de nombreux vols pour la capitale et les principales villes françaises.

LES MONTAGNES DU HAUT ATLAS

Elles forment une couronne naturelle autour de la ville impériale. Il est difficile d'imaginer plus beau diadème que les sommets enneigés sur lesquels la lumière joue selon les heures du jour. Mais c'est au soleil couchant que cette parure devient particulièrement belle lorsque les montagnes du Haut Atlas se transforment en une immense palette de toutes les teintes de rose et de rouge.
Les routes du Tizi N' Test et du Tizi N' Tichka sont incontestablement les deux plus belles routes de montagne du Maroc. La première relie Marrakech à Taroudannt et la seconde Marrakech à Ouarzazate. Le col du Tizi N' Tichka constitue le plus haut passage routier du pays.
L'orage catastrophique qui s'est abattu sur le versant nord de l'Atlas, de la route du Tizi N' Tichka jusqu'à l'ouest de celle du Tizi N' Test, en août 1995, a beaucoup modifié les paysages. Le bilan officiel est de 145 morts et 80 disparus mais les habitants des vallées citent des chiffres beaucoup plus élevés. La plupart des victimes étaient des

vacanciers qui campaient au fond de la vallée, le plus près possible de l'oued. Or en cas d'orage l'eau monte tellement vite (jusqu'à 6 m en 2 ou 3 mn !) qu'il est absolument impossible de s'échapper ; les versants sont trop escarpés pour pouvoir être escaladés. C'est pourquoi les Berbères de la région ont toujours construit leurs maisons sur les hauteurs, à l'abri. Non seulement il faut toujours éviter de passer la nuit au fond de la vallée, au bord de l'eau, mais il ne faut même pas s'engager dans ces vallées lorsque le temps est orageux et menaçant. Cette recommandation vaut également pour les gorges du Dédès et du Todghra, sur l'autre versant de l'Atlas.

LA VALLÉE DE L'OURIKA

Cette excursion, à ne pas manquer si l'on dispose d'un peu de temps, permet de pénétrer dans l'Atlas et de découvrir les magnifiques paysages d'une vallée encore préservée, habitée par des tribus berbères. Le point extrême, *Setti Fatma*, est à 65 km de Marrakech. Une journée suffit si l'on part tôt le matin. L'idéal serait d'y passer une nuit, au minimum, pour faire une excursion pédestre dans la vallée. A éviter en juillet et août, à moins d'aimer les bains de foule. 30 000 estivants marocains fréquentent alors cette vallée.

Comment y aller ?

– En grand taxi, en bus, ou encore mieux en empruntant les minibus qui partent tôt le matin de Bâb er Robb et reviennent à Marrakech en fin de journée. De nombreuses excursions organisées se contentent d'une courte halte dans une auberge, le temps de déjeuner, sans aller au-delà d'Arhbalou, ce qui est bien dommage. L'idéal est d'avoir son propre moyen de locomotion. Compter 2 h en voiture mais sans les nombreux arrêts pour admirer les paysages, qui sont encore plus beaux, au retour, dans la lumière de fin d'après-midi.

A voir

De nombreux Marrakchis ont des résidences secondaires dans la vallée de l'Ourika ou viennent se réfugier dans ses hôtels, lorsque la température de leur ville devient difficilement supportable. Il fait ici 10 à 15°C de moins. Cette excursion, si l'on dispose de très peu de temps, peut être combinée avec celle de l'Oukaïmeden, la première partie de la route étant commune. Elle passe à proximité du souk de *Tnine l'Ourika,* l'un des plus intéressants des environs de Marrakech (30 km), qui se déroule chaque lundi. Les agences y déversent leurs flots de touristes. S'y rendre tôt le matin si l'on veut profiter de l'ambiance, et fuir dès l'arrivée des autobus.

Juste après la plaine du Haouz débute la vallée, succession de points de vue exceptionnels et de petits *douar* (villages) aux maisons en pisé. En contrebas, l'oued Ourika serpente entre une mosaïque de vergers, de jardins et de champs.

Après *Khemis,* on peut voir, à flanc de montagne, une maison à piliers jaunes ayant appartenu à Mick Jagger. La route passe ensuite par *Asguine* et se scinde en deux. Laisser sur la droite celle qui monte à l'Oukaïmeden pour continuer par *Arhbalou* et *Asgaour.* Ceux qui ont un peu de temps en profiteront pour explorer les villages de la vallée à pied. Excursions d'une journée ou d'une semaine ! Se renseigner à *Dar Piano.* Ils connaissent des accompagnateurs qui vous feront découvrir après quelques heures de marche un Maroc encore authentique, aux portes de Marrakech.

La route de la vallée permet d'atteindre Setti Fatma où elle se transforme alors en mauvaise piste. On y voit, en poursuivant à pied, quelques cascades. A Setti Fatma se déroule un important moussem à la mi-août.

Setti Fatma est aussi le point de départ de randonnées en altitude. Des guides peuvent vous faire découvrir les montagnes du coin : *plateau de Yagour, djebel Meltsen* et des villages comme *Asgapour, Timichi* ou *Tacheddirt.* Compter au moins 2 jours et un équipement approprié. Mais ces guides sont très gourmands et demandent des sommes totalement disproportionnées au service qu'ils rendent. Se baser sur le tarif officiel.

Où dormir ? Où manger ?

Nos adresses sont indiquées en fonction de leur distance par rapport à Marrakech. Nous vous conseillons *Dar Piano* pour ceux qui souhaitent au moins passer une nuit dans la vallée.

Hôtel-restaurant Anmgour : à Arhbalou, au km 49. ☎ (02) 11-08-37. Réservation à Marrakech : ☎ (04) 30-45-02. Dans un beau paysage. Vue imprenable sur la vallée de l'Ourika. 23 chambres avec chauffage et eau chaude. Les prix varient selon le confort, mais sont toujours dans la catégorie des prix moyens. Bon accueil. Restaurant.

Auberge de Ramuntcho : à Arhbalou, au km 50. ☎ (02) 11-43-73. Réservation possible à Marrakech : ☎ (04) 43-63-52. Cette étape classique possède 14 chambres avec douche à prix moyens. Très belle salle de restaurant où l'on sert,

entre autres, un menu toutes taxes comprises. Bar avec alcool. Cartes de crédit acceptées.

Dar Piano : à Arhbalou, au km 52, juste après le précédent. Pas encore de téléphone. Il s'agit d'une petite auberge de 3 chambres agréables avec sanitaires individuels et eau chaude. Cette maison d'hôte très accueillante est tenue par un couple de Français. Dans la salle de séjour au plafond de bois peint, vous pourrez écouter un air de piano pneumatique (une rareté qu'ils ont rapportée de France) et déguster une extraordinaire cuisine faite par Danièle, la maîtresse de

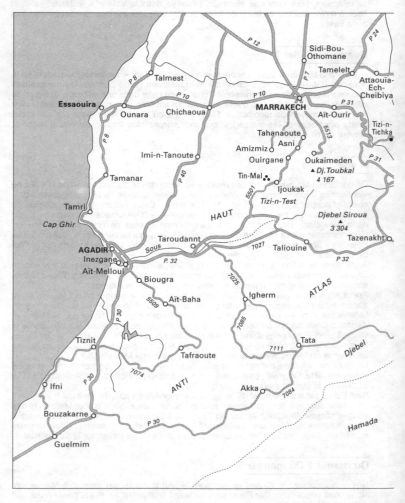

maison. Son talent est digne d'un grand chef. Si vous préférez les spécialités marocaines (à commander à l'avance), elles seront préparées par Tina. Si vous voulez faire des balades, Jean et Danièle vous procureront un guide compétent au village voisin et vous conseilleront pour découvrir la région. De la terrasse qui surplombe la maison, vue magnifique sur les montagnes environnantes. Cheminée avec feu de bois pour les soirées fraîches. Une étape inoubliable pour son ambiance conviviale et la qualité de sa table.

♠ *Hôtel Asgaour :* à Setti Fatma. Établissement de 20 chambres rudimentaires mais propres. Sanitaires avec douche sur le palier. Prix moyens. Sympa. Notre meilleure adresse à Setti Fatma.

♠ *Auberge des Cascades :* à Setti Fatma, à gauche avant d'arriver au village. 8 chambres très rudimentaires. Bon accueil. Cuisine marocaine correcte.

♠ *Auberge Tafoukt :* à éviter (arnaque garantie).

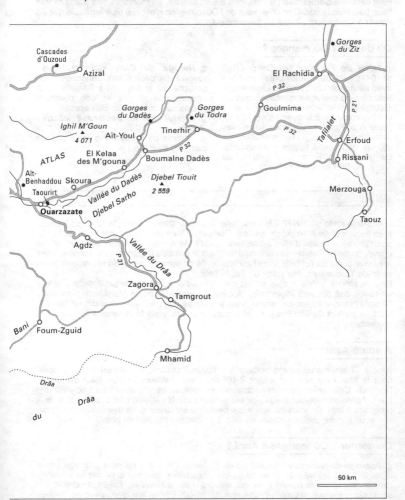

L'OUKAÏMEDEN

Station de ski à 74 km de Marrakech. La route qui y conduit est splendide mais c'est la même que celle de la vallée de l'Ourika, jusqu'au km 43. En dehors de sa piste skiable, l'Oukaïmeden n'offre pas d'autre intérêt que la fraîcheur et les très beaux paysages de la route d'accès. Pas d'essence en haut. Partir avec le plein. Possibilité d'emprunter le télésiège le plus haut d'Afrique, paraît-il (3 300 m). Hors saison, il ne fonctionne pratiquement jamais. Vue splendide sur l'Atlas et le Toubkal. La table d'orientation du col du Tizrag a été fabriquée en Auvergne.

Enfin, pour les amateurs de chemins pédestres, il en existe un qui part de l'Oukaïmeden et arrive au sud d'Asni, puis route pour Marrakech. Nombreuses possibilités de randonnées. Se renseigner au chalet du Club Alpin Français, à droite en arrivant à la station.

Petit détail supplémentaire : s'il fait frais avec l'altitude, en montant il finit par faire très frais, puis froid la nuit. Dormir en haut de l'Oukaïmeden n'est pas plus agréable que de dormir à Marrakech... Il faut un juste milieu.

Où dormir ? Où manger ?

♣ *Hôtel de l'Angour* (ex-*Chez Juju*) : ☎ (04) 31-90-05. Chambres propres avec sanitaires très corrects. L'ensemble tient plus du chalet de montagne que du *George V* mais l'accueil est sympa et la cuisine correcte. Bar avec alcool. Demi-pension obligatoire. On vous fournit les renseignements pour l'organisation de séjours dans cette région remarquable. Le patron, un Français originaire de Casa, est prêt à rendre service.

♣ *Refuge du Club alpin français :* réservé en priorité aux adhérents mais accepte aussi les non-adhérents. Une cinquantaine de lits et des douches. Repas sur commande. Bon accueil.
♣ *Chalet de la Jeunesse et des Sports.*
♣ *Terrain de caravaning* mais pas de camping possible.

IMLIL

Imlil, sur la route du Tizi N' Test, est l'une des excursions les plus fabuleuses à entreprendre autour de Marrakech (64 km). Compter 2 h en raison de l'état de la route. On pourrait se contenter d'aller seulement jusqu'à Asni, mais ce serait se priver d'une grande partie de l'intérêt de l'itinéraire. Imlil est le point de départ des randonnées dans le parc national du Toubkal et de l'ascension de ce sommet. Sortir de Marrakech par la route de Taroudannt, dite route du Tizi N'Test.

Pour se rendre à Imlil, le plus simple est de louer une voiture (de préférence une 4 L, en raison des derniers kilomètres). A défaut, prendre le bus à Marrakech pour Asni. Départs presque toutes les heures dans la journée. On peut aussi prendre un taxi collectif (ils partent de Bâb Rob). A Tahanoute, à 34 km, souk le dimanche ; devenu très touristique.

A voir à Asni

Asni, à 47 km, est un village berbère à 1 150 m d'altitude, au pied du djebel Toubkal dont le plus haut sommet atteint 4 165 m. C'est d'ailleurs le plus haut de tout le Maghreb. Ceux qui le peuvent assisteront au souk du samedi matin. Le troc y est très prisé. Attention cependant aux prix demandés pour les bijoux, très supérieurs à ceux proposés à Imlil. On vous invitera aussi peut-être à manger dans une famille pour pouvoir vous vendre quelque chose ensuite. Le scénario est très au point.

Où dormir ? Où manger à Asni ?

♣ *Auberge de jeunesse :* au bout du village. ☎ 1 par Marrakech. Ouverte toute l'année, elle accepte même ceux qui ne sont plus jeunes depuis longtemps. Confort très sommaire. Sac de couchage indispensable. De plus, il fait très froid en hiver. Ceux qui ne sont pas totalement fauchés passeront à l'adresse suivante.
♣ *Grand Hôtel du Toubkal :* ☎ (04) 31-92-03. L'hôtel est bien, avec son nid de cigognes sur le toit ! Chambres confortables, mais piscine souvent vide. Res-

taurant quelconque et on vous compte, en plus des taxes diverses, le couvert et le pain ! Vue imprenable sur l'Atlas enneigé les trois quarts de l'année et jardin de roses au pied du Toubkal.

★ D'Asni, on peut se rendre à **Moulay Ibrahim,** à 5 km. Avec ses ruelles, le village pourrait avoir un certain charme. Mais que d'échoppes qui gâchent tout ! C'est un lieu de pèlerinage réputé pour les femmes stériles qui accrochent aux branches des arbres de petits rubans. La légende veut que lorsque ceux-ci se détachent la femme peut espérer devenir mère. L'endroit, assez mal fréquenté, est connu pour être un lieu de débauche. Moulay Ibrahim est aussi célèbre pour son moussem qui a lieu une ou deux semaines après l'anniversaire de la naissance du Prophète (Mouloud).
Attention, pour revenir d'Asni vers Marrakech, le bus part en réalité de Moulay Ibrahim ; s'il est complet, il ne fait pas le détour par Asni. On risque de l'attendre un certain temps avant de comprendre qu'il ne s'agit pas de l'approximation marocaine des horaires...

★ **Pour continuer vers Imlil** (17 km), s'enfoncer dans les superbes gorges. Après 10 km de goudron, la route se transforme en mauvaise piste. Elle est régulièrement réparée mais les crues lui sont fatales et après de fortes pluies elle est parfois difficile, voire impraticable, mais cela ne dure guère. A la bonne saison, tout le monde passe. Juste avant de quitter la partie goudronnée, remarquez à gauche, jouissant d'un superbe panorama, une maison-palais appartenant à un riche Californien qui y vit seul, au milieu des montagnes.
Ceux qui n'ont pas de véhicule devront prendre les camions qui circulent le matin et en début d'après-midi. Il n'y a pas de retour possible vers Asni, en fin de journée. Les chauffeurs ont tendance à multiplier par 3 pour les touristes le prix normal qui, aux dernières nouvelles, était de 10 dirhams pour les touristes (5 pour les locaux). Négocier ferme.

Où dormir ? Où manger à Imlil ?

🏠 **Hôtel-café El Aïne :** à l'entrée du village sur la droite. Une dizaine de chambres rudimentaires mais propres et calmes avec douche commune. Demander de préférence une chambre à l'étage, la 17 (la mieux) ou, à défaut, la 16 ou la 18. Petit patio avec un noyer au centre. Dans le séjour une bibliothèque contenant, entre autres titres on ne peut plus variés, le *Larousse gastronomique* de 1938. La cuisine de Mohammed, très simple et faite devant vous sur un brasero, ne doit rien à cet ouvrage mais elle est saine. Une adresse sympa et bon marché.

🏠 **Gîte de Mohammet Ait Idder :** à 500 m du refuge du C.A.F. Réservation possible par Pampa voyage à Marrakech. ☎ 43-10-52 et 43-87-30. Fax : 44-64-55 et 43-87-31. Ils ont 4 chambres propres avec 2 toilettes et 2 douches (eau chaude). Terrasse. Cuisine.

🏠 **Café Akswal :** en face du *refuge CAF.* Chambres bon marché, propres, avec sanitaires collectifs. Eau froide. Poussiéreux en saison sèche, étant en bordure de piste. Organisation d'excursions par les frères Bouinbaden.

🏠 Nombreux *gîtes chez l'habitant* (non classés).

🏠 **Refuge C.A.F. :** on peut réserver à Marrakech (B.P. 888) ou dans les agences spécialisées. Une quarantaine de places. Très bon marché. Le C.A.F. de Casablanca gère encore 4 autres refuges dans le massif du Toubkal : Oukaïmeden, Toubkal, Tazarhart et Tachdirt. Ils sont tous gardés, équipés de couchettes avec matelas mais sans couverture. Il faut aussi prévoir son matériel de cuisine. Chaque refuge dispose d'un équipement sommaire de secours. Si l'on ne possède pas la carte de membre du C.A.F., les prix sont majorés.

🏠 **Atlas Gîte :** chez Jean-Pierre Fouilloux. ☎ à Marrakech (04) 44-91-05. Son gîte est au départ du sentier, à la sortie du village dans une grande bâtisse en pierre ouvrant sur le vallon et ses noyers centenaires et entourée d'un beau jardin fleuri. Actuellement le gîte comprend 3 chambres doubles avec salle de bains et eau chaude, ainsi que 2 chambres communes. La cuisine, excellente, est faite à base de produits maison. La spécialité de Jean-Pierre est la cuisson de l'agneau qu'il prépare de mille façons. Une étape pour se refaire une santé entre deux randonnées. Jean-Pierre, qui vit depuis 15 ans au contact des Berbères, vous conseillera pour les balades et vous recommandera deux guides qui travaillent avec lui. Une adresse conviviale et authentique à prix très doux. A ne pas manquer.

Randonnées au départ d'Imlil

Désormais, une cinquantaine de guides officiels brevetés officient à Imlil. S'adresser à eux est une garantie. Il y a trop de risques avec les autres (la montagne peut être très dangereuse pour qui ne la connaît pas bien). Même parmi les guides brevetés, tous n'offrent pas les mêmes garanties ni les mêmes prestations. Certains, mais c'est la minorité, sont devenus très racoleurs et même arnaqueurs. Cependant, la majorité des guides font correctement (et même mieux que cela) leur travail. Voir aussi le bureau des guides qui se trouve à l'*hôtel Ali* à Marrakech. La plupart ont été formés à Briançon. Le tarif officiel correspond à l'équivalent de 110 F par jour par personne pour un guide, une mule, son muletier, le petit déjeunor et le déjeuner. Avec le dîner et le logement chez l'habitant, prévoir de 150 à 175 F par personne. Ce tarif est dégressif quand on est plusieurs. Toujours consacrer un peu de temps à bien préciser ce qui est compris et ce qui ne l'est pas. A discuter en toute amitié, simplement pour que tout soit clair. Le guide se charge généralement de recruter mulets, porteurs, cuisiniers et accompagnateurs. Procurez-vous *La Grande Traversée des Atlas marocains,* éditée par le ministère du Tourisme, ainsi que les cartes topo Toubkal au 1/50 000.
Nous vous suggérons quelques randonnées mais si un guide propose autre chose, ne pas refuser *a priori*. Les possibilités de promenade à partir d'Imlil sont si nombreuses qu'elles pourraient faire l'objet à elles seules d'un petit guide.

★ *PARC NATIONAL DE TOUBKAL*

A Imlil, vous louerez sans difficulté une mule avec un guide pour atteindre le *cirque d'Aremd* à 30 mn de marche.
L'excursion dure quelques heures et on s'arrange pour revenir à Imlil le soir. En cours de route, vous rencontrerez de magnifiques petits villages bâtis au flanc des montagnes. La région est très verdoyante et, en été, l'altitude vous fera oublier la fournaise de Marrakech. L'excursion permet de découvrir des panoramas étonnants, en particulier sur les sites du Haut Atlas.
Ce parc national est prolongé au nord-ouest par la **réserve de Tagherghout,** refuge de mouflons, de sangliers et de nombreuses variétés d'oiseaux, principalement des rapaces.

★ *L'ASCENSION DU DJEBEL TOUBKAL* (4 165 m)

La plus haute montagne d'Afrique du Nord. Peut se faire sans guide. Le Toubkal est plus facile à gravir que le Tazaghaght ; de plus, on y est rarement seul sur la voie normale. Aisée en été, l'ascension présente en condition neigeuse des dangers spécifiques réels (il y a des morts chaque année, généralement faute d'équipement adéquat). On voit trop souvent des gens attaquer le sentier en milieu d'après-midi en short et espadrilles. Et s'il y a de la neige, certains enveloppent leurs espadrilles de sacs en plastique : dévissage garanti. Suivre le chemin muletier jusqu'au refuge Neltner. Compter 4 h pour l'atteindre. Ensuite il faudra suivre le sentier jusqu'au sommet ou, mieux, dans les traces d'un groupe. Au cours de l'ascension, on découvre des panoramas exceptionnels sur tout le Haut Atlas. Deux possibilités : en un jour, à dos de mule, jusqu'au refuge Neltner (3 200 m), puis à pied (3 h de montée et 2 h de descente ; départ à 4 h, retour à 17 h) ; ou tout à pied, en deux jours avec logement au refuge. Depuis quelques années celui-ci est souvent surpeuplé. Ne pas oublier qu'en toutes saisons il fait très froid la nuit, à l'altitude du refuge Neltner. Du sommet, belle vue sur l'ensemble du massif d'où l'on voit bien le Sahara.

★ *LA HAUTE VALLÉE DE TACHDIRT*

A 2 h 30 de marche d'Imlil. A ne pas manquer. Site magnifique avec des villages berbères préservés à 2 400 m d'altitude dans un cirque de 12 km de long.

★ *LE PLATEAU DE TAZAGHAGHT*

Il s'agit là d'une véritable course en montagne qui nécessite de l'expérience et un équipement adéquat, particulièrement en hiver (vêtements, chaussures, piolet, crampons, voire corde... et la manière de s'en servir). Cette sortie relativement peu technique doit être faite accompagnée d'un guide breveté ou de quelqu'un connaissant parfaitement les voies. De plus, à éviter en cas de temps incertain. Compter au minimum deux jours. Nuit au refuge Lépiney, entre 3 800 et 4 000 m d'altitude.

★ *LA VALLÉE DE L'OUISSADENE*

Elle est connue (et indiquée sur les panneaux) sous le nom d'Azzaden. Nous vous proposons une mini-randonnée de 3 jours (de mars à octobre) au pied du djebel Toubkal, tout en évitant les rudes ascensions des cols et sommets de la haute montagne. Pas de difficulté particulière.
– Le premier jour, passage du *col Tizi M'zik* (2 490 m, 2 h 30). Très belle vue sur les hauts sommets de l'Atlas. Descente tranquille jusqu'aux bergeries des *Azib Tamsoult* (2 250 m) où il est possible de bivouaquer. L'après-midi, balade jusqu'aux *cascades d'Irhoulidene* (2 h) et poursuivre jusqu'au refuge Lépiney (attention, le gardien est souvent au gîte de Tizi Oussem). Il est possible aussi de descendre passer la nuit dans ce gîte.
– Le deuxième jour, descente de la *vallée de l'Assif N'Ouissadene* parmi cultures et villages. Nuit possible en gîte à *Azerfsane* (1 350 m). 5 h de marche.
– Enfin, dans la matinée du troisième jour, retour par la forêt vers *Ouirgane*, gros bourg sur la route du Tizi N'Test. Transfert à Marrakech par bus ou taxi.

LA ROUTE DU TIZI N'TEST

Une des plus belles routes de montagne du Maroc, construite par les Français entre 1926 et 1932. Elle relie Marrakech à la P 32, entre Taroudannt et Taliouine. La première partie jusqu'à Asni a été décrite plus haut dans la visite d'Imlil. Compter environ 5 h en voiture pour parcourir les 176 km qui séparent Marrakech de Taroudannt et un peu plus en bus. En principe un ou deux bus partent de Marrakech tôt le matin pour Taroudannt. D'autres desservent Taliouine et Ijoukak. La route est assez bonne dans l'ensemble, mais elle peut être coupée suite à des chutes de neige entre les mois de novembre et avril. Se renseigner auparavant.
Ouirgane, à une soixantaine de kilomètres de Marrakech, est une station de repos où sont encore exploitées quelques salines dans un beau paysage alpestre. C'est aussi un point de départ pour des randonnées pédestres, notamment dans les gorges du N'Fis.

Où dormir ? Où manger ?

Bon marché

|●| *Restaurant Le Mouflon :* sur le bord de la route. Très simple mais correct. La patronne peut vous préparer un *tajine*.

Chic

▲ *Au Sanglier qui Fume :* val d'Ouirgane, à 61 km de Marrakech, sur la route de Taroudannt. ☎ par la poste demander le 9 à Ouirgane. 16 chambres. Calme, propre et sympa. Cette auberge, nichée dans la verdure de l'oued, vit surtout sur sa réputation. Piscine. Pas d'eau chaude

le soir. Demi-pension obligatoire. Beaucoup moins cher cependant que le suivant.

▲ *Résidence de la Roseraie :* val d'Ouirgane. ☎ (04) 43-20-94. A 60 km de Marrakech, sur la route de Taroudannt. Au cœur des montagnes berbères, un hôtel entouré de 22 ha de rosiers et de vergers. Superbe piscine. Nos éloges s'arrêtent là. Cet établissement doit détenir la palme de l'arnaque. Tarifs exhorbitants pour des prestations nulles. Depuis quelques années, cette adresse n'a cessé de se dégrader.

Après Ouirgane, la route pénètre dans les gorges de l'oued N'Fis avant de franchir l'oued Agoundis à *Ijoukak.* Dans toute cette région on voit des casbahs qui appartenaient aux Goundafi, puissante tribu qui contrôlait le col et toute la région au siècle dernier.
La route passe ensuite à *Tin-Mal* (km 10), célèbre pour sa mosquée contemporaine de la Koutoubia, construite en hommage à Ibn-Toumert, fondateur de la dynastie des Almohades, au début du XIIe siècle. Abandonnée depuis des siècles, elle tombait en ruine mais vient d'être classée Monument historique, ce qui a permis sa réhabilitation. Les travaux sont en cours. La première tranche est déjà réalisée. Lorsque ceux-ci

seront terminés, la mosquée sera ouverte à tous. Une occasion de découvrir son architecture intérieure d'une très grande pureté de lignes, son décor de stuc ouvragé et son mirhab au-dessus duquel se dresse le minaret. Un petit musée annexe rassemble des fragments de pierre ou de bois récupérés sur le site. Plus loin, sur la gauche, se dressent les ruines de l'ancienne casbah de Tagoundaft, construite au milieu du XIXe siècle sur un piton rocheux de plus de 100 m. On est frappé ensuite par l'opposition entre le vert de la vallée et, juste de l'autre côté de la route, l'austérité désertique des montagnes de différents rouges allant du rose au mauve.

|●| Après le passage du Tizi N'Test (2 100 m), arrêtez-vous 1 km après le col au *café-restaurant* d'où la vue est magnifique. Le patron peut vous servir une omelette-salade très bonne pour pas cher (demander le prix avant).

La route descend ensuite à travers les arganiers vers la région du Sous, longeant sur la gauche les flancs du djebel Siroua.

LA ROUTE DU TIZI N'TICHKA

Cette route de 198 km, qui franchit le Haut Atlas, est l'une des plus belles du Maroc et le passage obligé, de Marrakech, pour atteindre Ouarzazate. Elle ne présente aucune difficulté particulière et certaines agences programment l'aller-retour en une seule journée avec un arrêt pour déjeuner à Ouarzazate. Cela dit, le parcours montagneux n'est qu'une succession de virages. Le parcours Marrakech-Tizi N'Tichka est plus difficile que Ouarzazate-Tizi N'Tichka. Un peu plus de 4 h sont suffisantes pour un bon conducteur. Se renseigner, toutefois, avant le départ en téléphonant à la gare CTM, à la gendarmerie ou à l'office du tourisme de Marrakech, le col pouvant être fermé entre janvier et avril. Des panneaux le signalent bien au bord de la route, mais ils sont placés très loin après la sortie de Marrakech qui est d'ailleurs mal indiquée. Emprunter la route de Fès qui est ausi celle du circuit de la palmeraie.

Plusieurs services quotidiens de bus relient Marrakech à Ouarzazate en 5 ou 6 h. Certains continuent vers Tineghir et d'autres vers Zagora. Il faut compter alors près de 14 h de voyage, les bus effectuant toujours une escale technique à Ouarzazate avant de poursuivre l'itinéraire.

La vue commence à être très chouette à partir du *col du Tizi n'Aït Imquer* (1 470 m) avec, comme fond de décor, le djebel Tistouit dominant un cirque de montagnes enneigées. En contrebas, des casbahs et des petits villages. La route passe à *Taddert* où il y a de nombreux petits restos. Nous vous conseillons *Le Jardin*, tenu par Ahmed. Accueil très sympa. Tables dans un jardin (comme son nom l'indique). Quelques-unes sont protégées par un auvent. Excellents *tajines,* bonnes brochettes préparées devant vous, omelettes. Le tout à prix très doux. Accueil sympa d'Ahmed.

Les étals de marchands de pierres se succèdent pratiquement jusqu'au col, le passage routier le plus élevé du Maroc avec ses 2 260 m d'altitude. Attention, il y souffle souvent un vent qui décoiffe. Ce col des Pâturages marque la frontière entre les provinces de Marrakech et de Ouarzazate. Petit café-restaurant où l'on se régale de brochettes et d'un *tajine* à un prix défiant toute concurrence.

★ *Telouet :* après le col, une petite route goudronnée, sur la gauche, conduit en 20 km à l'ancien fief du pacha de Marrakech, qui rendit ici son dernier soupir. Il mena une vie étroitement liée à l'histoire de son pays, durant toute la première partie du XXe siècle. Le village est un gros bourg agricole de plus de 6 000 habitants. Souk le jeudi. Du palais du « dernier seigneur de l'Atlas », il ne reste plus que deux pièces richement décorées qui témoignent de la splendeur dans laquelle vivait ce grand chef berbère. Il est vrai que la main-d'œuvre ne coûtait pas cher. On dit que 300 ouvriers travaillèrent durant trois années pour sculpter les plafonds et les murs. Il est scandaleux que le Maroc, pour des raisons politiques, ait négligé totalement l'entretien de cette merveille, victime de rivalités historiques.

Les verrières abritant les quelques salles viennent d'être détruites. Les vasques servant à l'éclairage ont été brisées. Les tuiles de la toiture disparaissent à vue d'œil avec certaines complicités locales. Le gardien qui règne sur les lieux fixe lui-même le prix de la visite. Bientôt, il ne restera plus rien à voir qu'un amas de ruines.

– Éviter l'*auberge de Télouet,* tenue par le prétendu « guide officiel du palais », et passez à l'adresse suivante :

🛏 *Gîte du Lac, chez Mohammed Bennouri :* à 500 m du centre du village. Une adresse très simple. 6 chambres, une douche et deux toilettes. Accueil familial dans ce gîte d'étape où l'on vous proposera une cuisine rustique mais bonne avec du fromage du pays et du pain fait maison pour conclure votre repas. Non seulement cette étape vous permettra de bénéficier d'un accueil berbère mais, de plus, elle ne vous ruinera pas. Moham-med Bennouri est accompagnateur de montagne. Le demander au *café Kasbah,* sur la place centrale.

Les randonnées pédestres dans la région peuvent se faire entre avril et octobre.

– En partant du village de *Tighza,* on peut remonter l'oued Iounil ou Ounila, jusqu'à sa source. Peu à peu, la verdure de la vallée cède la place à un paysage de montagne aux couleurs contrastées, royaume des bergers. Compter 4 h de marche pour atteindre le *lac de Tamda* qui regorge de truites. Cette excursion est réalisable dans la journée.

– De Telouet, il est possible d'atteindre directement *Aït Benhaddou* en suivant l'ancienne route des caravanes, passant par la *casbah d'Anemiter* qui se dresse à une dizaine de kilomètres dans un très beau site. Tout le parcours, à l'écart des circuits traditionnels, est magnifique. Compter au minimum 4 h pour parcourir les 35 km en 4 × 4. Se renseigner en quittant Telouet sur l'état de la piste qui n'est pas praticable toute l'année en raison des glissements de terrain et des nombreux gués infranchissables pendant la saison des pluies. En voiture, il est préférable de faire l'excursion dans le sens Telouet-Aït Benhaddou plutôt que dans l'autre et d'être accompagné car aucune piste n'est fléchée.

– La route P31, après l'embranchement de Telouet, descend vers *Igherm N'Ougdal.* Le café-hôtel-restaurant *Chez Mimi* offre une halte simple mais agréable. Les légumes viennent du petit jardin avec vue sur l'Atlas. Halte classique sur cet itinéraire. On y sert aussi du vin.
A la sortie d'Igherm, un grand grenier collectif de pisé rouge servait à conserver les denrées périssables de chaque famille. A l'intérieur, les portes des cellules sont décorées de motifs berbères et fermées par des serrures de bois. Plus original et plus artistique que nos tristes coffres de banque. Là aussi, un gardien fait visiter moyennant une petite rétribution. Ces greniers-forteresses, appelés aussi *agadirs,* permettaient de bénéficier d'une surveillance collective. On les retrouve dans les villages du Sud et ils sont généralement bien conservés.
La route passe à *El-Mdint,* facilement repérable grâce à sa belle casbah de pisé rose dont les tours sont décorées de motifs en relief, puis à *Amerzgane* (le patron du *restaurant des Roses* prépare un bon *tajine*), avant d'arriver à l'embranchement d'Aït Benhaddou (km 176). Ce ksar, qu'il faut visiter absolument, n'est qu'à 9 km. Voir ci-dessous. De même pour la casbah de Tifoultoute que l'on peut rejoindre en empruntant, au km 191, la route directe pour Zagora, ce qui évite la traversée de Ouarzazate.

AÏT BENHADDOU

A 33 km de Ouarzazate. Prendre la direction de Marrakech et, au km 23, emprunter sur la droite la route S 6803 pendant 10 km. C'est bien indiqué. Pas de liaison de bus régulière. Il serait impardonnable de manquer la visite de ce *ksar,* le plus impressionnant de tout le Sud marocain et l'un des mieux conservés jusqu'à ces dernières années. Mais les pluies torrentielles récentes qui se sont abattues sur la région ont cruellement ébranlé ce château de terre et de roseau qui, désormais, s'effrite lentement. Les autorités, conscientes de la valeur de ce chef-d'œuvre en péril, ont réussi à le faire inscrire sur la liste du patrimoine universel protégé par l'Unesco. Les travaux de restauration doivent durer des années.

Où dormir ? Où manger ?

⌂ *Auberge El Ouidane :* en arrivant à Aït Benhaddou, tourner à droite, 200 m avant l'*auberge Al Baraka.* Comprend 10 chambres rudimentaires avec douche froide et un seul w.-c. pour tout le monde. 5 chambres ont vue sur la casbah. L'auberge dispose de 3 terrasses successives pour admirer le paysage. L'accueil de Jocelyne, une Française, la femme du propriétaire, est sympa. Conviendra à ceux qui, privilégiants le charme et la vue, ne seront pas regardants sur le côté un peu spartiate de cette adresse qui bénéficie d'un emplacement exceptionnel.
⌂ *Auberge Al Baraka :* ☎ 5 par cabine à Aït Benhaddou ou ☎ 88-22-58 (*hôtel Royal* à Ouarzazate qui transmet). Fax : 88-62-73. A l'entrée du village. L'auberge dispose de 9 chambres dont 2 ont une

douche individuelle. Pour les autres 3 douches collectives. Les plus fauchés peuvent dormir sous des tentes berbères. Pourquoi l'entretien laisse-t-il autant à désirer ? Reçoit beaucoup de groupes au déjeuner. A côté de l'auberge, un terrain où l'on peut camper. Location de bicyclettes.

|●| *Restaurant-café de la Casbah :* ☎ 2. Au début, ce n'était qu'un modeste café, c'est devenu maintenant un hôtel de 6 chambres simples avec douche collective. Chaque jour, le restaurant est pris d'assaut par des troupeaux de toutous. Dommage !

A voir

★ *Le vieux ksar et le vieux village :* pour la visite, traverser l'oued à gué ou à dos de chameau, moyennant quelques dirhams. La construction d'un pont est à l'étude.

Avant de franchir l'oued, il est intéressant de voir le vieux ksar d'Aït Benhaddou du nouveau village. Les meilleurs points de vue se situent avant l'arrivée par la route, sur le côté droit (les cars s'y arrêtent et il y a toujours des marchands installés avec leur pacotille) et depuis les terrasses de l'*auberge El Ouidane.* Le spectacle est étonnant, le soir, quand on surplombe cette mosaïque de cultures avec la longue procession des femmes portant les herbes coupées, sur la tête. Le vieux ksar passe par toutes les teintes de rose avant de s'empourprer, à mesure que le soleil disparaît. Au lever du soleil, ce n'est pas mal non plus. Alors, si vous voulez notre avis, passez une nuit à Aït Benhaddou. Vous serez doublement récompensé.

Le village, où ne subsistent que quelques foyers, est un dédale de ruelles et de passages couverts. La majorité des maisons sont en ruine. Les familles se sont installées dans le nouveau village. Le vieux ksar n'en reste pas moins une aubaine pour les cinéastes. Six films furent tournés dans ce décor naturel prestigieux. Pour *le Diamant du Nil,* les décorateurs construisirent trois portes supplémentaires, dont la plus massive fut en partie détruite par un avion qui devait, selon le scénario, quitter le village par cette porte. David Lean y tourna plusieurs scènes de son fameux *Lawrence d'Arabie.* On y filma Carlos dans une pub Oasis (on vous assure que ce n'est pas lui qui a endommagé la porte en la franchissant). La porte authentique (modeste) se porte bien. Merci ! L'Unesco a d'ailleurs prévu de démolir tous les ajouts apportés par les décorateurs de cinéma.

Dans les environs

★ *Tamdaght :* à 6 km, sur la route goudronnée. C'est une balade merveilleuse à faire à pied, car le paysage est splendide et le passage de l'oued difficile, voire impossible, à certaines époques de l'année. Moyennant quelques dirhams, on peut le traverser dans le véhicule d'un autochtone. La splendeur du site, avec cette citadelle où des cigognes ont élu domicile, est à couper le souffle.

Le gardien des *ruines de la Casbah,* Abdel Aziz, réserve un excellent accueil aux visiteurs de passage. Il rêve de transformer sa maison en gîte d'étape. Il vous fera visiter et vous fournira des informations intéressantes sur la vie dans la région.

Puis la route goudronnée s'arrête et se transforme en piste étroite. Compter près de 40 km pour atteindre Telouet. L'itinéraire est décrit dans « Route du Tizi-N'Tichka ». Un véhicule tout-terrain est indispensable et bien se renseigner auparavant sur l'état de la piste.

VERS LE GRAND SUD

– D'ESSAOUIRA A TAN-TAN ET
AUX PROVINCES SAHARIENNES –

Qui n'a jamais rêvé d'aller vers le Grand Sud et ses déserts de sable ? Cet itinéraire, qui longe la côte atlantique à partir de l'ancienne Mogador, vous conduira jusqu'à la frontière mauritanienne. Un parcours de plus de 1 500 km. Mais il n'est pas nécessaire d'aller aussi loin pour trouver le dépaysement.

Essaouira, le point de départ, est encore habité par des Gnaouas, descendants des esclaves noirs venus du Soudan. C'est une ville très attachante qui a conservé de nombreux vestiges de son passé. Elle jouait déjà un rôle important dans l'Antiquité grâce à ses mollusques dont on extrayait la pourpre destinée à teindre les vêtements des César. Avec son corset de remparts fortifiés, son port de chalutiers et ses envols de mouettes, comment ne pas évoquer Saint-Malo ? Mais les maisons blanches aux toits plats, les huisseries bleues et les minarets nous rappellent vite que nous sommes loin de la Bretagne.

Agadir, connue du monde entier pour sa plage magnifique et son ensoleillement exceptionnel, retiendra le temps d'une halte les routards fatigués, histoire de se refaire une santé.

Tiznit, porte du Sud, conduit à Guelmim, la ville des hommes bleus. Nous suivrons ensuite la route qu'empruntaient les caravanes chargées d'or, d'épices et d'esclaves provenant du Niger, de Mauritanie et du Sénégal. Tan-Tan doit sa célébrité à la célèbre Marche Verte de 1975. La réputation de Cap Juby est beaucoup plus ancienne. C'est dans cette escale fameuse de l'aéropostale que Saint-Exupéry écrivit *Courrier Sud* en 1927. Il avait trouvé le titre de son premier livre sur un sac de courrier à destination de Dakar.

La piste conduit ensuite à Laayoune et aux provinces sahariennes. Le voyage devient alors aventure...

ESSAOUIRA   IND. TÉL. : 04

Charmante petite ville au caractère très particulier avec ses maisons aux volets bleus, l'ex-Mogador rappelle étrangement les îles grecques, tandis que ses remparts font penser à Saint-Malo. Bref, on se sent chez soi. En plus la température y est presque toujours de 25 °C, ce qui change des 40 °C de Marrakech en été. Pas étonnant que de nombreux Marrakchis s'y précipitent, fuyant les fortes chaleurs.

Protégée par ses fortifications d'un bel ocre rosé, cette agréable cité surprend cependant un peu le visiteur avec ses rues rectilignes. Son plan fut en effet conçu au XVIIIe siècle par un Français, Théodore Cornut, émule de Vauban. Comme Saint-Pétersbourg et Brasilia, Essaouira fait partie des rares cités au monde dont l'urbanisme a été entièrement pensé avant la construction.

L'étonnant climat de ville d'art qui règne à Essaouira a incité de nombreux artistes étrangers à s'y installer provisoirement ou même définitivement. Peintres, écrivains, cinéastes et musiciens viennent profiter de la « muse supplémentaire » qui plane au-dessus de cette cité. Orson Welles a tourné ici l'un de ses plus célèbres films, *Othello*, Jimmi Hendrix, dans les années 60, attira une partie de la communauté hippie, tout comme Cat Stevens. Aujourd'hui, on ne s'étonnera pas de rencontrer le cinéaste Jacques Doillon, Jean-Édern Hallier ou les Rita Mitsouko qui ont enregistré leur dernier disque à Essaouira. Dans un domaine différent, la station séduit aussi de nombreux véliplanchistes avec sa magnifique plage balayée par des vents très violents, difficiles à supporter entre avril et septembre. Ne pas oublier d'emporter sa petite laine. Ceci explique, d'une part, le labyrinthe de ses ruelles étroites et, d'autre part, le *haïk* de grosse cotonnade dans lequel les femmes se drapent. Seuls les yeux et les pieds apparaissent dans cette architecture de plis savants. Pas facile de savoir à qui on a affaire !

L'ex-Mogador est la plage la plus proche de Marrakech et c'est un endroit rêvé pour ceux qui veulent décompresser après le harcèlement des grandes villes, avoir des contacts avec la population et flâner dans une médina encore authentique.

Un peu d'histoire

A l'époque d'Auguste, le roi de Maurétanie, Juba II, le bâtisseur de Volubilis, favorisa l'installation de ses équipages et le développement de l'industrie des salaisons et de la pourpre. C'est cette activité (production de teinture à partir d'un coquillage : le murex) qui explique la renommée des « îles purpuraires » jusqu'à la fin de l'Empire romain. Cette couleur, chez les anciens, était synonyme d'un rang social élevé.

Au Moyen Age, les marins portugais mesurent tous les avantages de cette baie et baptisent la ville « Mogador », déformation probable du nom de Sidi Mogdoul, un marabout local. En 1764, le sultan Mohammed ben Abdallah décide d'installer à Essaouira sa base navale d'où les corsaires iront punir les habitants d'Agadir en révolte contre son autorité. Il fait appel à Théodore Cornut, un architecto français à la solde des Anglais de Gibraltar. Le sultan le reçoit avec tous les honneurs dus à un grand artisto et lui confie la réalisation de la nouvelle ville « au milieu du sable et du vent, là où il n'y avait rien ». Cornut l'Avignonnais, qui avait été employé par Louis XV à la construction des fortifications du Roussillon, travailla trois ans à édifier le port et la casbah dont le plan original est conservé à la Bibliothèque nationale de Paris. Il semblerait que la seconde ceinture de remparts et la médina aient été dessinés bien après le départ de Cornut. Le sultan n'avait pas souhaité prolonger leur collaboration, reprochant au Français d'être trop cher et d'avoir travaillé pour l'ennemi anglais. Avec son plan très régulier, la ville mérite bien son nom actuel d'« Es Saouira », qui signifie « la Bien Dessinée ». L'importance d'Essaouira n'a cessé de croître jusqu'au début du siècle. Pendant des années, ce fut le seul port marocain ouvert au commerce extérieur.

Essaouira connut une formidable prospérité grâce à l'importante communauté juive. On comptait 17 000 juifs pour à peine 10 000 musulmans. La bourgeoisie marocaine accourait y acheter des bijoux. Le commerce y était florissant. Mais la plupart des juifs partirent après la guerre des Six Jours.

Essaouira (70 000 habitants) est aujourd'hui le chef-lieu d'une province de 500 000 personnes, la plupart agriculteurs.

Carrefour culturel et cité des arts

Essaouira est un carrefour à la frontière de deux tribus : au nord, les Chiadma (arabo-phones) et, au sud, les Haha (berbérophones), sans parler de la forte influence des Gnaouas et autres Noirs venus de l'Afrique au temps où Essaouira était le port de Tombouctou. Ce brassage de différentes cultures en a fait un lieu privilégié où nombre de gens s'adonnent à des activités artistiques (artisanat, sculpture, peinture, musique, tissage). Les signes et symboles traditionnels qui marquent les objets du passé, que l'on peut voir au musée, trouvent leur aboutissement dans l'art contemporain. Boujemâa Lakhdar, qui fut le doyen des artistes et le fondateur du musée, a inspiré toute une nouvelle génération. Les talents de ces nouveaux créateurs autodidactes ont été défendus par un Danois, Frédéric Damgaard, qui a organisé des expositions de leurs œuvres à travers le monde. Leur succès est dû à la spontanéité, à l'influence africaine, aux couleurs et aux prix encore raisonnables de leurs œuvres. Elles relèvent de l'art populaire, naïf et primitif. On peut voir ces œuvres énigmatiques dans la galerie de Frédéric Damgaard, ainsi que dans d'autres galeries ouvertes récemment, suite au succès de ces nouveaux créateurs.

Les fêtes

– **L'Achoura :** se fête durant 10 jours à partir du Nouvel An musulman. Toute la ville vit au son des *tarrija,* petits tambours de céramique en forme de vase et recouverts de peau. Le soir des ensembles se forment pour donner la *dakka* (la frappe) entrecoupée de chants, et perpétuent jusqu'à une heure tardive ces antiques traditions.

– **La fête de la confrérie des Regraga :** en général, se déroule le premier jeudi d'avril. Des milliers de pèlerins regraga venus de la campagne environnante tournent pendant 40 jours à pied, visitant, chaque année, 44 marabouts de la région. L'arrivée à Essaouira de ces hommes saints porteurs de la *baraka* (la bénédiction de Dieu) donne lieu à de grandes festivités. Ils se promènent sous les « you you » et les applaudissements d'une foule frénétique qui les asperge d'eau de rose. Un gigantesque couscous est offert par la population dans le village de Diabet. Les étrangers peuvent assister à ces manifestations, à l'exception des prières à l'intérieur des zaouias et des mosquées.

– Deux **moussems** attirent les israélites du Maroc, et même de l'étranger, rappelant l'importance des traditions séfarades. Le premier célèbre le rabbin Haim Pinto, enterré dans le cimetière de la ville, et le second, en mai, commémore le saint Rabbi Nassim ben Nassim qui a son sanctuaire dans le village de Aït Biyoud, à 40 km d'Essaouira.

Adresses utiles

🚹 **Syndicat d'initiative :** rue du Caire. Ouverture prévue en 1996.

✉ **Poste** (plan C3, **1**) : av. El-Moqaoua-mah. En saison, du lundi au vendredi, de 8 h à 14 h. Hors saison, fermée à midi.

■ **Téléphone** (plan B2, **2**) : téléboutique, 8 bis, rue du Caire. Ouverte de 7 h 30 à 23 h. Personnel efficace. Et rue de la Marche-Verte.

■ **Banques :** plusieurs en ville. La BMCE (plan B2, **5**), la plus centrale et la plus importante, a un ordinateur pour les retraits avec la carte VISA. Le Crédit du Maroc, place Hassan-II (plan B2, **3**), est ouvert le samedi de 9 h 30 à 14 h et de 15 h 30 à 19 h. En dehors des horaires d'ouverture, change à l'hôtel Tafouk, au magasin Jika ou au restaurant El-Minzah.

■ **Médecin :** Dr Tradarate, en face de la poste. ☎ 47-29-54.

■ **Dentiste :** Dr Sayegh, 4, place Chef-chaouni (plan B2). ☎ 47-25-69. Très compétent, ce dentiste irakien a fait ses études en France. Cabinet d'une pro-preté exemplaire.

■ **Pharmacies :** Hamad Ismail, place Chefchaouni, appelée aussi place de l'Horloge. Diplômé de la faculté de Tou-louse. Bon choix de médicaments et conseils judicieux. Abouzaid, 12, rue Allal-ben-Abdallah. Pharmacie des Dunes, av. Aqaba, sur la route qui tra-verse le nouveau quartier. La seule à faire des analyses.

■ **Hôpital** (plan D3) : av. El-Moqaoua-mah.

■ **Journaux, livres, fax et téléphone :** librairie Jack's, sur la place Moulay-el-Hassan (plan B2, **7**). ☎ 47-39-01. Vous y trouverez le Guide du Routard (c'est vous dire s'ils sont bien).

■ **Location de VTT et de vélos :** au res-taurant Chez Toufik. Voir aussi, pour les vélos seulement, dans la vieille ville, au souk Ouaka.

■ **Location d'appartements :** chez Jack R. Oswald, librairie Jack's, place Moulay-el-Hassan (plan B2, **7**). ☎ 47-25-38. Fax : 47-39-01. A partir de 3 jours (450 F) et location à la semaine (1 100 F). Beaucoup plus cher en haute saison. Voir aussi chez Mohammed, du restaurant Es Salam, sur la même place, qui loue 3 appartements dans une très belle maison restaurée par ses soins.

■ **Piscine** (plan C2, **19**) : hôtel des Iles. Accès payant pour les non-résidents.

■ **Sports :** fun-board sur la plage avec compétition de haut niveau, fin août. Location de matériel.

■ **Vente d'alcool :** dans une épicerie du boulevard Moulay-Youssef et en retrait du boulevard Mohammed-V, à la hauteur du restaurant Mogador et des stations-service.

Où dormir ?

Gros problèmes d'hébergement pendant la saison d'été et pendant les week-ends. La capacité hôtelière est nettement insuffisante, principalement dans les catégories « Bon marché » et « Prix moyens ». Quant aux petits hôtels, ils sont pour la plupart très mal entretenus et même laissés à l'état d'abandon pour certains. Il est inadmissible qu'une station de cette importance ne dispose pas d'établissements simples et propres. En saison, il faudra se loger chez l'habitant si tout est complet. Pour ceux qui souhaitent rester quelques jours, possibilité de louer un appartement. Voir dans nos « Adresses utiles ».

Très bon marché

🛏 **Hôtel Smara** (plan B1, **10**) : Sqala 26. ☎ 47-26-55. Dans la vieille ville, le long des remparts près du cinéma Sqala. 17 chambres, dont 3 (nos 8, 9 et 10) donnent sur la mer et les remparts. Les chambres 18 et 19, au dernier étage, dis-posent d'une gigantesque terrasse avec une jolie vue où l'on peut prendre son petit déjeuner. Évitez cependant celles donnant sur la salle intérieure où l'on sert le petit déjeuner : elles n'ont pas de fenêtres et sont très humides. Bon accueil. Notre meilleure adresse.

🛏 **Hôtel Agadir** (plan C2, **11**) : av. de l'Istiqlal. Établissement tenu par des femmes. Rudimentaire malgré tout. Chambres très grandes, excellent accueil, mais le ménage pourrait être fait de temps en temps. Douche chaude payante. Muezzin à côté.

🛏 **Hôtel Tafraout** (plan B2, **12**) : 7, rue de Marrakech. Dans la médina, juste derrière le rempart. 27 chambres, dont 11 avec douche ; les autres avec lavabo et bidet. Accueil sympa et bon rapport qualité-prix.

🛏 **Hôtel Beau Rivage** (plan B2, **13**) : place Moulay-el-Hassan. ☎ 47-29-25.

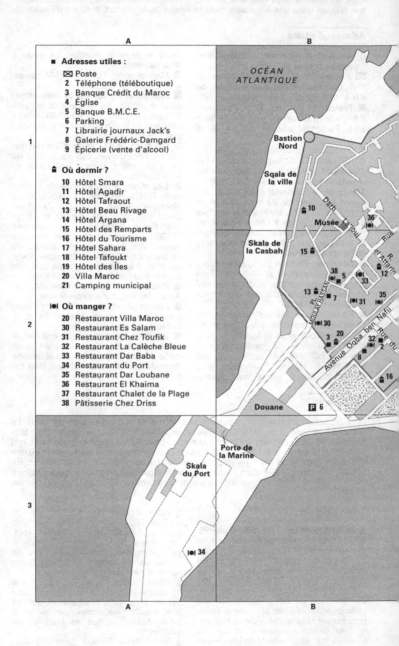

■ **Adresses utiles :**

⊠ Poste
2 Téléphone (téléboutique)
3 Banque Crédit du Maroc
4 Église
5 Banque B.M.C.E.
6 Parking
7 Librairie journaux Jack's
8 Galerie Frédéric-Damgard
9 Épicerie (vente d'alcool)

🛏 **Où dormir ?**

10 Hôtel Smara
11 Hôtel Agadir
12 Hôtel Tafraout
13 Hôtel Beau Rivage
14 Hôtel Argana
15 Hôtel des Remparts
16 Hôtel du Tourisme
17 Hôtel Sahara
18 Hôtel Tafoukt
19 Hôtel des Îles
20 Villa Maroc
21 Camping municipal

|◉| **Où manger ?**

20 Restaurant Villa Maroc
30 Restaurant Es Salam
31 Restaurant Chez Toufik
32 Restaurant La Calèche Bleue
33 Restaurant Dar Baba
34 Restaurant du Port
35 Restaurant Dar Loubane
36 Restaurant El Khaima
37 Restaurant Chalet de la Plage
38 Pâtisserie Chez Driss

OCÉAN
ATLANTIQUE

Bastion
Nord

Sqala de
la ville

🛏 10

Darb Laaloj

Musée

Skala de
la Casbah

15 🛏

36
|◉|

Rue er Attarin

12

38
|◉| 5
13 🛏
7

31
33

35

30
|◉|

PL. MOULAY HASSAN

3
20

Avenue Oqba ben Nafii

32
|◉| 2
8

Rue du

16

Douane

🅿 6

Porte de
la Marine

Skala
du Port

|◉| 34

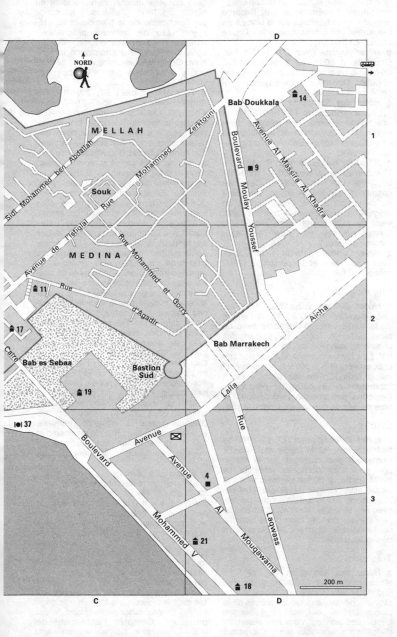

Plusieurs catégories de chambres. Mais leur literie est défoncée dans certaines : les refuser systématiquement. Superbe terrasse. Les chambres sur la place sont bruyantes, mais quel spectacle ! On se croirait au théâtre.

♨ *Hôtel Argana* (plan D1, *14*) : à Bâb Doukkala. A 800 m de la gare routière. 20 chambres autour d'un patio, w.-c. sur le palier. Douche chaude payante. Propreté toute relative.

♨ *Hôtel des Remparts* (plan B2, *15*) : 18, rue Ibn-Rochd. ☎ 47-31-66. Fut jadis une bonne adresse mais manque d'entretien. 27 chambres avec sanitaires et eau chaude réparties autour d'un grand patio couvert.

♨ *Hôtel du Tourisme* (plan B2, *16*) : rue Mohammed-ben-Messaoud, à l'entrée de la vieille ville. ☎ 47-20-75. Certaines chambres, au dernier étage, disposent du panorama sur la plage et l'île de Mogador. L'établissement, très mal tenu, vient de faire l'objet d'une rénovation. Cette adresse va-t-elle redevenir recommandable ?

♨ *Hôtel Central* : près de l'*hôtel Agadir*. Tout y est sale et le personnel désagréable. A fuir.

Prix moyens

♨ *Hôtel Sahara* (plan C2, *17*) : av. Oqba-ben-Nafii. ☎ 47-22-92. A l'entrée de la vieille ville. 70 chambres avec ou sans salle de bains. La plupart des chambres donnent sur un escalier central. Les autres ouvrent sur les remparts et pourraient être agréables si l'hôtel était mieux tenu. On ne sait pas s'il est à l'abandon ou en cours de rénovation. Personnel peu aimable. Petit déjeuner et taxe de séjour non compris dans le prix.

Chic

♨ *Hôtel Tafoukt* (plan D3, *18*) : 58, bd Mohammed-V. ☎ 47-25-04 et 47-25-05. Demander une chambre sur la plage, pour profiter du coucher de soleil sur l'île de Mogador. A 20 mn de marche de la vieille ville. Longer la plage. Malheureusement, les chambres sont petites, avec des sanitaires vieillots, et les prix un peu élevés, compte tenu de la banalité de l'ensemble. Bon accueil. Restaurant très quelconque.

Très chic

♨ *Hôtel des Iles* (plan C2, *19*) : bd Mohammed-V. ☎ 47-23-29. A l'entrée sud de la ville. Petits bungalows entourant une piscine, à quelques mètres de la plage. L'hôtel, qui était à l'abandon depuis des années, vient heureusement d'être repris en main par un directeur énergique et très compétent. L'établisse-

ment, un palace pour l'époque, fut inauguré par le maréchal Juin, résident au Maroc, en 1951. D'ailleurs, il fut conçu par l'architecte de la Mamounia (la première). *Les Iles* retrouve progressivement son charme d'origine. Piscine agréable. Personnel attentionné et souriant. Orson Welles, entre autres célébrités, y a séjourné (voir « Où boire un verre ? »).

♨ *Villa Maroc* (plan B2, *20*) : 10, rue Abdellah-ben-Yassin. ☎ 47-31-47. Fax : 47-28-06. Dans une petite ruelle, juste derrière la tour de l'Horloge. Un décorateur anglais a réhabilité avec talent ces deux maisons du XVIIIe siècle (il paraîtrait que l'une d'elles était une maison de plaisir, ce qui expliquerait la porte d'entrée très discrète). 6 chambres, 6 suites et un appartement ouvrent sur un beau patio intérieur. En saison fraîche, évitez celles du rez-de-chaussée. En revanche, elles sont très agréables quand il fait chaud. Structure de pierres apparentes, murs blanchis à la chaux et boiseries bleues se marient à la perfection. Ensemble de meubles exceptionnels dans les chambres (pas une seule identique) et dans les trois salons agrémentés de cheminées. Un raffinement dans les détails et un service personnalisé font de cette adresse exceptionnelle tout le contraire des usines à touristes tellement à la mode aujourd'hui. Les repas, à commander à l'avance, vous sont servis dans le salon de votre choix. Voir « Où manger ? ». Cuisine familiale marocaine excellente. A partir de 330 FF la chambre en basse saison et jusqu'à 650 F pour un appartement de 4 personnes. Petit déjeuner inclus. La *Villa* est gérée par un couple de Français. Avec un peu de chance vous pourrez rencontrer une célébrité venue là incognito. Peintres, écrivains, artistes du monde du cinéma et de la mode connaissent cet endroit magique. Le livre d'or, à la réception, en témoigne.

♨ *Riyad Es Salam* (plan B2, *30*) : s'adresser au restaurant du même nom. ☎ 47-25-48. Demander Mohammed, le patron. Il s'agit d'une très belle maison restaurée avec beaucoup de goût par son propriétaire. Elle abrite plusieurs appartements très différents pouvant contenir chacun jusqu'à quatre personnes. Ces appartements disposent de tout le confort et vous avez à votre disposition une cuisine et une cuisinière qui pourra vous dévoiler les petits secrets des recettes marocaines. Le ménage est fait tous les jours. Une formule très originale à un prix raisonnable quand on est plusieurs. Compter l'équivalent de 300 FF par jour por un appartement. Séjour minimum 2 nuits. Une occasion de vivre comme des « souiri » et d'avoir sa propre maison dans le labyrinthe des ruelles. Plus dépaysant que l'hôtel et plus amusant.

Campings

⚑ *Camping municipal (plan D3, 21) :* près de l'église. ☎ 47-38-17. Sanitaires

EN DEHORS DU CENTRE

⚑ *Auberge Tangaro :* à 5 km, en direction d'Agadir. Tourner immédiatement après le pont ; ensuite, il reste 700 m de route. Pour ceux qui n'ont pas de véhicule, les grands et petits taxis desservent Tangaro. ☎ 78-57-35 (répondeur). A Rabat, ☎ (07) 76-21-64 (répondeur). Ouverte toute l'année. 17 chambres agréables avec salle de bains et eau chaude. Un endroit calme dans un paysage magnifique. Dîner aux chandelles

rudimentaires. Pas d'eau chaude. Installations vétustes.

⚑ *Camping Tangaro :* à 5 km sur la route d'Agadir. Voir ci-après. On peut, après avoir arrimé péniblement sa tente dans le sol caillouteux, bénéficier des installations de l'auberge. Cher.

(normal : il n'y a pas d'électricité) dans une grande salle agrémentée d'une belle cheminée. Demi-pension obligatoire. Malheureusement, quand le propriétaire n'est pas là, ce qui est beaucoup trop fréquent, règne ici un laisser-aller inadmissible compte tenu des prix demandés. On se demande aussi pourquoi le ménage, certains jours, n'est pas fait dans les chambres ? Prix catégorie chic.

Où manger ?

De très bon marché à bon marché

|●| *Es Salam (plan B2, 30) :* place Moulay-el-Hassan. ☎ 47-25-48. Ouvert tous les jours de 8 h à 15 h et de 18 h à 22 h. Très bon rapport qualité-prix et excellent accueil. Ici pas de faux guides ni de démarcheurs. Le patron s'y oppose. Menus très bon marché. Possibilité de commander à midi pour le dîner une grillade de poisson que le patron fait mariner ou un *tajine* au congre (sa spécialité). Bien sûr, tout dépend de la pêche du jour. Mohammed est non seulement un excellent cuisinier, mais aussi un passionné d'histoire et d'art. Essaouira n'a pas de secret pour lui et on pourrait l'écouter pendant des heures parler de l'architecture et des portes des maisons de sa ville. Pas d'alcool. Excellent petit déjeuner. Cartes de crédit acceptées.

|●| *Chez Toufik (plan B2, 31) :* entre la place de l'Horloge et la casbah, sur la droite. ☎ 47-35-45. Spécialités de *tajines* (viande ou poisson), de couscous et de plats de poisson. Service efficace. Bonne ambiance musicale. Pas d'alcool sur place. Toufik est toujours prêt à rendre service. Demander à voir le Livre d'or illustré de quelques dessins originaux. Une adresse que nous apprécions beaucoup.

|●| *La Calèche Bleue (plan B2, 32) :* av. Oqba-Ibn-Nafia. ☎ 47-35-90. Fax : 78-50-56. Dans un cadre très agréable, à proximité de l'ancienne horloge et face aux remparts, encore une bonne adresse où l'on peut manger en toute confiance et à prix doux. Menus marocain et touristique pour moins de 35 F. Belle carte.

Tout est très propre et le service aimable. Excellent et copieux petit déjeuner. Pas d'alcool pour l'instant mais on peut apporter son litron. Cartes de crédit acceptées. Terrasse agréable.

|●| *Dar Baba (plan B2, 33) :* 2, rue Marrakech. ☎ 47-38-09. C'est sur la droite dans l'avenue Allah-ben-Abdallah qui part de la place Moulay-el-Hassan, dans la rue de l'hôtel *Tafouk*. En étage, dans le beau décor d'une ancienne maison souiri. Un authentique restaurant italien tenu par un couple très sympathique qui a quitté le pays pour venir s'installer ici. Plat du jour et une carte avec, bien entendu, des spécialités de pâtes fraîches qui vous changeront un peu des sempiternels couscous et *tajine*. Ils ont aussi des fromages maison. Accueil très sympa et excellent rapport qualité-prix. Une adresse à ne pas manquer. On parle le français. Pas de vin sur place, mais on peut apporter son litron. Cartes de crédit VISA et Mastercard acceptées.

|●| *Restaurants de poisson grillé* en plein air, sur le port *(plan A3, 34) :* de nombreux lecteurs en ont gardé de cuisants souvenirs. S'en tenir éventuellement à un poisson frais que l'on choisit soi-même après en avoir fait préciser le prix exact. Éviter absolument les crudités et veiller à ce qu'assiettes et verres soient bien essuyés. N'y consommer que des boissons dont la bouteille aura été ouverte devant vous.

Prix moyens

|●| *Dar Loubane (plan B2, 35) :* 24, rue du Rif, près de l'horloge. ☎ 47-32-96. En

pleine casbah, dans un *riyad* du XVIIIe siècle, ce restaurant bénéficie d'un beau décor. Ambiance très *soft*. Le soir, vous dînerez aux chandelles dans le patio fleuri ou dans l'un des trois salons. Belle collection d'anciennes photos de Mogador et d'objets surprenants et hétéroclites. Les propriétaires, un couple de Français, étaient marchands aux puces de Saint-Ouen. Pas de menu type mais carte très attrayante avec la salade du pêcheur, l'assiette de trois poissons à la crème, les filets de loup sauce hollandaise. Spécialités marocaines avec des *tajines*. Pour conclure : fondant au chocolat et farandole de desserts. Une fois par semaine, soirée musicale gnaoua. Les prix ne comprennent pas le service. Cartes de crédit acceptées. Ils disposent aussi de trois chambres en dépannage.
|●| *El Khaima* (plan B1, 36) : rue Derb-Laalouj et place Chris-Athay. ☎ 30-52. Belle façade blanc et bleu dans le style local. Le toit est surmonté d'une tente, puisque tente en arabe se dit justement *khaima*. Terrasse calme, salle au premier et salon marocain. Menu du jour intéressant comprenant hors-d'œuvre, entrée, plat principal et dessert. Grand choix à la carte. Fruits de mer selon arrivages. Cuisine marocaine sur commande. Beaucoup de groupes au déjeuner. Servent de l'alcool. Cartes de crédit acceptées mais salle à 5 % de frais.
|●| *Chalet de la Plage* (plan C3, 37) : bd Mohammed-V, sur la plage. ☎ 47-29-72. Fax : 47-34-19. Idéal pour déjeuner sur la terrasse surplombant la mer. Poisson et fruits de mer, bien entendu. Ils ont un menu qui vous coûtera une cinquantaine de francs, son rapport qualité-prix est exceptionnel. Éviter cependant la soupe de poisson, bien médiocre. En revanche, la friture de poisson est très bonne et si copieuse que l'on a du mal à la finir. Belle carte. Cette institution est dirigée depuis 25 ans par « les Jeannot ». Peut-être serez-vous servi par « papi », un mélange de Louis de Funès et de Benny Hill. Alcool. Cartes de crédit acceptées. Une adresse sûre et de qualité.

Chic

|●| *Restaurant du Villa Maroc* (plan B2, 20) : 10, rue A.-ben-Yassin. ☎ 47-31-47 et 47-28-06. Le soir et sur réservation uniquement. Cuisine marocaine avec un menu unique chaque jour. Parmi les spécialités : poisson farci aux épices, crevettes et calmars, trides au poulet, *pastilla* au pigeon, *tajine* de poulet au citron confit et couscous somptueux. La pâtisserie est aussi faite à la maison. Adresse à déconseiller aux adeptes de régime. En vous glissant dans la cuisine, vous pouvez assister à la préparation des plats et voler quelques recettes aux cuisinières d'Essaouira. Le dîner est servi dans les salons : le bleu pour les amoureux, le salon juif avec sa cheminée, la salle à manger éclairée par des lustres dont on allume les bougies chaque soir ou encore le petit salon du bar, le plus animé. Ambiance préservée. Compter environ 100 FF par personne sans le vin.

Où manger une pâtisserie ? Où boire un verre ?

■ *Chez Driss* (plan B2, 38) : 10, rue Hajjali, au fond de la place Moulay-el-Hassan. Tenu depuis 1925 par la même famille. Arrivages de pâtisserie chaude à 8 h 30 et à 10 h. Excellents jus de fruits. Quelques tables dans un mini patio, pour vaincre le petit creux de l'après-midi. Le décor de mosaïque bleue est d'époque. Dommage qu'ils ne fassent plus de pâtisserie marocaine. On peut, sur commande, obtenir une *pastilla* ou une pizza aux fruits de mer, à emporter.
■ Excellents sandwiches et frites à emporter : sur la place Moulay-el-Hassan (plan B2), juste à côté de la librairie Jack R. Oswald. Petite façade bleue, en face du *Café de France*. Propre. Pas de tables dehors. Idéal pour une petite faim ou un repas économique sur le pouce.
❣ Nombreuses terrasses de café sur la place Moulay-el-Hassan (plan B2). On vous laisse choisir celle qui vous plaira le plus. Toujours très animées (pas toujours très bien fréquentées). Ne pas rater *le Café de France* à l'heure du PMU.
❣ *Bar Orson Welles :* dans l'*hôtel des Iles*, au premier étage. C'est ici que le cinéaste américain venait siroter sa vodka entre deux scènes d'*Othello*, tournées sur les remparts en 1952.
❣ *Bar du Villa Maroc :* pour son décor et son ambiance. Tenue correcte exigée.
❣ *La Calèche Bleue :* av. Oqba-Ibn-Nafia. Pour son petit déjeuner copieux avec un œuf à la coque. Calme et agréable. Pas de boissons alcoolisées.

Achats

Essaouira est probablement la ville du Maroc la plus agréable pour effectuer ses achats.

Tout d'abord, elle est célèbre pour son artisanat unique : l'ébénisterie ou marqueterie, plus particulièrement pratiquée sur racine de thuya. Ce bois n'est pas sans rappeler la loupe d'orme. Non seulement il est beau au toucher lorsqu'il a été poli mais, de plus, il dégage une odeur agréable. Les fauchés se contenteront d'un objet modeste, les autres pourront, pour épater leurs voisins, se faire livrer un guéridon en marqueterie, incrusté de bois de citronnier. Les boutiques expédient à l'étranger les pièces massives. Notre préférence va aux petits coffrets, peu encombrants dans les bagages et qui trouvent toujours une utilisation au retour. Malheureusement ce bois travaille et... se fend, en dépit des serments faits la main sur le cœur par les artisans qui ne le laissent pas sécher assez longtemps. Hélas ! Seul le climat exceptionnellement humide de la ville permet la conservation de ces objets et de ces meubles qui, chez vous, auront tendance à se rebeller et à se fendiller avec la chaleur. Allez cependant observer les artisans au travail dans le quartier de la Sqala. Si vous préférez voir une large gamme des productions, deux adresses :
– **Afalkay** (plan B2) : place Moulay-el-Hassan. Grand choix et qualité à des prix intéressants qui sont affichés. Accueil aimable et discret. Ils se chargent des expéditions.
– **Jiska** (plan B2) : 11, rue Laalouj. Magasin spécialisé dans tous les souvenirs (bois et cuir). Personnel sympa. Même Alain Delon a été client. On voit sa photo en compagnie d'un vendeur.
Mais si on a un conseil à vous donner, achetez de préférence chez un artisan. C'est plus sympa et il y a un véritable contact avec celui qui travaille le bois. Les prix sont vraiment dérisoires alors, pour une fois, ne marchandez pas.

Au marché, vous trouverez toutes les épices, de la vannerie, des vêtements, des poteries. Essayez de rapporter de l'*huile d'argan* pour la salade. On trouve aussi de très beaux kilims et des tapis originaux. Les bijoux, eux, ne correspondent pas du tout à nos goûts.
Les prix sont plus intéressants qu'à Marrakech. Les commerçants sont sympa et n'exercent pas trop de pression sur les touristes. On peut comparer et choisir en toute tranquillité.
Les tapis-tableaux sont l'une des formes d'art les plus originales d'Essaouira. Ces tapis où les animaux, personnages et motifs divers s'entremêlent dans des décors extravagants sont tissés par les femmes à la maison. Les véritables tapis-tableaux sont devenus rares, mais en cherchant chez les bazaristes, sur la place derrière l'Horloge, vous aurez une chance d'en trouver. Ou alors adressez-vous à Mounain qui tient boutique au n° 3 de la rue Hajjali, juste en face du restaurant de Toufik ; et toujours dans la même rue, juste après le coude dans l'angle, au n° 8, chez Miloud. Vous ne pouvez pas le manquer car il ressemble à Serge Gainsbourg mais ne chante pas, en revanche il vous montrera avec compétence des tapis anciens ou neufs et vous indiquera avec précision leur origine. Antiquaire de père en fils, il connaît comme nul autre les tapis-tableaux et fournit d'ailleurs plusieurs grands collectionneurs. Les prix ne sont pas donnés mais il s'agit toujours de pièces uniques. Pour routards très aisés. Les autres se rabattront sur les objets de bois et visiteront antiquaires et galeries « pour le plaisir des yeux ».

A voir

★ **Le port** (plan A-B3) : essentiellement consacré à la pêche, c'est l'un des lieux les plus animés de la ville, surtout au retour des bateaux. Le poisson est alors vendu à la criée. Un spectacle à ne pas manquer. On accède au port par le poste de douane situé en haut de la plage (ne pas tenir compte des barrières) ou par la porte de la Marine (voir plus loin). Les quais sont transformés en chantiers navals. Vous y verrez construire des bateaux tout en bois comme on n'en construit plus guère ailleurs. Leur forme n'est pas sans évoquer celle des anciens boutres.

★ **La porte de la Marine** (plan A-B3) : édifiée en l'an 1184 de l'hégire (1796) pour relier la ville au port, elle fut construite pas un renégat anglais. Elle est ornée de deux colonnes d'un fronton triangulaire très classique. L'ensemble a beaucoup d'allure. Un escalier permet parfois d'accéder au sommet de la muraille de la skala du port et même de monter dans les échauguettes. Très belle vue sur les îles purpuraires et sur la plage. Les canons sont ornés de blasons portugais, espagnols et flamands. C'est dans cet étonnant décor qu'Orson Welles a tourné certaines scènes de son Othello qui devait remporter la palme d'or au festival de Cannes en 1952.

★ **La skala de la casbah** (plan B2) : franchir la porte de la Marine, se diriger vers la place Moulay-el-Hassan et tourner à gauche dans la rue de la casbah qui longe les remparts et que l'on suit jusqu'au bout. Franchir le passage sous la voûte pour découvrir dans les anciens entrepôts de munitions des ateliers d'artisans marqueteurs. Leurs œuvres sont en loupe de thuya, incrustées de bois de citronnier, d'ébène et parfois de fil de cuivre. Monter la rampe qui conduit à la plate-forme de près de 200 m de long, protégée de l'Océan par un mur crénelé formé de blocs de roche sciés. Vu d'en haut, on distingue encore les traces de scie et le trou, vestige de la manœuvre qui servit à déplacer ces roches. Belle collection de canons de bronze braqués sur l'Océan. Après une promenade vivifiante dans le vent et les embruns, redescendre par la rampe. Juste après la voûte, emprunter la rue Derb-Laalouj qui conduit au musée, sur la droite.

★ *Le musée Sidi Mohamed Ben Abdallah :* rue Derb-Laalouj, en face du restaurant *El Khaima.* Ouvert de 8 h 30 à 12 h et de 14 h 30 à 18 h 30. Le vendredi de 8 h 30 à 11 h 30 et de 15 h à 18 h 30. Fermé le mardi. Entrée payante. Installé dans un ancien palais, siège des pachas, ce petit musée rassemble des collections sur les arts et les traditions populaires de la région d'Essaouira. Au rez-de-chaussée, on verra des instruments de musique andalous, berbères et de malhoum ainsi que des objets de différentes confréries de transe : Gnaoua, Hamadcha et Aissaoua. A l'étage sont exposées de belles collections de tapis et de tissages, notamment de la région de Chichaoua, d'anciens objets en bois marqueté et des bijoux juifs et arabes qui ont fait jadis la renommée des artisans-créateurs de la cité. Toutes ces œuvres témoignent des très riches traditions ancestrales. Ce musée est à la fois le miroir et la mémoire collective de la région d'Essaouira.

★ *Le mellah (plan C1) :* rejoindre la rue ben-Abdallah qui aboutit à l'ancien mellah au nord. Toutes les maisons ont été transformées en boutiques et la rue est toujours très animée avec le ballet des femmes souiries enveloppées dans leur haïk blanc. Traverser l'ancien mellah jusqu'à Bâb Doukkala, où la Municipalité a décidé de transformer l'ancienne gare routière en louant les locaux à des artistes. Ils y ont leur atelier. Une initiative intelligente. Revenir en empruntant l'avenue Mohammed-Zektouni.

★ *Le marché* ou *souk jdid (plan C1) :* des deux côtés de l'avenue Mohammed-Zerktouni. Les commerces sont tous groupés par spécialités. Grande animation le matin et le soir. Pittoresque garanti.
Le souk au poisson est entouré par les échoppes d'épices. De l'autre côté de la grand-rue, on trouve le souk au grain.
Tout à côté du marché au grain, vente à la criée tous les jours à 17 h. On y vend de tout, selon des règles précises, immuables depuis des siècles. Cela tient plus des puces que de l'hôtel Drouot.
Dans une petite rue perpendiculaire, juste après la mosquée, la rue Syaghine, plusieurs boutiques de bijoutiers. Ces commerces étaient très prospères à l'époque de la communauté juive. Mais bien peu maintenant sont de véritables artisans qui fabriquent encore eux-mêmes, et leurs bijoux ne sont plus du tout au goût du jour. L'avenue Zerktouni continue et change de nom pour s'appeler avenue de l'Istiqlal. Elle conduit jusqu'aux remparts d'une belle couleur ocre. La porte sur la droite donne accès à la place de l'Horloge. C'était autrefois l'une des plus importantes de la casbah car elle permettait d'accéder à la grande mosquée de l'époque.

– *Flâner en ville :* en franchissant cette porte on découvre le réseau des petites ruelles. Il n'y a pas d'itinéraire précis. Perdez-vous dans leur lacis entre les hauts murs blancs des maisons dont les fenêtres sont peintes en bleu. On dit que ce sont les juifs qui ont eu l'idée de les badigeonner ainsi afin de chasser les mouches. On ne risque pas de se perdre. Admirer au passage les magnifiques portes de certaines maisons.

★ *Galerie des arts Frédéric Damgard (plan B2, 8) :* av. Oqba-ben-Nafii. ☎ 78-44-46. Fax : 47-28-57. Pour les amateurs de peinture (abstraite, cubiste, naïve). Toute la presse marocaine a salué la création de cette galerie (ouverte tous les jours de 9 h à 13 h et de 15 h à 19 h) consacrée à des peintres locaux. Les œuvres de ces artistes singuliers sont fortement imprégnées des influences africaines de la culture souirie. Elles relèvent de l'art naïf, de l'art primitif et d'un art populaire très particulier. Ces artistes autodidactes, défendus par le Danois Frédéric Damgard, ont maintenant une renommée internationale. Le succès fulgurant qu'ils ont obtenu est dû à leur spontanéité, leur naturel et la forte coloration de leurs œuvres qui restent encore à des prix raisonnables. Mais tout le monde n'est pas collectionneur ou n'en a pas les moyens, c'est pourquoi Frédéric Damgard propose aussi des dessins et des aquarelles très classiques à des prix exceptionnellement bas. On en trouve de très belles à partir de 100 F. Une idée de cadeau originale, pas encombrant et qui ne vous ruinera pas.
De nombreuses autres galeries se sont ouvertes dans le sillage mais les œuvres exposées nous ont paru moins intéressantes. On peut visiter notamment celle qui se trouve à l'intérieur de la porte d'accès à la ville Bâb es Sebba, entre le boulevard Mohammed-V et la rue du Caire *(plan C2).*

★ *L'église (plan D3, 4)* : Essaouira est la seule ville du Maroc qui possède une église dont les cloches sonnent le dimanche. Cette ville a une longue tradition de tolérance puisque juifs, musulmans et chrétiens y cohabitèrent harmonieusement pendant des siècles. L'église Notre-Dame (☎ 47-28-95), derrière la poste, possède de véritables chefs-d'œuvre en bois d'Essaouira, cadeaux des artisans au curé. Ce prêtre est d'ailleurs un personnage haut en couleur. Au Maroc depuis 18 ans, il s'est totalement intégré et a l'estime de tous, tant il est ouvert au dialogue. Il serait même aux yeux de certains un peu trop œcuménique... En tout cas, il possède un potager et un élevage de lapins et de cailles uniques dans la région, et vous en fera volontiers les honneurs pour peu que vous sympathisiez avec lui !

★ *La plage (plan C-D3)*, magnifique, s'étend à perte de vue. Pas toujours très propre. Moins de monde en allant vers les dunes, en haut du boulevard Mohammed-V. Le rocher que l'on voit dans l'eau, en face de l'île, est un ancien fort portugais en ruine. Cependant il n'est pas toujours aisé de se baigner et de bronzer car le vent y est souvent glacial. En revanche, on peut surfer grâce au nouveau club *Fanatic Fun Center*, géré par une société toulousaine. Location de planches et cours pour débutants. Location de vélos également.

★ *Les îles de Mogador* : il est désormais interdit d'y accoster afin de préserver les oiseaux qui vivent dans cette « station biologique ». Une espèce de faucon, en voie de disparition, le *falco Eolonorare*, cohabite dans cette réserve naturelle avec des milliers de mouettes dont il pille les nids pour se nourrir.
L'île principale, appelée « île du Pharaon », a une superficie de 30 ha. Ce sont deux archéologues français qui, dans les années 50, identifièrent les traces prouvant que les Phéniciens occupaient cet îlot 12 siècles avant J.-C.

Dans les environs

★ *Plage de Sidi Kaouki* : à 27 km. Bus n° 5. La fréquence des départs varie selon la saison. En voiture, suivre la direction d'Agadir et, à 15 km, bifurquer à droite. La route s'arrête devant la tombe d'un marabout qui semble taillée dans de la neige. Véritable igloo, au bord d'une plage. Baignade très dangereuse en raison des courants. On déplore chaque année de nombreuses noyades. Aucun panneau ne signale le danger. Vents de sable violents et fréquents. La plage est surtout valable pour les planchistes confirmés. Beaucoup de camping sauvage. Il semblerait que les adeptes du fun prennent plaisir à tout polluer. À la fin de la saison, ce site magnifique n'est plus qu'un gigantesque dépôt d'ordures. Le sport, d'accord, mais il y a des moments où les adeptes de la glisse feraient bien de respecter la nature !
Une piste longe la mer sur la gauche et conduit jusqu'à *Smimou*, offrant des points de vue magnifiques sur cette côte sauvage. Il ne faut aller sur cette piste qu'à pied ou en 4 × 4. Sinon, ensablage assuré. Le vent violent soulève parfois des tempêtes de sable. Si vous allez d'Essaouira à Agadir, ne manquez pas cette excursion qui vous demandera une trentaine de kilomètres supplémentaires. Elle n'est possible toutefois que si vous êtes motorisé.

🛏 *Résidence Kaouki Beach* : à 500 m du mausolée, à proximité de la plage. ☎ (Villa Maroc) 47-31-47. Fax : 47-28-06. Souvent fermée hors saison. Belle maison agréable. 10 chambres bien entretenues. Sanitaires communs avec douche chaude. Pas d'électricité. Bonne cuisine. Uniquement fréquenté par des véliplanchistes pendant la saison, d'avril à septembre. Allergiques au souffle d'Éole, s'abstenir ! Prix moyens.

|●| *Auberge de la Plage* : juste à la fin de la route goudronnée, sur la gauche. Les chambres réparties sur deux étages sont très simples, avec des douches chaudes et des sanitaires communs, mais des salles de bains individuelles sont prévues. L'une des chambres bénéficie d'une cheminée, comme la salle de restaurant où l'on sert une cuisine italienne et marocaine. Pas d'électricité. L'auberge est tenue par Gabriele, un Italien, et Carina, une Allemande qui est monitrice d'équitation. Elle doit ouvrir un club équestre qui donnera des leçons à des débutants et organisera des randonnées de un à plusieurs jours pour les plus expérimentés. Pour tous les renseignements sur les réservations concernant le centre équestre, s'adresser à *Cobra Tours*, ☎ et fax : (08) 71-90-56. Voir à Mirleft. Excellent accueil à l'auberge qui pratique des prix moyens. Compter un peu moins de 100 FF la double.

Quitter Essaouira

La compagnie *Supratours*, à côté de l'*hôtel des Iles*, assure une ou deux liaisons quotidiennes pour Marrakech avec des bus rapides et confortables. Arrivée à la gare ferroviaire de Marrakech, ce qui est pratique pour les correspondances avec les trains pour Casablanca, Tanger, Fès, etc. Pour tous renseignements : *Hôtel des Iles,* ☎ 47-23-29. La gare routière se trouve dans le quartier industriel, assez loin du centre (*hors plan par D1*). Consigne. En taxi, ne pas donner plus de 10 DH.

CTM, SATAS, entre autres compagnies, desservent le réseau. Pour certaines, il est indispensable de réserver ses places au plus tard la veille, leurs bus en provenance de Casablanca ou de Tiznit arrivant complets, même hors saison. Départs fréquents pour Marrakech. Pour Casablanca, départ CTM vers minuit.

LA ROUTE CÔTIÈRE D'ESSAOUIRA A AGADIR

C'est sans conteste la plus belle partie de cette interminable route qui longe l'Atlantique depuis Tanger jusqu'à La Gouèra dans l'extrême Sud, à la frontière mauritanienne. Ce parcours de 175 km permet de faire connaissance avec les *arganiers,* des arbres étranges : le bois sert à fabriquer du charbon, les feuilles à nourrir les chèvres et le noyau du fruit donne une huile utilisée pour la salade, mais également en médecine et pour l'éclairage. Le noyau est récupéré par les bergers dans les excréments des animaux. Les feuilles les plus tendres se trouvant en haut de l'arbre, il est assez fréquent de voir les chèvres brouter en équilibre à plusieurs mètres du sol.

A 15 km environ d'Essaouira, embranchement pour *Sidi Kaouki.* Plus loin, *Smimou* avec un souk pittoresque le dimanche. Au km 48 (panneau plage Tafadna), un autre embranchement permet d'aller jusqu'au *cap Tafelney,* à 15 km, d'où l'on a aussi un très beau point de vue. La route traverse ensuite *Tamanar* (souk aussi le dimanche).

★ Mais notre préférence va probablement à *Imessouane*. On atteint sa pointe en quittant, une fois de plus, la route principale pour emprunter la 6649 pendant une quinzaine de kilomètres. Au bout, un petit port où vivent une vingtaine de pêcheurs. Camping sauvage (à ne pas confondre avec des sauvages qui campent). On trouvera l'essentiel au café-épicerie. Le coin est idéal pour les surfeurs. Pas de touristes mais pas de moyen d'accès non plus ; il faut être autonome. Un peintre local a ouvert là une galerie dans un hangar pour barques.

A la hauteur de *Tamri,* dans l'embouchure d'une rivière, une immense bananeraie surgit comme une oasis dans cet endroit désertique.

A la hauteur du *cap Rhir,* quelques belles plages, comme celle de *Taghazout,* et des excursions vers l'intérieur, comme celle d'*Imouzzer des Ida Outanane* (voir plus loin).

TAGHAZOUT

Situé à 19 km au nord d'Agadir, sur la côte. D'Agadir, les bus n°s 12 et 14 assurent la liaison toutes les heures et partent de la place Salam. Évitez d'y loger. On vous proposera des chambres chez l'habitant qu'il est préférable de refuser pour des raisons de sécurité (vols et drogue).

On sent que les gens du pays sont mariés avec l'Océan. Les maisons ont toutes des terrasses qui permettent de profiter au maximum de sympathiques couchers de soleil. Ils n'ont pas eu besoin d'architectes nouvelle vague pour concevoir leur mode de vie.

Où dormir ? Où manger ?

⌂ *Camping :* bruyant mais donne sur une plage immense. Pas d'ombre. Une citerne au milieu du camping, remplie de temps en temps. Toute la région manque d'eau et celle-ci est amenée par des camions citernes. C'est parfois la bagarre pour s'en procurer. Sanitaires très sales. Aux dernières nouvelles, ce camping vient de changer de propriétaire.

– Camping sauvage interdit et, de toute façon, dangereux.

|●| Au bord de la plage, deux *épiceries* bien approvisionnées et deux petits *restaurants* dont les terrasses donnent directement sur la mer. Nous aimons bien le second : *Taoufik.* Patron sympa. Nourriture extra.

★ Sur la route d'Agadir, *ranch* où l'on propose des promenades à cheval, accessibles aux débutants et aux autres bien sûr, dans la montagne.
Dans les collines au-dessus du village, nombreux fossiles très intéressants.

IMOUZZER DES IDA OUTANANE   IND. TÉL. : 06

A 61 km au nord d'Agadir. Prendre la route d'Essaouira sur 12 km puis tourner à droite. D'Agadir, un bus quotidien ; départ derrière l'*hôtel Sindibad,* à côté de la gare routière, vers 12 h 30. Durée du trajet : 3 h 30 environ. Retour le lendemain : départ d'Imouzzer à 8 h. Sinon : bus n° 13 jusqu'au carrefour d'Aourir, à 12 km. Ensuite faire du stop ou prendre un camion. Mais le plus agréable est encore de louer une moto ou une mobylette à Agadir.
La route, mauvaise et sinueuse, traverse tantôt des collines dénudées tantôt des oasis verdoyantes. Villages minuscules et pittoresques. C'est certainement la balade la plus intéressante dans les environs d'Agadir. Il n'est pas nécessaire toutefois, si on ne dispose que de peu de temps, d'aller jusqu'au bout. S'arrêter, dans ce cas, à la *vallée du Paradis,* 12 km avant Tifrit. Cette vallée, qui mérite bien son appellation, peut se parcourir à pied.

– A *Tifrit,* 18 km avant d'arriver à Imouzzer, on passe à proximité de la cascade d'Askri.

🛏 *Hôtel Tifrit :* une dizaine de chambres avec sanitaires séparés et eau chaude qui étaient auparavant bien entretenues, ce qui n'est plus le cas. Prix injustifiés et accueil détestable. Routard, passe ton chemin !

– *Imouzzer,* avec ses maisons surplombant une palmeraie ravissante, est à 1 250 m d'altitude, au pied du Haut Atlas. Souk le jeudi. Le tourisme de masse commence, malheureusement, à faire des ravages sur le circuit classique mais plus personne sur les petits chemins. Une bonne adresse :

🛏 *Hôtel des Cascades :* ☎ 84-26-71. Fax : 82-16-71. Un beau 3 étoiles, admirablement situé sur un promontoire fleuri. Décoration sobre et élégante. Les 27 chambres, très bien entretenues, dominent la vallée. Piscine, tennis et jardin de rêve envahi de fleurs, véritable parc horticole. On peut manger sur la terrasse. Un établissement de qualité très bien dirigé, comme on aimerait en trouver plus souvent au Maroc. Le directeur, très dynamique, vient de procéder à d'importants travaux d'agrandissement devant le succès que rencontre cette adresse exceptionnelle. Catégorie prix chic. Compter 290 FF la double avec petit déjeuner. Le repas vous reviendront à 80 FF. Cartes de crédit acceptées.

★ *Excursion aux cascades :* compter 4 km de route goudronnée de l'*hôtel des Cascades.* La balade dans les sous-bois est agréable, mais avec un peu trop de petits marchands de fossiles et d'ammonites. La grande cascade, appelée « le voile de la mariée », n'est alimentée en eau qu'en période de pluie. Évitez les plongeurs qui essaieront de vous soutirer des dirhams en piquant une tête du haut du promontoire rocheux.

AGADIR   IND. TÉL. : 08

Capitale du Sous et premier port de pêche du Maroc, Agadir (100 000 habitants) doit sa réputation actuelle à sa plage exceptionnelle de plus de 6 km de sable fin et à ses 300 jours d'ensoleillement annuel. Cette modeste bourgade de pêcheurs fut au cours de son histoire l'enjeu de luttes rivales entre tribus ou puissances étrangères. Les Portugais s'y installent en 1513 mais la guerre sainte, conduite par les princes saadiens, les chassent en 1541 après un terrible siège de 6 mois. Les Alaouites s'en emparent à leur tour au XVIIIᵉ siècle et, pour punir les habitants de la région, rebelles à leur autorité, leur souverain Sidi Mohammed Ben Abdallah décide de fermer le port et de transférer toutes les activités maritimes à Essaouira. Agadir retombe dans un sommeil léthargique jusqu'en 1911 où son nom fait la une de la presse de l'époque. L'empereur Guillaume II, roi de Prusse, expédie un croiseur dans la rade d'Agadir où il tente d'installer une base navale. La France s'y oppose, bien entendu, et obtient après des négociations diplomatiques difficiles l'abandon des prétentions allemandes. En échange, la France cède une partie du Congo, ce qui lui permet de consolider sa place au Maroc.

En 1930, Agadir est l'une des étapes de l'aéropostale. Saint-Exupéry et Mermoz y faisaient escale avant d'entreprendre la traversée de l'Atlantique.

Après l'indépendance, et jusqu'en 1960, Agadir fut une ville prospère et jolie. Tout peut laisser supposer qu'Agadir dormait déjà à poings fermés le 29 février 1960, peu avant minuit, lorsque le destin cogna violemment à la porte. Quinze secondes, pas une de plus, mais longues comme l'éternité. Dans l'une des plus furieuses catastrophes de l'histoire, la petite cité cessa d'exister, ensevelissant sous ses ruines 15 000 âmes. Plus peut-être.

Aujourd'hui, Agadir reconstruite montre le visage d'une ville moderne, sans charme et très touristique. Devant l'invasion des Nordiques, les Gadiri (habitants d'Agadir) ont tendance à parler l'allemand au détriment du français. Ses conditions climatiques sont exceptionnelles, sauf en été où, certains jours, il fait plus froid à Agadir que n'importe où en France, ou même qu'à Édimbourg ou à Oslo. Il est fréquent aussi qu'un brouillard permanent plane au-dessus de l'Océan. Sinon, pas grand-chose à ajouter sur cet endroit, trop bétonné à notre goût. Notre conseil : « Voir Agadir et partir... » Et pourtant 50 % des recettes touristiques du Maroc proviennent d'Agadir... On doit avoir un drôle de goût, à moins que ce ne soient les autres, après tout. Cela dit, la plage est immense et le sable très fin, l'arrière-pays est agréable et les gens du Sous plutôt sympathiques. C'est déjà ça.

L'arrivée

– **En avion :** aéroport d'**Agadir-Massira**, à 22 km, sur la route de Taroudannt. ☎ 83-90-02 et 83-91-22. Change et location de voitures. Grands taxis bleus à volonté. Tarif fixé par les autorités : 100 DH.

– **En bus :** Supratours, place des Orangers (plan B2). ☎ 84-12-07.

Circuler dans Agadir

– **Taxis rouges :** n'ont pas le droit de sortir de la ville. Exiger la mise en marche du compteur. Maximum : 3 passagers.

– **Grands taxis :** chargent jusqu'à 6 personnes et peuvent sortir de la ville.

– **Bus :** la station principale est place Salam (plan C3, 6). Les nos 12 et 14 vont à Taghazout.

– **Scooters de location** (50 et 80 cm³) : en meilleur état que les motos.

Adresses utiles

Infos touristiques

🅸 **Office du tourisme** (plan B2) : av. du Prince-Héritier-Sidi-Mohammed, dans un building, en face de l'hôtel de ville. ☎ 84-63-77 et 84-63-79. Fax : 84-63-78. Ouvert de 8 h 30 à 12 h et de 14 h 30 à 18 h 30. Inutile d'y perdre votre temps. Accueil exécrable d'un personnel incompétent. Ne possèdent rien sur la ville, à part une brochure en langue allemande.

🅸 **Syndicat d'initiative** (plan A1) : face à l'avenue du Général-Kettani, du point de rencontre avec le boulevard Mohammed V. Un peu caché derrière le restaurant le Festival. ☎ 84-03-07. Ouvert de 9 h à 12 h et de 15 h à 18 h 30. Pas très efficace mais ont au moins la correction d'être aimables, ce qui n'est pas le cas du précédent.

Services

✉ **Poste** (plan B2) : av. du Prince-Moulay-Abdallah. Retrait d'argent avec les post-chèques internationaux. La poste est ouverte à l'heure du déjeuner.

■ **Distributeurs pour cartes de crédit :** av. du Général-Kettani. BMCE (plan A2, 7) et BMCI (plan A2, 8).

Représentations diplomatiques

■ **Consultat de France** (plan C1) : bd Mohammed-Cheikh-Saadi, dans le quartier résidentiel. ☎ 84-08-23 ou 84-08-26. Fax : 84-23-80.

■ **Consulat d'Espagne :** secteur Mixte (hors plan D2). ☎ 84-57-10 et 84-77-27.

Urgences

■ **Pharmacie de nuit** (plan B2) : immeuble Baladia, dans la Municipalité, à côté de la poste. ☎ 82-03-49. De 21 h à 8 h.

■ **Pharmacie de garde :** pendant les week-ends et les jours fériés, appeler les pompiers (☎ 15) qui vous indiqueront l'adresse la plus proche.

■ **Médecin généraliste :** Dr Martinez

Espinoza Grich, immeuble Oumlil, av. Hassan-II, en face du Tennis Club Royal *(plan B2)*. ☎ 84-17-50 et (domicile) 84-48-08.

■ *Pédiatre :* Dr Hamid Grich. ☎ 84-27-26 et (domicile) 84-48-98. Même immeuble que le précédent.

■ *Dentiste :* Dr (Mme) Berrada. ☎ 22-06-24 et 84-42-43. Même immeuble que les précédents.

■ *Kinésithérapeute :* Mme Codrontable, 13, rue de l'Hôtel-de-Ville. ☎ 82-38-22.

■ *Permanence médicale* (de nuit, samedi, dimanche et jours fériés) : ☎ 15 ou 84-26-85.

■ *Clinique de garde :* ☎ 15 ou 84-26-85.

■ *Clinique Assoudil :* ☎ 84-38-18. Bon établissement privé.

■ *M'El Mouadden :* 2 av. Moukhawama. C'est le représentant d'un certain nombre de sociétés d'assistance (Mondial, Europ, MAIF, etc.). Bon à savoir.

Compagnies aériennes

■ *Air France* (plan B2, 9) *:* av. du Prince-Héritier-Sidi-Mohammed, au premier étage. ☎ 84-25-46 et 82-50-37.

■ *Royal Air Maroc* (plan A2, 3) *:* angle de l'avenue Général-Kettani et du boulevard Hassan-II. ☎ 84-07-93.

Transports

🚍 Station des bus et des grands taxis pour la gare routière d'Inezgane (à 5 km) : place Salam *(plan C3, 6)*.

🚍 *Gare routière :* dans le nouveau Talborjt *(plan C1)*.

■ *Location de voitures :* toutes les grandes agences sont représentées. Bien comparer les prix à prestations égales.

■ *Location de vélos et de motos :* secteur touristique et balnéaire.

■ *Location de scooters « Speedy » :* devant le club Valtour *(plan B4)*, de pré-

férence aux loueurs situés à proximité de la vallée des Oiseaux et dont l'entretien du matériel laisse à désirer. Compter 25 DH par jour.

■ *Location de motos et 3 ou 4-roues pour le sable :* Locafun (le long de la corniche).

■ *Garage Renault :* av. Cadi-Ayad. ☎ 22-07-07 et 22-01-91.

■ *Garage Peugeot et Citroën :* Sedsouss, av. Al-Moukaouama. ☎ 22-06-19.

■ *Garage Volvo, Mercedes, BMW, Nissan :* Ets Kerbid SA, av. Hassan-II. ☎ 84-22-63 et 84-09-41.

■ *Essence sans plomb :* station Afriquia.

■ *Taxis bleus :* ☎ 82-20-17.

Achats et services

■ *Supermarché Swana :* 1, rue de l'Hôtel-de-Ville. Ils ont une seconde entrée, av. Hassan-II, en face de la station Total *(plan B2, 4)*.

■ *Uniprix* (plan B2, 5) *:* av. Hassan-II. L'enseigne est suffisamment explicite. On y trouve de tout comme chez nous. Vente d'alcool.

■ *Centre artisanal Coopartim :* av. du 29-Février *(plan C2, 2)*, quartier Talborjt.

■ *Presse internationale :* très nombreux points de vente.

■ *Pressing* (plan B2, 54) *:* Bel, rue des Orangers. ☎ 84-02-42. Très compétents.

■ *Coiffure* (plan B2) *:* Salon Kamal, av. Hassan-II, après l'hôtel *Kamal*. ☎ 84-28-57. Pour routards et routardes qui voudraient se rafraîchir ou se refaire un look.

Activités sportives

■ *Tennis* (plan B2) *:* possibilité de jouer au Royal Tennis Club. Location de matériel pour ceux qui n'ont pas le leur. Il y a aussi des moniteurs. Les cours sont vides aux heures de bureau. Prix raisonnables.

Où dormir ?

Le gros problème est de trouver un lit en haute saison (vacances de Noël, de Pâques et d'été). Aller voir les hôtels de préférence tôt le matin, le plupart des petits établissements n'acceptant pas de réservation par téléphone. En basse saison, on peut toujours tenter de négocier les prix.

Bon marché

🛏 *Camping* (plan A1, 21) *:* au nord de la ville, en face du *Club Shango*, sur le boulevard Mohammed-V. ☎ 84-09-81. Bondé, sale et bruyant. Attention aux vols, même quand on est sous la tente, qu'il vaudrait mieux planter au milieu du camping, loin des murs. Épicerie. Piscine dont le remplissage n'est pas toujours assuré. Douches chaudes mais ça

manque souvent d'eau et elles ferment à 18 h ! Pas de pelouse bien sûr. Bon marché : c'est son seul avantage. Dans notre rubrique « le racisme à l'envers », sachez que les couples non mariés sont admis, à condition... qu'ils ne soient pas marocains.

🛏 *Hôtel de la Baie* (plan C2, 22) *:* av. du Président-Kennedy, à l'angle de la rue Allal-ben-Abdallah. ☎ 82-30-40. Petit patio fleuri au 1er étage. Quartier assez animé. 26 chambres avec des lavabos parfois bouchés. Assez sale.

♣ *Hôtel Sélect (plan C2, 23) :* en bas de la rue Allal-ben-Abdallah. Une vingtaine de chambres pas « sélect » du tout ! Éviter la chambre n° 1, située au-dessus des douches : cafards et sauna assurés.

♣ *Institut de Technologie hôtelière (plan C3, 24) :* rue de la Foire, près de la synagogue. ☎ 84-56-37, 84-00-38 ot 84-40-77. Cette école hôtelière accepte des hôtes payants uniquement pendant la période scolaire. Ils disposent de 4 chambres et de 2 suites équipées de salles de bains individuelles avec eau chaude et chauffage sur demande en hiver. Compter 90 FF pour une double, 130 F pour une suite junior et 205 FF pour la suite senior agrémentée d'un petit salon marocain. Le ménage est fait par les étudiants. On a un peu l'impression de dormir dans un pensionnat. Accueil chaleureux des étudiants qui vous bichonnent et sont notés sur les services qu'ils vous rendent. Une formule originale.

♣ *Hôtel Moussafir :* sur la route de Marrakech, 500 m avant le souk et à 1 km du centre ville. ☎ 23-28-42 à 47. Fax : 23-28-49. Belle architecture moderne imprégnée d'art traditionnel marocain. 112 chambres et 12 suites. Bravo à l'architecte et au décorateur. Tout est fonctionnel et beau. Piscine agréable dans un jardin intérieur. Restaurant avec menu du jour, et bar très confortable. Compter moins de 200 FF pour une

double. Ils ont aussi des chambres à une personne à 150 FF. Mais ceux qui en ont les moyens s'offriront pour 350 FF environ une suite junior. Une adresse idéale pour ceux qui disposent d'une voiture et ne recherchent pas un hôtel de plage envahi de bronzés. Cartes de crédit acceptées.

Prix moyens

♣ *Hôtel de la Petite Suède (plan A1, 25) :* bd Hassan-II. ☎ 84-07-70. Fax · 84-00-57. Petit hôtel, au-dessus de la Wafa Bank. A 200 m de la plage. Ravissant patio et bon accueil. 18 chambres, avec douche individuelle chaude. Tout est bien entretenu. Parking, coffre. Change. Location de voitures avec réduction pour nos lecteurs. Évitez cependant les chambres donnant sur le boulevard, très bruyant. Un des meilleurs rapports qualité-prix de cette catégorie (moins de 100 FF) et, parmi les hôtels du centre ville, le plus proche de la plage.

♣ *Hôtel Cinq Parties du Monde :* bd Hassan-II, en face de la station des bus et des taxis *(plan C3, 26).* ☎ 84-25-45. Très bruyant pour les chambres qui donnent sur le boulevard. Les autres ont vue sur la piscine. Établissement propre avec un restaurant et un bar mais sans alcool. N'accepte pas les cartes de crédit.

♣ *Hôtel Soloman (plan C3, 27) :* bd Hassan-II. ☎ 84-47-61. Fax : 84-34-47. Nouvel établissement propre et agréable. Pas de restaurant. N'accepte pas les cartes de crédit.

♣ *Hôtel de Paris (plan C2, 28) :* av. du

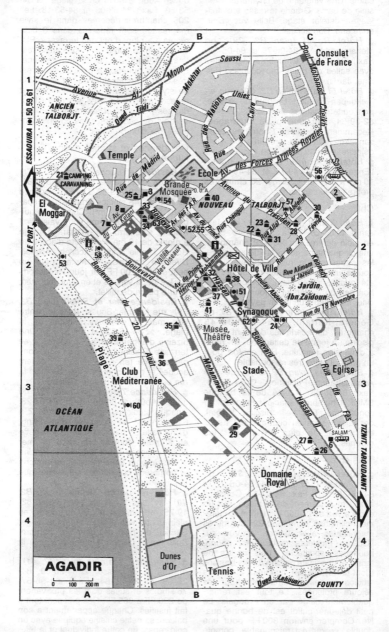

AGADIR

ANCIEN TALBORJT

Temple

CAMPING CARAVANING

El Moggar

Grande Mosquée

NOUVEAU TALBORJT

Ecole Av. des Forces Armées Royales

Hôtel de Ville

Jardin Ibn Zaïdoun

Synagogue

Musée, Théâtre

Stade

Eglise

Club Méditerranée

OCÉAN ATLANTIQUE

Domaine Royal

Dunes d'Or

Tennis

FOUNTY

Consulat de France

0   100   200 m

Président-Kennedy. ☎ 82-26-94. Assez calme. Une vingtaine de chambres avec salle de bains. Grande terrasse ensoleillée au dernier étage. Belle vue. Bien entretenu. Bon accueil.

♠ *Hôtel Royal (plan B3, 29) :* bd Mohammed-V. ☎ 84-06-75 et 84-05-54. Fax : 84-05-02. Chambres agréables avec salles de bains impeccables. Piscine. Jardin.

♠ *Hôtel El Bahia (plan C2, 30) :* rue el-Mehdi-ben-Toumert. En haut de la ville, près du terminal des cars. ☎ 82-27-24 et 82-39-54. Sur une place ombragée. Récemment restauré. Chambres avec sanitaires. On peut prendre son petit déjeuner dans le patio. Bon accueil.

♠ *Hôtel Ayour (plan C2, 31) :* 4, rue de l'Entraide . ☎ 82-49-76 et 84-49-02. A 10 mn à pied de la plage. 20 chambres propres avec sanitaires.

Chic

♠ *Hôtel Kamal (plan B2, 32) :* bd Hassan-II. ☎ 84-28-17. Fax : 84-39-40. Situé en plein centre. Sur les 129 chambres, une cinquantaine donnent sur la piscine, les autres sur la rue mais avec d'un double vitrage. Toutes les chambres ont été refaites récemment. Confortable et bon service. Solarium autour de la piscine, au milieu d'un jardin paysager.

♠ *Hôtel Aferni (plan A-B2, 33) :* av. du Général-Kettani. ☎ 84-07-30. 45 chambres, dont certaines donnent sur la piscine en forme de deltaplane. Un hôtel à dimension humaine. Bon confort pour un prix qui reste très raisonnable.

♠ *Sud Bahia (plan B2, 34) :* rue des Administrations-Publiques. ☎ 84-07-41. Fax : 84-08-63. A côté de la banque BMCI. Chambres spacieuses avec air conditionné. Très belle piscine. L'hôtel, de par sa situation centrale, est assez bruyant et de plus envahi par les groupes.

Très chic

♠ *Hôtel Anezi (plan B3, 35) :* bd Mohammed-V. ☎ 84-07-14, 84-06-27 et 84-06-36 et 37. Fax : 84-07-13. Construit à 150 m seulement de la plage, sur un espace vert de 27 600 m², l'hôtel, entièrement climatisé, comprend 227 chambres magnifiques avec balcon et vue sur l'Océan. Plusieurs restaurants, sauna, boutiques, spectacles, trois courts de tennis et une vaste piscine à trois bassins (dont une olympique). Ils louent aussi des studios et des appartements pour les séjours prolongés. Le tout est remarquablement dirigé par un Français. Le petit déjeuner-buffet est de bonne qualité. Compter environ 300 FF pour une double, ce qui est raisonnable, compte tenu des prestations et du standing.

♠ *Al Madina Palace (plan B3, 36) :* bd du 20-Août, à 50 m de la plage. ☎ 84-53-53. Fax : 84-53-08 et 84-53-18. Les 206 chambres décorées dans le style mauresque sont réparties dans 8 bâtiments. La plupart ont des terrasses. Piscine originale. On a le choix entre 3 restaurants dont un de cuisine italienne. Excellents buffets. Le petit déjeuner est très bien. L'architecture de cet ensemble de style traditionnel est harmonieuse et réussie, avec ses ruelles, ses patios fleuris, ses portiques et ses moucharabiehs de bois de cèdre travaillés en fine dentelle. Prix d'un 5 étoiles.

Résidences et studios avec kitchenette

♠ *Résidence Sacha (plan B2, 37) :* place de la Jeunesse. ☎ 82-55-68 et 84-11-67. Fax : 84-19-82. Derrière l'agence Air France. 48 studios simples mais spacieux (de 30 à 60 m²). Cuisinette équipée. On vous fait même votre vaisselle ! Piscine, solarium, parking, garage, plage à moins de 10 mn. Possibilité d'accès au Royal Tennis Club. Excellent accueil. Direction française. Compter, pour un petit studio, 200 FF par jour. Réductions sur les longs séjours et en avril, mai, juin, et une partie de juillet.

♠ *Résidence Mer et Soleil (plan B2, 38) :* rue Mokhtar-Soussi, dans le centre ville mais à quelques minutes de la plage. ☎ 84-15-53 et 82-53-88. Une dizaine d'appartements. Chambres avec terrasse. Cuisinette. Télé avec émissions par satellite (en supplément). Excellent accueil et personnel très dévoué mais la rue est vraiment bruyante. Prix doux.

♠ *Résidence Tafoukt (plan A3, 39) :* bd du 20-Août. ☎ 84-09-86 et 84-07-23. Chaque studio ou appartement (de 2 à 6 personnes) se compose d'un living, d'une salle de bains et d'une kitchenette entièrement équipée. En bord de mer avec un accès direct à la plage. Piscine et bassin pour les enfants. Supermarché et nombreux commerces. Plus cher que le précédent.

♠ *Hôtel-résidence Nejma (plan B2, 40) :* av. des F.A.R. ☎ 84-11-06 et 82-19-75. 48 studios et 14 chambres en plein centre ville et à 15 mn de la plage. Service de petit déjeuner en chambre. Solarium et piscine. Mêmes prix qu'à la *résidence Sacha.*

♠ *Résidence Yasmina (plan B2, 41) :* rue de la Jeunesse. ☎ 84-26-60, 84-25-65 et 84-30-84. Fax : 84-56-57. 76 studios et suites dont les prix varient de 290 FF à 365 FF. Ces prix sont tout à fait justifiés. Chaque appartement a son balcon, sa petite cuisine équipée avec un coin-repas, un coffre individuel et la télévision avec antenne parabolique. Piscine avec solarium et excellent restaurant marocain pour ceux qui n'ont pas le courage de se faire des petits plats.

🛏 *Résidence Anezi (plan B3, 35) :* bd Mohammed-V. ☎ 84-09-40. Fax : 84-04-13. La résidence comprend des chambres, des studios (250 FF) et des appartements pour 4 à 8 personnes. Cher, mais vraiment très confortable. Les studios et chambres disposent d'une cuisine équipée. On bénéficie des installations de l'hôtel.

Où manger ?

Bon marché

🍴 *Gargotes de poisson (hors plan par A1, 50) :* à l'entrée du port, à 500 m au nord du camping. Ouvertes jusqu'à la tombée de la nuit. C'est une succession de petites échoppes où l'on déguste des sardines grillées et des *tajines* de poisson dehors, sur de longues tables, avec les pêcheurs. Odeur de friture garantie. A déconseiller vivement à ceux qui ont des problèmes digestifs ou sont pointilleux sur l'hygiène. Ferme assez tôt le soir. Bien demander le prix des plats avant de les entamer (nous vous aurons prévenu !). C'est plein de rabatteurs et les prix pour touristes grimpent trop vite. Vérifier l'addition. Pas de vin. L'échoppe n° 10, *Chez les Filles,* est tenue par de sympathiques jeunes femmes. Pour un pays musulman, c'est plutôt à encourager.

🍴 *La Caverne (plan B2, 51) :* bd Hassan-II, au rez-de-chaussée de la *résidence Mer et Soleil.* ☎ 84-15-15. Très bon accueil. Ils proposent un menu très bon marché (impossible de trouver moins cher). La qualité n'est pas sacrifiée, la quantité non plus. Une aubaine pour nos lecteurs ! Grand choix à la carte. Spécia-

lités marocaines sur commande. Pas d'alcool. Beaucoup de Gadiris, ce qui est bon signe.

🍴 *Chez Larbi (plan B2, 52) :* 69, bd Hassan-II, à proximité de *Navaro.* Excellentes brochettes. Frites, salade. Pas d'alcool. Ouvert jusqu'à minuit.

🍴 *Jour et Nuit (plan A2, 53) :* sur la promenade de la plage. Ouvert sans interruption, du genre grande brasserie. La cuisine y est très correcte sans plus mais le spectacle animé. Beaucoup de monde. Les prix dépendent de ce que l'on choisit sur la carte qui est abondante. Ils ont aussi un second établissement, moins agréable, sur la route de la Corniche.

🍴 *Café-restaurant l'Amirauté (plan A2, 53) :* 19, rue des Orangers. Bon accueil. Quelques tables dehors. Économique.

🍴 *Café-restaurant Tanalt (plan B2, 53) :* 98, rue des Orangers, en face de la station d'essence. ☎ 84-12-57. Même genre que le précédent.

🍴 *Pizzeria La Siciliana (plan B2, 55) :* av. Hassan-II. ☎ 82-09-73. Excellentes et authentiques pizzas. Normal, la femme du patron est sicilienne. Pas d'alcool.

LE QUARTIER DU TALBORJT

A 10 mn du centre, nombreux restaurants économiques et sympa, sur la plage ombragée de Lahcen Tamri notamment. On y mange pour quelques dirhams une cuisine correcte et copieuse. Le service est rapide et parfois aimable. Attention, c'est le secteur des rabatteurs et des faux guides.

🍴 *Mille et Une Nuits (plan C1, 56) :* à côté de la gare routière. Beaucoup de monde et débit rapide.

🍴 *Le Sélect (plan C2, 57) :* 38, rue Allal-ben-Abdallah. ☎ 82-11-16. Derrière la gare des bus. Bon rapport qualité-prix. Bon accueil.

🍴 *Bar-restaurant des Arcades (plan C2, 57) :* rue Allal-ben-Abdallah. Carte variée, plats bon marché.

Prix moyens

On pourra essayer, sans avoir de mauvaises surprises, les établissements de la promenade de la plage comme *la Côte d'Or* qui proposent presque tous un menu complet ou un plat du jour d'un bon rapport qualité-prix. Pas de raffinement gastronomique mais on est certain d'avoir un repas correct du type brasserie. A la carte, bien regarder les prix. Beaucoup d'animation.

🍴 *Le Vendôme (plan A2, 58) :* sur le front de mer, à proximité de la vallée des Oiseaux. Terrasse abritée. Personnel attentionné. Cuisine internationale et marocaine. Excellente paella.

🍴 *Restaurant de l'Institut de technologie hôtelière (plan C3, 24) :* rue de la Foire, près de la synagogue. ☎ 84-56-37 et 84-00-38. Ouvert du lundi au vendredi et uniquement pendant la période scolaire. Il est indispensable de réserver la veille pour le déjeuner et au plus tard le matin pour le dîner qui est servi à 19 h 15. La cuisine et le service sont faits par des élèves. Les menus comportent 3 ou 4 plats et leur prix ne dépasse pas les

60 FF. Les boissons sont en plus. Ils servent du vin. La cuisine est bonne. Les professeurs veillent au grain.

I●I *Restaurant Don Vito* (plan B2) : av. Hassan-II, en face de la vallée des Oiseaux. Spécialités italiennes. Bonne cuisine. Présentation soignée et service attentif. Ils servent de l'alcool.

I●I *La Fiesta* (plan B3) : complexe Tamlelt. ☎ 84-09-52. Grand choix de salades et de produits de la mer. Cuisine marocaine et internationale pour touristes.

En dehors du centre, à Inezgane

I●I *Hôtel La Pergola :* sur la route d'Agadir, au km 8, juste après *la Hacienda,* faire le tour du rond-point suivant comme pour revenir sur ses pas. C'est juste là. ☎ 83-08-41. Mme Mirabel, une Française, dirige depuis des années cette table qui fait partie de la chaîne des Rôtisseurs. Salle rustique et ambiance un peu désuète. On se croirait quelque part en Provence, il y a très longtemps. Chaque jour, menu différent au déjeuner et au dîner. A la carte, des spécialités : le pageot en croûte au sel ou au beurre blanc, les filets de saint-pierre à la fondue de poireaux, la salade gourmande de gésiers. On ne regrette pas les quelques kilomètres faits. Prix très raisonnables, mais à classer dans la catégorie « Plus chic » si l'on craque sur les spécialités de la carte.

Plus chic

I●I *Palm Beach, chez Roger* (plan B3, 60) : plage mitoyenne avec celle du Club Med. Directement sur la mer. Cuisine saine composée de salades, de grillades de viande et de poisson. Également des pans-bagnats. Ferme au coucher du soleil.

I●I *Le Miramar* (hors plan par A1, 61) : bd Mohammed-V. ☎ 84-07-70. Restaurant italien spécialisé dans le poisson et

Bon rapport qualité-prix. Terrasse sur la rue.

I●I *Restaurant du Port* (hors plan par A1, 59) : dans le port de pêche, après avoir passé le poste de contrôle, sur la droite. Mal signalé. Spécialités de produits de la mer (le contraire eut été surprenant). Deux grandes salles, un service diligent et une carte abondante avec des prix très raisonnables. Beaucoup de bruit quand il y a des groupes. Mais c'est la rançon du succès. Cartes de crédit acceptées. Ouvre tard le soir.

les fruits de mer. Les pâtes sont aussi très bonnes. On ne saurait détailler la carte qui pourra satisfaire les plus exigeants. Les repas sont servis dans une vaste salle dotée d'une cheminée magnifique pour les soirées d'hiver. Spécialités de plats préparés en salle et flambés devant vous. Dîners aux chandelles. Le patron, Renato Rattazi, aura toujours une bonne histoire à vous raconter. C'est un personnage haut en couleur qui, à lui seul, vaut le déplacement.

I●I *Restaurant Le Séoul* (plan B2) : dans la galerie, au premier étage, au-dessus de la place du Marché. Pour ceux qui recherchent un dépaysement culinaire. Authentique cuisine coréenne savoureuse et copieuse. Il y a beaucoup de marins-pêcheurs coréens à Agadir.

I●I *Buffet marocain du Al Madina Palace* (plan B3, 36) : bd du 20-Août, tous les mardis soir. Réserver sa table : ☎ 84-53-53. Rien à voir avec les buffets insipides servis dans la plupart des hôtels. Ici, vous goûterez une authentique cuisine marocaine de qualité. Compter 150 FF sans la boisson. Cet établissement dispose d'un chef et d'une brigade qui méritent tous les éloges. Les autres buffets sont aussi remarquables par leur qualité, leur choix et leur présentation.

Où manger une pâtisserie ? Où prendre un petit déjeuner ?

■ *Boulangerie-pâtisserie Tafarnout* (plan C3, 62) : bd Hassan-II, à l'angle de la rue de la Foire, face à l'immeuble de la chambre de commerce. ☎ 84-44-50 et 84-35-85. Très grand choix de pâtisseries marocaines, européennes et de viennoiseries (chaussons aux pommes, croissants fourrés, pains au chocolat, cake aux raisins, crêpes au miel, glaces...). On vous en passe et des meilleures. Petits déjeuners exceptionnels que l'on peut prendre sur la terrasse (très agréable).

Une adresse surtout fréquentée par les Gadiris. Pâtisseries à emporter.

■ *Le Traditionnel* (plan B2) : av. du Prince-Moulay-Abdallah, juste après la poste. Succulentes pâtisseries marocaines. Tout est savoureux et très frais. On peut aussi commander une *pastilla* à l'amande, sublime.

■ *La Maison du Pain* (plan B2) : 19, av. Hassan-II, Immeuble Assima, à 50 m de l'*hôtel Petite Suède.* ☎ 84-07-39. Grand choix de pâtisseries traditionnelles excellentes et de jus de fruits. Fait aussi salon de thé et glacier.

■ *Navaro (plan B2) :* bd Hassan-II, près du dôme. Bons gâteaux et beaucoup de monde en terrasse.

■ *La Tour de Paris (plan B2, 63) :* bd Hassan-II. Pour le petit déjeuner, grand choix de croissants, petits pains au chocolat, brioches aux raisins. Belle terrasse et excellent café. Un classique.

A voir

★ *La vallée des Oiseaux (plan B2) :* entrée bd du 20-Août et bd Hassan-II. Ouvert de 9 h 30 à 12 h 30 et de 14 h 30 à 18 h 30 sauf lundi et mardi matin. Jardin avec des volières emplies d'oiseaux. Également quelques mouflons, kangourous, lamas.

★ *L'ancienne casbah :* elle domine la ville nouvelle. On y accède en voiture en partant du boulevard Mohammed-V (c'est fléché). Il est possible aussi d'y monter par les petits sentiers, entre les cactus, à condition d'éviter les heures chaudes. De la puissante forteresse construite en 1540 pour résister aux attaques des Portugais, il ne reste rien. Ce quartier haut fut d'ailleurs le plus éprouvé par le séisme. Seuls les remparts ont été relevés. Tout le reste fut aplani au bulldozer, transformant cette ancienne place forte en une immense nécropole (plusieurs milliers de cadavres ont été ensevelis sous les décombres de leur maison). La porte d'accès, construite par les Hollandais au XVIIIe siècle, porte en néerlandais cette devise : « Crains Dieu et respecte le roi. » La vue est magnifique.

– *La plage (plan A3) :* pour se baigner, il est préférable d'aller du côté du Club Med. Il y a plus de touristes mais on est moins sollicité.

★ *Le Musée municipal (plan B3) :* av. Mohammed-V, sous le théâtre en plein air, face à l'*hôtel Salam.* Ouvert de 9 h 30 à 13 h et de 14 h à 18 h, sauf le dimanche. Accès payant. La visite de ce musée, consacré aux arts et aux traditions berbères du Sud marocain, est indispensable avant de partir à la découverte des casbahs. Bert Flint a travaillé pendant des années à rassembler ces pièces uniques qui, sans lui, auraient disparu. En plus de sa collection privée permanente, il organise des expositions thématiques. On ne peut rêver meilleure initiation à l'art du Sud marocain. Une visite à ne manquer sous aucun prétexte quand on ne veut pas voyager idiot. Ces visites peuvent être commentées par de jeunes guides très compétents et passionnés par leur métier.

– Deux *cinémas* (on ne sait jamais, s'il pleut) projettent des films récents sur des écrans géants. L'un, le *Rialto,* est derrière le marché central près du *Dôme (plan B2),* l'autre près de la gare des taxis. Les films sont en français. Le programme change tous les jours et c'est 10 fois moins cher qu'en France.

Dans les environs

★ *Taghazout, Immouzer des Ida Outanane et Tafraoute.* Se reporter aux chapitres concernés.

★ *Réserve de l'oued Massa :* à 51 km au sud d'Agadir et à 41 km au nord de Tiznit. Prendre la route près de la station Texaco en direction de Massa. Après 13 km de goudron et de piste, on atteint une plage gigantesque, mais qui s'avère souvent dangereuse. Méfiez-vous, le grand calme est trompeur et il n'y a aucun moyen de secours pour récupérer les nageurs emportés par une barre impitoyable. On tient à ce que vous achetiez la prochaine édition.
En revanche, les amateurs de balades et de solitude seront ravis. La réserve naturelle de l'oued Massa est un endroit merveilleux, calme, rempli d'oiseaux : canards, ibis, flamants roses, hérons cendrés. Il est interdit de remonter l'oued à pied. En revanche, il est possible d'observer les oiseaux en s'approchant de la rivière. Les meilleurs mois pour les observer sont mars-avril ou octobre-novembre, tôt le matin ou en fin d'après-midi.

Où manger ?

|●| *Complexe touristique de Sidi R'Bat :* établissement sommaire qui pourrait être agréable s'il était remis en état. Cuisine correcte et surtout accueil chaleureux.

|●| On peut aussi essayer les petits restos du village de Massa comme *Le Tafraoute* ou *Le Flamingo.* Attention au camping sauvage. Vols fréquents dans le coin.

Quitter Agadir

En avion

✈ **Aéroport d'Agadir-Massira :** à 22 km, sur la route de Taroudannt. On peut passer par Aït Melloul ou par Tikouine. ☎ 83-90-02 et 83-91-22. Pour appeler un taxi : ☎ 82-20-17.

En bus

Soit de la gare routière, soit d'Inezgane.

🚌 **Gare routière :** rue Yacoub-el-Mansour, dans le nouveau Talborjt (plan C1), près du centre artisanal. Liaisons vers (et en provenance de) Casablanca, Marrakech, Essaouira, Tiznit, Taroudannt, Ouarzazate, Safi, Oualidia, El Jadida, etc. Pour les fréquences, se renseigner auprès des principales compagnies :
• **CTM :** ☎ 82-20-77.
• **SATAS :** ☎ 84-24-70.
• **Pullman du Sud :** ☎ 82-25-05.
Il existe des bus pour les principaux pays d'Europe. Bien choisir sa compagnie. Pour Paris, compter 55 h de trajet. Se munir de devises étrangères car les bus effectuent de nombreux arrêts dans les haltes routières et il faut bien manger ! Se munir aussi d'un peu de lecture.
– **Inezgane :** à 11 km d'Agadir sur la route de Taroudannt. C'est le nœud routier des cars ou des grands taxis. Pour y aller, bus de la place Salam ou taxi bleu qu'on remplit à 6 ou 7. Inezgane est à mourir de tristesse. Ambiance banlieue de banlieue. Souk, très animé, le mardi. D'après certains Marocains, ce serait la « capitale commerciale du Sous ». A déconseiller à ceux qui craignent les foules animées.

TIZNIT   IND. TÉL. : 08

A l'entrée du désert, cette ville de 23 000 habitants est célèbre pour son intéressante médina et son mellah (quartier juif), le tout protégé par une vaste enceinte de couleur ocre de plus de 5 km de périmètre.
Elle fut construite par le sultan Moulay Hassan, en 1882, pendant une expédition lancée contre la ville et les populations voisines afin d'obtenir leur soumission. En avril 1912, El-Hiba, le fils d'un chérif originaire de Mauritanie, personnage médiatique et très populaire, se fait proclamer sultan de Tiznit dans la mosquée. Son influence est si grande qu'il parvient en deux mois à conquérir tout le Sous. Les « hommes bleus » dont il porte le costume le considèrent non seulement comme leur chef, mais aussi comme un saint et lui attribuent des miracles. Avec ses troupes, surtout composées de nomades, il va se rendre maître de Marrakech. Mais c'est la fin de son épopée. Les troupes françaises, conseillées par le Glaoui, le repoussent vers le sud. Le « sultan bleu », comme on avait coutume de l'appeler, mourra à Kerdous, en 1919, à 42 ans. La ville n'est pas propre et elle pullule de faux guides qui veulent toucher leur commission chez les bijoutiers.

Adresses utiles

✉ **Poste :** face aux louages, à l'angle de l'avenue Mohammed-V et de l'avenue du 20-Août.
■ **Banques :** BCM et Banque Populaire, av. Hassan-II. BMCE, av. Mohammed-V.
■ **Agence de voyages et de trekking :**

Cobratours Maroc, BP 27, à Mirleft. Voir plus loin. ☎ et fax : (08) 71-90-56. A notre avis, l'une des meilleures agences du Sud marocain.
– **Souk :** le jeudi, sur la route de Tafraoute, après l'hôtel Tiznit.

Où dormir ?

Bon marché

🛏 **Hôtel du Bon Accueil, hôtel des Amis, hôtel Atlas... :** place du Méchouar, l'endroit le plus intéressant de la ville. Vraiment très simples et mal entretenus. Il en est de même pour l'hôtel

de l'Ère Nouvelle, rue El-Hamman. Passez vite au suivant.
🛏 **Hôtel des Touristes :** place du Méchouar. Celui-ci est propre et sympa. Accueil agréable. Rien à voir avec les précédents que nous citons pour que

vous les évitiez. 11 chambres. Douche chaude gratuite.

≜ *Camping :* à l'entrée de la médina. Sanitaires rudimentaires mais propres. Douches chaudes payantes. Bon accueil. Des arbres viennent d'être plantés.

Prix moyens

≜ *Hôtel de Paris :* av. Hassan-II, au carrefour de la grande route d'Agadir. ☎ 86-28-65. Propre mais bruyant. Le patron a travaillé pendant 20 ans à Étienne-Marcel et cela se sent. Ni jardin ni piscine, mais on peut aller se baigner au *Tiznit Hôtel,* à condition de commander une consommation. Restaurant. Cartes de crédit acceptées.

≜ *Tiznit Hôtel :* à côté du précédent, rue Bir-Inzaran, au carrefour de la route de Tiznit. ☎ 86-24-11 et 86-21-19. Une quarantaine de chambres correctes. Piscine avec solarium. Bar, restaurant bon et agréable. Nous avons moins apprécié les pseudo-danses et chants folkloriques qui s'éternisent jusqu'à une heure tardive et empêchent les clients de dormir. Savez-vous aussi que le directeur emporte avec lui la clé du standard téléphonique par manque de confiance envers son personnel ? Impossible de téléphoner de l'hôtel.

Où manger ?

|●| *Restaurants de l'hôtel de Paris et du Tiznit Hôtel :* pourquoi le personnel n'est-il pas plus aimable ? Prix moyens.

|●| *Café de Paris* (faut le faire) : au-dessus de la casbah, vers la route de Goulimine . Très simple, très bon marché.

■ *Pâtisserie Al Mechouar :* 66, place du Mechouar. Une toute nouvelle adresse qui fera craquer les amateurs de gâteaux. Délicieux jus de fruits (banane, amandes, avocat). Prix très raisonnables. Patrons sympa et dynamiques.

|●| *Othman Restaurant :* 24, Souk Si Blaïd, dans le souk à proximité des hôtels bon marché que nous vous déconseillons. Le patron de ce nouveau petit resto possède une maîtrise de physique nucléaire... Peut-être va-t-il maintenant passer son CAP de cuisinier. Bon marché et sympa.

A voir

★ Tiznit est la patrie des bijoux berbères (souvent en laiton !) mais le marchandage y est difficile ; ne surtout pas manquer les ruelles du *souk des Bijoutiers.* L'entrée du nouveau souk des Bijoutiers se fait par la place du Mechouar. L'ancien souk, moins riche, mérite cependant une visite pour son architecture : les boutiques s'ouvrent sur un patio à colonnes dont le plafond est composé de bois et de roseaux peints. On y voit encore des artisans travailler l'argent selon d'anciennes méthodes. Il est possible d'dmirer certaines de leurs productions exposées au centre artisanal.

★ Si vous passez devant la *grande mosquée* de Tiznit, on vous signale que les perches en haut du minaret sont là pour que les âmes des morts puissent s'y reposer.

– On peut se dispenser d'aller voir la *source Bleue* de Lalla Tiznit, une pécheresse repentie qui aurait donné son nom à la ville. La légende est peut-être séduisante mais la source n'est qu'un vulgaire bassin sans intérêt.

★ La *promenade sur les remparts* est agréable. Possibilité aussi d'en faire le tour en fin de journée quand la lumière est plus douce.

★ Visitez les *souks* autour de la place du Méchouar et la jolie *palmeraie* de Bâb Targua. Dommage que ses abords soient transformés en décharge publique.

Dans les environs

★ *Sidi Moussa d'Aglou :* à 17 km au nord-ouest de Tiznit (dans un cul-de-sac ; ce n'est pas sur la route d'Agadir). En bord de plage, une vingtaine de bungalows très mal entretenus loués par l'*hôtel-restaurant Aglou.* Le restaurant ne propose qu'un seul menu pas terrible. Quelques pêcheurs et de magnifiques plages désertes. Baignades assez dangereuses.
En arrivant à Aglou, quand on est face à la mer, il faut longer la plage sur la droite pendant 3 ou 4 km. On arrive d'abord à un village de pêcheurs où se trouve un port naturel, puis on tombe sur des grottes creusées dans les falaises où vivent des gens accueillants. L'endroit est génial. Pour s'y rendre : à pied en longeant la plage, ou en voiture. Sinon, faire du stop avec les camions allant chercher le sable (somme modique).

★ Ceux qui sont en 4 × 4 peuvent continuer sur la piste qui longe la côte jusqu'à *Massa* (41 km). Attention, impossible de vous donner des indications exactes car elle est coupée par plusieurs bifurcations. A *Bou Soun,* à 8 km, falaise impressionnante dans laquelle les pêcheurs ont creusé leurs habitations. Arrivé à Massa (voir chapitre concerné), vous pouvez continuer par la piste (15 km) jusqu'au village de pêcheurs de Tifnit. De là, une route goudronnée regagne la P 30 pour Agadir.
De Sidi Moussa d'Aglou, on peut rejoindre, à Gourizim, la route goudronnée Tiznit-Sidi Ifni (compter 23 km de piste par la N 7063 dont les 5 premiers sont très lents). Cette alternative permet de découvrir de belles plages désertes et quelques villages de pêcheurs.

★ *De Tiznit à Tafraoute :* 107 km de paysages sublimes. Voir chapitre « Quitter Tafraoute ».

Quitter Tiznit

🚌 *Gares routières :* place du Méchouar et à Bâb Aït Jerrar, l'une des portes de la ville, pour les lignes de la CTM et de la SATAS. Services pour Guelmim, Agadir, Tafraoute, Tata et Casablanca. Entre Tiznit et Guelmim, on franchit le col du *Tizi-Mighert* à 1 057 m où des pierres verticales sortent de terre au milieu de plantes grasses.

MIRLEFT   IND. TÉL. : 05

A 45 km de Tiznit sur la route de Sidi Ifni. Le village s'étale au pied d'une colline d'où l'on a une très belle vue sur toute la côte. Elle est surmontée des ruines d'une forteresse en pisé construite en 1935. Souk le lundi. Mirleft est surtout réputé pour ses plages qui s'ouvrent dans des falaises à pic. La plus jolie est certainement celle du marabout Sidi Mohammed ou Abdallah, à 2,5 km en direction de Sidi Ifni. A la mi-juillet se déroule sur cette plage un petit moussem très animé où l'on peut acheter, entre autres, de la poterie de la région. Ces plages sont un paradis pour les pêcheurs : de gros loups de mer, des sars et de la courbine sont les prises les plus courantes. Mais attention, elles sont très dangereuses (vagues et courants très forts).

Adresse utile

■ *Agence de voyages et de trekking Cobratours :* BP 27. ☎ et fax : 71-90-50. Bureau ouvert 24 h sur 24. A *l'hôtel de la Plage.* Alessandra et Michele Bravin, un couple d'Italiens sympathiques et très compétents, parlant le français à la perfection, ont monté cette agence destinée, avant tout, aux individuels et petits groupes. Ils proposent des circuits à thèmes et des itinéraires originaux, en dehors des circuits classiques. Pour une découverte du vrai Sud marocain, en 4 × 4 ou à pied, que ce soit pour un jour ou plusieurs semaines, Cobratours étudiera avec vous un circuit sur mesure. A notre avis, une des meilleures agences du Maroc. N'hésitez pas à leur demander conseils et documentation.

Où dormir ?

🛏 *Hôtel Tafoukt :* simple, mais très bien tenu par Slimane. Les chambres de la nouvelle aile sont un peu plus chères mais nettement mieux. Nourriture correcte. Bon marché.
🛏 *Hôtel de la Plage :* sur la plage de Sidi Mohammed, à 2,5 km au sud de Mirleft. ☎ et fax : 71-90-50. Au départ, c'était une maison particulière. 4 chambres avec salles de bains et eau chaude. Salle à manger, salon panoramique et solarium. Cuisine familiale européenne ou marocaine. Organisation d'excursions. Une bonne adresse chic, appliquant des tarifs très raisonnables pour la qualité de ses prestations.
🛏 *Location d'appartements :* possibilités à la semaine ou au mois pour ceux qui ont des vacances à rallonge.

SIDI IFNI   IND. TÉL. : 08

Petite ville restituée par l'Espagne au Maroc en 1969. L'architecture coloniale qui constituait son attrait majeur est de plus en plus dégradée. Il reste encore sur la place Hassan-II (ex-plaza de España), dans la partie haute de la ville, sur la falaise, l'ancien consulat espagnol, le tribunal qui a pris la place de l'ancienne église et quelques maisons intéressantes. A droite du tribunal, belle vue sur la plage en bas. On y accède par la « promenade ». Le marché s'anime après 14 h avec le retour des pêcheurs et la ville vers 18 h comme toute bonne ville espagnole. Les plages des environs commencent à être connues des amateurs de surf.

Adresses et renseignements utiles

✉ **Poste :** av. Mohammed-V, près du souk.
■ **Hammam :** rue Moulay-Youssef.
■ **Banques :** av. Mohammed-V, face à la poste.

– **Souk :** le dimanche, en dehors de la ville, en direction du port.
– **Moussem :** dernière semaine de juin.

Où dormir ? Où manger ?

🛏 **Hôtel Bellevue :** place Hassan-II (ex-plaza de España). ☎ 87-50-72 et 87-52-42. Très agréable avec ses chambres donnant sur la mer ou sur la place. Architecture des années 30. Bar et licence d'alcool.

🛏 **Hôtel Suerte Loca :** ☎ 87-53-50. Une très bonne adresse qui vient de s'agrandir, en raison de son succès. Les chambres, d'une propreté exemplaire, ont toutes salle de bains et balcon donnant sur l'Océan et sur la vallée. Dans l'ancienne partie de l'hôtel, les chambres beaucoup plus simples et bon marché ont été rénovées. Elles comportent une salle de bains commune à l'étage. Bon restaurant de cuisine locale et de fruits de mer. Langoustes sur commande. Accueil familial très chaleureux. Location de VTT, bibliothèque, change. Ils louent aussi 3 petits studios avec salle de bains (douche chaude) et coin-cuisine. A côté de l'hôtel, petit bazar avec des produits de l'artisanat marocain et des bijoux faits par Malika, la patronne. Que demander de plus ?

🛏 **Hôtel Aït-Ba-Amran :** sur la plage.

☎ 87-51-73. Architecture de style colonial espagnol mais un peu tristounet. Restauration sur commande et bar. Pas très bien tenu.

🛏 **Camping :** installations désuètes et mal entretenues.

🍴 **Restaurant Tafoukt :** 29, av. El-Adarisa (inutile de chercher les noms de rue, ils sont rarement indiqués). ☎ 87-53-96. En partant de la poste, prendre la première rue à droite, puis tout de suite la première à gauche et descendre 150 m environ. Le petit resto n'a pas encore d'enseigne mais il bénéficie d'un beau décor traditionnel aux stucs peints en rose, jaune et vert. Très bon repas et excellent rapport qualité-prix. Le propriétaire, Ahmed, est gentil et discret. Il est préférable de commander votre dîner dès l'après-midi car il pourra ainsi vous préparer des plats spéciaux et du poisson frais selon les arrivages.

🍴 **Café-restaurant :** dans l'ancien zoo, près du stade de football. Dans ce jardin-palmeraie, un Belge a ouvert un petit établissement. Rendez-vous de jeunes. Sympa et bon marché. Repas copieux.

Dans les environs

★ **Sidi Ouarsik :** petit village de pêcheurs très sympa, à 17 km au sud de Sidi Ifni. Compter 1 h par une mauvaise piste que l'on prend à l'intérieur du port de Sidi Ifni. Pour les non-motorisés qui souhaiteraient y passer la journée, une Land Rover part le matin de la station des taxis collectifs ; retour en fin de journée. Possibilité de planter sa tente en bordure de mer. On peut même louer une petite maison très bon marché (confort rudimentaire) pour quelques jours, quelques semaines ou plus, en s'adressant au *Suerte Loca* de Sidi Ifni.

★ **Boucle Sidi Ouarsik - Foum Assaka - Guelmim - Sidi Ifni :** au total 140 km environ, dont 65 d'asphalte. Véhicule 4 × 4 indispensable. Comptez une journée et prévoyez une réserve d'eau et un pique-nique.
A *Ifni*, prenez la route goudronnée du port. Juste avant d'y arriver, au virage, quand la

route commence à descendre, prenez la piste à gauche et bouchez-vous le nez car il faut traverser la décharge publique. Comptez 15 km pour *Sidi Ouarzik* (voir ci-dessus). Continuez sur 22 km, en suivant plus ou moins la côte. En restant près de la côte, vous arriverez juste en haut de la falaise (vue splendide) mais la descente est difficile et la traversée de l'oued ne peut s'effectuer qu'à marée basse et après avoir toujours vérifié le terrain. Autre solution : environ 1,5 km avant l'oued, restez sur la gauche et la piste vous conduira au gué. Cette partie est, elle aussi, à vous couper le souffle (mais elle est au moins entretenue) : descente raide et montée à pic. Après sa traversée longez l'oued par la piste d'en bas (un passage difficile) pour arriver à l'embouchure. Bon emplacement de camping. En hiver, comme à *Massa*, flamants roses, hérons, grandes tortues, cormorans. Pour rentrer sur Guelmim, après le gué, prenoz tout de suite la piste à gauche et ne la quittez plus. Elle longe l'*oued Noun* et entre dans ses gorges habitées et cultivées courageusement en petites terrasses. A *Tiseguenane,* on retrouve l'asphalte pour Guelmim et Ifni. La route offre aussi de beaux panoramas.

GUELMIM (ou GOULIMINE)   IND. TÉL. : 08

La fameuse ville des Reguibate ou « hommes bleus », appelés ainsi parce que les colorants de leurs vêtements, généralement bleus, déteignent sur la peau. En fait, on utilise maintenant des textiles industriels avec des teintures synthétiques garanties. On trouve des coupons de tissus chez certains marchands ainsi que des *gandouras* ou des *drahas*. Le seul bleu que l'on risque de voir maintenant est celui des jeans.
C'est à Guelmim (prononcer Geulmine) qu'on peut assister à la *guedra* (marmite), danse très caractéristique de la région, qui tire son nom des tambours de terre sur lesquels on a tendu une peau de chèvre. Les musiciens entourent une femme accroupie voilée de noir dont les mains s'animent comme des marionnettes en suivant le rythme lancinant des tambourins. Lorsque celui-ci s'accélère, la danseuse ondule en cadence et se libère peu à peu des voiles qui la couvrent. Rien à voir cependant avec un strip-tease de Pigalle. Le rythme atteint un paroxysme délicieusement érotique. La ville (38 000 habitants) n'est pas très accueillante. Harcèlement permanent de faux guides et de rabatteurs de toutes sortes.
Si vous voyez des « hommes bleus », pas de doute, un piège à touristes se prépare... car des vrais, il n'y en a plus.

Adresses utiles

■ *Banques :* plusieurs dans le centre. *BMC*, bd Mohammed-V, près de l'*hôtel Ère Nouvelle* ; *Banque Populaire*, près de la place Bir-Anzarane ; et *BMCI*, sur la place avant la station des bus.

🚌 *Station des bus :* sur l'ancienne route de Sidi Ifni.

Où dormir ? Où manger ?

🛏 *Hôtel de la Jeunesse :* bd Mohammed-V. ☎ 87-22-21. Bon marché, mais beaucoup de militaires et l'établissement est dans un état de décrépitude avancée et sale. Ne fait pas resto.

🛏 *L'Ère Nouvelle :* bd Mohammed-V, en face du précédent. ☎ 87-21-19. Sommaire mais correct. Accueil sympa. Douche chaude collective et on peut discuter le prix.

🛏 *Hôtel Bir-Anzarane :* 250, place Bir-Anzarane. Pas de panneau en français. Chambres très simples mais propres avec lavabo. Pas de douche. Accueil sympathique par des jeunes. Très bon marché.

🛏 *Hôtel Salam :* route de Tan-Tan. ☎ 87-20-57. Actuellement le meilleur établissement de la ville. Prix moyens.

🛏 *Hôtel Taregua :* dans la palmeraie de Thermant, à une quinzaine de kilomètres. Ouvert, pour l'instant, uniquement en saison. Architecture de casbah dans l'oasis. Environnement très agréable.

|O| *Rôtisserie Al Manara :* 232, place Bir-Anzarane, à 50 m de l'*hôtel Bir-Anzarane*. Poulet rôti servi avec des frites. Le patron accueille ses hôtes avec le sourire, mais les règles les plus élémentaires d'hygiène ne sont guère respectées.

|O| *Restaurant Al Khaima :* sur la place en bas de la ville. Au premier étage. Petits plats et terrasse pour voir les gens passer.

|O| *Restaurant de l'hôtel Salam :* sur route de Tan-Tan. C'est la meilleure table de la ville. Bar.

A voir

★ *Le souk et le marché aux moutons :* chaque samedi, à l'extérieur de la ville. S'y rendre dès le lever du soleil (les commerçants, eux, s'installent dès le vendredi après-midi). A 9 h, les premiers autocars arrivent d'Agadir. A 10 h, c'est la place de la Concorde : plus un Marocain ! Les moutons restent, mais ne se vendent pas, les bimbeloteries du souk sont hors de prix, les perles de Mauritanie presque toutes fausses et les « hommes bleus » sont des gens du village déguisés, acteurs remarquables d'ailleurs.
Attention aux chameaux militaires. On peut se faire fortement réprimander si on photographie des chameaux appartenant à l'armée. « Défense de photographier des chameaux militaires. » Ce doit être une nouvelle arme secrète !

★ *Les bains maures :* ne pas hésiter à s'y rendre car ils sont vraiment épargnés par la pollution touristique. L'accueil y est charmant ; les hommes se font vigoureusement masser par des athlètes noirs et les femmes doivent passer au moins une heure dans la vapeur sous peine de susciter l'indignation des autres baigneuses qui, elles, y demeurent près d'une demi-journée !

★ *Le vieux Guelmim :* à l'écart de la ville nouvelle, en direction de la caserne militaire. La ville ancienne avec ses ruelles et ses maisons de terre n'a pas dû changer depuis des décennies. Pour goûter la différence.

Quitter Guelmim

La gare routière est à un bon kilomètre du centre. Sur l'ancienne route de Sidi Ifni.
– *Pour Tiznit :* 5 bus CTM par jour.
– *Pour Agadir :* toutes les heures de 6 h à 17 h.

Où dormir ? Où manger dans les environs ?

🛏 *Fort Bou-Jerif :* à l'ouest de Guelmim, direction plage Blanche (lieu indiqué sur la carte Michelin O. Noun), à environ 40 km ; on y accède par une piste. Grand camping tenu par un couple de Français, Guy et Evy Dreumont, tombés amoureux de la région. Eau courante, électricité. On peut dormir sous une tente nomade, ou encore louer un bungalow dans un espace fleuri, au pied d'un ancien fort et au milieu des cactus et des animaux sauvages. Sur place, un *restaurant* dont la cuisine est succulente et copieuse (méchoui, sole, *tajine*). Menu à 75 F environ. Ils ont même du vin.
Des randonnées sont organisées au départ du camping, ainsi que des circuits à thèmes en Land Rover : gravures rupestres, Sahara atlantique. Contacter : *Maroc Aventure,* BP 504, 71000 Guelmim, Maroc. Stages de dessin, aquarelle, poterie, ou encore pilotage tout-terrain.
🍴 *Bab Sahara :* à 41 km au nord de Guelmim, dans la ville de Bouzarkane, au carrefour des routes d'Agadir, Guelmim et Tata. Ce café-restaurant, doté d'une belle piscine olympique et tenu par un jeune Français, constitue une halte détente bien appréciable. En attendant pour l'avenir la création d'un motel qui deviendra le nouveau rendez-vous des voyageurs dans le Grand Sud.

A voir dans les environs

★ *Abahinou :* à 10 km sur la route de Sidi Ifni. Source thermale. Petite piscine d'eau chaude ouverte toute la journée ; mixité le soir, vers 22 h. Éclairée la nuit. C'est sans doute pour ça qu'ils doublent les tarifs le soir. Accueil peu sympa. Camping très médiocre.

🛏 *Auberge Abahinou (ex-Chez Michel) :* après avoir traversé le village d'Abahinou et dépassé le camping, à côté de la source thermale et de ses bains, à la sortie du village. ☎ 87-04-23. Fax : 87-04-22. C'est un havre de paix, avec des chambres simples mais confortables (lavabo et douche), donnant sur un patio verdoyant et fleuri. Service caravaning gratuit. Une bonne étape.

★ *L'oasis Aït-Bekkou :* à 17 km au sud-est de Guelmim par Asrir. Pas très facile à trouver. Éventuellement, se faire accompagner. Pour sortir de Guelmim, direction Asrir, tourner à gauche près du service des Travaux Publics. Au bout de 3 km, signalé par un cube de béton (inscription C17096), prendre à droite. Après avoir passé deux oueds, on arrive en vue du ksar d'Asrir. Puis direction nord-est, palmeraie d'Aït-

Bekkou. Bien rester sur la piste. Laisser la voiture en bordure de l'oasis et descendre à pied vers les sources qui arrosent les champs de maïs et les jardins. Parcourir le village qui s'étend de l'autre côté.

★ *L'oasis de Thermant :* à 17 km de Guelmim. Prendre la direction d'Asrir (à gauche lorsque l'on est sur la place du bas). Au premier carrefour, prendre vers Asrir et dépasser le village. Vous arriverez alors devant une palmeraie et découvrirez l'oasis. Là, pas d'électricité, pas de guides ni de touristes. Des enfants vous suivront pendant votre balade à la découverte de la palmeraie. Ça change des pièges à touristes... L'accueil est chaleureux et franc. Si vous avez quelques médicaments sur vous, donnez-les aux adultes qui en ont besoin et qui vous remercieront en vous invitant à prendre le thé ou à manger... Tout au bout du goudron, une piste s'engage à droite. Elle mène aux sources à environ 1 km (un peu difficile à trouver). La piste à gauche traverse la petite oasis de Taranguist et rejoint à 1 km la piste principale qui mène par la gauche à Guelmim.

★ *Sidi Ifni :* à 55 km par une route étroite avec beaucoup de virages (voir, plus haut, le chapitre « Sidi Ifni »).

★ *La Plage Blanche :* à 60 km de Guelmim. Piste accessible en 4 L. D'après son nom, on devine facilement qu'il s'agit d'une plage au sable très clair. Prenez la route de Sidi Ifni ; à 1 km à gauche, panneau pour Plage Blanche (même route que pour Fort Bou-Jerif). Les 15 premiers kilomètres sont goudronnés. A Ksabi, tournez à droite. Le parcours est par endroits monotone, mais on est récompensé une fois arrivé à la mer. Du haut de la falaise, belle vue sur la plage et l'embouchure de l'oued. Ici, la Ville de Guelmim a fait construire des bungalows, jamais achevés... Belle promenade jusqu'en bas au niveau de la mer et sans voiture : risque d'ensablement. L'endroit appelé Plage Blanche n'est que le début de cette plage longue de 50 km, avec très peu d'accès à la mer à cause de l'énorme cordon dunaire.

TAN-TAN   IND. TÉL. : 08

A 125 km de Guelmim par la P41 qui est en bon état. Les premiers contrôles de police commencent avant d'arriver à Tan-Tan. Pour pénétrer en ville, franchir un curieux arc de triomphe formé de deux dromadaires géants. Bonjour le bon goût ! Le centre ville est appelé *el-Hamra*, « ville rouge ». On y trouve les agences de banque et les transporteurs (CTM, ONCF). Le climat de la région est rude : en été, la chaleur est intenable et de fortes pluies sont souvent enregistrées en hiver. Ce n'est pas réjouissant, la ville est triste et il n'y a rien à voir. Pour faire étape vers le sud, mieux vaut s'arrêter à Laâyoune (voir plus loin). Moussem début juin, avec course de dromadaires.

Où dormir ? Où manger ?

♠ *Hôtel Étoile du Sahara :* 17, rue El-Fida. ☎ 70-85. L'architecture n'est pas mal mais l'établissement est très dégradé. Les 39 chambres sont sales et en partie délabrées. Restaurant.

I●I *Café-restaurant Le Jardin :* av. Mohammed-V. Il n'y a pas d'autre alternative.

A voir dans les environs

★ *Tan-Tan Plage :* à 25 km sur la route de Tarfaya (20 mn en louage). En quittant Tan-Tan à la sortie de la ville, il y a une colonne qui orne l'entrée de la cité. A sa hauteur, quittez la route et tournez à droite pour escalader la colline. Belle vue sur la ville et l'oued, ainsi que sur le désert de rocaille. Préférez le moment du coucher du soleil. Même type d'escalade possible sur les collines rouges à l'est de la ville. La vue est imprenable sur le désert de terre rouge.
Reprendre la route en direction de Tan-Tan Plage. C'est un port de pêche tranquille que les autorités aimeraient bien transformer en centre touristique balnéaire. La plage est belle.

I●I Pour y déjeuner voir le *resto* sans nom (maison rouge foncé). Repas copieux. Poisson grillé frais.

– Un hôtel était en construction, face à la mer. On trouve aussi une épicerie, une laiterie et du pain frais.

★ *Oued Chebika :* à 30 km, sur la route de Tarfaya. Belle plage de sable dans ce havre naturel où l'on pratique beaucoup la pêche. Gendarmerie et poste militaire (inévitables) à proximité. L'oued Chebika est fréquenté par des oiseaux migrateurs : flamants roses et autres.

Vers le Grand Sud, les provinces sahariennes

Les provinces sahariennes du Maroc peuvent être belles et passionnantes à découvrir, si l'on s'éloigne de Tan-Tan. Bien sûr la circulation dans ces régions est très contrôlée et cela impose de passer par une agence spécialisée qui se chargera de toutes les formalités auprès des autorités ou de s'armer de beaucoup de patience. Après Tan-Tan, les contrôles se multiplient. Il est bon de préparer à l'avance des fiches pour chaque véhicule avec pour chaque occupant nom, prénom, date et lieu de naissance, situation de famille, profession, nom des parents, adresse, date et lieu de délivrance du passeport, son numéro, valable jusqu'au..., entrée au Maroc le..., par, motif du voyage, destination, immatriculation du véhicule. Quand vous êtes plusieurs véhicules vous perdez une heure à chaque contrôle, et rien qu'entre Tarfaya et Dakhla il y en a huit ou neuf ! Suite à la dégradation du climat en Algérie, le Maroc reste la voie privilégiée pour descendre vers l'Afrique noire, via la Mauritanie. Cela oblige à traverser le Sud Maroc, encore sous administration militaire, le Sahara occidental. Le Front Polisario a définitivement cessé ses activités militaires, pour entamer un processus légal de reconnaissance sur le plan international. Un accord a été signé entre les deux parties avec le roi Hassan II pour organiser un référendum en 1996 sur le statut de ce territoire. Reste à savoir qui doit voter : que tous ceux qui sont sahraoui lèvent le doigt ! Comme il n'y a en a plus guère au Sahara, que certains vivent clandestinement en Mauritanie, que d'autres sont devenus par la force des choses marocains, le problème tient au recensement des futurs électeurs.
Toujours est-il que c'est désormais la seule voie fiable pour l'Afrique au sud du Sahara (ou remonter le Nil en felouque).
Les premiers à s'être hasardés sur ce terrain miné du Sud Maroc (ou Sahara occidental, c'est selon) l'ont fait fin 1992 suite à la fermeture des frontières du Niger et les événements d'Algérie. Miné, il l'a été, par le Maroc, par le Polisario, mais personne ne sait plus très bien où, et le sable, mesquin, recouvre ou découvre tout selon ses caprices. Le désert regorge donc de trésors (chercheurs impénitents, à vos poêles à frire !). Un beau jour des véhicules sont arrivés à Dakhla (ultime ville garnison) pour franchir la frontière Maroc-Mauritanie. Mais comme celle-ci n'est pas encore tout à fait définie, donc pas reconnue sur le plan international (amusez-vous à consulter plusieurs atlas), elle est en théorie infranchissable. Les militaires marocains, bien embêtés face à ces routards qui venaient d'avaler quelque 2 000 km, les ont conduits à 50-60 km des « lignes » mauritaniennes (soyons prudents !) en leur disant : « C'est tout droit ! » Les militaires mauritaniens, obligés de les récupérer au risque de les voir s'égayer sur des champs de mines ou errer (bande d'inconscients) dans l'un des déserts les plus chauds du monde, les ont dirigés vers la ville de Nouadhibou, qui a découvert à ce jour ce qu'était un touriste (et elle s'en remet à peine). Depuis, ça dure toujours.

★ Le trajet de Tan-Tan à *Tarfaya* représente 236 km de bonne route côtière. La diversité des paysages désertiques, les immensités arides, les dunes isolées plantées sur la rocaille, les falaises de rêve qui surplombent le rivage indéfiniment ourlé de vagues déferlantes se succèdent pendant une journée de route, en comptant les multiples arrêts. On peut sans crainte camper sur la côte parmi les pêcheurs locaux. Attention aux tempêtes de sable, plus particulièrement de janvier à mars.
Tarfaya est une ville perdue (on est à 500 km d'Agadir), sans intérêt et assez hostile. Il faut dire qu'elle ne reçoit pas souvent des touristes. Ce fut le point de rassemblement de la Marche Verte en 1975. Elle doit aussi sa renommée en temps qu'ancienne escale de l'Aéropostale. Ceux qui ont lu *Courrier Sud* et *Vol de nuit* de Saint-Exupéry seront sensibles au petit monument élevé sur le sable. Il commémore l'aventure extraordinaire de ces pionniers qui ont relié le vieux continent à la cordillière des Andes à bord de leurs modestes biplans. Sur la plage subsiste encore la « casamar », une maison battue par les flots, construite par un Anglais il y a plus d'un siècle. Cet original en avait fait venir les pierres de Smara par des caravanes de dromadaires.

★ De Tarfaya à *Laâyoune* compter 117 km d'une route très correcte mais qui peut être ensablée. Fondée par les Espagnols en 1932, elle est aujourd'hui le principal centre économique des provinces sahariennes. Un projet ambitieux envisage la création d'une ligne ferroviaire de près de 900 km qui permettrait de relier le Grand Sud au reste du réseau des chemins de fer marocains. La ville n'offre pas grand intérêt malgré les constructions récentes d'un palais des congrès et d'une grande mosquée. Il reste une cathédrale et quelques bâtiments administratifs, héritage de la présence espagnole. On croise beaucoup de militaires et pour cause, c'est ici que le MINURSO (l'ONU qui surveille le déroulement du futur référendum) a établi son siège. On peut visiter l'ensemble artisanal et le parc ornithologique. Les grands hôtels ont tous été réquisitionnés par le MINURSO.

Adressez-vous à Philippe du *restaurant-snack Fès,* 29, av. Hassan-II, qui vous conseillera quelques petits hôtels propres et pas chers. Pour vos repas, prenez-les dans ce snack tenu par un Français. C'est ouvert de 11 h 30 à 23 h. Menus bon marché et sur commande : crabe, araignée, homard. Pas d'alcool. Interdit dans la région (il existe un marché noir).

25 km séparent Laâyoune-ville du *port* et de la *plage.* La route contrôlée par des barrages de policiers et de douaniers peut être ensablée. La plage est très belle. Beaucoup de villas. Il existe aussi un camping. On s'est laissé dire (mais les gens sont parfois si mauvaises langues) qu'à l'époque du ramadan certains émirs du pétrole débarquent de leur jet privé, accompagnés d'avions-cargos qui transportent camping-cars climatisés et véhicules frigorifiques pour congélation. Ils viennent non pas faire du surf mais chasser l'outarde dans le désert. Devinez pourquoi ? Sa chair serait aphrodisiaque.

★ De Laâyoune à *Dakhla,* l'ancienne Villa Cisneros, compter 545 km. Théoriquement, un bus part le matin (toujours complet), suivi de taxis qui font le trajet pour un prix à peine supérieur. La route, à voie unique, monotone, traverse des régions truffées de militaires. Pour ceux qui ont leur propre véhicule, prudence et humilité sont de rigueur. Après avoir systématiquement laissé le passage aux autres conducteurs, on s'habitue à cette sorte de joute moderne ; un conseil : du sang-froid, de l'audace et, au moment de se croiser, pleins phares et klaxon à fond. Ça marche et l'on vous salue amicalement, fair-play. A l'approche de Dakhla, les paysages deviennent un peu plus intéressants.

Dakhla fut construite sur une presqu'île de près de 40 km de long entre l'Océan et la baie, aux eaux très poissonneuses, de Rio de Oro. Dakhla est une ville étape indispensable pour ceux qui veulent se rendre en Mauritanie. Il est indispensable d'arriver au moins la veille au soir pour entreprendre les démarches qui ressemblent à un véritable parcours du combattant. Dakhla est une ville garnison où les militaires s'ennuient à mourir. Ils sont toujours prêts à faire la fête avec les quelques routards de passage. Il y a deux convois, le mardi et le vendredi. Ne vous fiez pas aux heures de départ annoncées, elles varient. On vous obligera à passer à la police, à la Province, puis à la douane et enfin à l'état-major de la gendarmerie pour espérer figurer dans le prochain convoi. Inch Allah ! Vous devez attendre que tout le monde soit embauché et disposé à vous recevoir. Attention, le carnet de passage en douane est obligatoire pour les véhicules.

Où dormir ? Où manger ?

≜ *Hôtel Sahara :* av. Sidi Ahmed-Laaroussi. ☎ 89-77-73, 89-83-91 et 89-78-44. Chambres propres. Toilettes et douches communes. Repas très corrects. Offre aussi l'avantage d'être bon marché. Cet hôtel qui présente un très bon rapport qualité-prix est situé près du marché dans le quartier arabe.

≜ *Hôtel Doumss :* sur la gauche à l'entrée de la ville. ☎ (08) 89-80-46 et 89-80-47. Fax : 89-80-45. Établissement

3 étoiles. Compter l'équivalent de 200 FF la double.

≜ *Camping Moussafir :* à 6 km avant d'arriver à Dakhla. Pour le téléphone, contacter l'hôtel *Doumss.* Ce camping, bien entretenu, est assez récent.

|●| *Café-restaurant Capri :* 1, av. El-Walaa. Cuisine très correcte et variée. La salle est agréable. Service sympa. Prix moyens.

A voir

Rien d'intéressant et de plus se promener en ville se révèle très vite assez fatigant en raison du vent qui souffle en permanence. Il y a un vieux cinéma croûlant, immense et vide, dont seule l'architecture vaut le coup d'œil. On peut aussi demander l'autorisation de sortir de la ville pour se baigner près des falaises ou, plus loin, sur le morceau de désert qui plonge dans la mer, formant une plage gigantesque et absolument plate que la route traverse.

★ *De Dakhla à la frontière mauritanienne :* quand les autorisations sont en règle, on peut se joindre au convoi (les mardi et vendredi seulement, rappelons-le). Dans chaque véhicule monte un policier chargé de vous accompagner jusqu'au poste frontière marocain, à 350 km. Route neuve avec un peu de sable parfois. Compter 2 jours de vivres et suffisamment d'eau. Prévoir 1 000 km d'autonomie en carburant. L'armée marocaine laisse le convoi à environ 12 km de l'armée mauritanienne. La piste est en très mauvais état avec de nombreux trous de sable. Assurez-vous qu'il y a assez de 4 × 4 dans le convoi pour tirer les autres véhicules. Ne pas s'éloigner de la piste, c'est miné. Inutile donc de chercher à prendre un raccourci. Rejoindre ensuite une vieille route espagnole au bout de laquelle on bute sur un mur de sable flanqué en son milieu d'une vieille tôle : la frontière mauritanienne. On la franchit généralement de nuit. Prière d'ajouter quelques pierres à l'abri de fortune que les routards successifs construisent pour se protéger du vent. Le lendemain, un militaire vous guidera sur quelques kilomètres de piste jusqu'à la douane de Nouadhibou où le douanier a tout son temps pour vous faire cracher un bakchich (ses prétentions sont élevées). Attention à l'argent que vous déclarez car, pour ressortir de Nouadhibou, il vous faudra repasser devant le même douanier qui examinera en détail vos bordereaux de change.

— DE TAROUDANNT A OUARZAZATE PAR TALIOUINE OU PAR LES PISTES DU SUD —

Cet itinéraire permet de découvrir un Maroc plus secret avec des propositions de randonnées qui permettent une meilleure approche du pays et de ses populations. La plaine fertile et hospitalière, arrosée par l'oued Sous, alterne avec des montagnes arides où l'on découvre encore des villages qui semblent vivre hors du temps.

Taroudannt, première capitale des sultans saadiens avant Marrakech, a conservé sa belle parure de remparts ocre. Celle que l'on nomme encore parfois la « Petite Marrakech » mérite plus qu'une courte halte. Sa place Assarag et ses souks constituent des lieux privilégiés pour observer la vie quotidienne avec les femmes drapées dans des voiles d'un bleu indigo surprenant. Taliouine, qui produit un excellent safran, est le point de départ de randonnées pédestres dans le massif du djebel Siroua et d'excursions en 4 × 4 dans le massif du Toubkal.

Tafraoute la rose, encerclée dans son cirque de granit, est célèbre pour ses amandiers. Il faut voir la région quand les arbres sont en fleurs et que leurs branches ploient sous le poids d'une neige de pétales blancs et roses.

Les nouvelles pistes et l'amélioration de celles existantes permettent désormais de sortir des sentiers battus et d'aller à la recherche de sensations nouvelles en empruntant des itinéraires différents. Nous vous en proposons plusieurs possibles avec un véhicule de tourisme.

TAROUDANNT   IND. TÉL. : 08

A 80 km d'Agadir. Ville très pittoresque de 36 000 habitants, protégée par de superbes remparts de couleur ocre qui valent à eux seuls le déplacement. Cette ancienne capitale du Sous a une petite médina. Très chouette ; souks intéressants, bien moins touristiques que ceux de Marrakech. Mais méfiance tout de même : à force de se dire « C'est moins cher ici », on est facilement dupé. Comparez bien les prix, surtout pour les tapis. Souk aux épices et aux gris-gris. Très coloré. La ville est réputée pour son artisanat. Vous croiserez de nombreuses femmes enveloppées dans des voiles bleus. Ce n'est pas un costume traditionnel mais une mode relativement récente.

De nombreux faux guides et des enfants, collants comme des mouches, commencent à s'intéresser un peu trop aux touristes et rendent parfois la visite pénible. La place Assarag, souvent citée ci-dessous, s'appelle désormais Al-Alayouine, mais tout le monde la connaît plutôt sous son ancien nom.

Adresses utiles

■ **Banques :** plusieurs place Assarag et une place Talmoklate.

🚌 **Gare routière :** place Assarag.

■ **Location de vélos :** place Assarag, dans une petite échoppe sans nom, en face du *Taroudannt Hotel*.

■ **Location de motos et de scooters :** près de l'*hôtel Salam.* ☎ 85-05-63. Akniss Bloc 3, n° 19. Accueil très sympa d'Hassan qui connaît bien la région et vous donnera des idées de balades. Prix très raisonnables et le matériel est en bon état.

■ **Tennis Roudani :** dans le jardin municipal, à 300 m de l'*hôtel Salam.* 6 courts en terre battue. Location de balles et raquettes. On peut généralement jouer sans réservation.

■ **Hammam Fark Elhbab :** près du marché. Traditionnel, mais propre. Ouvert de 6 h à 16 h pour les femmes et ensuite pour les hommes.

■ **Randonnées :** *Tigouga Adventures,* BP 132, 83000 Taroudannt. ☎ 85-31-22 (bureau) et 85-35-01 (domicile) à Bah Targhount. Organisent des treks dans le Haut et l'Anti-Atlas. Compétents.

Où dormir ?

Très bon marché

🛏 *Hôtel Roudani :* place Assarag. ☎ 22-19. 13 chambres, dont 4 avec lavabo et douche. Les autres bénéficient d'une douche chaude à l'étage (gratuite), sauf en été. Les chambres du second ouvrent sur une terrasse d'où l'on domine toute la ville. Bar extérieur bruyant jusqu'à une heure tardive.

🛏 *Hôtel les Arcades :* place Assarag, à côté du précédent. ☎ 23-73. 4 chambres très simples avec lavabo. Douche collective froide. Là aussi, petite terrasse.

🛏 *Hôtel de la Place :* place Assarag, à côté des précédents. ☎ 85-26-23. Au deuxième étage, 5 chambres avec douche chaude collective.

🛏 *Hôtel El Warda :* place Talmaklatte. Au-dessus de la pâtisserie. Des chambres avec lavabo et douche collective qui ne risquent pas de vous ruiner. Très bruyant le jour du souk.

🛏 *Camping :* pas de camping officiel, mais un parking devant le commissariat, sur la route de Ouarzazate. Pas d'eau et pas d'ombre sauf vers le muret. Gratuit.

Bon marché

🛏 *Taroudannt Hotel :* place Assarag, à côté de la gare routière, ce qui est pratique. ☎ 85-24-16. Un cadre vieillot et une atmosphère très « colonie française ». Plus rétro, tu meurs... Chambres vraiment très sommaires avec lavabo ou douche, mais propres. Évitez celles sur la rue. Il y en a quand même 3 avec bains et w.-c. Joli jardin intérieur. Change et cartes de crédit acceptées. Bon resto.

Prix moyens

🛏 *Hôtel Tiout :* rue Al-Masjid-Al-Kabie, à 300 m de la place Assarag. ☎ 85-03-41. Récent. Correct. Accueil sympa. Chambres avec douche, w.-c. et petit balcon. Petit déjeuner copieux.

🛏 *Hôtel Saadiens :* borj Oumansour. ☎ 85-24-73 et 85-25-89. Fax : 85-21-18. Au cœur de la médina (très bien fléché). Accueil froid et commercial. 56 chambres de style marocain, confortables. Celles donnant sur le patio et la piscine sont particulièrement agréables. Les autres sont bruyantes. Le ménage mériterait d'être mieux fait. Restaurant, bar, pâtisserie, piscine très bien entretenue et parking fermé pour la nuit. Le petit déjeuner, compris dans le prix de la chambre, est bon.

Très chic

🛏 *Hôtel Salam :* situé le long des remparts. ☎ 85-25-01, 85-21-30 et 85-23-12. Fax : 85-26-54. Dans l'enceinte des remparts de la médina, dans l'ancien palais du pacha local. L'hôtel se divise en deux parties ; l'ancienne aile, c'est-à-dire l'ancien palais, et la nouvelle aile qui, avec ses ruelles, ressemble à une médina aux maisons roses. La végétation des jardins, superbe, mérite une visite. L'hôtel possède deux patios particulièrement beaux et deux piscines dont l'une en forme de porte marocaine. Félicitations aux décorateurs et à l'architecte qui ont su recréer une telle ambiance. Bar, salons, hammam, sauna et massages. Change et cartes de crédit acceptées. Une merveilleuse adresse avec son décor digne d'un palais des Mille et Une Nuits. Le personnel est très aimable. Compter 300 FF dans l'ancienne aile et 400 FF dans une suite junior (pour les grandes suites senior, il faut compter 700 FF). Réduction sur place de 15 % pour nos lecteurs sur présentation du GDR de l'année. Réservations par Maroc Hôtel à Paris (☎ 47-55-09-09) à des tarifs exceptionnels et à Bruxelles (☎ 218-59-38 ou 217-40-20).

Spécial Folies

🛏 *La Gazelle d'Or :* à 2 km à l'extérieur de la ville. ☎ 85-20-39 et 85-20-48. Fax : 85-27-37. Cet hôtel, au milieu d'une oasis, est peut-être le plus célèbre du Maroc, en tout cas un des plus chers. Construit par un baron français, au lendemain de la Seconde Guerre mondiale, pour accueillir ses hôtes, il fut transformé par la suite en hôtel. On loge dans de luxueux bungalows enfouis dans une végétation exubérante. En principe, fermé de début juillet à mi-septembre. On ne visite pas.

Camping

🛏 *Camping de Taroudannt :* à 300 m des remparts et à 500 m de l'*hôtel Salam* dans une zone boisée. Le terrain lui-même possède des palmiers, des faux poivriers et de vieux oliviers. Les sanitaires étaient en cours de construction lors de notre passage. Le propriétaire a l'intention de faire de ce camping l'équivalent d'un terrain classé 3 étoiles en France. Piscine municipale attenante ainsi que 4 courts de tennis en terre battue. Ouvert toute l'année.

Où manger ?

Très bon marché

|●| Restaurants des hôtels les Arcades, de la Place : place Assarag (voir « Où dormir ? »). Ces deux petits hôtels servent une nourriture locale, simple et généralement correcte. Comparer les prix et les menus qui varient selon les jours. Un repas pour quelques dirhams.

|●| Restaurant Tout Va Bien : place Talmaklatte (près du souk). Les années précédentes, nous recommandions chaleureusement cette affaire de famille, mais, aujourd'hui, rien ne va plus. Choix très limité et prix trop élevés.

Bon marché

|●| Chez Nada : rue Ferk-Lahbab, à l'entrée de la casbah quand on vient de l'esplanade où se trouve l'*hôtel Salam*, avant de tourner vers l'*hôtel Saadiens*. ☎ 85-17-26. Sympathique accueil du patron. Bon menu. Délicieux *tajine de kefta* aux œufs. Repas-sandwiches à toute heure. Thé à la menthe offert. Plats spéciaux

(pastilla) à commander à l'avance. Une excellente adresse.

Prix moyens

|●| Restaurant de l'hôtel Saadiens : voir « Où dormir ? ». Menu quotidien et carte. Bonne cuisine. Pas d'alcool, mais on peut apporter son litron. Restaurant panoramique sur la terrasse donnant sur l'Atlas et la médina.

|●| Restaurant de l'hôtel Taroudannt : place Assarag. Cuisine française et Ricard à l'honneur. Le menu touristique, très copieux, comprend crudités, entrée, plat garni, salade, fromage et dessert. Les petits appétits se contenteront du menu simplifié, sans entrée ni fromage. Nappe à carreaux, bouteille de rouge sur la table et télé en bruit de fond. On n'est pas dépaysé. Normal, le restaurant appartenait auparavant à une Française. Cartes de crédit acceptées mais avec commission.

Où manger une pâtisserie ?

|●| Pâtisserie de l'hôtel Saadiens : on peut déguster les gâteaux sur place, en s'installant dans le patio autour de la piscine.
|●| Pâtisserie Al Ouarda : place Talma-

klatte. Le chef a travaillé longtemps en France, ce qui explique la présence de gâteaux bien français à côté des traditionnelles pâtisseries.

A voir

★ *Les souks :* parmi ceux que l'on préfère de tout le Maroc. En effet, bien que peu étendus, ils n'en demeurent pas moins pittoresques. N'hésitez pas à vous perdre dans cet enchevêtrement de ruelles où bijoutiers, antiquaires et sculpteurs de pierre proposent toutes les productions locales : cuivre, tapis, cuir, fer forgé. Parmi les plus animés du Sud marocain, tout particulièrement le jeudi.
Un arrêt particulier au *souk des Épices,* chez Samir Abderralin, à gauche de l'entrée (n° 103). Avec gentillesse et compétence, il vous expliquera les grandes vertus de toutes les plantes. Un vrai cours de diététique et d'herboristerie.
Pour le *souk des Tanneurs,* partir de la place Assarag, prendre la rue à gauche en sortant de la station de bus SATAS. Aller jusqu'à la porte de la ville, sortir vers la gauche ; à 100 m à droite, suivre le chemin en terre : premier portail à droite. Qualité de tannerie supérieure aux peaux proposées au même prix dans les villes du Nord. Arrêtez-vous pour voir les vanniers ou les tanneurs à l'ouvrage.

★ *Le tour des remparts :* à faire à vélo ou en calèche. Longs de 7 km et d'une épaisseur de 80 cm. On peut voir, à certains endroits, des fissures provoquées par le terrible tremblement de terre d'Agadir que l'on ressentit jusqu'ici. Le meilleur moment est le coucher du soleil. Rien de comparable, cependant, avec les remparts de Marrakech. Les calèches partent de l'*hôtel Salam.* Le prix officiel pouvant servir de base à une négociation est de 30 dirhams l'heure.

★ *Marché berbère :* près de la place Talmaklatte. Intéressant, surtout pour les épices et les poteries.

Dans les environs

★ *Palmeraie de Tioute :* à 29 km au sud-est de Taroudannt, prendre la nouvelle route 7027 en direction d'Agadir, puis tourner à droite en direction d'Igherm (route 7025). Quelques kilomètres plus loin, la piste goudronnée 7023, toujours sur la droite, conduit à Tioute. La palmeraie, qui s'étend sur 1 000 ha et comprend 20 000 palmiers, est cultivée par les gens du village.

En 1952, on y tourna les extérieurs d'*Ali Baba et les 40 voleurs* avec Fernandel. Le pacha local prêta les chameaux... et les figurants. Les vieux s'en souviennent encore. Pour faire le tour de la palmeraie à dos d'âne, s'adresser aux habitants (négocier sur la base de 10 dirhams pour une promenade de 2 h). En mai, juin et juillet, rassemblement de tourterelles. Souk le mercredi, à l'entrée du village.

Une superbe casbah en ruine, construite sur un promontoire, dominait la palmeraie. Elle a été scandaleusement saccagée par un promoteur sans scrupule pour y construire un restaurant touristique destiné à recevoir des groupes voyageant en autocar. La façade de béton déshonore tout le paysage. Ce restaurant organise aussi des excursions à pied ou à dos de mulet dans les environs immédiats.

★ Possibilité de *randonnées*, autour de Taroudannt, dans les montagnes du Haut Atlas avec logement chez l'habitant ou sous la tente. On traverse des villages authentiques et des superbes vallées, à l'écart des circuits touristiques. Il faut être accompagné par des guides officiels de montagne. Ils sont très compétents et pratiquent des prix raisonnables. Pour les contacter, adressez-vous à Ali El Aouad, BP 127 PTT, 83000 Taroudannt. ☎ 85-21-45.

Quitter Taroudannt

🚌 Départs des bus de la SATAS et de la CTM place Assarag et place Talmaklatte.

– *Pour Agadir :* 4 bus par jour, société privée située sur la place Assarag. Durée du trajet : 2 h. Acheter le billet d'avance car souvent complet.

– *Pour Ouarzazate :* ce n'est pas facile. Il y a bien 4 bus par jour venant d'Agadir mais, quand ils sont complets, ils ne s'arrêtent même pas à Taroudannt.

– *Pour Tata :* 2 bus par semaine.

– DE TAROUDANNT A OUARZAZATE
PAR LE DJEBEL SIROUA –

La route P 32, qui part d'Agadir, permet d'atteindre Ouarzazate, la nouvelle plaque tournante du Sud, au carrefour de toutes les routes (Tafilalt, Zagora, Marrakech). Compter au total 176 km entre Taroudannt et Ouarzazate. La route est bonne et les paysages souvent magnifiques.

★ *Aoulouz :* à 90 km de Taroudannt. Petit village typique et animé qui peut être le point de départ pour de longues balades sur des sentiers de terre battue conduisant à d'autres villages. Cette halte convient à ceux qui veulent retrouver le Maroc d'avant l'invasion touristique. Pas d'hôtels mais deux cafés qui louent des chambres rudimentaires et pas très propres. Petits prix en conséquence. Le premier, sans nom, en face du stationnement des bus sur la place principale. Le second, *la Paix,* en bas de la place, à gauche. Souk le mercredi et le dimanche.

TALIOUINE IND. TÉL. : 04

Petit village à 119 km de Taroudannt, dans un site à l'impressionnante beauté. Un des plus beaux plissements géologiques du Maroc. C'est de ce village que provient tout le safran du pays. On recueille délicatement, à la main et avec les ongles, les pistils des fleurs avant le lever du soleil, au seuil de l'hiver. La poudre de safran, très chère, est utilisée comme condiment en cuisine, en pharmacopée (antispasmodique) et comme colorant. Les prix à la coopérative sont intéressants. Peu de touristes et une chouette hospitalité.

Où dormir ? Où manger ?

Prix moyens

⌂ *Auberge Souktana :* à 2 km du village en allant vers Ouarzazate. Ahmed (ancien caravanier et descendant des « hommes bleus ») et Michèle, une Française, ont retapé une belle maison avec 4 chambres très simples, équipées d'un cabinet de toilette (pas de serviettes) avec douche (eau chaude) au-dessus d'un w.-c. à la turque. Ils ont aussi une autre chambre, dite « du château », qui surplombe l'oued. Sans électricité et sans sanitaires, donc moins chère. Possibilité aussi de camper dans la cour. Sanitaires impeccables. Dans le jardin, un bassin d'irrigation peut servir de mini-piscine. Souvent complet. Arriver tôt le matin. Au restaurant, grand choix de menus bon marché. Les repas sont servis dans le jardin ou dans le beau patio intérieur. Pas d'alcool mais vous pouvez apporter votre bouteille.
Location de VTT avec des itinéraires proposés par Ahmed qui organise aussi des excursions à dos de mulet jusqu'au mas-sif du Siroua (avoir un sac de couchage). Lorsque les propriétaires sont absents (ce qui est très fréquent), l'entretien et le service laissent parfois à désirer.

⌂ *Complexe Siroua :* dans le centre. Vient d'ouvrir. Motel de 10 chambres avec parking. Restaurant de cuisine marocaine et internationale. Camping-caravaning, Nous n'avons pu le tester. Dites-nous ce que vous en pensez.

Chic

⌂ *Hôtel PLM Ibn Toumert :* ☎ 30. Construction moderne, magnifiquement située près de la casbah du Glaoui. 30 % de réduction en basse saison. Jolie piscine. Mais, comme beaucoup d'hôtels de cette chaîne, les prestations laissent à désirer. Ici, ni électricité ni eau chaude entre 22 h et 6 h. Pas de téléphone non plus avec l'extérieur et radiateurs purement décoratifs. On a l'impression de pénétrer dans un hall de gare. Lugubre ! Reste la vue au soleil couchant sur la casbah pour se consoler.

A voir, à faire

★ *Casbah du Glaoui :* assez délabrée mais pourtant très impressionnante. Encore habitée par quelques familles.

★ Faire une promenade en fin de journée dans les *jardins* du village et aux *ruines de l'agadir*. Superbes couleurs.
On peut aussi aller à la *piscine* du *PLM* moyennant quelques dizaines de dirhams. Un peu cher mais quand il fait très chaud, ou ne compte pas.

Quitter Taliouine

Les horaires de tous les bus sont affichés à l'*auberge Souktana*.
– *Pour Ouarzazate :* 4 bus quotidiens.
Très beau parcours, surtout entre Tazenakht et l'embranchement de la route P31 pour Ouarzazate.

Randonnée pédestre au djebel Siroua

Voyage à pied dans l'Anti-Atlas marocain avec des étapes quotidiennes de 4 à 5 h. Il est conseillé de louer des mulets pour le transport des bagages et des vivres. Nuits en bivouac. Eau potable sur tout le parcours. Le matériel tel que tente, ustensiles de cuisine, matelas, nourriture et mulet peut être fourni par une agence comme celle de l'auberge *Souktana* de Taliouine.
Cette randonnée pédestre s'effectue en principe en 5 jours et demi, mais peut se modifier selon la disponibilité des marcheurs. Elle ne peut s'effectuer pendant les périodes de forte chaleur.
Au sud-est du mont Toubkal (4 165 m), à 200 km à l'est d'Agadir, se trouve le mont Siroua (3 305 m), le plus haut sommet de l'Anti-Atlas, montagne volcanique qui relie les deux chaînes du Haut et de l'Anti-Atlas.
Tout au long de ce périple, de larges vallées riantes où se succèdent douars et casbahs. On longe des vallées encaissées aux pentes plus austères pour gravir ensuite des versants arides et rocailleux. Et toujours, au détour d'un chemin, de surprenantes oasis de verdure créées par les hommes. Le plus souvent, ce sont des plantations de noyers, d'amandiers et de figuiers, et des cultures de maïs et d'orge. Entre Tagouyamt et Aïr es Sine s'étend la région des champs de safran, uniques au Maroc.

Les Berbères de Zagmouzène, d'Aït Atman et d'Aït Toubkal ont gardé un sens inné de l'hospitalité.

La randonnée débute le long de l'oued Zagmouzène, bordé de lauriers-roses. Sur les chemins, de nombreux casbahs et douars perdus parmi les amandiers, les oliviers, les cactus et les roseaux. Il est possible de passer la première nuit au *douar Agadir* à n'Aït Taleb Zagmouzène chez Wyrane Ahmed Ben Mohammed qui accueille les trekkeurs dans son superbe douar gagné après 40 années de travail en France. Petit patio et grande chambre à la berbère très propre.

En continuant à suivre l'oued jusqu'à l'*agadir n'Aït Taleb*, on emprunte le chemin qui surplombe une superbe vallée, pour rejoindre Akhfamane. Entre l'agadir n'Aït Taleb et Annamer, on aperçoit la vieille casbah de *Tissergua,* accrochée au flanc de la montagne, et la *source d'Achdirr n'Aït Sahcen.* La route continue entre les montagnes aux formes douces et arrondies qui deviennent arides et parsemées de broussailles. On quitte la piste pour un sentier muletier plus raide qui mène au *douar Tamgout,* puis à *Maswad.* Là, on découvre l'*assif n'Wamrane* (*assif* = oued), dont la vallée prend par endroits des allures de gorges. Les lauriers-roses en sont l'unique végétation, sauf aux abords des douars en pierre, où l'on est surpris par la richesse des champs minuscules cultivés en terrasses sur les pentes abruptes. C'est à partir du *douar Ti-n'Iddr* qu'apparaissent les *agadirs,* forteresses où sont entassées toutes les récoltes du village et même les richesses diverses : tapis, bijoux, argent de chaque famille. « Ce sont nos banques populaires à nous », nous disait un vieux Berbère d'Atougha.

Puis commencent les régions désertiques des hauts sommets. Par des sentiers muletiers, on grimpe au mont *Talzouggaht* (2 844 m). Toujours en montant parmi les buissons accrochés aux rochers, on se dirige vers le mont *Siroua* (3 305 m), point culminant de la randonnée. Puis on redescend vers le mont *Guiliz* (2 805 m). Au cours de cette descente, on traverse l'*azib n'Aït Toubial* (*azib* = lieu de rassemblement des troupeaux), Tagouyamt par l'*assif n'Aït Toubial,* après le douar Tizgui. Suivre le même oued pour arriver à *Aït-es-Sine.* C'est dans cette région qu'on cultive le safran, dont les fleurs apparaissent en octobre. D'Aït-es-Sine, l'étape se prolonge jusqu'à Tislit par l'oued.

L'avant-dernière étape s'effectue de Tislit à Ihoukarn, petite oasis, et de Ihoukarn à Tafrent. Pour la dernière, nous retrouvons une vallée encaissée plus verte, celle de l'*assif n'Tizgui.* A nouveau, de nombreux douars et casbahs comme Tabia, Amaliz, Timicène. Enfin, retour à Taliouine.

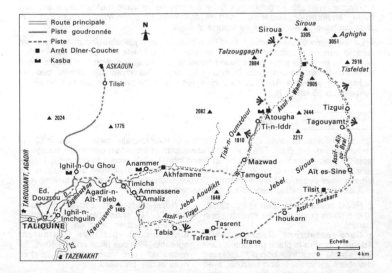

DJEBEL SIROUA

Déroulement de l'expédition

– *Jour 1 :* départ de la marche avec les mulets. Déjeuner à Ighil n'Ou-Ghou. Bivouac à Akhfamane (environ 18 km de randonnée).
– *Jour 2 :* déjeuner à Tamgout et bivouac à Atougha (environ 16 km).
– *Jour 3 :* déjeuner au mont Talzougghat et bivouac aux environs du mont Guiliz (16 à 18 km en terrain difficile).
– *Jour 4 :* déjeuner à Tagouyamt et bivouac dans l'oued Ihoukarn non loin de Tislit (18 km en terrain facile).
– *Jour 5 :* déjeuner à Ihoukarn et bivouac à Tafrent (moins de 15 km).
– *Jour 6 :* déjeuner à Tabia, près de l'assif n'Tizgui. Arrivée dans l'après-midi à Timicha. Retour à Taliouine.

Randonnée en voiture tout-terrain dans le massif du Toubkal

Le point de départ de la randonnée se situe à Taliouine (1 060 m). Le circuit se fait en véhicule tout-terrain (pas en voiture de tourisme) jusqu'à Amsouzer (un peu au-dessus d'Imlil), puis à pied ou à dos de mulet, et à nouveau en véhicule jusqu'à Taliouine. L'itinéraire de 220 km s'effectue en 2 jours. Par endroits, la route est en mauvais état (grosses pierres). Il n'y a pas de location de véhicules tout-terrain à Taliouine. Il faut donc arriver avec son propre 4 × 4 si l'on veut faire cette randonnée.

– Pour la première étape, on passe par *Ighil n'Ou-Ghou*, village intéressant pour sa casbah et son environnement riche et verdoyant. Seuls les 20 premiers kilomètres au départ de Taliouine sont asphaltés. Après, ça se complique et l'asphalte cède la place aux cailloux et aux ornières jusqu'à *Amsouzer*.
De Tizgui, la piste monte et serpente entre des montagnes assez arides jusqu'à *Askaoun* (70 km de Taliouine), dont le jour du souk est le jeudi. Non loin de là, à l'est, il existe plusieurs mines d'argent, d'or et de cobalt exploitées actuellement. De ce village, la piste traverse un plateau parsemé de jolis bourgs aux sommets désertiques peuplés de rapaces. On poursuit vers l'*assif n'Tizgui* (assif = oued). La piste descend en pente abrupte (impressionnant) jusqu'à Anmid. Après avoir traversé l'oued, le suivre sur l'autre rive. 1 km plus loin, une autre piste nous conduit en surplomb de l'oued Sous que l'on suit jusqu'à *Amsouzer*, à 8 km d'Assareg. Dormir chez l'habitant à Amsouzer.

Cette partie du périple est impressionnante par son paysage grandiose, sa verdure, ses villages de pierre à l'architecture particulière et sa piste vertigineuse à flanc de montagne. Remarque : pour ceux qui n'ont pas de véhicule tout-terrain, il est plus facile d'atteindre Amsouzer au départ de Marrakech, en empruntant la route P31 et la piste qui traverse les villages de Tiourar et Souk.

– La deuxième étape conduit à pied ou à dos de mulet jusqu'au *lac d'Ifni*, avec, en face, le plus haut sommet du Maroc, le *mont Toubkal* (4 165 m) et ses neiges éternelles. Au retour, la piste longe l'oued Sous, fabuleuse vallée avec ses villages environnés de la verdure des petits champs en terrasses, des noyers, des oliviers, pendant 92 km pour arriver à *Aoulouz* où l'on reprend la route principale 32 qui ramène à Taliouine, à 35 km de là.

De Taliouine à Ouarzazate

Après Taliouine, la route P 32, en direction de Ouarzazate, passe entre le djebel Siroua et le djebel Bani. Elle traverse *Tazenakht,* un important centre de tissage de tapis. La place principale n'offre pas un grand intérêt, mais prenez le chemin qui mène au village ancien pour aller voir les femmes tisser, dans la pénombre des maisons, les fameux tapis *ouzguida* à trame orange. Si vous souhaitez en acheter un, arrêtez-vous ici. Les prix sont intéressants et les gens sympa.

♣ *Hôtel-restaurant Zenaga :* ☎ 32. 30 chambres avec douche chaude. Bon marché.

♣ *Café-restaurant Sanhaja chez Adahri :* derrière la place principale. Cuisine simple mais très bonne. Quelques chambres sommaires, bon marché, avec une douche chaude, mais pas bien entretenues.

♣ *Hôtel-restaurant Étoile de Tazenakht :* 10 chambres simples mais propres. D'autres sont en construction ainsi qu'une piscine. Restaurant agréable. Prix des plats un peu élevé. Le neveu du patron organise des randonnées et des bivouacs.

Randonnée en voiture « tout-terrain » dans le massif du Toubkal

Après Tazenakt, compter encore 86 km pour atteindre Ouarzazate.

Il est possible, pour ceux qui voudraient visiter la **vallée du Dra** sans devoir passer par Ouarzazate, d'emprunter une piste directe pour Agdz. Après le passage de deux cols à 1 640 et 1 190 m, la piste 510 bifurque vers l'est. Compter environ 46 km de piste en assez mauvais état mais relativement plate, avant de trouver le bitume. Attention cependant : risque de crevaisons à cause des petits cailloux pointus. Tout le long de la route, villages bien typiques et beaux paysages.

Une autre piste (6 810) conduit vers le sud à **Foum Zguld** d'où l'on peut rejoindre Tata et Zagora. Foum Zguid et ces pistes sont décrites dans la partie consacrée à Zagora. Voir plus loin.

TAFRAOUTE

Le village (1 500 habitants) est plutôt décevant mais bénéficie d'un site exceptionnel, à 1 200 m, surtout en fin de journée, lorsque les rochers se colorent au soleil couchant. Tout autour, une superbe barrière de montagnes de granit rose, aux formes des plus surprenantes. C'est pourquoi il est recommandé d'y passer une nuit.

Tafraoute est la capitale des Ammeln, une tribu très célèbre pour son sens des affaires et son dynamisme commercial. Partout au Maroc, le petit épicier de la rue est un Ammeln et même en France, s'il n'est pas Tunisien de Djerba, il a de grandes chances de venir de la région de Tafraoute.

On y cause le *chleuh*, un des trois dialectes berbères parlés au Maroc et dans lequel *tafraoute* signifie « bassin d'irrigation ». On dit que l'estomac, lorsqu'il est vide, est *tafraoute*. Remplissez donc le vôtre des amandes qui poussent tout au long de la route dans la région.

L'idéal c'est de venir lorsque les amandiers sont en fleur, en janvier-février.

– **Fête des Amandiers :** n'existe plus depuis quelques années mais la floraison est une fête à elle seule.

– **Souk :** le mercredi dans le centre ville.

Adresses utiles

✉ **Poste :** place Massira.
■ **Banques :** BMCE et *Banque Populaire*. Pendant les heures de fermeture, voir à l'*hôtel des Amandiers* pour le change.
🚌 **Gare routière :** sur la place centrale.

■ **Location de vélos :** sur la place, en face de la poste (très cher).
■ **Hammam Abdou :** dans le centre, facile à trouver. Il ne vous en coûtera que quelques dirhams pour liquider la crasse et la poussière du voyage.

Où dormir ?

Se méfier de certains petits hôtels, très sales. Fiez-vous plutôt à notre sélection. Attention, les hôtels sont souvent complets.

Bon marché

🛏 **Hôtel Tafraoute :** place Moulay-Rachid, en plein centre, à côté de la station Somepe. ☎ 80-00-60 et 80-01-21. Une vingtaine de chambres agréables et propres. Sanitaires et douches chaudes communes à l'étage. Les chambres côté rue sont un peu bruyantes. Terrasse avec vue superbe. Excellent rapport qualité-prix. De loin, notre meilleure adresse dans cette catégorie avec un accueil excellent.

Prix moyens

🛏 **Hôtel Salama :** dans le centre ; l'entrée est place du souk hebomadaire. ☎ 80-00-26. Fax : 80-04-48. Il s'agit d'un vieil hôtel qui vient d'être restauré.

Chambres avec salle de bains très propres. Un restaurant doit ouvrir au rez-de-chaussée.

Très chic

🛏 **Hôtel des Amandiers :** en haut de la colline ; ancien gîte d'étape de la Transat. ☎ 80-00-08 et 80-00-88. Fax : 80-03-43. Architecture traditionnelle se mariant bien avec celle des maisons du village. L'hôtel vient de subir un lifting : les 58 chambres ont été refaites et les sanitaires sont neufs. Une belle piscine a été construite récemment. Bonne table avec un grand choix de vins. Petit déjeuner vraiment petit par rapport au prix. L'hôtel possède un livre d'or étonnant. On y découvre que Jacques Chirac y a passé la nuit du réveillon, le 31 décembre 1982. En saison, envahi par les groupes.

🏕 *Camping :* renseignements à *l'Étoile du Sud*. ☎ 80-00-38. Bien situé mais accueil inexistant. Douche chaude payante. En faire la demande au gardien afin qu'il alimente la chaudière à bois. Petite attente à prévoir. Sanitaires dou-

teux et tout se dégrade. Pas d'ombre. Ils ont aussi 4 bungalows.

Le même propriétaire a mis en chantier la construction d'un *nouveau camping* de 3,5 ha, qui devrait ouvrir en 96, « Inch Allah ». 32 bungalows sont prévus ainsi qu'un hammam et des services comme la location de vélos.

Où manger ?

|●| *Café-restaurant L'Étoile d'Agadir :* place de la Marche-Verte, à côté de la poste. ☎ 80-02-68. Cadre très simple mais la cuisine est bonne et copieuse, l'accueil chaleureux. Menu bon marché avec un excellent tajine aux pruneaux et aux amandes.

|●| *L'Étoile du Sud :* en face de la poste. ☎ 80-00-38 et 80-04-84. On s'installe

sous la tente caïdale, dans le jardin ou dans la salle. Menu correct et bon marché. Service diligent. Pas d'alcool, mais on peut apporter sa bouteille. Un peu plus cher que le précédent et beaucoup plus touristique. Tous les cars des agences s'y arrêtent.

|●| *Restaurant de l'hôtel des Amandiers :* une valeur sûre.

Dans les environs

Nombreuses promenades pédestres dans la très belle campagne alentour. On peut aussi les faire à vélo.

★ *Aguerd Oudad :* à 3 km par la route goudronnée 7075, une balade merveilleuse jusqu'au grand rocher surnommé « le chapeau de Napoléon » ou « le doigt ». Le village est blotti au pied de ce rocher en équilibre.

★ *Les rochers peints du désert* (accessible à tous les véhicules) : en continuant cette même route pendant 5 km (c'est bien fléché), dont 3 de très mauvaise piste, que l'on prend à droite après avoir quitté le goudron, on arrive dans une zone totalement désertique particulièrement appréciée des metteurs en scène de cinéma. De nombreux westerns américains furent tournés dans ce beau décor naturel. Vous y verrez aussi des rochers peints, en 1985, par un artiste belge, Jean Vérame. 19 tonnes de peinture à l'eau, apportées par une noria de camions, furent nécessaires à cet artiste pour « détourner » avec des bleus et des rouges ces blocs de granit rose. Mais tout fout le camp, même l'art ! Les chèvres broutent les arganiers aux alentours et la peinture des rochers ne leur résiste pas. Le temps efface peu à peu cette œuvre originale.

★ *La vallée des Ammeln :* prendre la route d'Agadir et, au lieu de tourner sur la droite, continuer jusqu'à une borne blanche marquée *Douar Anil Anamour*. A environ 7 km de Tafraoute, prendre la piste à droite, puis monter à pied au deuxième village. La balade permet de découvrir les femmes qui moissonnent à la main dans les champs ou qui transportent l'eau dans de grands pichets en cuivre, bref les cent petites activités quotidiennes. Après l'embranchement sur la droite, on arrive vite à un bassin où coule une source. Il faut se faire une place ! D'autant plus que les gamins du village y sont. Cette vallée est certainement l'endroit d'où on profite le mieux du coucher (ou du lever) du soleil, tant la falaise qui la ferme est abrupte et impressionnante. La vallée des Ammeln, curieuse oasis de montagne, compte 27 villages accrochés aux flancs roses du *djebel Lekst* (2 374 m) et répartis sur près de 40 km².

★ *Oumesnat :* toujours sur la route d'Agadir, à 10 km environ, sur la gauche. Le village se dresse au milieu des jardins, contre la falaise ocre. On peut aller visiter une « maison traditionnelle » transformée en petit musée, habitée par un aveugle et ses jeunes enfants. Pas de droit d'entrée, mais on vous offrira du thé et vous pourrez laisser quelques dirhams.

★ *Boucle Tafraoute - Talat Yssi - Timguilcht - Tafraoute :* compter une journée. Les paysages sont beaux, surtout à la floraison des amandiers. Quitter Tafraoute en direction d'*Aguerd Oudad* et *Roches Peintes*. Continuer sur l'asphalte. On passe un col avec un très beau panorama sur la plaine. Dans les villages beaucoup de maisons ont été restaurées, avec plus ou moins de bonheur, par les émigrants qui ont fait fortune. Après le col, une plaine s'étend devant vous. Attention : il faut localiser la piste à gauche. Repère : vous êtes à environ 30 km de Tafraoute ; sur la gauche, panneau en arabe avec des distances en kilomètres : 2, 18, 36, 41 . Prenez la piste. Elle passe un col à 1 400 m et redescend dans les villages et *l'oasis des Aït Bou Nouh*. Restez sur la piste, qui court dans l'oued. A 36 km, après avoir quitté l'asphalte, grande bifurcation : prenez tout droit. La piste entre dans un canyon, jadis surveillé par des tours de guet, dont on voit les ruines sur les deux sommets. Le premier village est *Talat Yssi*, avec oasis et bel agadir encore debout. Plus loin, l'énorme forteresse de style local ne doit pas vous tromper : elle date du protectorat. Restez sur la piste jusqu'à *Timguilcht* (à 41 km du goudron), reconnaissable par la zaouia au toit vert et son minaret avec décor en briques peintes. Encore 5 km et grande bifurcation : prenez à gauche. Canyons, montagnes, oasis splendides et villages se suivent les uns après les autres. A un certain moment, la route est asphaltée (goudron en très mauvais état). Observez les sommets pour localiser sur la droite l'ancien village de *Tarhat* (XIIe siècle). La route retrouve la route principale à environ 4 km d'Aguerd Oudad.

Quitter Tafraoute

La ville n'est pas bien desservie par les transports en commun. Départs de la place centrale.
– *Pour Agadir :* un bus quotidien.
– *Pour Tiznit :* plusieurs bus quotidiens.
Les taxis collectifs sont préférables. Départs plus fréquents le matin.

Pour les routards motorisés qui veulent regagner Agadir, deux solutions : par Tiznit ou par Aït Baha.
– *Par Tiznit :* 107 km de paysages sublimes jusqu'à la grand-route (P 30). Le passage du *col du Kerdous* permet de traverser des paysages étonnants. Un hôtel confortable vient d'ouvrir en haut du col : l'*hôtel Kerdous*. ☎ (08) 86-20-63. Établissement admirablement situé mais c'est son seul atout. De Tiznit à Agadir, 78 km de route rapide. Ceux qui aiment flâner feront le détour suivant : 18 km après le col, à gauche, vous verrez une flèche « *Zaouia Sidi Ahmed* ou *Moussa* ». Prenez cette route goudronnée sur 12 km jusqu'à la Zaouia : fin août se déroule le plus important moussem du Sud marocain, où une foule immense se rend sur le tombeau du saint. Les descendants de ce dernier ont fondé un royaume, le *royaume du Tazeroualt* (du nom de la région) qui, dans ses meilleurs moments, au XVIIe siècle, était plus puissant que la maison royale qui siégeait à Marrakech. Ce royaume contrôlait le commerce caravanier de tout le Sud. Les vestiges de cette puissance sont visibles 8 km plus loin ; franchissez l'oued, traversez le village, après quelques kilomètres et une bifurcation : tenir sa gauche. Le village s'appelle *Illigh*. Une casbah ruinée en pisé montre encore les traces de l'ancien décor. Un peu plus loin, une forteresse est encore habitée par les descendants de cette importante famille. Demandez de visiter l'intérieur, c'est-à-dire la cour où les caravanes étaient déchargées et la marchandise pesée. Au XIXe siècle les plumes d'autruche et les derniers esclaves noirs étaient les biens les plus prisés. Aujourd'hui, la population du village d'Illigh est, pour la plupart, composée de Noirs. La piste quitte le village en direction du sud : après 2 km vous pourrez visiter le cimetière juif, qui date du XVIIe siècle. Vous revenez par le même chemin sur la route principale.
Un peu plus loin, avant d'arriver à Assaka, sur la gauche, une route goudronnée qui se transforme vite en chemin de terre praticable conduit à l'oasis de Ouijarre, près d'un village nommé Agadir. La villa isolée, un peu surréaliste, construite sur une colline, serait l'œuvre d'un général.
– *Par Aït Baha :* 130 km d'une route étroite, très sinueuse et dangereuse. Elle est régulièrement remise en état, mais les pluies font, chaque année, des dégâts considérables. Cette route 509 est probablement l'une des plus belles du Maroc. Les points de vue se succèdent et laissent un souvenir inoubliable. Évitez de faire halte à *Madao*, au km 42, « sous le chapiteau » où l'on prend les touristes pour des pigeons. Cher et sans aucun intérêt.

– DE TAROUDANNT A AGADIR PAR LES PISTES DU SUD –

Agadir n'est qu'à 68 km de Taroudannt, mais on peut s'y rendre par le chemin des écoliers, en empruntant des pistes traversant de magnifiques paysages. Compter au total 640 km, mais ceux qui décident de tenter l'aventure en garderont un souvenir inoubliable.
De Taroudannt à Tata, 240 km de piste récemment asphaltée. Prendre la 7025 après l'embranchement de Tioute (sur la 7027).

Igherm, à 94 km, est un gros village fortifié. Souk le mercredi où l'on peut acheter des objets en cuivre. Si vous ratez ce souk, vous pouvez acheter ces objets à des prix « marocains », et non pas « touristiques », dans une petite boutique que l'on voit à peine, près de la station d'essence. Logement possible au *Café de la Jeunesse.*

🛏 **Café-hôtel-restaurant Atlas :** dans la rue en direction d'Agadir. ☎ (09) 85-92-53. Chambres correctes mais sanitaires très rudimentaires. Très bon marché. On sert des tajines et des omelettes.

La piste 7085 fait un grand détour que l'on ne regrettera pas. La plus belle partie se situe après le passage du Tizi Touzlimt (1 692 m). Jusqu'à *Imitek,* les paysages sont sublimes.

TATA

Tata, ville rose, est plantée au centre d'une magnifique oasis alimentée par les oueds venant de l'Anti-Atlas, et qui comprend une trentaine de ksour aux habitations de pisé. La population parle surtout un dialecte d'origine berbère appelé le *tamazight.* Dans cette petite ville tranquille, la température peut atteindre des maxima difficilement supportables. Beaucoup de militaires, mais aussi des femmes avec des vêtements très différents : celles qui portent une jupe bleue et un voile noir sont des Berbères et celles qui ont un habillement très coloré, des Bédouines.

Adresses utiles

– **Souk :** le jeudi, à 10 km dans la direction d'Akka et le dimanche en ville.
✉ **Bureau de poste et banque :** dans une rue, sur la droite, entre l'avenue de F.A.R. et l'avenue Mohammed-V.

■ **Station-service :** sur la route d'Igherm. Il est préférable de faire le plein ici plutôt qu'à Akka.

Où dormir ? Où manger ?

Attention à certains petits hôtels, très sales et peu recommandables, autour de la station des bus.

🛏 **Hôtel de la Renaissance :** 9, av. des F.A.R. ☎ 80-22-25. Le patron, qui a travaillé longtemps en France, dirige son affaire avec ses deux fils. 49 chambres dont 27 dans le nouveau bâtiment avec douche individuelle, toilettes et eau chaude, et 17 dans l'ancien bâtiment, de l'autre côté de la route, avec douche froide individuelle ou commune. Ils viennent aussi de faire construire 4 suites. Les prix sont fonction du confort : de bon marché à prix moyens. Bon restaurant et terrasse ombragée où l'on peut se faire servir de l'alcool. Le bonheur !

🛏 **Le Relais des Sables :** avant les deux stations-service, à droite en allant vers Akka, à 1 km du centre. ☎ 80-23-01 et 02. Fax : 80-23-00. Établissement avec piscine. Les 55 chambres sont confortables. Il y en a même 18 qui sont climatisées. Beaucoup plus cher que le précédent. Bar et restaurant avec alcool.

🛏 **Camping :** à la sortie de la ville en direction d'Igherm. Accueil chaleureux mais sanitaires douteux.

A voir

★ **La palmeraie :** balades agréables.

★ **La source :** en bordure de rivière, derrière le *Relais des Sables.*

★ Rendre visite à la **Maison Nomade,** appelée aussi *Mille Kasbah,* où Mohammed et Abdul vous feront découvrir, pour le plaisir des yeux, des tapis exceptionnels. Ils connaissent bien leur région.

Quitter Tata

– **Vers Zagora :** une bonne route goudronnée relie Tata à Foum Zguid (sauf les derniers 20 km, transitables en 4L). Le premier village à 30 km, sur la gauche, est **Akka Iguiren :** entrez-y pour voir de près une imposante maison fortifiée qui servait de grenier collectif. Vous pouvez rester sur la piste qui conduit à **Akka Irhèn** (piste très roulante même en 4L) dans un paysage absolument dénudé, mais si vous le faites le matin tôt, vous verrez la beauté des couleurs délicates des montagnes. Avant Akka Irhèn il y a le village **Agadir Isarhinnen** ; ruines d'un très ancien agadir avec, fait singulier, quatre tours d'angle rondes. Plus loin, les restes d'un palais qui appartenait à la famille Glaoua (voir « Telouet ») : l'architecture simple et austère révèle l'ancienne puissance, surtout dans la partie la mieux conservée : une énorme tour d'angle à base carrée, qui garde une bonne partie du décor. A l'intérieur, la cour et la mosquée en partie transformée en étable... A Akka Irhen, oasis. D'ici, on peut regagner le goudron à la hauteur de *Kasbah el-Jouâ*.

Continuez pour **Tissint :** 2 km avant Tissint, laissez la voiture et allez voir à pied le profond canyon creusé par un oued où l'eau coule toute l'année. En hiver, les flamants roses y font halte. Tissint est maintenant un village qui se développe rapidement et abrite une importante garnison militaire. Barrage de la Gendarmerie royale (contrôle du passeport). Visitez la cascade, alimentée par un oued à l'eau saumâtre, où l'on peut se baigner et pêcher. Près de la cascade, petit café (si ça vous intéresse, demandez au patron, très gentil, de vous trouver un gamin qui pourra vous accompagner pour visiter la maison où Charles de Foucauld a fait halte pendant sa reconnaissance du Maroc). Vous avez encore 70 km pour **Foum Zguid** (Gendarmerie royale). Ici, vous avez le choix de continuer pour Zagora (véhicule tout terrain) : prenez la route de Tazenakht et, après 7 km, tournez à droite (entrée de la piste cachée par des maisons). Ils ont pris soin de mettre un panneau, où on lit Zagora 74 km, mais il en reste en réalité 120 ! (Il ne faut pas pourtant se décourager pour si peu). La piste n° 6953 coule dans un paysage un peu monotone, désertique, fréquenté par des rares nomades. Ou bien continuez par la route goudronnée qui conduit à *Tazenakht* ou à *Agdz* (voir chapitre concerné).

– **Bus quotidiens** pour Guelmim, Tiznit et Agadir, via Bou Izakarn.

Route de Tata à Bouzarkane

Compter 245 km de bonne route qui remplace, depuis peu, une ancienne piste. L'excursion peut donc se faire facilement avec une voiture de tourisme.

Akka n'est qu'à 62 km de Tata, au milieu d'une oasis plantée de dattiers produisant d'excellents fruits. Si ce n'est pas la saison, ce sera peut-être celle du raisin, ou des grenades ou des abricots. Tous ces fruits poussent ici et en abondance. La région est riche en gravures rupestres d'un grand intérêt.

Pour visiter (il est inutile de les chercher soi-même) nous recommandons de s'adresser à M. Taarabt Mouloud, village d'Oum el-Aleg ou Laalek. Il connaît parfaitement la région et il pourra vous organiser une journée ou plus de visite de sites datés de 5 000-4 000 ans et de beaux villages. Il faut être motorisé (4L ou mieux 4 × 4) et prévoir eau et pique-nique. Oum el-Aleg est à une dizaine de kilomètres avant Akka (fléché) et tout le monde connaît Mouloud.

Si le village d'Akka, vu du goudron, est décevant (un seul café-restaurant abordable, le café **Tamdoult**, avec des chambres, sordides), il faut en revanche visiter la palmeraie. Quittez Akka en direction de Bou Izakarne. Après 2 km, piste sur la droite pour la palmeraie. La première colline, appelée **Tagadirt,** comporte au sommet les ruines de l'ancien mellah. Le Rabbin Mardoché, originaire d'ici, fut le premier à reconnaître des gravures rupestres dans le Sud et c'est lui qui accompagna Charles de Foucauld (qui s'était déguisé en juif sans pourtant tromper personne) dans sa reconnaissance du Maroc en 1883-1884. Vous pouvez laisser la voiture près de l'épicerie sur la route et vous promener dans l'oasis, ou bien continuer en voiture jusqu'aux palmiers qui poussent près d'une source, où souvent les femmes lavent leur linge. Après la séguia vous verrez sur la droite les restes d'un beau minaret, insolite pour la région en raison de son architecture très soignée en brique cuite et son style citadin. Certains le datent de l'époque almohade (XIIe siècle). Revenez sur le goudron par le même chemin.

Le goudron recouvre l'ancienne piste qui reliait entre eux les « ports » où arrivaient les caravanes du Sahara : Akka, Tamdoult, Tisgui el Haratine, Foum el Hassan, Tagmoute, Guelmim.

Avant d'arriver à Icht (81 km à partir d'Akka) bifurcation : tout droit pour Bou Izakarne, à gauche après 6 km **Foum el Hassan** (ou Fam el Hisn). Ne vous arrêtez pas aux premières constructions, qui sont modernes, ni aux deux cafés fréquentés par des militaires. Continuez en traversant la place du village vers la palmeraie située sur les abords de l'oued Tamanart. Là, vous verrez l'ancien ksar en pisé : une légende dit que le village fut fondé par les Phéniciens (il s'appelait aussi Agadir-n-Fniks) qui venaient sur les côtes marocaines et à l'intérieur du pays pour chercher le cuivre. La région est connue pour ses gravures rupestres. Une fois franchi l'oued vous pouvez continuer sur la piste n° 7082, très caillouteuse, qui regagne la P 30 après 40 km. Ou bien, vous faites un demi-tour et revenez à la bifurcation. Barrage de la Gendarmerie royale.

De Foum el Hassan, on peut descendre au sud jusqu'à **Assa** (piste n° 7084, 80 km, véhicule tout-terrain). Le paysage est typique du Présahara marocain : vastes étendues de montagnes et plaines arides, rocaille, et... pas un touriste. A Assa, dernièrement élevée au rang de chef-lieu de province, la ville moderne n'est d'aucun intérêt, mais la palmeraie et son ancienne zaouïa (du XIIIᵉ siècle) des 360 marabouts ont fait sa renommée. Les habitants sont, pour la plupart, des Ait Oussa et vous les verrez habillés de magnifiques gandouras bleues ou blanches. Pas d'hôtel. La *Satas* assure une liaison quotidienne avec Tiznit.

D'Assa, la route goudronnée continue vers le Sud, mais elle est encore interdite au tourisme. En revanche, vous pouvez atteindre Guelmim (goudron, 105 km). A Assa, pas d'hôtels. Des cafés-restos sur la route principale.

Si vous êtes revenu sur la P 30, à la bifurcation, sur la droite, *Icht,* village fortifié au milieu d'un bouquet de palmiers, et encore 50 km avant de pouvoir emprunter, sur la droite (panneau), la piste pour *Souk Tnine d'Adaï* et *Amtoudi,* dans l'oasis d'Id-Aïssa à 33 km de l'embranchement. L'idéal serait d'être en 4 × 4, sinon compter plus de 2 h en 4 L, à partir de l'embranchement, à condition de ne pas se perdre, les indications étant inexistantes.

AMTOUDI

Le village est célèbre pour son grenier communautaire *(agadir)* datant du XIIᵉ siècle. Il était encore utilisé jusqu'à l'indépendance, en 1956. Le village d'Amtoudi est habité par une confédération tribale formée par les tribus berbères de chleuh. L'endroit est sublime. Pour loger ici, demandez la maison de Brahim Ouhella. Simple, sympa et très bon marché, mais il est nettement préférable d'aller dormir à *Tarjicht* (voir un peu plus loin).

A voir

Évitez les vendredi, samedi et lundi, jours où les agences déversent de leurs minibus, vers 11 h, les excursionnistes de la journée. Ils se contentent d'une visite éclair, suivie d'un repas, et repartent vers 15 h. Amtoudi mérite davantage.

★ *La casbah :* avec son *agadir,* ancienne forteresse plantée sur un piton (très belle vue). Compter 45 mn de montée. La casbah servait encore de refuge à la population il y a une cinquantaine d'années.

★ Dans le lit de l'oued, les *gorges* grandioses sont un véritable éden avec leur végétation variée : palmiers, amandiers, abricotiers, oliviers et arganiers.

★ *La source d'Amtoudi :* en amont de la palmeraie, à 2,5 km du village. Baignade possible dans les *gueltas,* piscines naturelles. On peut prolonger cette balade en revenant par le plateau désertique, en compagnie des troupeaux de chèvres.
Sur le chemin du retour, à Souk Tnine d'Adai, une piste vous conduit sur la P 30 un peu avant l'oasis de Tarjicht.

Où dormir ? Où manger ?

♠ *Hôtel Taregua :* à l'entrée de l'oasis (panneau flatteur). C'est le seul où vous pourrez dormir si la nuit vous surprend en route. 24 chambres avec salle de bains, mais w.-c. communs. N'étant pas très fréquenté, évitez d'y arriver trop tard le soir.

Ça permettra au personnel de faire les courses pour votre dîner. Demandez alors un poulet aux amandes, la spécialité de la maison. Bonheur ! bière fraîche et vin (pas terrible). Gérant et personnel accueillants.

A voir dans les environs

De l'hôtel, vous pouvez descendre, juste de l'autre côté de la route, dans l'oasis et vous promener au bord de l'oued, où l'eau coule en permanence. Ambiance bucolique. Une belle promenade consiste aussi à longer l'oasis vers Tagmoute : suivez le goudron en direction de Bou Izakarne, à la première bifurcation prenez à gauche et suivez la route : vous pouvez observer la structure de l'oasis, le système d'irrigation et ses cultures. Continuez sur 2 km jusqu'au souk (le jeudi) si c'est le jour.

De Tarjicht, continuez par la P 30 sur 23 km jusqu'à *Timoulay*. Prenez une des pistes à droite pour visiter l'énorme château fortifié dont l'extérieur paraît intact. Au pied du château, une palmeraie, et des enfants qui vous accompagneront visiter l'intérieur qui, contrairement aux apparences, est en ruine.

Revenu sur le goudron, il ne vous reste que quelques kilomètres pour *Ifrane* de l'Anti-Atlas (panneau).

Souk le samedi. Ce village jouit actuellement d'une renommée non justifiée. Lieu d'établissement d'une des plus anciennes communautés juives du Maroc qui remonterait aux derniers siècles avant notre ère, Ifrane (les grottes en berbère) était florissant au Moyen Age quand il commerçait avec le Sous et le Soudan (pays des Noirs en arabe). Les témoignages de l'ancienneté de cette communauté se trouvent, d'après la tradition, dans les dalles du cimetière. La synagogue a été pillée, les maisons du mellah complètement en ruine et les tombes du cimetière effondrées. Il n'y a qu'un seul hôtel digne de ce nom, *le Salam*, dont les chambres sont vraiment très rudimentaires.

OUARZAZATE ET LES OASIS DU SUD

Si le nom de Ouarzazate fait rêver, la ville risque de décevoir mais c'est la porte qui s'ouvre sur le Grand Sud, celui où le sable ne demande qu'à tout envahir. Le long des oueds Dra, Dadès et Ziz, ce ne sont que vergers, champs, palmeraies et même jardins de roses qui, le long de leurs rives, « déroulent un long ruban fertile où les hommes font des miracles ». Ouarzazate est le point de départ de cette route des oasis mais elle est aussi le point de rencontre des différentes cultures de la région et de son artisanat. La vallée du Dra n'est qu'une succession d'oasis jusqu'à Mhamid, là où celui qui fut le plus long fleuve du Maroc disparaît mystérieusement dans les sables. Les ksour de pisé se succèdent tout au long du parcours avec leur belle architecture de terre ocre. En toile de fond, l'arête du djebel Kissane déroule sa muraille naturelle comme une immense draperie de pierre.

Nous voici à Zagora, là où les Saadiens conquirent le Sous puis le Maroc « avant de se lancer dans la grande aventure qui les menèrent jusqu'à Tombouctou ». Zagora est le point de départ de nombreuses excursions, notamment vers Mhamid, la porte du désert. C'est là que commence le domaine du sable et du vent avec l'immense plateau désertique du Dra.

La région du Dadès constitue un véritable enchantement avec sa « vallée des mille casbahs » où l'oued Dadès se faufile entre deux hautes murailles. Palmeraies et jardins font des taches colorées sur le fond ocre des montagnes. Les gorges du Dadès apparaissent comme un coup d'épée dans cette masse calcaire. Les gorges du Todra ne sont pas moins impressionnantes avec leurs deux hautes falaises à pic de 300 m entre lesquelles on pénètre comme dans une gigantesque cathédrale dont la voûte se serait effondrée pour faire place au ciel.

La vallée du Ziz nous permettra de retrouver le désert en nous conduisant aux portes d'Erfoud. Après quelques kilomètres de piste apparaissent les dunes de Merzouga, premières vagues d'une mer de sable aux couleurs changeantes et dont les crêtes dessinent jusqu'à l'infini d'élégantes arabesques.

OUARZAZATE   IND. TÉL. : 04

Cette ancienne ville de garnison est en voie de devenir, sous l'impulsion des autorités marocaines, un grand centre touristique. Le projet est ambitieux. En quelques années, de nombreux hôtels se sont construits et une liaison régulière aérienne est désormais assurée avec la France, plusieurs fois par semaine. Il fallait bien désengorger Marrakech, arrivée à un point de saturation. Et puis, on est bien obligé d'y passer pour faire le Sud marocain ! Ouarzazate se situe au confluent de l'oued Dra et de l'oued Dadès dont les vallées sont exceptionnelles. C'est d'ailleurs sa seule raison d'être. La considérer comme une étape, avant d'aller plus loin vers le dépaysement. Le vol Marrakech-Ouarzazate est magnifique. On survole la chaîne de l'Atlas.

Le colonel de la légion qui traça le plan de cette garnison en 1928 ne reconnaîtrait pas son œuvre. Le nombre d'habitants a quadruplé ces dernières années pour atteindre celui de 60 000. Mais la folie des grandeurs s'est emparée de la municipalité qui a bénéficié d'un gros chèque de subventions. On a élargi les avenues et planté des lampadaires dignes d'un stade de football. Cette démesure rend certaines parties de la ville sinistre. En contrepartie, les gens y sont accueillants et on peut s'y promener tranquillement. Avec sa situation sur un plateau à 1 160 m, Ouarzazate bénéficie d'un climat exceptionnel.

Adresses utiles

Infos touristiques

🄶 *Office du tourisme :* av. Mohammed-V, à côté de la poste *(plan B2)*. Ouvert du lundi au jeudi de 8 h 30 à 12 h et de 14 h 30 à 18 h 30, le vendredi de 8 h 30 à 11 h 30 et de 15 h à 18 h 30. Fermé samedi et dimanche. Efficace et aimable. A noter que les faux guides sont pratiquement inexistants ici. Bureau des guides officiels à la délégation du tourisme.

i *Syndicat d'initiative :* en cours d'installation depuis des années.

Services

✉ *Poste :* av. Mohammed-V *(plan B2)*. Ouverte du lundi au samedi, de 8 h 30 à 12 h et de 14 h 30 à 18 h.

■ *Banques :* nombreuses dans l'avenue Mohammed-V. La plus efficace est le *Crédit Agricole.* En dehors des horaires d'ouverture, change possible à la réception des grands hôtels, dans certains restaurants et de nombreuses boutiques.

Urgences

■ *Pharmacie de nuit :* au siège de la Municipalité, av. Mohammed-V *(plan B2, 1).* En face de la poste.

■ *Hôpital Sidi H'cein :* av. du Prince-Héritier (qui mène à l'aéroport).

■ *Médecin :* Dr A. Lahrach. ☎ (cabinet) 88-64-64 et (domicile) ☎ 88-32-42.

Compagnie aérienne et agence de voyages

■ *Royal Air Maroc :* av. Mohammed-V *(plan B2, 2).* ☎ 88-50-80 et 88-51-02.

■ *Ksour Voyages :* place du 3-Mars *(plan A1, 3).* ☎ 88-28-40. Fax : 88-48-99. Mustapha Filali et sa femme connaissent parfaitement la région. Leur agence représente la plupart des tours-opérateurs français.

Achats, loisirs, manifestations

■ *Presse française :* librairie Belmsaggam, av. Mohammed-V, à côté de la station-service *(plan B2, 4).*

■ *Marché municipal :* derrière la place du 3-Mars. Marché couvert ouvert chaque jour jusqu'à 21 h. On y vend même des fleurs.

■ *Petit marché :* près de la gare routière, rue du Marché *(of course).* Tous les jours. Beaucoup plus typique que le précédent.

■ *Supermarchés :* Dimitri, av. Moham-

med-V *(plan B2, 5).* Ouvert de 8 h 30 à 21 h. Beaucoup de choix. Vente d'alcool. N'acceptent pas les cartes de crédit. Supermarché du Dadès, rue de la Poste *(plan B1, 6),* à côté du restaurant *Chez Nabil.* On y trouve de tout à des prix intéressants. Un peu moins cher que le précédent. Vente d'alcool. Ferme à l'heure du déjeuner.

■ *Piscine :* dans le complexe de Ouarzazate *(plan D1, 7).* Ouverte de 9 h à 13 h et de 15 h à 19 h. Entrée payante. Magnifique bassin de 39 m, bien entretenu, dans un très beau décor, juste à côté du camping. Les principaux hôtels acceptent des non-résidents, moyennant un droit d'accès entre 20 et 30 FF.

■ *Culte catholique :* rue Da-ou-Gadim *(plan A2, 8).* Sur la droite dans l'avenue Mohammed-V, avant la mosquée. L'église, construite par la légion dans les années 30, abrite quelques franciscaines qui jouent le rôle d'assistantes sociales. Messe le jeudi et le dimanche à 19 h.

– *Souk :* le mardi à Sidi Daoud et le samedi à Tabounte.

– *Foire artisanale :* en mai.

Location de voitures, garage

De tout et à tous les prix, mais nous conseillons plutôt les agences internationales.

■ *Inter Rent, Europcar :* place du 3-Mars *(plan A1).* ☎ 88-20-35. Fax : 88-40-27. Très sympa.

■ *Hertz :* 33, av. Mohammed-V *(plan B2).* ☎ 88-20-84 et 88-34-85.

■ *Budget :* av. Mohammed-V, à côté de la résidence *Al Warda (plan A1).* ☎ 88-28-92.

■ *Avis :* av. Mohammed-V. ☎ 88-43-10.

■ *Yousri Car :* 51, av. Mohammed-V. ☎ 88-55-90. Fax : 88-53-70. Petite agence fondée par un ancien gérant d'Europcar. N'a rien d'International mais les véhicules sont en bon état et l'accueil est sympa.

■ *Station Total :* à la sortie de Ouarzazate, sur la route de El Kelaa. Acceptent les cartes de crédit.

Où dormir ?

De très bon marché à bon marché

⌂ *Camping municipal :* à la sortie de la ville vers Tineghir, côté sud de la route, juste après le complexe touristique *(plan D1, 20).* ☎ 88-25-78. Ouvert toute l'année. Géré par Aouis Boujmaa et son fils, ce camping dispose d'un peu d'ombre sous des bouquets d'arbres. Pas d'herbe. Les sanitaires pourraient être mieux entretenus. Boissons fraîches

et télévision au bar. On peut manger une cuisine simple. Accueil sympa. Pour ceux qui n'ont pas de tente, le patron propose des pièces propres à deux lits, pas chères. La piscine du complexe (chère) est juste à côté.

⌂ *Hôtel Saghro :* à Hay Tabounte, à la sortie de la ville, sur la route de Zagora, après le pont, à 2,5 km du centre *(hors plan par B2,21).* ☎ 88-43-05. Propose

25 chambres simples mais propres avec douches chaudes collectives à des prix défiant toute concurrence. Rapport qualité-prix exceptionnel. Seul inconvénient, l'établissement est bruyant de par sa situation. Bon restaurant. Pas d'alcool.

♠ *Hôtel-restaurant la Vallée :* à Tabounte, à 2 km du centre, sur la route de Zagora, un peu avant le précédent sur la gauche *(hors plan par B2, 22).* ☎ 88-26-68. Fax : 88-28-10. Cet établissement comporte une dizaine de chambres avec une douche chaude à l'extérieur. Les chambres ont une fenêtre donnant sur un couloir. Des salles de bains individuelles sont prévues. Attention, au déjeuner c'est une étape pour les cars de touristes reçus sous de magnifiques tentes caïdales. En revanche, le soir peu de monde pour le dîner. Une belle piscine vient d'être construite. Excellent accueil de Zaïa, le patron, et de son personnel. Alcool servi au restaurant.

♠ *Hôtel Bab Sahra :* place Al-Mouahidine, à la gare routière, mais celle-ci devrait déménager *(plan B1, 23).* ☎ 88-47-22 et 88-44-65. Ils proposent 14 chambres avec salles de bains collectives à moins de 50 FF la double et 25 chambres avec douche individuelle et eau chaude entre 60 et 80 FF. Bruyant bien entendu, surtout le matin. On ne saurait tout avoir. Change à la réception.

♠ *Hôtel Es Salam :* av. Mohammed-V *(plan B2, 24).* ☎ 88-25-12. Les 50 chambres donnent sur un patio. Elles sont très rudimentaires mais propres. Bon accueil. Les chambres sont payables d'avance. Bon accueil et propre. Pas de petit déjeuner.

♠ *Hôtel Royal :* 24, av. Mohammed-V *(plan B2, 25).* L'entrée est sur le côté gauche du restaurant qui porte le même nom et que nous vous déconseillons. Malgré son nom, cet établissement n'a rien de royal. Les chambres du premier sont mieux que les autres. Certaines ont douche et w.-c. personnels. Mais le tout est désormais mal entretenu et l'accueil détestable.

♠ *Hôtel Atlas :* 13, rue du Marché *(plan B1-2, 26).* ☎ 88-23-07. Dans une rue parallèle à l'avenue Mohammed-V. La propreté laissait beaucoup à désirer. Il semblerait que la situation s'améliore un peu. A n'utiliser que si les autres adresses sont complètes. Beaucoup de rabatteurs connaissent cette adresse.

Prix moyens

♠ *Hôtel Amlal :* en venant de Marrakech, c'est sur la gauche, tout près de l'avenue Mohammed-V, dans un quartier nouveau où les rues ne sont pas terminées *(plan A2, 27).* ☎ 88-40-30. Fax : 88-46-00. Au total 28 chambres donnant autour d'un patio central. Sanitaires très simples avec eau chaude et toilettes à la turque. Petit déjeuner copieux et bon accueil. Parking gardé. Ils font aussi restaurant. L'environnement est un peu triste.

♠ *Hôtel la Gazelle :* av. Mohammed-V, sur la gauche en venant d'Agadir. ☎ 88-21-51. A 1 km du centre ville *(plan A1, 28).* Rappelle vaguement les motels américains. 30 chambres avec salle de bains et w.-c. Petit patio et petite piscine. Cet hôtel a la spécialité d'alimenter copieusement notre courrier de lecteurs mécontents. Mais il semblerait que la direction soit enfin décidée à réagir. Les chambres ont été repeintes et les radiateurs prêts à fonctionner quand il fera froid. Petit déjeuner quelconque et accueil toujours aussi peu aimable. On a vraiment l'impression de déranger le personnel. A vous de voir !

Chic

♠ *Hôtel Tichka Salam :* av. Mohammed-V, en direction de Tineghir, dans une rue sur la droite *(plan B1, 29).* ☎ 88-22-06 et 88-56-80. Une centaine de chambres donnant sur un patio de brique dont les balcons sont ornés de plantes vertes. Au centre, petite piscine en forme de porte marocaine. Air conditionné (souvent en panne) et chauffage. La rénovation des chambres est en cours. Elles en avaient grand besoin. Compter selon la saison de 240 à 340 FF en demi-pension pour 2 personnes si vous réservez de Paris auprès de *Maroc Hôtel.* Sur place, une réduction de 15 % vous sera accordée sur le prix affiché.

Très chic

♠ *Club Med :* admirablement situé sur un promontoir face à la casbah de Taourirt *(plan C2, 30).* ☎ 88-26-50, 88-22-83 et 88-28-14. Un petit hôtel de charme à dimension humaine. Les chambres, réparties autour de patios, sont très confortables (elles viennent d'être refaites). On y trouve tous les plus du club : hammam, boutique, excursions, bar bien achalandé, petite piscine abritée. Ceux qui peuvent s'offrir ce luxe ne le regretteront pas. Compter pour une double avec petit déjeuner 380 ou 480 FF selon la saison. Réduction de 10 % pour nos lecteurs. La table est excellente (voir rubrique « Où manger ? »), et chaque soir animation. Cartes de crédit acceptées, change et organisation d'excursions à la demande et sur mesure.

♠ *Hôtel Kenzi Azghor :* av. Prince-Moulay-Rachid *(plan B2, 31).* ☎ 88-

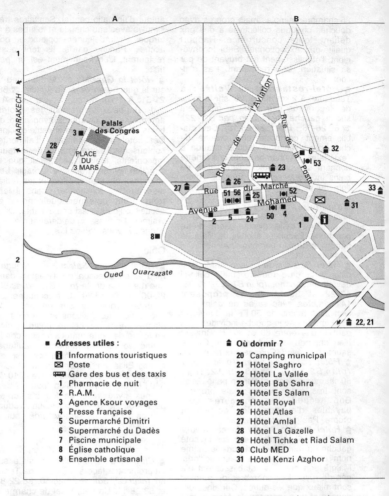

■ **Adresses utiles :**

🛈 Informations touristiques
✉ Poste
🚌 Gare des bus et des taxis
1 Pharmacie de nuit
2 R.A.M.
3 Agence Ksour voyages
4 Presse française
5 Supermarché Dimitri
6 Supermarché du Dadès
7 Piscine municipale
8 Église catholique
9 Ensemble artisanal

⌂ **Où dormir ?**

20 Camping municipal
21 Hôtel Saghro
22 Hôtel La Vallée
23 Hôtel Bab Sahra
24 Hôtel Es Salam
25 Hôtel Royal
26 Hôtel Atlas
27 Hôtel Amlal
28 Hôtel La Gazelle
29 Hôtel Tichka et Riad Salam
30 Club MED
31 Hôtel Kenzi Azghor

60-00 et 88-65-00 à 05. Fax : 88-63-53. Un des fleurons de cette nouvelle chaîne. Cet établissement, à l'abandon depuis des années, a été transformé par un architecte et un décorateur très talentueux dans le style caractéristique du Sud. Harmonie des coloris, choix des tissus et des tapis, disposition des meubles, la réussite est totale. Les chambres sont petites mais fonctionnelles et bien agencées avec des salles de bains très agréables. De la terrasse de la piscine, vue exceptionnelle. Un grill a été aménagé sur cette plate-forme qui domine le paysage. On y propose des plats simples, économiques et très bien préparés. Excellent service et bon accueil. C'est un hôtel que nous apprécions pour son confort mais aussi pour son charme. Prix spéciaux pour nos lecteurs sur présentation du guide de l'année. Compter un peu moins de 300 FF pour la double avec petit déjeuner en haute saison et 210 FF environ en basse saison (taxe de séjour en sus).

⌂ *Riad Salam :* av. Mohammed-V, à côté du *Tichka (plan C2, 29).* ☎ 88-22-06. Cet établissement 4 étoiles A se compose de deux casbahs en pisé, autour d'une piscine (non chauffée) avec cascade. Tennis (location de raquettes), sauna, équitation. Compter de 420 à 620 FF, selon la saison, pour deux personnes en demi-pension si vous réservez de Paris à *Maroc Hôtel.* ☎ 47-55-09-09. Comme dans tous les hôtels de cette chaîne, une réduction de 15 % est

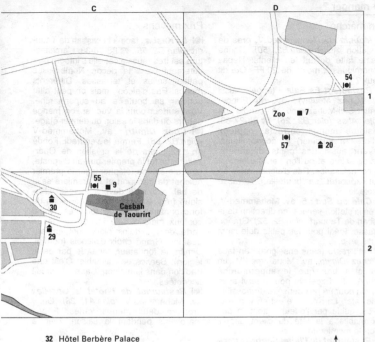

NORD

32 Hôtel Berbère Palace
33 Hôtel Bélère Palace

⦿ Où manger ?
50 Café Mounia
51 Restaurant Es Salam
52 Café du Sud
53 Chez Nabil
54 Wahat Draa
55 La Kasba
56 Chez Dimitri
57 Complexe de Ouarzazate

accordée sur place sur le prix affiché pour tous nos lecteurs. Dommage que les deux restaurants soient aussi quelconques. On est en droit d'espérer mieux dans ce type d'établissement.
â **Hôtel Berbère Palace** (plan B1, 32) : ☎ 88-30-77 et 88-31-05. Fax : 88-30-71 et 88-36-15. Encore un 5 étoiles de la ville. Les chambres, réparties dans des bungalows au milieu d'un grand jardin, sont décorées simplement mais avec goût. Climatisation individuelle. Belle piscine qui manque encore de végétation autour et le ménage de l'hôtel laisse unanimement à désirer. Club de remise en forme. Sauna. Hammam. Belle salle de restaurant où l'on sert une excellente

cuisine. Les salons et le bar sont très agréables.
â **Hôtel Bélère :** av. Moulay-Rachid (plan B2, 33). ☎ 88-28-03, 88-29-37 ou 88-30-04. Fax : 88-31-45. 270 chambres luxueusement décorées, avec loggia et terrasse, entourent une étonnante piscine. L'établissement a été construit dans le style local, ce qui lui donne beaucoup de caractère. Nos éloges s'arrêtent là. L'hôtel est envahi par des groupes et les clients sont traités comme du bétail par le personnel. Service déplorable et, de plus, la cuisine est très mauvaise. Il serait grand temps que la direction se ressaisisse.

Où manger ?

Bon marché

I●I *Mounia :* av. Mohammed-V, près de la station *AGIP (plan B2, 50).* Bonne cuisine faite devant les clients. Repas économiques à moins de 20 FF. Qui dit mieux ?

I●I *Restaurant Es Salam* (appelé aussi *Café Chez Moulay*) : av. du Prince-Héritier-Sidi-Mohammed, à l'angle de l'*hôtel Atlas (plan B2, 26).* ☎ 88-27-63. Plusieurs menus corrects, copieux (difficiles à terminer) et économiques. Servent aussi des petits déjeuners. Endroit animé et où l'on peut facilement lier connaissance. Pas d'alcool, mais on peut apporter sa bouteille. Terrasse ensoleillée.

I●I *Café du Sud :* 5, av. Mohammed-V, après la station-service, en direction de la casbah de Taourirt *(plan B2, 52).* Grande terrasse. Idéal pour les petits déjeuners ou les en-cas.

I●I Petit *resto* (sans enseigne) : en face de chez *Dimitri,* av. Mohammed-V, un peu plus bas que le supermarché *(plan A1, 5).* Excellent poulet servi avec du pain pour un prix dérisoire. Impossible de le rater. La rôtissoire est en vitrine et on est guidé par l'odeur. Attention aux prix établis à la tête du client depuis qu'on le mentionne.

I●I *Restaurant de l'hôtel Saghro :* route de Zagora, Hay Tabounte, à 2,5 km du centre *(hors plan par B2, 21).* Menu avec *tajine,* couscous ou brochettes à petit prix. *Harira* servie en hiver. Simple mais propre et bon.

I●I *Chez Nabil :* rue de la Poste ou Hay-Moulay-Rachid, à côté du supermarché *(plan B1, 53).* ☎ 88-45-45. Dans une petite salle climatisée agréable, vous pouvez manger des brochettes, d'excellentes côtelettes d'agneau, des hamburgers, des sandwiches à un prix qui ne vous ruinera pas. Tout est très propre et la cuisine est bonne. Ils servent aussi des petits déjeuners. Réservation conseillée pour le dîner.

I●I *Restaurant Wahat Draa, chez Ahmed Chegri :* à Aït Kdif *(plan D1, 54).* ☎ 88-63-86. Prendre la direction de Tineghir et suivre le fléchage pour l'hôtel *Zat,* à 2 km du centre ville. Ahmed et sa femme Najeth vous accueilleront chaleureusement. Vous pourrez y déguster des spécialités marocaines. La *pastilla* (excellente) est beaucoup moins chère qu'ailleurs. Menu économique et vin à prix raisonnable. La table d'Ahmed est considérée comme l'une des meilleures par les habitants de Ouarzazate. Ahmed organise aussi des excursions et pourra vous conseiller. Il est très serviable et connaît toute la région.

Prix moyens

I●I *La Kasba :* face à la casbah de Taourirt *(plan C2, 55).* ☎ 88-20-33. L'architecture est très réussie car elle s'intègre parfaitement dans le décor. Nombreuses petites salles et terrasses. Différents menus. Pas d'alcool, mais on peut aller acheter sa bouteille au supermarché. Vaut surtout pour la vue, si l'on mange dehors ou dans le salon du dernier étage.

I●I *Chez Dimitri :* av. Mohammed-V *(plan B2, 56).* Fermé le vendredi. Fondé en 1928, lors de la création de Ouarzazate, ce fut le premier bureau de poste, la seule cabine téléphonique, le premier guichet de transport et la première salle de bal, avant de devenir le resto classique fréquenté par des générations de fonctionnaires puis de touristes. Menu copieux mais cuisine inégale. Éviter la carte dont certains plats sont immangeables. Grand choix d'alcools (normal, Dimitri, le fondateur, tenait le bar de la légion). Service peu aimable. C'est une tradition dans la maison. Cartes de crédit acceptées.

I●I *Restaurant de l'hôtel la Gazelle :* av. Mohammed-V *(plan A1, 28).* On y propose deux menus variés. Repas marocains pendant la saison. Rien à redire.

Chic et très chic

I●I *Restaurant du Club Med (plan C2, 30) :* ☎ 88-26-50, 88-22-83 et 88-28-14. A midi, buffets pantagruéliques. Tout à profusion ! N'essayez pas de tester toutes les entrées ni de goûter à tous les plats de résistance. Gardez une petite place pour les montagnes de fruits, la farandole de desserts et les plateaux de fromages bien de chez nous. Vin à discrétion. Le soir, dîner à thème dans les salons ou sous la tente caïdale. Excellente table et service stylé. Accès à l'animation après le dîner. Compter 90 FF en été et 120 FF en hiver pour un repas qui comblera les plus affamés et les plus exigeants. Cartes de crédit acceptées.

I●I *Le complexe de Ouarzazate :* à côté du camping, à la sortie de la ville vers Tineghir *(plan D1, 57).* ☎ 88-31-10. Une magnifique réalisation créée avec beaucoup de goût autour d'un belle piscine. Deux superbes salons, orientés vers le sud, très joliment décorés dans le style mauresque, l'un tout en rose, l'autre en vert. Admirez la laque des murs, dont la technique très particulière utilise du jaune d'œuf. Plusieurs tentes bédouines ont été plantées au bord du bassin et permettent de profiter d'un cadre exceptionnel. Deux menus sont proposés (bons mais peu copieux), sans parler de la carte où l'on trouve de la *pastilla*. Le soir, de février à fin juin, spectacle de folklore local. Beaucoup de groupes mais les individuels sont traités séparément. Compter un peu plus de 100 FF.

A voir

★ **La casbah de Taourirt** *(plan C2)* : à 1,5 km du centre, sur la route de Tineghir, face au Club Méditerranée. Entrée payante. Inutile de s'encombrer d'un guide pour la visite. Ouverte de 8 h à 12 h et de 14 h à 18 h ; journée continue en pleine saison. Cette somptueuse résidence du pacha de Marrakech est la preuve que l'on peut faire de superbes bâtiments uniquement en terre. L'ensemble forme tout un village fortifié, desservi par un réseau de ruelles. On visite ce qui subsiste des anciens appartements du Glaoui (2 pièces seulement) qui ont conservé leur décoration de stucs peints et leur plafond de bois de cèdre. Certaines parties sont inaccessibles, car ce château de boue menace ruine. Attention aux magasins qui sont à l'entrée de la casbah et prétendent être la coopérative d'artisanat pratiquant des prix officiels.
Chaque printemps, pendant une semaine, un festival folklorique se déroule dans le cadre exceptionnel de la casbah.

★ **L'ensemble artisanal** : juste en face de la casbah *(plan C2, 9)*. Bâtiment moderne qui regroupe les ateliers des sculpteurs sur pierre, sur cuivre ou sur argent. On y trouve des broderies et des tapis, principalement des *ouzquita* qui se caractérisent par l'originalité de leur dessin et de leurs coloris vifs. Ils sont tissés d'une façon assez lâche avec des laines soyeuses par une tribu dont ils portent le nom. Ce centre artisanal *(Coopartim)* offre l'avantage d'avoir des prix fixés par la délégation régionale. Sur la droite en sortant du bâtiment, un café où il est agréable de boire un verre, le soir, quand la casbah est éclairée.

★ **La coopérative artisanale des tissages de tapis** : av. Mohammed-V, en face de la gendarmerie royale. Pour avoir une idée de ce qui se fait dans la région et des prix pratiqués.

★ **Le mini-zoo** *(plan D1)* : en face du complexe de Ouarzazate. Demander au soigneur, Lhoussain Zerrad, de vous commenter la visite.

★ La **place du 3-Mars** *(plan A1)* : pour son animation les soirs d'été.

Dans les environs

★ **Ksar de Aït Benhaddou** : à 33 km (voir chapitre concerné).

★ **Casbah de Tifoultoute** : prendre la direction de Zagora. Au premier village, tourner à droite vers Tifoultoute (8 km) après la station d'essence. C'est fléché. On y accède aussi en venant de Marrakech par la P 31 et en tournant ensuite vers Zagora. Une des plus belles casbahs du Glaoui (entrée payante) qui va être prochainement transformée en hôtel-restaurant. Du haut d'un promontoire rocheux, elle surplombe l'oued et la palmeraie. Des cigognes ont élu domicile dans les tours. Un cadre exceptionnel qui servit de décor à des films comme *Lawrence d'Arabie* et *Jésus de Nazareth,* et qui fait vite oublier les éboulis et les dégâts dus aux intempéries. De la terrasse, on découvre une vue magnifique sur toute la vallée jusqu'au Haut Atlas. Un passage conduit à l'intérieur du modeste village. Possibilité de se promener en suivant le lit de l'oued.

★ **Casbah de Tilmasma** (« de la Cigogne ») : prendre la route de Zagora et tourner à gauche, juste après le pont. Bel exemple d'architecture locale et une agréable balade toute proche, assez peu connue des touristes.

★ **Atlas Corporation Studios** : à 6 km au nord de Ouarzazate en allant sur Marrakech. Le 7ᵉ art n'est pas une nouveauté dans le Sud marocain puisque de nombreux films célèbres comme *Lawrence d'Arabie* y furent tournés. Et, plus récemment, *Harem* et *Banzai*. Dans cette enceinte, baptisée pompeusement « studios », il n'y a rien à voir. Un hôtel est installé à l'intérieur.

★ **Oasis de Fint** : à 15 km environ. Prendre la direction de Zagora et, après le pont de Tabount, sur la droite en direction de la casbah de Tifoultoute. A 3 km environ, panneau sur la gauche. Suivre la piste. Beau paysage avec des roches noires appartenant au plateau présaharien de l'Anti-Atlas. Après l'oued, la petite oasis de Fint apparaît avec son bouquet de verdure. Restaurant-bar.

Quitter Ouarzazate

En avion

✈ **Aéroport :** à 3 km du centre. ☎ 88-23-83. *RAM :* ☎ 88-23-48 et 88-32-36. Les taxis commencent à prendre de mauvaises habitudes en demandant des sommes injustifiées pour un parcours de 3 mn. 20 dirhams semblent être un maximum.
• **Pour Paris, Casablanca, Marrakech et Agadir :** par **Air France** et **RAM** (☎ 88-23-48). Pour regagner Marrakech, le vol est magnifique et bon marché. Une vraie leçon de géographie et de géologie. Ne pas s'en priver si on en a les moyens et si on a déjà fait le parcours par la route.

En bus

🚌 La gare routière, située en plein centre, doit changer de place. Se renseigner à l'office du tourisme *(plan B2)* qui affiche tous les horaires de départ.
Prendre de préférence son billet de bus la veille.

– La **SATAS** a son bureau à l'actuelle gare routière. Départs pour Oujda, Casablanca, Fès, via Marrakech. Le bus quitte Ouarzazate à 9 h 30, arrive à Marrakech à 13 h 30 et à Fès à 22 h.

– La **CTM,** av. Mohammed-V, près de la poste, assure des liaisons régulières.
• **Pour Agadir :** 1 départ à 12 h.
• **Pour Agdz, Zagora, Mhamid :** 1 départ à 12 h 30.
• **Pour Casablanca, Rabat :** 1 départ à 21 h.
• **Pour Er Rachidia, Tineghir, Boumalne, Skoura, Kelaa :** 1 départ à 10 h 30.
• **Pour Marrakech :** 4 départs quotidiens à 8 h 30, 11 h 30, 12 h 30, 21 h. Compter de 4 h 30 à 5 h de trajet.
Il existe aussi des compagnies privées.

En taxi collectif

Ils partent de la place Mouhadine, à 100 m de la gare CTM, et desservent toute la région. Ces « grands taxis », qui se sont considérablement développés depuis quelque temps, attendent d'être complets pour partir. Ils prennent 2 passagers à l'avant sur un seul siège et 4 à l'arrière. Le véhicule se transforme vite en boîte à sardines.

LA VALLÉE DU DRA

Une route goudronnée de 164 km jusqu'à Zagora longe en partie cet oued dans une vallée bordée de palmeraies, de champs et de superbes ksour bâtis en pisé. Il faut passer au moins une nuit à Zagora. Faire l'aller et le retour à des heures différentes pour profiter pleinement des divers éclairages tout au long de cet itinéraire. La route vient d'être refaite. Compter 4 h sans se presser. Le Dra (ou Drâa), né dans le massif de l'Atlas, a bien du mal au début de son cours à se frayer un passage dans les montagnes mais, à partir d'Agdz jusqu'à Mhamid, son mince filet d'eau arrose une oasis sur près de 200 km avant de se perdre dans les sables. Lors des grandes crues, ce fleuve retrouve alors son ancien cours et ses eaux traversent le désert pour aller se jeter dans l'océan. La distance de 750 km entre Mhamid et l'embouchure de l'Atlantique fait de ce « fleuve fantôme » le plus long cours d'eau du Maroc. Les textes anciens racontent que sur ses rives se prélassaient des crocodiles et que la région était prospère. On ne voit plus qu'un lit sablonneux envahi de pierraille.
Insensiblement, le long du parcours, la peau des habitants devient plus foncée. Certains descendent d'esclaves enlevés au Soudan lors de la période saadienne.
La première partie, jusqu'à Agdz (68 km), sinueuse et aride, traverse des paysages de montagne dépouillés, de champs et de superbes impressionnantes et des éboulis de pierres parfois noires et brillantes. Après le col de Tizi N'Tinifift (1 660 m), la route descend vers Agdz où elle retrouve le cours du Dra, offrant une belle vue sur la vallée fortifiée d'innombrables casbahs et de ksour en pisé.
Sur ce parcours, ne jamais s'arrêter pour prendre des auto-stoppeurs : il s'agit toujours de rabatteurs travaillant pour le compte de commerçants. Le coup de la panne est aussi assez fréquent (voir au début du guide le chapitre sur les faux guides). Ne pas tomber dans le panneau.

★ *LA CASCADE DU DRA*

A 17 km avant Agdz, une mauvaise piste de 10 km, sur la gauche, conduit à la cascade d'où il est possible de se baigner dans les sept lacs successifs. La piste n'étant praticable qu'en 4 × 4 ou, éventuellement, en 4 L, on pourra demander à l'*hôtel Kissane* ou au *camping* d'Agdz d'organiser l'excursion. Si Omar, qui s'occupe de l'entretien de la cascade, veut vous faire visiter, fixez le prix avec lui auparavant, c'est préférable.

★ *AGDZ* (prononcer Agdès)

La ville n'est pas passionnante, mais elle est dominée par l'impressionnante arête rocheuse du djebel Kissane qui suit le cours du fleuve sur près de 40 km. Le centre administratif, aux maisons à arcades, n'est qu'une succession de boutiques de souvenirs. Le racolage est omniprésent.
– *Souk :* le jeudi. Animé et intéressant.
– *Bus pour Ouarzazate et pour Zagora :* attention, ils sont toujours complets. Des taxis collectifs partent de la place centrale.

Où dormir ? Où manger ?

Très bon marché

🛏 *Hôtel des Palmiers :* sur la Grand-Place, tout à côté de la pompe à essence. ☎ (04) 84-31-27 et 31-87. On entre sur le côté par une ruelle. Mal indiqué. Panneau minuscule. Une quinzaine de chambres propres à l'étage, mais en nombre insuffisant si l'hôtel est complet. Certaines donnent sur le couloir et n'ont pas de fenêtres. Elles sont moins chères. Douches chaudes et toilettes impeccables. Seuls inconvénients : l'hôtel est très bruyant et nombre de faux guides gravitent autour.

Prix moyens

🛏 *Hôtel Kissane :* av. Mohammed-V, en arrivant à Agdz, sur la droite. ☎ (04) 84-30-44. Fax : (04) 84-32-58. Un établissement récent et bien tenu. Excellent accueil. 30 chambres d'une grande propreté. Salles de bains avec eau chaude. Terrasse, coffee-shop et restaurant. La carte est très courte, mais la cuisine s'avère excellente. Le *tajine* de poulet au citron est inoubliable. D'octobre à décembre, *tajine* de coings. De la vraie cuisine marocaine qui n'a rien à voir avec ce que l'on vous sert dans la plupart des restaurants. Pas d'alcool. Cartes de crédit acceptées. Piscine en construction. Un excellent rapport qualité-prix puisque la chambre double revient à environ 110 FF sans le petit déjeuner. Qui dit mieux ? Mérite au moins une halte pour un repas.
Ne pas confondre avec le café-restaurant du même nom, installé à la sortie de la ville en direction de Zagora. Sa cuisine est nulle.
🛏 *Camping Casbah de la Palmeraie :* l'accès est fléché du centre d'Agdz, c'est à 2 km. On traverse le Dar La Glaoui. ☎ (04) 84-30-80. Ombragé, à l'extrémité d'une palmeraie et à 100 m d'une belle casbah. Calme, avec un petit bassin faisant office de piscine. Ceux qui ne disposent pas de tente peuvent passer la nuit sur les terrasses ou dans les chambres de la casbah. Organisation de randonnées à pied, à VTT et en 4 × 4.

★ *VERS LE SUD*

C'est à partir d'Agdz que commence vraiment la vallée dans toute sa splendeur. La route longe alors des casbahs et des palmeraies parmi les plus belles du Maroc.

★ Promenade possible jusqu'au *barrage du Dra*. Prendre la piste à gauche, juste avant le *camping de la Palmeraie* (c'est à 6 km) et redescendre ensuite sur la droite vers la palmeraie. Attention, cette piste est en très mauvais état.

★ A 6 km d'Agdz, le *ksar de Tamnougalt* se dresse dans une luxuriante oasis, de l'autre côté du fleuve. Le traverser pour aller visiter cette ancienne capitale du pays mezguita. 8 km plus loin, *casbah de Timiderte*, construite par le fils aîné du Glaoui. La route est une suite de ksour (on en compte une cinquantaine) et de palmeraies avec des arbres produisant les fameuses dattes *boufeggous*. En fait, tous ces ksour, véritables citadelles abritant des familles entières, n'étaient rien d'autre que des villages fortifiés destinés à protéger les sédentaires des nomades du Sud qui cherchaient à pil-

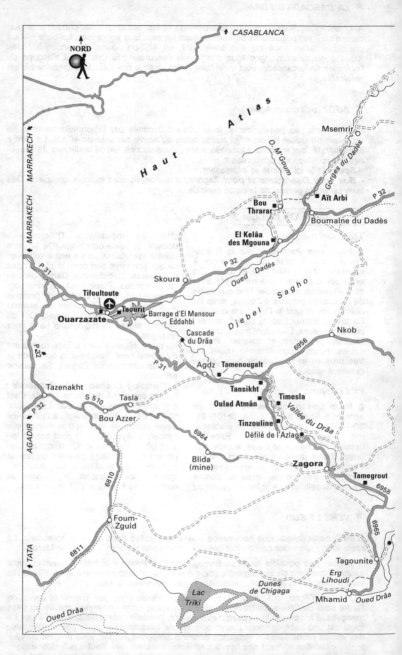

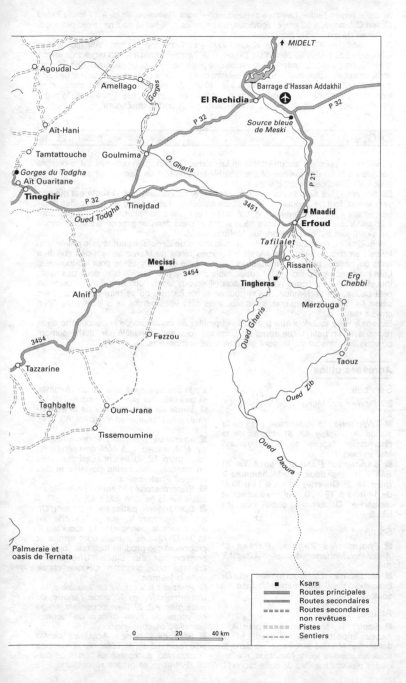

Palmeraie et
oasis de Ternata

■	Ksars
▬▬▬	Routes principales
▬▬▬	Routes secondaires
▬ ▬ ▬	Routes secondaires non revêtues
═ ═ ═	Pistes
─ ─ ─	Sentiers

0   20   40 km

ler cette région fertile. Les plus remarquables sont **Hammou Saïd**, à 17 km, **El Had Ouled Othmane**, à 32 km, et **Igdâoun**, un peu plus loin, sur la gauche, avec des tours en forme de pyramides tronquées.

A Tansikht (km 93), piste pour Knole (40 km) et Tazzarine (74 km). Voir plus loin la rubrique « Les pistes au départ de Zagora ». A *Tinzouline*, au km 133 (souk très animé le lundi), on peut emprunter sur la droite une piste de 7 km pour découvrir des inscriptions rupestres lybico-berbères représentant des cavaliers chasseurs et datant de l'âge du fer (1 000 ans environ avant notre ère). Mais elles ne sont pas faciles à trouver et leur intérêt est très limité pour les non-spécialistes. Juste après Tinzouline, la route pénètre dans le défilé de l'Azlag avant d'arriver aux portes de Zagora.

ZAGORA
IND. TÉL. : 04

Le village ne présente aucun intérêt en lui-même. Sa principale curiosité est le célèbre panneau à la fin de l'avenue Mohammed-V en direction de Tamegrout sur lequel on peut lire « Tombouctou 52 jours ».

En revanche, les excursions que l'on peut faire, maintenant que la route est ouverte vers le sud, font de Zagora un lieu d'étape agréable, d'autant que les possibilités d'hébergement y sont nombreuses. Il faut savoir cependant que les premières dunes sont à 26 km. Vous n'êtes pas encore dans le désert mais dans un gros centre administratif qui s'étire tout au long de l'avenue Mohammed-V.

Les guides, ou soi-disant tels, sont une des plaies de Zagora. Ils ont tous le même uniforme : un chèche bleu. Les « vrais » hommes bleus du Maroc portent des chèches noirs ou, parfois, blancs. Les chèches bleus ont été commercialisés pour les touristes. Leur insistance est difficilement supportable et on ne peut jamais faire deux pas seul ; tout le monde se propose pour vous accueillir, vous aider, vous renseigner (contre un petit cadeau de préférence...). On peut se sentir harcelé ou se faire des amis, c'est selon. Ils font tous croire que, sans eux, vous allez vous perdre dans les sables. N'en croyez rien.

Si vous voulez toutefois être tranquille et profiter au maximum de la découverte de la région avec un natif, faites appel au guide qui vous sera conseillé par l'établissement où vous êtes descendu. Ils sont généralement compétents.

Adresses utiles

Services

✉ **Poste :** av. Mohammed-V *(plan A3, 2)*.

■ **Téléphone :** téléboutiques, près de la station *Agip (plan A2, 8)* et près de la pharmacie *Zagora*, toutes deux av. Mohammed-V.

■ **Banques :** *Banque Populaire* et *BMCE*, toutes deux av. Mohammed-V *(plan A2, 2)*. Ouvertes de 8 h à 11 h 30 et de 14 h 30 à 16 h 30 sauf les samedi et dimanche. Dépannage dans tous les hôtels.

Santé

■ **Pharmacies Zagora, Baraka** et **Asfar :** av. Mohammed-V *(plan A2 et A3, 3)*.

■ **Médecins** (Dr Bourhkrissi et Dr Bouassou) : av. Mohammed-V, face au souk.

Achats

■ **Souk :** av. Mohammed-V *(plan A2)*. Assez important le mercredi et le dimanche. Marché aux Femmes dans le souk les mêmes jours. Non, non, n'écarquillez pas vos mirettes de cette façon ! Il s'agit des ouvrages faits par des femmes et que celles-ci viennent vendre.

■ **Vente de bière :** au *bar de la Palmeraie*, av. Mohammed-V. *(plan A3, 24)*. Pas de vin.

■ **Journaux français :** librairie Najjah, av. Mohammed-V, à côté de l'entrée du souk *(plan A2, 4)*. Ils ont aussi des livres en français, des cartes postales et des timbres. Photocopies.

■ **Supermarché :** à l'entrée de la ville en allant sur la gauche *(plan A2, 7)*.

■ **Boulangerie-pâtisserie :** *Sable d'Or*, av. Mohammed-V, sur la gauche en allant vers le panneau « Tombouctou ». ☎ 84-77-72. Les patrons sont sympa et proposent des produits frais que l'on peut consommer sur place. Une bonne adresse pour grignoter quelque chose dans la journée.

■ **Photos :** *laboratoire La Jeunesse*, av. Mohammed-V, en face de l'entrée du souk *(plan A2, 5)*. Développement, tirage et vente de films offrant de bonnes garanties de conservation.

■ **Stations-service :** *Agip,* au centre ville *(plan A2, 8)*, et *Total,* sur la route de Ouarzazate, acceptent les cartes de crédit. Entretien et petites réparations à la

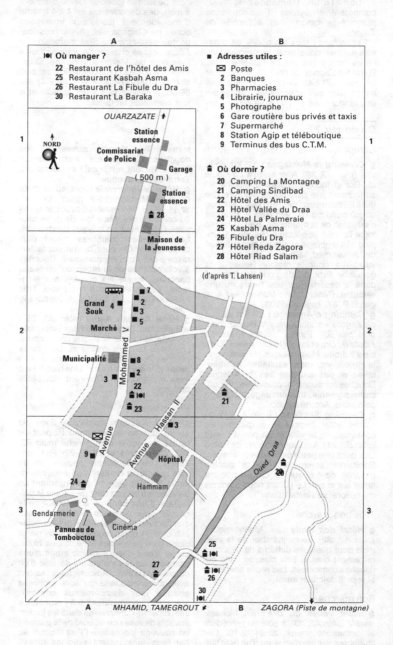

|●| Où manger ?

22 Restaurant de l'hôtel des Amis
25 Restaurant Kasbah Asma
26 Restaurant La Fibule du Dra
30 Restaurant La Baraka

■ Adresses utiles :

⊠ Poste
2 Banques
3 Pharmacies
4 Librairie, journaux
5 Photographe
6 Gare routière bus privés et taxis
7 Supermarché
8 Station Agip et téléboutique
9 Terminus des bus C.T.M.

▲ Où dormir ?

20 Camping La Montagne
21 Camping Sindibad
22 Hôtel des Amis
23 Hôtel Vallée du Draa
24 Hôtel La Palmeraie
25 Kasbah Asma
26 Fibule du Dra
27 Hôtel Reda Zagora
28 Hôtel Riad Salam

(d'après T. Lahsen)

OUARZAZATE ↑

NORD

Station essence
Commissariat de Police
Garage
(500 m)
Station essence
28
Maison de la Jeunesse

Grand Souk
Marché
Municipalité
Mohammed V
Hassan II
Avenue
Avenue
Hôpital
Hammam
Gendarmerie
Cinéma
Panneau de Tombouctou

Oued Draa

7
4
2
3
5
8
2
22
23
3
9
24
20
21
25
27
26
30

A   MHAMID, TAMEGROUT ↗   B   ZAGORA (Piste de montagne)

station Total. Demander Ismaël, compétent et sympa. Essence sans plomb à la station Shell, à l'entrée de Zagora.

– *Excursions :* tous les hôtels en organisent mais nous vous recommandons celles organisées par *La Fibule du Dra,* B.P. 11 à Zagora. ☎ (212-4) 84-73-18 et 23. Fax : (212-4) 84-72-71. Depuis plus de 10 ans, ces spécialistes organisent des randonnées en méharée ou des circuits pédestres (période idéale d'octobre à mai), des découvertes en 4 x 4 (même d'une journée) jusqu'aux immenses dunes de Chigaga, les plus impressionnantes peut-être du Sud marocain. *La Fibule* peut se charger de votre accueil à l'aéroport de Marrakech ou de Ouarzazate. Pour les contacter à Ouarzazate : ☎ (212-4) 88-57-00. Fax : (212-4) 88-58-00. N'hésitez pas à les appeler et à leur demander un devis.

Où dormir ?

Campings

🛖 *Camping la Montagne :* à 3 km de la ville *(plan B3, 20).* Aller jusqu'à *La Fibule du Dra* et tourner ensuite à gauche en empruntant une piste qui peut surprendre mais la récompense est au bout. On longe un joli oued où l'on voit bien le système d'irrigation de la montagne. Eau à volonté toute l'année et douches chaudes. Camping très ombragé et accueil sympathique de Mohammed, le gérant. Une fraîcheur inespérée pour la région. Repas à la demande. Promenade à dos de chameau dans le désert. Pour une heure ou une semaine. Réservation : *Mohammed Azagar,* B.P. 87, Zagora 45900.

🛖 *Camping d'Amezrou :* à 1 km au sud de Zagora en allant vers M'Hamid *(hors plan par B3).* Passer devant l'*hôtel La Fibule du Dra* et longer le canal sur 100 m, c'est à droite. Moins éloigné du centre que le précédent, mais sanitaires rudimentaires et pas toujours très bien tenus. Douches chaudes appréciables. Sinon, cadre agréable, très ombragé, dans une palmeraie. Accueil sympa.

🛖 *Camping Sindibad :* juste à côté du *Grand hôtel Tinzouline,* à gauche, en contrebas de la ville et un peu à l'écart *(plan B2, 21).* A quelques mètres de l'oued Dra, dans une petite palmeraie ombragée. Sanitaires sommaires. Petite piscine payante, de 5 m sur 10. On peut dormir aussi sur le toit. Le gérant nous a promis d'améliorer ses installations.

Très bon marché

🛖 *Hôtel des Amis :* av. Mohammed-V *(plan A2, 22).* Le moins cher de la ville, mais pour quelques dirhams de plus on a nettement mieux. Eau chaude dans les douches communes. Les repas sont bons et le petit déjeuner aussi.

Bon marché

🛖 *Hôtel Vallée du Dra :* av. Mohammed-V *(plan A2, 23),* à côté du précédent et nettement mieux. ☎ 84-72-10. Les chambres sur rue disposent d'un petit balcon. Certaines sont équipées de sanitaires individuels, les autres ont des douches à l'extérieur. Eau chaude. Propre. Ils font aussi café et restaurant. Terrasse sur l'avenue.

🛖 *Hôtel la Palmeraie :* tout au bout de l'avenue Mohammed-V *(plan A3, 24).* ☎ 84-70-08. 16 chambres avec sanitaires au confort limite. Mais lors du passage l'hôtel était en travaux d'extension. Les nouvelles chambres seront plus confortables. On peut dormir sur la terrasse à des tarifs économiques. Douches à volonté. Près de la réception, un grand panneau indique les balades aux alentours. Vente de bière à la buvette. Très bruyant. Beaucoup de faux guides dans le coin.

🛖 *Hôtel Kasbah Asma* *(plan B3, 25) :* voir plus loin. Ils proposent des tentes très confortables installées sous un immense chapiteau berbère dressé au bord de la piscine. Possibilité aussi de dormir à la belle étoile sur la terrasse. Une douche est mise à disposition. Convient aux petits budgets.

Prix moyens

🛖 *Hôtel Kasbah Asma :* à 2 km du centre, juste après avoir franchi le pont sur l'oued Dra sur le côté gauche *(plan B3, 25).* ☎ 84-72-41 et 84-75-99. Fax : 84-75-27. Une magnifique architecture de pisé qui cache derrière son enceinte un jardin fleuri et deux tentes encadrant un belvédère d'où l'on découvre toute la palmeraie. Il faut pénétrer à l'intérieur de la casbah pour découvrir toute la richesse architecturale de cet hôtel qui s'articule autour d'un patio central, dans un décor digne d'un palais des Mille et Une Nuits. Le jet d'eau d'une fontaine surgit d'une vasque sous les stalactites de stuc d'un dôme mozarabe. Autour, deux salons avec air conditionné où sont proposés chaque jour deux menus copieux. Méchoui à commander 2 h à l'avance. Le soir, dîner aux chandelles dans les jardins envahis de roses ou au bord de la piscine : un souvenir inoubliable ! Pas d'alcool au bar (servi uniquement avec les repas). Salons sous des tentes caïdales.

Au premier étage, 17 petites chambres rudimentaires sont réparties autour de ce patio central. Chacune est équipée d'une très modeste salle de bains, en revanche, elles sont climatisées. Très belle piscine à l'ombre des palmiers. Personnel très sympa. Réservation conseillée. Organisation d'excursions avec guides compétents. Cartes de crédit acceptées. Demi-pension obligatoire.

≜ *La Fibule du Dra :* à 100 m de la *Kasbah Asma*, sur la droite *(plan B3, 26)*. ☎ 84-73-18. Fax : 84-72-71. Petit jardin intérieur à la végétation luxuriante et ombragé par des palmiers. Depuis des années, nous recommandons chaleureusement cet hôtel de 24 chambres confortables avec salle de bains et eau chaude. Certaines sont équipées de climatiseurs. Leurs prix se situent à la limite des prix moyens et chic. Pour les petits budgets, *La Fibule* dispose aussi de 7 chambres simples avec douches communes. Piscine. Vaste salle de restaurant. Menu avec plusieurs plats au choix. A la carte et sur commande : la *pastilla* du Sud avec des dattes et des noix ou le méchoui à la vapeur. Bar dans le jardin où l'on peut, entre autres, siroter son pastis, à l'ombre, sous une tonnelle. Le bar porte d'ailleurs le nom d'un grand ivrogne, Abou-Noues, qui fut un grand poète au Ve siècle. Demi-pension obligatoire. Très bon accueil de Sarti Lahcen à la réception. Tout le personnel est d'ailleurs sympa. Cartes de crédit et change. Ils organisent des excursions qui permettent de découvrir la région et surtout la vie quotidienne des habitants. Excursions en 4 × 4 ou randonnées à dromadaires. Plusieurs circuits sont proposés, tous très bien conçus. Faites-leur confiance ; ce sont des spécialistes qui aiment leur pays et vous feront partager leur enthousiasme.

Très chic

≜ *Hôtel Reda Zagora :* près de l'oued Dra, juste avant le pont *(plan A3, 27)*. ☎ 84-70-12. Réservation à Paris : ☎ 46-22-54-50. Cet hôtel, conçu selon l'architecture des casbahs, offre une juxtaposition de bâtiments de hauteurs et de volumes différents et une harmonie de couleurs où se marient les bleus de l'eau et du fer forgé des balcons, les verts des céramiques et des palmiers. La piscine est formée de 3 bassins bordés de fontaines de céramique bleu et blanc mais remplie avec de l'eau du oued.
Les chambres, dont la décoration s'inspire de l'habitat local, sont simples et fonctionnelles ; elles bénéficient d'une vue agréable sur la terrasse intérieure, la palmeraie et l'oued. Mais on se demande pourquoi l'ensemble est si mal entretenu et le service si peu aimable. En basse saison, les prix peuvent se négocier.

≜ *Riad Salam :* bd Mohammed-V, à l'entrée de la ville *(plan A1, 28)*. ☎ 84-74-00. Fax : 84-75-51. Très bel établissement de 120 chambres climatisées sans terrasse ni balcon. Très beau hall d'accueil tout rond. Le bar est très réussi ; en revanche, la piscine est un peu petite. Sauna, boutiques. Deux restaurants (cuisine très contestée), un grill près de la piscine et un salon de thé.

Où manger ?

A Zagora, la plus grande prudence s'impose dans le choix des repas. En dehors des restaurants conseillés, vous pouvez essayer des tables simples convenant à de petits budgets et à des estomacs aguerris : il faut savoir que la chaleur, les pannes de courant ou même l'absence de réfrigérateur dans les petits établissements nous contraignent à la mise en garde ci-dessus. Pour d'autres raisons, évitez aussi les établissements recommandés lorsque vous voyez des cars de touristes débarquer. Dans ce cas, les individuels sont toujours très mal traités.

|●| *Restaurant de l'hôtel des Amis :* av. Mohammed-V *(plan A2, 22)*. Excellente cuisine, surtout si vous pouvez commander à l'avance. On vous mitonnera de surprenants *tajines.* Celui aux légumes est un régal. Laissez-vous conseiller par le cuisinier. Il connaît son affaire. Au mur, une grande carte du Sud marocain. Bon marché.

|●| *Restaurants de Kasbah Asma* (plan B3, 25) *et de la Fibule du Dra* (plan B3, 26) *:* voir rubrique « Où dormir ? ». Prix moyens.
|●| *Restaurant La Baraka :* sur la route de Mhamid, après *La Fibule du Dra (plan B3, 30)*. ☎ 84-77-22. Cadre agréable avec terrasse et tente caïdale. Menu et carte de cuisine marocaine. Prix moyens.

Dans les environs

★ *Djebel Zagora :* cette excursion est à faire au lever du soleil de préférence, si vous avez le courage de vous lever avant lui ! Avec un 4 × 4 ou une 4 L, on peut accéder jusqu'à la moitié du parcours. Il faut poursuivre à pied. Pour la montée sans véhicule, compter 1 h. Au départ du panneau « Tombouctou », prendre la route de Mhamid et après *La Fibule du Dra* emprunter, à gauche, la route de Tamegrout, au pied de la montagne. Après 3 km, bifurquer à droite. Vous serez récompensé de votre effort : le panorama sur le désert avec la palmeraie est superbe.

— Balade à pied dans la palmeraie en longeant la rive gauche de l'oued. Suivre la piste qui passe devant le camping *La Montagne*. Suivre toujours la piste la plus proche de l'oued jusqu'à *Benizoli* (27 km), puis traverser l'oued en utilisant le gué. On tombe sur la route goudronnée qui rejoint Zagora. Là, prendre un « pick-up » ou faire du stop. Vu la durée de la balade (environ 3 h), il faut partir très tôt le matin pour éviter les grosses chaleurs. Apporter de l'eau et un chapeau. Et, bien sûr, on évitera absolument de tremper les pieds dans l'eau à cause de la bilharziose.

Attention à l'arnaque de la visite guidée de la palmeraie. On vous propose des objets d'artisanat, un couscous et du thé à la menthe, ça coûte cher. Fixez un prix avec le guide pour la visite et refusez tout le reste (sauf le thé).

★ *Amazraou :* promenade à effectuer de préférence en fin d'après-midi, en revenant par exemple de Tamegrout. Ce village longe une ancienne casbah dite des Juifs. A l'entrée du ksar, des enfants se disputeront le privilège de vous accompagner dans un jardin pour boire un thé à la menthe. L'endroit est touristique et les enfants sont, bien entendu, de connivence avec les propriétaires des jardins pour vous soutirer quelques dirhams. Mais cela est généralement fait avec le sourire et l'endroit est très agréable. Il faut savoir parfois être dupe !

★ *Palmeraie de Foum Takkat :* prendre à droite, devant le panneau « Tombouctou », l'ancienne piste de Mhamid, dite route de l'Aviation. On rejoint, à 40 km, la nouvelle route de Tagounite, près du pont. Suivre la piste pendant une vingtaine de kilomètres pour atteindre la palmeraie de Foum Takkat. Impraticable avec une voiture de tourisme, mais même avec un véhicule tout-terrain, il n'est pas toujours possible de franchir les gués des oueds.

Quitter Zagora

🚌 *Gare routière* (plan A2) : av. Mohammed-V, près du souk.
— *Pour Ouarzazate :* 3 bus minimum par jour (7 h, 11 h et 17 h). Compter 5 h de trajet. Moins cher que le taxi collectif mais moins rapide.
— *Pour Rissani :* taxis collectifs.

TAMEGROUT

A 22 km de Zagora, sur la route de Mhamid. Tamegrout est un ancien centre religieux célèbre par la bibliothèque de sa *zaouïa* (école coranique) Naciri que l'on peut visiter. Mais son intérêt est très limité (donation). On y garde encore des corans et des manuscrits sur des peaux de gazelle. Quelques ateliers de potiers, en plein air, avec des fours archaïques. Ils produisent des pièces très bon marché. La plupart des poteries de cette coopérative artisanale sont vertes et brunes (le vert s'obtenant avec du manganèse et du cuivre, et le brun avec de l'antimoine et du cuivre). C'est aussi là qu'il est difficile d'échapper aux hordes d'enfants sauf quand les vieux les pourchassent à coups de bâton dans les mollets. La *zaouïa* accueille des gens souffrant d'hypertension et de problèmes psychiques. Ils sont persuadés de guérir s'ils demeurent près du tombeau du fondateur de la zaouia. Cela tient de la cour des miracles. Ils sont à la charge de l'école coranique. Photos interdites. En revanche, si un gamin vous propose de voir les ruelles souterraines du village, n'hésitez pas.

Magnifique dédale de ruelles obscures, avec par endroit un rayon de lumière sous lequel les femmes cousent ou pilent des céréales ; sous le rayon suivant, des hommes discutent. Impressionnante vie souterraine et superbes jeux de lumière !

TINFOU

A 7 km de Tamegrout, en continuant vers Tagounite, on découvre les dunes de Tinfou qui peuvent donner un avant-goût du désert. Ces dunes sont d'ailleurs beaucoup moins impressionnantes que celles de Merzouga. Se méfier des « guides », déguisés en Touareg, qui proposent des balades très bon marché à côté de la dune : on se retrouve dans des familles où il faut distribuer des dirhams.

Où dormir ? Où manger ?

📍 *Auberge du Repos des Sables :* à 100 m des dunes, dans une grande bâtisse en pisé. Un endroit que nous avons recommandé pendant des années mais qui est devenu sale, pour ne pas dire sordide.

📍 *Porte au Sahara :* à 1 km de la route et du précédent, juste au pied de la dune. Bien indiqué. Ce bivouac, entouré de murs, est dirigé par une Allemande et un Marocain. Ce futur complexe 3 étoiles n'offre, pour l'instant, que la possibilité de dormir sous de vastes tentes berbères. 10 chambres sont prévues dans ce motel opérationnel, nous a-t-on dit, courant 96. Restaurant. Location de 4 × 4 et organisation d'excursions. S'adresser à *Sahara Express.* B.P. 28 à Zagora. ☎ 84-70-02.

TAGOUNITE

Au km 60. Succession de maisons basses sans intérêt.

Où dormir ? Où manger ?

📍 *Bivouac Aït Isfoul :* ☎ (04) 84-73-82 à Zagora ou nº 2 à la cabine de Nesrate. A 5 km avant Tagounite. Bien indiqué par un panneau sur la route. Parcourir ensuite 2 km de bonne piste. Ce bivouac, situé au milieu des dunes et des palmiers, à proximité d'une belle casbah, est constitué de tentes berbères. Dommage que le propriétaire soit incapable de continuer les travaux entrepris il y a quelques années. 4 chambres avec douches chaudes et sanitaires sont prévues. Cet endroit sera une merveilleuse étape quand tous les bâtiments seront construits. Bon marché mais sans aucun confort. Repas sur commande.

|●| *Café-restaurant Essada :* devant la station des taxis, sur la droite, au bord de la route. Spécialités : *tajines,* omelettes, salade. Couscous en commandant à l'avance. Boissons fraîches. Si Bechir n'est pas à l'école, il aide au resto et vous donnera des renseignements sur la région. Il peut même vous servir de guide et conduire votre véhicule. Une bonne occasion de découvrir la région.

La route traverse ensuite la magnifique palmeraie, puis le village d'*Ouled Driss,* intéressant par son architecture, avant d'arriver à Mhamid où l'oued Dra va se perdre dans les sables pour ne réapparaître que lors des grandes crues.

Où dormir à Ouled Driss ?

📍 *Carrefour des Caravanes Chez Chemseddine :* à 6 km avant Mhamid, sur le côté gauche de la route et à 800 m d'Ouled Driss. Hébergement sous des tentes nomades. 10 chambres, très sommaires, étaient en construction lors de notre passage. Beaucoup d'ombre grâce aux palmiers. Et comme partout, organisation d'excursions.

MHAMID

Au km 88, c'est le bout du bitume et le début du désert. C'est aussi le dernier centre administratif du Dra moyen. La frontière algérienne n'est qu'à 40 km. Mais il n'y a pas de route, seulement une piste pour les caravanes. Le village n'offre aucun intérêt particulier. Le lundi, jour de souk, on peut croiser quelques « hommes bleus », ces chameliers du désert, autrefois nomades mais qui maintenant se sont sédentarisés. Le reste de la semaine, Mhamid retombe en léthargie. Seuls les enfants et les faux guides restent en éveil. Ils n'hésitent pas à s'accrocher aux véhicules ou à les prendre comme cibles pour leur lancer des pierres. On en connaît plus d'un qui ont fait demi-tour.

Où dormir ? Où manger ?

📍 *Hôtel-restaurant Iriqui :* sur la droite de la place principale en arrivant à Mhamid. ☎ et fax à Ouarzazate : (04) 88-49-91. Ils ont 3 chambres sommaires mais très propres. Sanitaires communs avec douche froide. Électrification en cours. Bon marché. Grande terrasse sur le toit avec tente berbère. Restaurant. Bar (sans alcool) avec un vrai percolateur. Tout est propre et bien tenu. La cuisine est faite par Housine, et Sbaï s'occupe des excursions. Ils organisent des bivouacs, des randonnées à dos de chameaux et des excursions en 4 × 4. Une adresse sérieuse. On peut leur écrire B.P. 13 à Mhamid.

♣ *Hôtel Sahara :* sur la place. Vaut plus par la personnalité de son propriétaire, sympathique, que par ses installations vraiment trop basiques. Pour routard peu exigeant. Organisation d'excursions.

♣ *Camping Al Khaima :* dans la palmeraie. Traverser le pont sur l'oued. Possibilité de dormir dans une petite maison de pisé. L'ensemble, très rudimentaire, est tenu par Bachir qui organise, lui aussi, des excursions.

A faire

Pour visiter les environs, il faut un 4 ×4 et être accompagné. Ne croyez pas ceux qui vous diront qu'avec un véhicule de tourisme vous pourrez passer. En fait, on veut à tout prix vous faire payer un guide et, après quelques kilomètres trop difficiles, vous obliger à revenir, à moins de prendre le risque de casser le moteur. Ne vous laissez surtout pas prendre. On le répète : 4 × 4 obligatoire. Vous pourrez alors vous rendre au *reg Lihoudi* (8 km). Beau paysage avec des grandes dunes.

★ Il est possible de rejoindre *Foum-Zguid* par une piste caillouteuse, cassante, et qui comporte de nombreux passages de tôle ondulée. Compter 140 km et plus de 7 h. Les seuls véhicules à emprunter ce parcours sont ceux de l'armée, une fois par jour. Un véhicule 4 × 4 et un guide sont indispensables. Prendre de la nourriture et beaucoup d'eau. Au km 25, on rejoint la piste Tagounite-Foum-Zguid 6961, mentionnée sur la carte Michelin alors que le premier tronçon ne l'est pas. Paysages lunaires avec d'immenses étendues de pierres sombres à perte de vue. Normalement une autorisation spéciale est nécessaire pour emprunter cette piste. Dans tous les cas, une règle générale s'impose: prudence sur tout le parcours.

★ *Les dunes de Chigaga :* à 45 km. 4 × 4 indispensable. Compter 1 h 30 minimum de piste avec un chauffeur connaissant parfaitement le coin. Ces dunes, longues de 40 km, sont impressionnantes, mais en saison chaude il est impératif de les voir au lever ou au coucher du soleil. C'est pourquoi il est recommandé d'établir un bivouac et de dormir au pied de la dune. En hiver, on peut à la rigueur y aller dans la journée mais les meilleures heures pour la lumière sont toujours celles du matin et du soir. Adressez-vous à des agences spécialisées comme *La Fibule* à Zagora ou directement à Mhamid, à Iriqui : ☎ (04) 88-49-91.

Les pistes au départ de Zagora

LA PISTE ZAGORA-RISSANI

Cette ancienne piste, impressionnante par sa longueur (240 km), a été récemment goudronnée. C'est donc désormais une excellente route que l'on peut parcourir en moins de 4 h, y compris les arrêts photo. Ambiance minérale et monotone. Penser à emporter un baladeur et de l'eau.
– *Attention :* la piste directe Zagora-Tazzarine (en mauvais état) est réservée aux routards prévoyants et courageux disposant d'un véhicule 4 × 4 (boussole, réserve d'eau et pneus de rechange). Compter une journée sans croiser, parfois, un seul véhicule. Pas d'indications et nombreux embranchements. Il est préférable de reprendre le goudron jusqu'à Tansikhte (64 km au nord de Zagora) puis de tourner à droite. Toute cette piste peut s'effectuer sans problème avec une voiture ordinaire (4L par exemple).

– Tronçon Tansikhte-Tazzarine par Nekob

Tazzarine, à 68 km, peut servir d'étape bien que le village ne présente guère d'intérêt. Il possède un bon hôtel, un camping et on peut y faire le plein d'essence.

♣ *Hôtel-restaurant Bougafer :* à la station *Agip*. ☎ 10. Un établissement de 45 chambres, propres, avec 8 douches collectives. Bons repas. Hammam. Terrasse. L'accueil est sympa mais les chambres chères pour ce qu'elles offrent. Ne pas hésiter à marchander. Une bonne étape, la seule possible, sur ce long parcours.

♣ *Camping Amasttou :* accès fléché de

l'entrée de la ville quand on vient de Nekob. ☎ 74. Situé dans une partie de la palmeraie, il est calme et relativement ombragé. Sanitaires avec douche chaude très propres et piscine dans un petit bassin. Des plats régionaux peuvent être servis sous une tente berbère. Bon accueil. Ceux qui n'ont pas de tente peuvent dormir dans une pièce. Un guide attaché au camping peut aider à la découverte de la région (gorges, cascades, fossiles, minéraux, gravures rupestres). Il organise des bivouacs dans le désert.

– Tronçon Tazzarine-Alnif

A 67 km, la palmeraie d'Alnif est agréable. Il existe désormais deux stations d'essence.

🛏 *La Gazelle du Sud :* à Alnif. 4 chambres propres. Bonne nourriture et accueil sympa. L'un des propriétaires est responsable de l'alphabétisation et des écoles de la région. Bon marché.

🛏 *Restaurant Bougafer :* juste en face de *La Gazelle du Sud.* Fait aussi hôtel. Chambres correctes et bon marché avec douche froide. Accueil sympa.

– Tronçon Alnif-Rissani

Environ 95 km de route goudronnée. Bifurcation pour rejoindre Erfoud sans passer par Rissani.

– Bifurcation Alnif-Tineghir

50 km de piste qui rejoint la route Er Rachidia-Tineghir à 25 km à l'est de la ville. La faire en 4 × 4 ou en 4 L. Compter 1 h 30 à 2 h jusqu'à l'embranchement de la nationale. La piste traverse de magnifiques paysages de montagnes et de palmeraies. Elle franchit deux petits cols.

LA PISTE ZAGORA-TINEGHIR

Compter 231 km au total dont 127 de piste, le reste asphalté. Quittez Zagora en direction de Ouarzazate. A Tansikht, pont sur le Dra et continuez jusqu'à Nekob (oasis avec de bons emplacements pour camper). A la sortie de Nekob continuez en direction de Tazzarine jusqu'à un grand panneau : à droite Tazzarine, à gauche *Iknioun.* Emprunter la bonne piste pour Iknioun n'est pas toujours facile, car plusieurs routes se croisent. Bien souvent les pistes les plus marquées sont celles tracées par les camions qui vont dans les mines de la région. Elles aboutissent par conséquent à des culs-de-sac. L'itinéraire est difficile. La piste franchit le *djebel Sarhro,* massif volcanique modelé par l'érosion et habité par quelques courageux transhumants d'Aït Atta. Le vent a donné aux roches une patine foncée et vitreuse. Le paysage, aride et sec comme un minerai, est d'une beauté sauvage. Le col, le *Tizi N'Tazazert,* culmine à 2 200 m (attention, en hiver, il peut être coupé par la neige). Après le Tizi, tenez votre droite jusqu'à trouver de nouveau un panneau : pour Boumalne du Dadès à gauche (39 km), piste plus rapide ; pour Iknioun et Tineghir à droite (64 km), plus jolie. A Iknioun, souk le lundi.

LA PISTE ZAGORA-TAZENAKHT

Ceux qui veulent rejoindre la route de Taroudannt et éviter Ouarzazate peuvent emprunter la piste qui part d'Agdz. Environ 46 km de piste en assez mauvais état mais relativement plate, avant de trouver le bitume. Attention cependant : risque de crevaisons à cause des petits cailloux pointus. Tout le long de la route, villages bien typiques et beaux paysages.
On peut faire halte à Tazenakht.

LA PISTE ZAGORA FOUM-ZGUID

Cette piste, longtemps fermée pour des raisons politiques, est rouverte. Longue de 120 km, elle est parfois cassante. Se renseigner avant de l'emprunter. Les jours de souk à Zagora (mercredi et dimanche), possibilité de prendre place dans un camion qui dessert Foum-Zguid (5 h de trajet pour 130 km). Prévoir des provisions.
Foum-Zguid abrite 10 000 âmes. Pas d'électricité, mais un groupe électrogène fonctionnant de 19 h à minuit. Prévoir des bougies. Villages agréables dans les alentours. Pratiquement aucun touriste.
– *Souk* le jeudi. Animation garantie.

♨ *Café-hôtel :* au centre de l'agglomération, dans le bâtiment de la station d'essence. S'il est fermé, demandez à la gendarmerie locale de vous en ouvrir les portes. Quelques chambres minuscules et sales. Restauration nulle mais il n'y a pas d'autre alternative.

LA PISTE FOUM-ZGUID TATA

Les 150 km qui séparent les deux localités se font sans difficulté. En effet, la piste a été récemment goudronnée et reprofilée. Il s'agit en fait d'une nouvelle route qui recoupe sans arrêt l'ancienne piste.

SKOURA (se prononce Skora)   IND. TÉL. : 04

C'est la première étape entre Ouarzazate (42 km) et le Tafilalet. La route longe le grand lac de retenue du barrage el Mansour Eddabki. On peut accéder à ce lac de 4 500 ha en empruntant une petite route sur la droite, à une vingtaine de kilomètres de Ouarzazate. L'environnement est très beau mais le coin risque de devenir très touristique. Cela commence avec des villas qui se construisent tout autour du golf royal. Restaurant *Pavillon du Lac.*
Skoura, fondée au XIIe siècle par Yacoub el-Mansour et peuplée de Berbères, ne compte pas moins de 30 000 habitants. On dit d'ailleurs que la plupart des citoyens de Ouarzazate, ville récente, sont originaires de Skoura. Souk très animé le lundi.
La vallée du Dadès débute avec la *palmeraie de Skoura.* Au printemps, l'eau court partout dans les canaux qui irriguent les cultures. Avec l'Atlas enneigé en toile de fond, l'ensemble a beaucoup d'allure.

A voir

La visite de la palmeraie ne peut s'effectuer seul. Il est indispensable de se faire accompagner par un enfant, après avoir fixé le prix. On peut la visiter à pied ou même en voiture mais dans ce cas il faut savoir que de nombreux chemins se terminent en cul-de-sac. La palmeraie est constituée d'un ensemble de douars avec des constructions de pisé dont certaines sont exceptionnelles. Il est impossible de suivre un itinéraire précis dans ce lacis de chemins étroits qui desservent des cultures dans un cadre bucolique où des jardins de roses apparaissent parfois, à l'ombre des palmiers. Les plus belles casbahs sont celles de *Dar Aït Sidi el Mati,* de *Dar Aït Haddou* et surtout celle d'*Amerdihil,* à la sortie de la ville à 500 m sur la gauche, de l'autre côté de l'oued. Cette puissante construction fortifiée, propriété du cheikh d'Amerdihil, est impressionnante par sa taille et remarquable par se décoration. Il est regrettable que l'on ne puisse la visiter. Intéressant aussi est le grenier marabout de Sidi Mbarek.

Où manger ?

|●| *Café-restaurant Atlas :* le second, sur la gauche en venant de Ouarzazate. Le patron tentera certainement de vous vendre un tapis après le repas, résistez.

|●| *Café-restaurant La Casbah :* sur la route à gauche en entrant dans le village quand on vient de Ouarzazate.

Une piste, au départ de Skoura, permet de rejoindre les gorges du Dadès. Elle n'est praticable qu'en 4 × 4, à certaines époques de l'année et à condition d'être accompagné par quelqu'un connaissant bien le parcours. Cette piste, magnifique, passe par *Bou Thrarar* et la *vallée des Roses.*
En continuant la route principale en direction d'El Kelaa, on franchit le Tizi N'Taddert et, 16 km après Skoura, sur le côté droit, on découvre la *casbah* d'*Imassine,* sorte de forteresse qui aurait, selon la légende, servi de caserne à une garnison d'esclaves noirs. Ce qui est certain, c'est que toute cette région mérite bien son nom de « vallée des Mille Casbahs ».

EL KELAA DES MGOUNA

Gros village de la vallée du M'Goun, sans aucun intérêt. Il doit sa réputation à l'eau de rose distillée dans une usine locale qui ne fonctionne qu'en avril ou mai.
D'ailleurs toute la région est célèbre pour ses rosiers. On en récolte jusqu'à 4 000 t certaines années. Une partie est transformée en eau de rose pour la production locale (ablutions avant les repas), le reste est exporté pour la parfumerie. Pour acheter de l'eau de rose il est préférable de le faire dans les petites boutiques installées dans les rues perpendiculaires plutôt que dans la rue principale. Les prix sont plus avantageux. Il n'est donc pas étonnant qu'en mai se déroule un « *moussem* de la Rose », très fréquenté et un peu trop touristique.

– *Souk :* le mercredi.

Où dormir ?

Pas un seul hébergement correct. L'*hôtel du Grand Atlas* est sordide. Il est donc préférable d'aller dormir à Boumalne du Dadès, à 24 km, où l'on aura le choix.

Chic

🛏 *Hôtel Roses du Dadès :* ☎ 88-38-07. Bel établissement bien situé mais pas toujours bien tenu depuis quelques années. Les directeurs se succèdent et ne restent jamais très longtemps. Rien que des groupes. Cuisine correcte. Piscine. Bar avec alcool. Cartes de crédit acceptées.

A voir. A faire dans les environs

★ *La vallée des Roses :* à ne manquer sous aucun prétexte. Se reporter au chapitre suivant, « A voir dans les environs de Boumalne du Dadès ». L'accès se fait par une piste située entre les deux villes.

★ Randonnées dans le *djebel Sarhro* et dans le *massif du M'goun.*

BOUMALNE DU DADÈS

Ce centre administratif important, situé au débouché des gorges, constitue un excellent point de départ pour leur visite d'ouest en est (voir plus loin la description du circuit complet décrit dans le sens inverse). Il serait impensable de ne pas s'arrêter à Boumalne (*Boumalen* en arabe), qui offre dans ses environs de nombreuses promenades.
La ville, en soi, n'a aucun attrait et il faut la traverser pour monter au sommet de la falaise où se trouve perché l'*hôtel ONMT Madayeq* et les principaux petits hôtels que nous avons sélectionnés. La vue est absolument exceptionnelle avec l'oued Dadès bordé de ksour et de casbahs d'une belle couleur ocre qui change selon les heures avec la lumière du soleil.

Adresses utiles

✉ *PTT :* dans une rue sur la gauche entre l'hôtel *Vallée des Oiseaux* et l'hôtel *Salam,* dans la ville haute.
■ *Téléphone :* téléboutique ouverte 24 h sur 24. Dans le bas de la ville avant le souk et l'hôtel *Adrar.*
■ *Stations d'essence :* sur la route de Ouarzazate, après le pont, et sur la route

de Tinerhir, à côté de l'hôtel *Vallée des Oiseaux.*
■ *Banque Populaire :* bd Mohammed-V, près du souk. Change rapide.
■ *Pharmacies :* Mohammed-V.
– *Souk :* le mercredi, dans une enceinte sur la droite, à l'entrée de la ville, face à l'hôtel *Adrar.*

Où dormir ?

Bon marché

♠ *Auberge du Soleil Bleu :* suivre les indications comme pour se rendre à l'*Hôtel Madayek*. Juste avant cet établissement, emprunter à droite la piste qui conduit à l'auberge, à 300 m environ. ☎ 83-01-63. 8 chambres sommaires mais propres avec w.-c. et douches. Caravaning possible dans la grande cour. Bon accueil des deux frères qui organisent des excursions dans toute la région et ont ouvert un registre destiné aux ornithologues. Ils utilisent des guides très compétents. On y mange correctement. Terrasse panoramique avec très belle vue. Il ne faut pas oublier que nous sommes à 1 600 m d'altitude entre le Grand et l'Anti-Atlas.

♠ *Hôtel Chems :* sur la route d'Er Rachidia, sur la droite dans un virage. ☎ 83-00-41 et 83-00-89. Un bel établissement de 15 chambres (avec douche individuelle) réparties sur 2 étages, dont 11 ont un balcon donnant sur la vallée avec vue imprenable. L'hôtel, très bien entretenu, fait aussi restaurant (voir rubrique « Où manger ? »). Excellent accueil. Cet établissement est un peu plus cher que les suivants mais il est tellement mieux, au point de vue confort, que nous le conseillons à ceux qui ne sont pas complètement fauchés.

♠ *Hôtel Vallée des Oiseaux :* un peu plus loin que le précédent, sur la route d'Er Rachidia, à la sortie de Boumalne, à côté de la station Shell. ☎ 83-07-64. 12 chambres, dont 6 avec salle de bains individuelle donnant sur la route et 6 avec douche commune chaude donnant sur un petit jardin. Accueil sympathique de Mohammed qui supervise aussi la cuisine et vous servira avec le sourire. Les caravanes peuvent stationner derrière l'hôtel et utiliser les installations sanitaires. Ils organisent aussi des excursions. Salle à manger agréable, agrémentée d'une cheminée, indispensable en hiver.

♠ *Hôtel Salam :* juste en face du *Madayek*, en arrivant à main gauche. ☎ 83-07-62. Créé par Youssef d'Aït Oudinar et tenu par ses enfants. Excellent accueil. 15 chambres rudimentaires mais propres, en étage, autour d'un patio, avec lavabo et eau froide. La plupart n'ont pas de fenêtre. Douches collectives chaudes. Terrasse. Bonne cuisine sur commande. Bazar bien approvisionné au rez-de-chaussée. Cartes de crédit acceptées. Organisation d'excursions.

♠ *Hôtel Adrar :* en face du souk. ☎ 83-03-55. Très propre. 27 chambres avec une douche commune à chacun des étages. Bruyant, sauf pour les chambres qui donnent sur le patio. Accueil sympa. Bon rapport qualité-prix. Le patron a vécu en France. Grande salle de café et de restaurant très animée au rez-de-chaussée. Belle terrasse panoramique.

♠ *Kasbat Hôtel :* à 1 km de l'*hôtel Chems*, sur la droite. ☎ 83-02-56. Fax : 83-06-90. Dans une zone dite touristique mais qui se révèle être un immense terrain vague entouré d'un grand mur. Viennent d'ouvrir quelques chambres avec douches individuelle. Les plus intéressantes sont dans des grottes car, en plein été, elles gardent la fraîcheur. Un véhicule est indispensable, cette zone étant très loin de tout. La vue est magnifique mais est-ce suffisant ?

Chic

♠ *Hôtel Madayek :* ☎ 83-00-31. Fax : 88-22-23. Son architecture s'intègre parfaitement aux maisons en terre de l'oued. Cela dit, l'eau manque parfois et le service laisse vraiment à désirer pour un établissement de cette catégorie. Peut-être la vue et la piscine vous feront-elles oublier tous ces désagréments ? Fréquenté uniquement par des groupes. Individuels, s'abstenir. Bruyant, mal entretenu et accueil désagréable.

Où manger ?

|●| *Restaurant de l'hôtel Chems :* voir « Où dormir ? ». ☎ 83-00-41. Abderrahmane Moubarik, le patron, est très accueillant et sa cuisine bonne. Il propose un menu très bon marché et quelques plats à la carte. Les repas sont servis dans une belle salle panoramique ou, le soir, sur la terrasse. Pas d'alcool. Excellents yaourts (il vous donnera même la recette) et jus d'orange.

|●| *Café-restaurant Al Manader :* dans la montée, sur la route de Tineghir, juste avant l'*hôtel Chems*. ☎ 83-01-72. Un emplacement idéal avec une vue exceptionnelle pour cette toute nouvelle adresse. Pour l'instant tout est impeccable, la cuisine est bonne, les prix sont doux et le patron Mohammed accueillant. Pourvu cela dure ! Quatre chambres doivent être opérationnelles cette année.

A voir dans les environs

★ *VALLÉE DES ROSES*

Une voiture est indispensable, de préférence un 4 x 4 ou une 4 L. On peut tenter, à défaut, de s'y aventurer avec un véhicule de tourisme assez haut pour faire de la piste moyenne. A notre avis, il est nécessaire d'être accompagné, non que le parcours présente des difficultés, mais il n'y a aucune indication et, souvent, les pistes se croisent. De plus, un accompagnateur sérieux, comme ceux qui sont proposés aux *hôtels Salam, Vallée des Oiseaux* et *Soleil Bleu*, pourra avec la voiture vous rejoindre à Tourbist, ce qui évite d'avoir à revenir sur ses pas. D'autres itinéraires aussi sont possibles, notamment au départ de la vallée du Dadès. Nous avons choisi de vous décrire celui qui peut être fait en partant soit de Boumalne soit d'El Kelaa.

Au départ de Boumalne

Le point de départ se trouve à mi-chemin (12 km) entre Boumalne et El Kelaa, dans le village d'El-Goumt. Venant de Boumalne, tourner sur la droite près de la mosquée. Petite fontaine à main droite. La piste s'engage à travers un plateau désertique et passe sous une ligne à haute tension. A 10 km, une borne en ciment porte une indication, difficilement lisible, « piste principale Bou Thrarar ». Il faut continuer et laisser, sur la gauche, la piste de 15 km qui redescend vers Tourbist ; c'est celle par laquelle on arrive quand on part d'El Kelaa.

Au départ d'El Kelaa des Mgouna

Cette seconde solution présente moins de difficultés que la précédente. En partant directement d'El Kelaa on suit la vallée jusqu'à Hdida, ou même jusqu'à Tourbist. Le parcours est plus beau et plus facile. De Hdida, une piste relie celle qui vient d'El-Goumt à l'endroit marqué par une borne en ciment. A partir de là l'itinéraire est commun. On peut se procurer des accompagnateurs officiels à l'*hôtel du Grand Atlas* d'El Kelaa des Mgouna.

Suite de l'itinéraire

A partir de la borne il faut rouler encore pendant 5 km avant d'atteindre le col de Bou Thrarar et d'amorcer la descente en lacet de 4 km vers Tamalout. Attention, cœurs fragiles, la piste est à flanc de montagne. Rester en première est une sécurité. Cette piste dangereuse est à éviter quand il a plu la veille.

Le village de *Tamalout* ne possède aucune rue. Se garer à l'entrée et confier la garde du véhicule à des enfants. Ce village vit encore comme il y a des siècles. Les femmes portent le costume berbère orné de broderies et de pompons de laine très colorés.

A Tamalout, plusieurs possibilités : se promener dans le lit de l'oued en remontant vers Bou Thrarar, de l'autre côté de la rivière M'goun sur la piste d'Amajgag. Le gué est impraticable pour les voitures de tourisme en période sèche (à Bou Thrarar, belle casbah) ; ou, plutôt, s'engager dans le canyon en revenant vers Tourbist et El Kelaa, à travers jardins et gorges. Compter 2 h 30 de marche pour rejoindre Tourbist où votre accompagnateur vous attendra avec la voiture. Ainsi, vous faites la balade seul et vous retrouvez votre véhicule prêt à reprendre la piste de 15 km permettant de rejoindre directement El Kelaa et de revenir à Boumalne par la route (24 km).

★ *VALLÉE DES OISEAUX*

Beaucoup moins spectaculaire. Intéressera uniquement les ornithologues amateurs. La meilleure saison pour observer les oiseaux se situe entre les mois de décembre et de mars. Compter presque une journée entière.

On quitte très vite le goudron, 3 km après Boumalne. La piste s'engage vers Tagdlite à travers une zone désertique. On y voit encore quelques potiers berbères travaillant l'argile. Il est indispensable pour cette excursion de posséder des jumelles et un manuel pour identifier les oiseaux.

★ *GORGES TODGHA-DADÈS*

Elles peuvent aussi se faire en partant de Boumalne et en rejoignant Tineghir par la P 32. Nous avons décrit cet itinéraire un peu plus loin dans le chapitre « Gorges du Todgha ».

LA VALLÉE DES GORGES DU DADÈS

Une excursion à ne pas manquer, l'une des plus intéressantes de cette partie du Sud marocain. La vallée est comprise entre Boumalne et l'entrée dans les gorges, quelques kilomètres après Aït Oudinar. La route est goudronnée sur 22 km, jusqu'au pont d'Aït Oudinar. Attention à la mafia des taxis : les prix proposés sont faramineux. Marchander durement ou prendre le taxi collectif. Cette route qui dessert les gorges et longe l'oued traverse des paysages splendides où les constructions de pisé prennent la teinte des roches qui les entourent. Ce n'est qu'une succession de ksour et de casbahs, au milieu de cultures et de petits vergers. En fin de journée, à l'heure où le soleil décline, toute cette architecture prend des allures de féerie.

Où dormir ? Où manger ?

Depuis quelques années, on a vu s'ouvrir dans la vallée et dans les gorges des auberges très simples, souvent inconfortables, où il faut se contenter de la maigre pitance disponible. Celles que nous avons retenues existent depuis des années et ont fait leurs preuves. Il faut savoir cependant qu'elles ne disposent pas souvent de réfrigérateur pour conserver la nourriture et que les achats doivent être faits, au jour le jour, à Boumalne. Ces auberges ont toutes des accompagnateurs qui connaissent bien la région et peuvent vous proposer des randonnées de quelques heures ou de plusieurs jours. Nous vous indiquons notre sélection dans l'ordre où ces établissements se trouvent le long de la route. Les prix pratiqués varient de bon marché à prix moyens.

🛏 *Café-restaurant Miguirne* : au km 13, juste avant Tamlat. La grande baie vitrée domine la vallée. 3 chambres, vraiment très simples, mais propres et à un prix qui conviendra aux plus fauchés. Les repas servis dans le restaurant panoramique sont excellents et très bon marché. Tout est propre et l'accueil est vraiment sympa. Beaucoup de groupes s'y arrêtent pour admirer le paysage mais, heureusement, ils ne restent pas longtemps. Le patron Ali fait des efforts pour que tout le monde soit satisfait. Sa petite auberge est le point de départ d'une excursion dans la gorge de Sidi Boubkar (voir plus loin). Il vous conseillera éventuellement pour l'itinéraire qui vous permettra de découvrir les vraies merveilles de la vallée du Dadès sans routes, sans hôtels, sans autocars et sans bruit. Une adresse que nous aimons bien pour sa situation exceptionnelle et pour son accueil.

🛏 *Hôtel Kasba* : au km 15. Une belle architecture en forme de casbah (vous l'auriez deviné) abrite 13 chambres rudimentaires réparties à l'étage autour d'un patio intérieur faisant office de salon. L'architecture est vraiment réussie, mais les sanitaires sont nettement insuffisants : deux lavabos et une seule douche (chaude) pour tout l'établissement. Un pot à eau remplace la robinetterie défaillante... Les chambres ont des balcons. A

l'extérieur, petite terrasse fleurie au-dessus de la rivière dans un beau paysage bucolique. Très bon marché, mais pourrait être mieux entretenu.

🛏 *Auberge des Gorges du Dadès* : à Aït Oudinar, juste après le pont, à 22 km de Boumalne, sur la gauche (☎ 83-07-62, à l'*Hôtel Salam* de Boumalne pour réservation ou messages). Une de nos plus anciennes adresses. L'auberge comprend différents types d'hébergement, selon les budgets. Les 10 nouvelles chambres disposent d'un chauffage central en hiver et d'une douche individuelle ; les anciennes, moins confortables, sont bon marché. Youssef a créé un terrain de camping avec des sanitaires équipés d'eau chaude et d'un grand lavoir. Les repas peuvent être pris sous la tente nomade au bord de l'oued ou sous la tonnelle. Couscous royal sur commande. Essayez l'assiette berbère, très copieuse. Il y a même un magasin avec des objets de qualité, ce qui n'est pas fréquent. Youssef organise avec ses enfants des bivouacs dans la région qui n'a aucun secret pour lui : il y est né. Carte VISA acceptée.

🛏 *Hôtel La Gazelle du Dadès* : au km 27. Une adresse récente. 6 chambres doubles avec sanitaires et eau chaude et 3 autres avec des sanitaires communs. L'ensemble est d'une propreté exemplaire. L'accueil du patron, Touffi Anbark, est chaleureux. Repas sur commande avec *tajine*, méchoui, couscous. Terrasse.

▲ *Hôtel La Kasbah de la Vallée :* juste après le précédent, face au canyon. Parking couvert. 20 chambres propres avec sanitaires individuels et eau chaude. Ils ont aussi 4 chambres avec sanitaires communs et les fauchés peuvent dormir dans le salon ou sur la terrasse. Chauffage individuel en hiver dans les chambres. Nos lecteurs recevront un accueil exceptionnel de la part de Hammou qui met tout en œuvre pour satisfaire ses clients. Bonne cuisine servie

dans le salon, sur la terrasse ou sous la tente nomade plantée au bord de l'eau. La gentillesse du patron est communicative et tout le personnel attentionné. On arrive client et on repart ami. Hammou vous conseillera pour les excursions un accompagnateur qui connaît parfaitement la région. Normal, il est né ici. Cartes de crédit acceptées.

▲ *Auberge Atlas-Berbère :* encore un peu plus loin au bord de l'eau. 3 chambres très simples mais avec eau chaude. Grand salon avec terrasse sur l'oued. On peut nourrir les poissons en mangeant.

A voir dans la vallée des gorges du Dadès

La meilleure façon de visiter la vallée est de s'y promener à pied en suivant le cours de l'oued. Ceux qui ont un véhicule seront avantagés : ils pourront s'arrêter fréquemment pour descendre visiter les parties les plus intéressantes. A *Aït Mouted,* dans un virage de la route, se dresse encore une casbah du Glaoui que l'on peut visiter. Son occupant actuel, M'Barek Bougenoun, qui est guide, pourra vous faire visiter la région. Il fait aussi gîte d'étape.

★ *La gorge de Sidi Boubkar :* une magnifique balade de 1 h à 1 h 30 réalisable au départ de l'*auberge-restaurant Miguirne,* au km 13. L'accès se trouve en contrebas. Le patron de l'auberge, Ali, vous expliquera quel chemin suivre. Pas d'accompagnateur nécessaire. La gorge de Sidi Boubkar, très peu connue et à l'écart des circuits classiques, a conservé son aspect sauvage. On marche pendant 800 m devant très belles falaises. Possibilité de se baigner dans les piscines naturelles (l'eau est glaciale) et de pique-niquer sur place. Attention à ne pas laisser de déchets derrière soi. Vous pourrez vous faire préparer un casse-croûte à l'auberge.

★ *La falaise de Tamlat :* au km 15. Elle est composée de roches érodées aux formes arrondies. On la nomme la « vallée des Corps humains » ou encore la « vallée des Doigts de singe ».

★ *Circuit des canyons :* randonnée pédestre de 5 h 30 environ. Pour bon marcheur. Il faut être accompagné. Partir de préférence avant 9 h. Départ Aït Ouffi, Aït Idir km 25, face à la Kasbah de la Vallée. On suit tout d'abord le lit de l'oued pendant 1 h 30 avant d'entrer dans un couloir étroit et de poursuivre jusqu'au village d'Imdiazen. Retour par un chemin différent, soit par la piste carrossable, soit par le lit du grand Canyon.

A voir dans les gorges du Dadès

Aït Oudinar est un très bon point de départ pour des excursions en montagne, à pied ou en voiture. On peut faire à pied, par exemple, Aït Oudinar-Msemrir en deux jours. Paysages fantastiques, fossiles à chercher. Coucher chez l'habitant, bavarder avec les instituteurs, etc. Attention, dans le coin, les nuits sont très fraîches. Prévoir des vêtements chauds.

L'idéal serait, bien entendu, de relier en voiture, au départ des gorges du Dadès, celles du Todgha. Cet itinéraire que nous avons décrit plus loin dans le sens opposé (des gorges du Todgha à la vallée du Dadès) est impraticable en hiver et au printemps, à cause de la neige. Les pistes vers Imilchil sont souvent emportées par les pluies d'orage. Le circuit est réalisable en une journée, en dehors de ces saisons, avec toutefois un minimum de précautions. Nous pensons qu'il est préférable de se faire accompagner par quelqu'un qui a l'habitude de cette piste et qui pourra même prendre le volant pour vous permettre de profiter au maximum des paysages qui, nous ne le répéterons jamais assez, sont exceptionnels. Pour ceux qui ne voudraient pas faire la boucle complète, il faut cependant aller jusqu'aux gorges, ce qui représente 45 mn de voiture sur piste, depuis le pont d'Aït Oudinar. Le paysage vous coupera le souffle, surtout si vous faites l'excursion à pied, ce que nous conseillons aux sportifs.

★ *Circuit d'une journée* avec une 4L (demi-journée en 4 × 4) : en partant d'Aït Oudinar, on descend par la piste d'Aït Youl, Boutharar et Tourbist pour rejoindre El Kelaa des Mgouna. Pas de difficultés particulières pendant la saison sèche mais après les pluies d'automne, la piste devient impraticable pour les véhicules de tourisme et parfois aussi pour les 4 x 4. De toute façon, là aussi, il est préférable de se faire accompagner.

★ *Circuit de 3 ou 4 jours :* monter à *Msemrir*, puis à *Imilchil* par *Agoudal*. Cette piste, toutefois, n'est praticable qu'entre mai et septembre. Après le moussem d'Imilchil, elle n'est plus utilisée par les camions et reste très enneigée durant tout l'hiver. N'oubliez pas qu'elle passe à 3 000 m d'altitude. Une journée de repos sera consacrée à une promenade autour du lac Tislit. On redescendra par Aït Hani et les gorges du Todgha. D'Imilchil, une variante est possible avec la traversée du Moyen Atlas jusqu'à El Ksiba près de Kasba Talda.

TINEGHIR (prononcer Tinerhir) | IND. TÉL. : 04

Ville de plus de 15 000 habitants réputée pour sa palmeraie. Vous la découvrirez en montant sur le promontoire de l'*hôtel Saghro*, près de l'ancienne casbah du Glaoui qui s'y connaissait pour repérer les sites et y faire construire de somptueuses demeures. De celle-ci, il ne reste plus que quelques pans de murs délabrés et l'accès est interdit par mesure de sécurité. Quel panorama ! De quoi faire pâlir tous les réalisateurs de cinéma, avec une palmeraie qui s'étend jusqu'aux contreforts de l'Atlas, l'une des plus riches du Maroc.

En surplomb, la ville, le matin, surgit d'un voile de brume. Tineghir est à 1 342 m d'altitude, et les nuits y sont fraîches en hiver, alors que l'été la température est si élevée qu'il est préférable de dormir sur les terrasses, comme le font la plupart des habitants.

Adresses utiles

– **Excursions :** le directeur de l'*hôtel Tomboctou (plan A3, 22)* pourra vous renseigner et vous évitera probablement de tomber dans les pièges des faux guides qui prolifèrent.

✉ **Poste :** av. Hassan-II *(plan B1)*.

■ **Pharmacies :** Todghra et Saghro, toutes deux av. Mohammed-V *(plan B1, 1)*.

■ **Pharmacie de nuit :** à la municipalité, derrière la poste.

■ **Téléphone :** téléboutiques dans le jardin public *(plan B1, 2)* et av. Mohammed-V.

■ **Change :** BMCE *(plan A2, 3)*, Wafa Bank *(plan A2, 4)*, Crédit du Maroc *(plan A2, 5)*, BCM *(plan B2, 6)*. Change possible aussi dans les hôtels *Kenzi Bougafer, Tomboctou* et *Saghro*.

■ **Station-service :** *(plan A1, 7)*.

■ **Garages mécaniques** *(plan B1, 8* et *(plan A2, 8)*.

■ **Réparations de pneus** *(plan A2, 9)*.

■ **Parking public payant** *(plan B2, 10)*.

■ **Hammam :** pour ceux qui voudraient changer de peau après avoir fait la boucle Todgha-Dadès. Pour les hommes, de 6 h à 12 h et de 18 h à 22 h. Pour les femmes, de 12 h à 18 h.

■ **Presse française :** au kiosque de *chez Rachid*, près de la mosquée *(plan B1, 16)*.

– **Achat de boissons :** pas de point de vente d'alcool.

– **Marchés :** le souk hebdomadaire a lieu le lundi et se déroule à 3 km sur la route de Ouarzazate. Des fourgonnettes pour la desserte du souk partent face à la *BCM (plan B2, 6)*. Les autres jours, *souk Fokani (plan B2, 11)* et *souk Tahtani (plan B2, 12)*.

Où dormir ?

Attention aux faux guides qui vous diront que nos meilleures adresses, comme *L'Avenir* et le *Tomboctou*, sont fermées, et chercheront à vous entraîner autre part. Restez ferme. Les mauvaises adresses ne manquent pas ici et versent des commissions pour attirer les pigeons.

Campings

Aucune ville au Maroc ne possède autant de campings. Voir aussi les 3 campings de la palmeraie, à la sortie de la ville dans notre chapitre « Où dormir dans les gorges du Todgha ? ».

▲ **Camping Ourti :** sur la droite en arrivant de Ouarzazate, en bordure de la route *(hors plan par A3)*. ☎ 83-32-05. Outre le terrain pour planter sa tente ou poser sa caravane, 11 chambres vraiment très rudimentaires avec douches

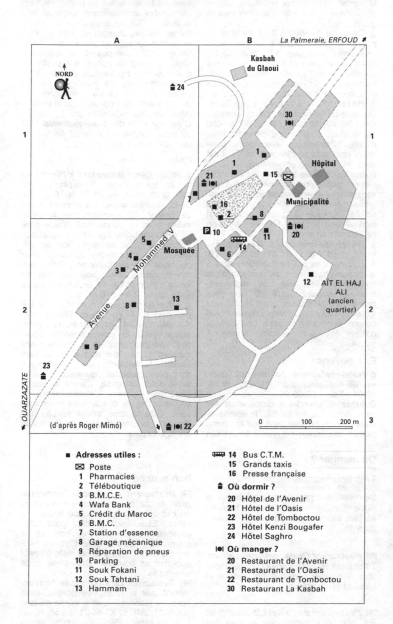

La Palmeraie, ERFOUD

Kasbah du Glaoui

Hôpital

Municipalité

Mosquée

Mohammed V

Avenue

AÏT EL HAJ ALI (ancien quartier)

NORD

OUARZAZATE

(d'après Roger Mimó)

0   100   200 m

■ **Adresses utiles :**

⊠ Poste
1 Pharmacies
2 Téléboutique
3 B.M.C.E.
4 Wafa Bank
5 Crédit du Maroc
6 B.M.C.
7 Station d'essence
8 Garage mécanique
9 Réparation de pneus
10 Parking
11 Souk Fokani
12 Souk Tahtani
13 Hammam

🚌 14 Bus C.T.M.
15 Grands taxis
16 Presse française

🏠 **Où dormir ?**

20 Hôtel de l'Avenir
21 Hôtel de l'Oasis
22 Hôtel de Tomboctou
23 Hôtel Kenzi Bougafer
24 Hôtel Saghro

🍽 **Où manger ?**

20 Restaurant de l'Avenir
21 Restaurant de l'Oasis
22 Restaurant de Tomboctou
30 Restaurant La Kasbah

chaudes collectives. Restaurant et café. Mériterait d'être mieux entretenu. Même propriétaire que l'*hôtel des Roches* aux gorges du Todgha.

🏠 *Camping Almou :* à 2 km de la route principale. C'est fléché à l'entrée de la ville *(hors plan par A3)*. ☎ 83-43-14. Sanitaires corrects et douches chaudes à volonté. Accueil sympa. Piscine, café et restaurant. Ils ont aussi quelques chambres de dépannage.

🏠 *Hôtel de l'Avenir :* rue Zaid-Ouhamed. Derrière la place centrale *(plan B2, 20)*. ☎ et fax : 83-45-99. L'hôtel est en étage au-dessus d'une petite boucherie. 12 chambres avec deux sanitaires communs et eau chaude. Tout est neuf et parfaitement entretenu. Très bonne literie. Belle terrasse. Un étonnant rapport qualité-prix. Cuisine marocaine et espagnole. La propriétaire est une Espagnole mariée à un Marocain. Une très bonne adresse à petits prix. Seul inconvénient, le coin est bruyant. Mais on ne saurait tout avoir.

🏠 *Hôtel-restaurant L'Oasis :* av. Mohammed-V *(plan B1, 21)*. ☎ 83-36-70. Actuellement ils ont 12 chambres dont 6 au rez-de-chaussée avec des sanitaires communs. Elles sont très ordinaires, mais ils doivent ouvrir 20 nouvelles chambres avec salle de bains individuelle et eau chaude. L'emplacement est central, donc très bruyant. Les travaux doivent être terminés cette année. A suivre.

Prix moyens

🏠 *Hôtel-restaurant Tomboctou* (sic) : av. Bir-Anzarane *(plan A3, 22)*. ☎ 83-46-04. Fax : 83-35-05. En venant de Ouarzazate, prendre à droite entre les deux stations. C'est fléché. Un établissement plein de charme dans une ancienne casbah admirablement restaurée par son propriétaire. 14 chambres confortables avec de belles salles de bains. Tout est impeccable et fonctionne. Copieux petit déjeuner. Cuisine espagnole et marocaine. Piscine, change, location de VTT, et surtout conseils en excursions. Roger Mimo, un Catalan passionné, connaît la région comme sa poche. Il a publié un guide du trekking dans sa langue natale et prépare d'autres ouvrages sur les pistes du Sud et sur les constructions en pisé. Il saura vous conseiller et vous faire découvrir les richesses de la région. C'est une mine de renseignements. Une adresse comme on aimerait en trouver plus souvent au Maroc.

Chic

🏠 *Hôtel Kenzi Bougafer :* à l'entrée de la ville, sur la gauche *(hors plan par A2, 23)*. ☎ 83-32-00 ou 83-32-80. Fax : 83-32-82. Établissement construit en forme de casbah. 70 chambres très fonctionnelles avec air conditionné. Vaste salle de restaurant. Bar agréable avec alcool. Piscine et grand solarium. Bon accueil. Cartes de crédit acceptées. Prix spéciaux pour nos lecteurs. Compter 200 FF environ la double avec petit déjeuner en haute saison et 180 FF en basse saison. Taxe locale (de 6 DH) en sus.

🏠 *Hôtel Saghro :* sur un piton rocheux, à proximité de la casbah du Glaoui *(plan A1, 24)*. ☎ 83-41-81. Domine la palmeraie et la ville. Se compose de deux parties. Les chambres de la nouvelle aile donnent toutes sur la piscine et sont impersonnelles. Celles de l'ancienne aile sont plus agréables, quoique les sanitaires soient à revoir. L'entretien laisse beaucoup à désirer. L'établissement est en vente depuis des années et cela se sent. Cuisine très correcte. La vue, depuis le bar, est magnifique. Cartes de crédit acceptées.

Où manger ?

Très bon marché

Se méfier des petits restos situés sur la place et qui ignorent les règles d'hygiène les plus élémentaires. Ennuis intestinaux garantis.

|O| *Restaurant Oasis :* près de la station Total *(plan B1, 21)*. Repas complet local. Bon. Terrasse. L'endroit est propre et l'accueil sympathique.

|O| *Restaurant de l'hôtel L'Avenir (plan B2, 20)* : on y mange bien et pour pas cher. 3 menus au choix (voir « Où dormir ?).

Bon marché

|O| *Restaurant de l'hôtel Tomboctou (plan A3, 22)* : bonne cuisine servie dans un cadre agréable. Menu ou repas à la carte. Excellente paella, *gaspacho*, omelette espagnole et spécialités marocaines. Goûtez à leur yaourt maison : un régal. Pas d'alcool mais on peut apporter sa bouteille. Cartes de crédit acceptées.

|O| *Restaurant La Kasbah :* av. Mohammed-V, sur la route des gorges, juste après la place principale, sur la gauche *(plan B1, 30)*. ☎ 83-44-71. L'endroit est très agréable. Plusieurs petits salons sont répartis autour du patio où l'on peut aussi manger. Menu excellent et copieux.

Grand choix aussi à la carte où il y a des petits plats à prix doux. Si vous êtes plusieurs, essayez le méchoui cuit à la menthe. Il est fameux. A commander à l'avance, bien entendu. Pas d'alcool mais on peut apporter sa bouteille ou s'arranger avec le patron. Cartes de crédit acceptées. Encore une bonne adresse. |●| Voir aussi la table de l'*hôtel Kenzi Bougafer* qui est bonne et où on sert de l'alcool. Même chose à l'*hôtel Saghro*.

A voir. A faire

★ *Promenade à pied dans la palmeraie :* vous y découvrirez tout un petit monde travaillant dans les vergers, près des canaux d'irrigation. La palmeraie, irriguée par l'oued Todgha, est magnifique : une grande tache verte aux portes du désert. Il faut s'y promener le matin ou le soir pour découvrir un éden que l'on croyait perdu. Très intéressant pour observer la vie quotidienne et comprendre le système d'irrigation de ces palmeraies où pas une goutte d'eau n'est perdue.
Sortir de la ville et traverser l'oued devant la pancarte « gorges », puis remonter en suivant l'escarpement rocheux. 2 h de marche jusqu'au *camping de la Source des Poissons Sacrés*. Mais attention, la palmeraie est un vrai labyrinthe où l'on peut perdre beaucoup de temps dans les culs-de-sac. Se faire accompagner éventuellement par un adolescent. Ne pas payer plus de 20 DH.

★ *Point de vue sur la palmeraie :* prendre la direction des gorges et, à 2 km du carrefour, on arrive sur une vaste plate-forme. Impossible de la manquer. Chameaux et gamins y attendent les touristes. Le bus pour les gorges a un arrêt ici. Magnifique vue sur le village d'Aït Boujane. De là, possibilité de descendre à pied dans la palmeraie. Les plus courageux continueront jusqu'aux gorges du Todgha (voir plus loin). Compter 15 km mais la route est très belle.

★ *L'ancien village Aït El Haj Ali :* plus connu comme le quartier des juifs *(plan B2, 12)*. Remarquable architecture en pisé et ambiance commerciale dans quelques rues où les maisons dissimulent des bazars. Si quelqu'un vous invite à prendre un thé, à faire le henné, à la fête de la soie, ou à photographier les femmes qui tissent, c'est qu'il y a du tapis à vendre...

★ *El Harte :* à 14 km. On s'y rend en empruntant la route d'Er Rachidia et en suivant ensuite une piste de 2 km, ou par la route de Ouarzazate et en tournant ensuite à gauche à 2 km. Là, quelques potiers travaillent d'une manière tout à fait artisanale au milieu d'une magnifique palmeraie.

★ *Circuit à VTT dans la palmeraie :* environ 50 km sans aucune montée importante. Différents chemins au choix sans signalisation.
Descendez à l'oasis de Tineghir, à côté du « Quartier des juifs ». Traversez les champs par de petits sentiers vers le sud, jusqu'à la piste que vous prendrez à gauche. Environ 4 km plus loin, tournez à gauche et traversez un pont sur l'*oued Todgha*. Continuez par cette piste jusqu'au grand carrefour puis tournez à droite pour rentrer à *El Hart n'laamine* où se trouvent quelques artisans potiers. Traversez à nouveau l'oued Todgha (à sec) par un gué et continuez vers l'est en direction de *Tadafalt*. Mais avant d'y arriver, montez sur la petite colline surmontée d'une tour de garde. La vue est magnifique sur l'oasis. Après Tadafalt, dirigez-vous vers le nord-est pour traverser *Egouim* avant d'arriver au souk de *Tarzout* (le jeudi). Empruntez une piste vers l'ouest (une plaque en arabe indique El Hart n'Igourrramen) qui traverse différents villages et aboutit à la route P32, à proximité de Tineghir.
Il existe de nombreuses autres excursions possibles dans la région, à pied, à VTT ou en 4 x 4. Adressez-vous à l'*hôtel Tomboctou* qui pourra vous conseiller.

Quitter Tineghir

Départs des bus, autour de la Poste *(plan B1)*. Départs de la *CTM (plan B2, 14)*. Départs des grands taxis *(plan B1, 15)*.
– *Pour Ouarzazate :* bus CTM à 10 h et 14 h 30. Bus privés à 6 h, 15 h, 16 h et 19 h. Taxis collectifs.
– *Pour Marrakech :* bus CTM à 10 h et bus privés à 6 h et 19 h.
– *Pour Casablanca et Rabat :* bus privé à 19 h.
– *Pour Er Rachidia :* bus CTM à 11 h 30 et bus privés à 14 h et 16 h 30. Taxis collectifs.
– *Pour Erfoud et Rissani :* bus privés les mardi, jeudi et dimanche à 6 h.
– *Pour Agadir :* bus privé à 15 h.

– *Pour Tamtatouche :* camion chaque matin et fourgonnette.
– *Pour Imilchil :* camion le lundi matin sauf quand il y a trop de neige. Quelquefois aussi le jeudi soir.
– *Pour les gorges du Todgha :* taxi collectif et fourgonnette, le matin, à un prix raisonnable (5 DH par personne).

LES GORGES DU TODGHA (prononcer Todra)

De Tineghir, en direction d'Er Rachidia, avant le pont à gauche, 15 km de route asphaltée. Ces gorges sont les plus belles du Sud marocain. Pour vous mettre l'eau à la bouche, vous pouvez aller voir trois films dont certaines scènes ont été tournées dans ces gorges : *Lawrence d'Arabie* (encore), *la Poudre d'escampette* et *Cent Mille Dollars au soleil*. L'eau y coule toute l'année. C'est tout de même plus efficace pour les cultures que 20 jours de pluie par an.
Si vous n'avez pas de véhicule, vous trouverez des taxis collectifs et des fourgonnettes, le matin au départ de Tineghir.
La route qui mène aux gorges s'élève en offrant une belle vue sur la palmeraie (l'une des plus belles du Maroc) et sur la casbah du Glaoui (voir, à Tineghir, « Point de vue sur la palmeraie »). L'accès aux gorges est désormais payant (2 DH). L'argent devait servir à l'entretien du site. Il n'en est rien mais, rassurez-vous, il n'est pas perdu pour tout le monde.

Où dormir ?

DANS LA PALMERAIE

Les trois campings suivants se valent à peu près et comptent parmi les plus agréables de tout le Maroc. Situés les uns à la suite des autres, ils se trouvent à environ 8 km de Tineghir en allant vers les gorges. De ces campings, un tas de balades géniales à pied dans la palmeraie. On peut louer des ânes.
Pour se rendre aux gorges, prendre un taxi collectif.

🏕 *Camping Atlas :* au km 9, à notre avis, le meilleur de toute la région car le site est très beau. Ils ont aussi 7 chambres très bon marché qui sont impeccables. Bien ombragé et calme paradisiaque. Patron très sympa. Sanitaires avec eau chaude en quantité insuffisante quand le camping est bondé, ce qui est fréquent en saison. Dans ce cas-là, passez aux suivants. Petit resto berbère servant une bonne cuisine.

🏕 *Camping du Lac (Jardin de l'Éden) :* quelques mètres après le précédent. Chambres très bon marché mais vraiment sommaires. Les fauchés peuvent dormir sur des nattes dans deux salons. Les sanitaires sont un peu limite. 2 douches avec eau chaude (quand il y a de l'eau) et w.-c. Bonne nourriture copieuse au resto. Pas d'électricité. Excellent accueil et calme assuré.

🏕 *Camping-auberge de la Source des Poissons Sacrés :* les poissons existent toujours ; ils sont effectivement sacrés pour les gens du coin. De là jaillit la célèbre source. D'ailleurs, un bassin bien agréable s'étend au milieu du camping et se prolonge par de petits canaux à l'eau très limpide. Cadre romantique. Sanitaires sommaires. Repas sur commande. Prix un peu à la tête du client. Ils ont aussi un petit hôtel de 12 chambres de l'autre côté de la route. La chambre n° 8 est la mieux située. Sinon, la 2 et la 6 possèdent une jolie vue sur la palmeraie. 2 douches chaudes.

DANS LES GORGES

Poursuivre la route jusqu'aux gorges proprement dites. Là, les deux parois de la falaise atteignent une hauteur étonnante, ne laissant apparaître qu'une étroite bande de ciel. A gauche, au pied de cette falaise, une source passe pour guérir les femmes stériles. Pas de procès au GDR si ça ne marche pas !
Les gorges du Todgha méritent vraiment que l'on y séjourne une nuit, ne serait-ce que pour éviter entre 12 h et 16 h le ballet incessant des cars de touristes, et apprécier le soir toute la tranquillité et le charme du site.

🏕 *Hôtel El Mansour :* juste à la fin du goudron, devant les gorges. Terrasse ombragée et vue sur les plus belles voies d'escalade équipées (à 50 m). Le patron n'a pas voulu couper les deux palmiers, aussi traversent-ils le toit. 4 chambres seulement mais lugubres et sales. Nous vous conseillons de passer votre chemin. Nous avons eu trop de réclamations.

Franchissez le gué (il y a toujours de l'eau mais pas de problème pour passer avec un véhicule de tourisme, sauf en cas de pluie) et vous apercevrez plus loin deux hôtels au pied de la falaise, l'un à côté de l'autre et d'un confort équivalent :

♣ *Hôtel Les Roches :* ☎ 83-48-14. Il comprend 25 chambres simples avec des salles de bains et de l'eau chaude. Abdou, le patron, veille à ce que tout le monde reparte satisfait. L'hôtel reçoit beaucoup de groupes au déjeuner sous les tentes caïdales. Le soir, il retrouve son calme, sauf quand tam-tam et chants berbères sont au rendez-vous. Bonne cuisine marocaine, surtout le soir quand les groupes sont partis. Cabine téléphonique à pièces. Pas d'alcool mais on peut apporter sa bouteille. Compter un peu moins de 100 FF la double.

♣ *Hôtel Yasmina :* ☎ 83-42-07 ou à Tineghir 83-30-13. Au total 22 chambres avec douche individuelle et toilettes. Eau chaude. S'il fait froid, chauffage sur demande. Les chambres situées dans les tours de la nouvelle aile permettent, avec leurs deux fenêtres, de voir l'entrée et la sortie des gorges. Bon restaurant envahi par les groupes au déjeuner. Tentes caïdales et magnifique terrasse surplombant l'oued. Bar-cafétéria sans alcool (on peut en apporter). Cabine téléphonique à pièces. Quand il y a des groupes folkloriques en soirée, bonjour les décibels. Il est regrettable que les chambres ne soient parfois pas très bien entretenues. Allons, un petit effort sur le ménage ; le patron, Louhceine, très sympa, nous l'a promis ! De bon marché à prix moyen selon la chambre. Location de V.T.T.

– Dans ces deux établissements, les fauchés peuvent dormir, pour une somme très modique, sur le toit ou sous la tente berbère. L'électricité, fournie par des groupes électrogènes, fonctionne de 17 h à minuit. Les grimpeurs pourront consulter le cahier où sont inscrites les différentes voies d'escalade.

A faire

– A partir de ces hôtels qui luttent contre la pollution du site, remonter à pied le lit de l'oued entre deux gigantesques falaises, en évitant les gamins collants et les pseudo-guides. Après 500 m, au-delà de l'itinéraire classique et des poubelles, le canyon s'élargit mais le paysage est toujours superbe. Ne faites pas comme beaucoup de locaux qui considèrent les gorges comme un dépotoir ou qui viennent y laver leur voiture dans le lit de l'oued. Attention, en hiver le soleil n'apparaît dans la faille que de 11 h à 12 h.
– Ces gorges sont un véritable paradis pour les amateurs d'*escalade.* Très nombreuses voies équipées pour niveaux de 5 + à 8 a (seuls les spécialistes comprendront), de 25 à 300 m. Se renseigner dans les deux hôtels des gorges et à l'*hôtel Tomboctou* de Tineghir qui possèdent les documents sur les voies d'accès. Attention, il arrive parfois que des gamins s'amusent à un jeu stupide qui consiste à détacher le maillon rapide fixe du sommet. Donc, prévoir toujours un maillon de secours pour ne pas rester en rade après tant d'efforts.

DES GORGES DU TODGHA A LA VALLÉE DES GORGES DU DADÈS

Circuit d'est en ouest. Il est impossible de faire la liaison en période de pluie, à cause des crues. Meilleure époque : de fin mai à fin septembre. Compter 137 km entre Tineghir et Boumalne.
Un véhicule tout-terrain est recommandé. On arrive parfois, selon la saison et l'état de la piste, à passer sans trop de difficultés avec une 4 L mais c'est risqué. En revanche, déconseillé à toutes les autres voitures de tourisme, risque de casse. *TOUJOURS SE RENSEIGNER SUR L'ÉTAT DE LA PISTE AVANT LE DÉPART.* Compter au moins 8 h pour faire la boucle. La piste représente 80 % du trajet.
Ayez une bonne roue de secours, sinon deux, et impérativement le matériel pour réparer. Vous ne pourrez faire réparer une roue crevée qu'à Msemrir et Tamtattouche. Et plus d'un a crevé deux fois en route... Cailloux traîtres. Le plein d'essence suffit pour faire tout le tour. Une nourrice de 10 litres n'est pas un luxe, en cas de pépin.
Ayez de bons amortisseurs et une provision d'eau avec un en-cas pour la journée car il n'y a aucun magasin le long de la piste ! Faites gonfler vos pneus à 300 ou 400 g au-

dessus de la prescription normale (car la piste est caillouteuse) au garage *Shell* de Boumalne ou au *Total* de Tineghir.

ATTENTION ! Les panneaux sont inexistants aux carrefours des pistes. Il est donc préférable de se faire accompagner par quelqu'un du pays. Demandez un bon accompagnateur à votre hôtelier. Méfiez-vous de ceux qui proposent leurs services à l'extérieur des hôtels. Certains sont, peut-être, honnêtes mais c'est la minorité. Compter l'équivalent de 120 FF par jour, hors frais de nourriture.

Trois raisons, selon nous, de faire le circuit en partant du Todgha :

– le col au niveau des gorges du Dadès est plus facile à grimper en venant de Msemrir qu'en venant de Boumalne ;

– le premier col après *Tamtattouche* est le plus dur de tous, mieux vaut le passer en premier : on passe ou on ne passe pas !

– enfin, les paysages de la fin de la *vallée du Dadès*, vers Boumalne, sont les plus beaux, les plus grandioses. Gardez-les pour le dessert !

Sachez que si vous êtes dans la mouise complète sur la piste, il y a des camions qui font chaque jour le trajet Tineghir-Tamtattouche et différents transports publics qui montent plusieurs fois par jour de Boumalne à Msemrir. En revanche, entre Tamtattouche et Msemrir, un seul camion par semaine : le vendredi pour le souk et il revient à Tamtattouche le samedi.

★ TAMTATTOUCHE

A 17 km des hôtels *Yasmina* et *des Roches*. La piste n'est pas bonne.

La région devient de plus en plus touristique. Même les bergers nomades abandonnent leurs troupeaux pour aller sur la piste quémander des cadeaux. En cas de refus, ils deviennent parfois agressifs.

⌂ *Hôtel-camping-restaurant Baddou* : un terrain plat aménagé à l'entrée du village en venant des gorges. Sanitaires avec douche chaude. Bon accueil d'Albaz Moha. Tous les renseignements sur les pistes de la région. Possibilité de manger et de dormir sous deux tentes berbères. Ils ont aussi 9 chambres. Douche chaude. La cuisine est bonne. Terrasse panoramique sur le village. C'est l'adresse la plus recommandable.

⌂ *Le Campagnard* : situé en plein centre du village. A la fois café, hôtel et restaurant. Tenu par Aïcha et sa fille Fatima. Deux pièces avec matelas pour dormir. On sent un peu la fumée au réveil !

Une dizaine de petits établissements, très rudimentaires, se sont ouverts récemment. Ils ne peuvent offrir que ce qu'ils ont, c'est-à-dire presque rien. Nous n'avons pu tester l'*auberge Bougafer*. Dites-nous ce que vous en pensez.

Un seul commerce dont les rayons sont pratiquement vides, et le souk le plus proche se tient le jeudi à Aït Ani, à 16 km.

Tamtattouche est le début d'une piste en assez mauvais état qui conduit à Imilchil. L'itinéraire est décrit plus loin. Un véhicule tout-terrain est indispensable ou, à la rigueur, une 4 L mais à vos risques et péril.

DE TAMTATTOUCHE A MSEMRIR

Attention, plusieurs pistes se sont ouvertes récemment à la sortie de Tamtattouche. De plus, les enfants se postent sur le chemin pour vous indiquer une mauvaise direction et vous obliger à les prendre comme guides. Souvent la bonne piste est fermée par des cailloux et de fausses indications écrites sur les murs. En cas de doute, demandez toujours aux vieux, jamais aux enfants. Nous allons tenter de vous expliquer ce qu'il faut faire.

Juste à la sortie du village de Tamtattouche, laissez une première piste à gauche, traversez le ravin puis quelques champs avant d'emprunter, à moins de 500 m, une déviation sur la gauche (ça monte). Vous trouverez tout de suite une bifurcation : allez à droite, un peu plus loin à gauche puis encore à droite (vous comprenez pourquoi un guide n'est pas un luxe inutile). Suivez la piste principale sur 6 km jusqu'à la prochaine bifurcation où vous devez prendre à gauche. Après, c'est facile... Comptez, entre Tamtattouche et Msemrir, 60 km de piste aisée mais sans aucun village. La seule difficulté est le passage du premier col, à cause des cailloux qui roulent sous les roues, et les font patiner. Comme on est à 2 500 m, la puissance n'est pas géniale. Le point le plus élevé de la route est le *col d'Aguerd n'Zegzdoun*, à 2 639 m.

★ *MSEMRIR*

Chef-lieu des tribus des Aït Morghard, des Aït Hadidou et des Aït Atta, à 70 km de Tineghir et à 60 km de Boumalne. Point de départ de nombreuses randonnées. La Gendarmerie royale pourra vous renseigner sur l'état des pistes et les chemins à prendre. Au printemps, pêche à la truite dans l'oued Boukoula. Visite de grottes qui servaient de refuge. Les gens du coin sont plutôt hospitaliers.

– *Souk :* le samedi. Très animé.

🏠 *Auberge El Warda :* 9 chambres avec vue panoramique. Repas sur commande et sandwiches. Mohammed Outakhechi, le patron, pourra vous conseiller sur l'état des pistes et les possibilités de balades.
🏠 *Auberge Agdal :* 3 chambres avec douche chaude individuelle et 5 avec des douches collectives. Propre. Là aussi le patron, Mohammed Irih, vous renseignera pour les randonnées et pour la visite des grottes. Il vous conseillera un guide.

La piste continue, par des paysages merveilleux, sur 35 km environ. On passe par les gorges du *Dadès,* puis par un col. Le goudron n'est alors plus qu'à 10 km environ.

IMILCHIL

Très célèbre pour sa *fête des Fiancés* qui se déroule la 2ᵉ ou 3ᵉ semaine de septembre. Date à vérifier à l'office du tourisme ou sur place ; en raison des lunes, elle varie chaque année. Elle a lieu, en fait, à une vingtaine de kilomètres de là, au village d'Aït Haddidou Ameur, près du tombeau d'un marabout, situé au sud, en direction de Tineghir. Souk le samedi.
A l'exception de quelques coopérants, assez peu de touristes s'aventurent, en temps ordinaire, jusqu'à ce village niché au cœur du Haut Atlas ! Car Imilchil se mérite... au bout de nombreuses heures de route (dont beaucoup de pistes bordées de somptueux paysages).
Mais à l'occasion du *moussem,* tout change, les agences de voyages affrétant des dizaines de véhicules tout-terrain (si vous êtes derrière la caravane, bonjour la poussière !). Cela devient la foire avec beaucoup trop de touristes. Ce n'est pas encore la place Jemaa-el-Fna, mais le charme est rompu. On y a même vu un resto aux consonances américaines proposant du couscous et du poulet au citron à des prix très parisiens. Prévoir des cadeaux et beaucoup de monnaie si on veut faire des photos. Se dépêcher d'y aller avant qu'ils ne construisent un héliport !
Chaque année, les jeunes gens et jeunes filles de la région viennent ici dans l'espoir de rencontrer l'âme sœur. A Imilchil, on peut aussi divorcer.
Une très jolie légende s'est tissée autour de ce *moussem.* Il y a bien longtemps déjà, deux amoureux avaient décidé de se marier. Mais leurs parents n'étaient pas du tout d'accord. Les jeunes gens se mirent alors à pleurer... jusqu'à la formation de deux lacs de la région : Iseli et Tislit. Émus, les parents acceptèrent finalement de laisser leurs enfants décider librement du choix de leur conjoint.
Les femmes, maquillées à outrance, portent leurs plus beaux bijoux et sont parées comme des princesses. Elles rivalisent d'invention et, dans ce festival de couleurs, les fillettes ne sont pas en reste, imitant très tôt leurs aînées.
Belles balades au plateau des lacs Tislit (voir « Où dormir ? Où manger ? ») et Iseli, mais il est déconseillé de s'y baigner.

Comment s'y rendre ?

Si on y va par ses propres moyens, plusieurs possibilités :
– *En partant de Rich, entre Midelt et Er Rachidia :* c'est la meilleure solution. Ce n'est peut-être pas la plus belle voie d'accès au point de vue paysages mais elle est accessible à tous les véhicules. Cette piste (3 442 et 3 443) doit être prochainement goudronnée. Elle suit le cours de l'oued Ziz et passe par le Tizi-N'Ali.
– *En partant de Tineghir par les gorges du Todgha jusqu'à Tamtattouche :* parcours décrit dans la boucle des gorges. Après Tamtattouche, la piste traverse le village de *Aït Ani* (souk le mercredi). Ne pas prendre la piste sur la droite qui dessert Tidrine et Assoul. Continuer tout droit vers le nord en montant au col de Tizi Tiherhouzine (2 705 m) avant de redescendre vers Agoudal et Bouzmou. Entre Agoudal et Imilchil, il reste encore 43 km.

– *En partant des gorges du Dadès :* à partir de Msemrir, rejoindre Agoudal en passant par le Tizi N'Ouano. Mauvaise piste utilisable seulement en été.

– *En partant de Kasba Talda ou de Kenifra :* il est préférable de rejoindre El Kebab, sur la P33, et de suivre la route 1902 qui a été goudronnée jusqu'à Aghbala. A Aghbala, relié quotidiennement par un camion à El Ksiba, petit hôtel vraiment très simple. Souk le mercredi.

– *En partant de Midelt :* une autre piste permet de rejoindre Imilchil en passant par le cirque de Jaffar. Toutefois, se renseigner auparavant sur l'état de cette piste peu fréquentée et qui comporte des passages de gué.

On trouvera à Imilchil une sorte de garage pour les réparations de fortune. Il a malheureusement un peu trop tendance à profiter de son monopole (cher).

Où dormir ? Où manger ?

⚑ Pendant la fête des Fiancés, pas d'angoisse, on peut dormir sur place dans de vrais lits... *sous de grandes tentes* pouvant héberger 15 personnes. Tout est organisé par des hôteliers qui transportent leur matériel sur place. Prévoir des pyjamas bien chauds et un duvet car les nuits sont très fraîches. On est à 2 000 m d'altitude.

⚑ *Hôtel-resto Islane :* ☎ 9. Dispose de 9 chambres propres. Il est préférable de demander celles du bâtiment inférieur. Simple et bonne cuisine. Accueil sympa et discret du patron, Ali, qui travaille en coopération avec de jeunes Berbères dont certains sont des guides compétents.

⚑ *Hôtel Tilsit :* à Tilsit. Construit en forme de casbah, cet établissement agréable propose 7 chambres dont certaines avec salle de bains. Douche chaude le matin. La literie est neuve. Hammou, le gérant, est très sympa. Il pourra vous conseiller quelques balades autour du lac.

– L'idéal, bien entendu, c'est de se faire inviter par une communauté villageoise dont on partage la vie durant le *moussem.* Pas de problème de ravitaillement, car tous les commerçants entendent profiter de l'aubaine que représente pour eux une telle concentration de population. Vous y trouverez non seulement l'essentiel mais aussi le superflu. Occasion unique de découvrir l'artisanat local avec les bijoux, les tapis et les objets usuels de la vie quotidienne des Berbères. Les prix ne sont pas plus doux qu'ailleurs, au contraire ! Discuter et se méfier des occasions. Inconditionnels du confort, s'abstenir : il n'y a pas d'eau courante et on se lave avec des seaux d'eau froide (1 DH pièce), « livrée » chaque matin par camion.

DE TINEGHIR A ER RACHIDIA ET A ERFOUD

– *De Tineghir à Er Rachidia :* compter 137 km par une belle route (P 32). Taxis collectifs avec changements à Tinejdad et Goulmima. *Tinejdad,* à 47 km, est un gros ksar implanté dans la palmeraie du Ferkla. Pas d'hébergement, à part un hôtel sinistre (*l'Avenir*). Il est encore préférable de se réfugier chez l'habitant. Pour se restaurer, aller au *café-restaurant Oued Dahale,* à la sortie vers Er Rachidia, à l'embranchement de la route d'Erfoud. Cuisine simple. Accueillant et propre.

■ Les amateurs d'art pourront s'arrêter *Chez Zaïd,* 2 km avant d'arriver au centre. ☎ (05) 78-67-98. Ce grand connaisseur des traditions et de la culture de son pays organise des expositions. On y voit des peintures, des bijoux et objets traditionnels de la région. Bien entendu, tout est à vendre mais sa galerie ressemble plus à un musée qu'à un bazar. Les prix fixes, étiquetés, ne sont pas les plus bas du marché mais on peut être sûr de l'authenticité et de la qualité. De plus, on n'est pas gêné par des vendeurs insistants. Une adresse intéressante pour ceux qui recherchent de véritables objets anciens.

★ En continuant par la P 32, on traverse *Goulmima* dans l'oasis du Gueris qui ne comporte pas moins d'une vingtaine de ksour entourés de puissantes enceintes destinées à se protéger des attaques des tribus berbères. Le vieux *ksar* de Goulmima mérite vraiment une visite. Pour y accéder, petite route caillouteuse de 2 km en direction d'Erfoud. Véritable forteresse de pisé, le ksar est encore habité. Empruntez les ruelles, franchissez les passages aménagés sous les maisons avant que le temps et surtout les pluies ne viennent anéantir le fragile décor fait de terre ocre, de roseaux, de palmes tressées et aussi, malheureusement, de vieille tôle ondulée. Le village actuel n'offre aucun intérêt. En revanche, la palmeraie mérite un coup d'œil.

♠ *Hôtel Gheris :* en face du souk. ☎ 167. Chambres simples mais confortables et propres. Bonne et copieuse cuisine au resto.

– *De Tineghir à Erfoud :* route beaucoup plus étroite mais aussi beaucoup plus intéressante que celle qui passe par Er Rachidia. Elle traverse une succession de ksour, d'oasis et de palmeraies.

Avant d'arriver à celle de Jorf, vous verrez un astucieux *système d'irrigation* constitué de tas de sable surmontés d'un cratère, comme de gros furoncles sur la peau du désert. Ce sont des puits *(feggaguir)* dont les canalisations souterraines, très profondes, drainent les eaux de la nappe phréatique provenant des rivières, comme celle du Todgha distante d'une centaine de kilomètres. Se méfier des tornades qui peuvent subitement dresser un rideau de sable opaque et couper toute visibilité. Ce sable charrié par le vent recouvre parfois des portions de route et rend la conduite dangereuse. Prudence !

Un bus quotidien relie Tinejdad à Erfoud et Rissani.

ER RACHIDIA   IND. TÉL. : 05

L'ancienne Ksar-es-Souk, ville militaire servant de base à la Légion étrangère, fut construite de toutes pièces, au début du siècle, suivant un quadrillage lui enlevant tout charme. Son seul intérêt : être une ville étape sur la route du Sud. Er Rachidia, chef-lieu de la province du Tafilalet, est un grand marché agricole et un centre d'échange important. C'est un bon point de départ pour la visite des gorges du Ziz, très intéressantes. Attention toutefois aux propositions faites par les locaux pour les excursions. Voir la rubrique « Faux guides » en début d'ouvrage . Le problème est partout le même.

Adresses utiles

🛈 *Bureau de tourisme :* temporairement fermé ; s'adresser à la *délégation provinciale du tourisme,* av. Moulay-Ali-Chérif. ☎ 57-09-44.
✉ *Poste :* av. Mohammed-V.
■ *Change :* plusieurs banques *(BMCI, BMCE, Banque Populaire, Crédit Agricole)* dans le centre.
■ *Achats alimentaires :* marché couvert, av. Moulay-Ali-Cherif.

■ *Complexe artisanal :* à la sortie de la ville, juste après le pont sur la route d'Erfoud. Fermé le samedi et le dimanche.
■ *Magasin de pièces auto :* sur la place principale. Le mieux fourni du Tafilalet.
– *Souk :* le dimanche, le plus important (c'est fléché) et également le mardi et le jeudi dans le centre ville.

Où dormir ?

Très bon marché

♠ *Hôtel-café la Renaissance :* 19, rue Moulay-Youssef. ☎ 57-26-33. Une vingtaine de chambres avec lavabo. Eau chaude en théorie. Douche collective. Propre. Restaurant économique et correct. Le patron accepte même que l'on dorme sur la terrasse et fournit matelas et couverture moyennant une somme modique. C'est notre meilleure adresse dans cette catégorie, les suivantes n'étant données qu'à titre indicatif, si celle-ci était complète. Les conseils donnés par la direction et le personnel ne sont pas toujours désintéressés.
♠ *Hôtel des Oliviers :* 25, place Hassan-II. ☎ 57-24-49. Vastes chambres mais une seule douche. Mieux que le *Marhaba,* au n° 2 de la même place, qui est plutôt sale.
♠ *Le Royal :* 8, rue Mohammed-Zek-

touni. ☎ 57-22-78. Les chambres sont équipées de douche et de lavabo.

Prix moyens

♠ *Hôtel Oasis :* rue Sidi-Abou-Abdallah. ☎ 57-25-19 et 25-26. Établissement agréable. Un seul problème : la prière à 4 h, la mosquée étant à 50 m. Pas de climatisation mais chauffage central en hiver. Eau chaude. Restaurant et bar où l'on sert de l'alcool. L'ensemble est propre et accueillant.
♠ *Hôtel Meski :* av. Moulay-Ali-Chérif. ☎ 57-20-65. Sur la grande avenue, à l'entrée de la ville en venant de Midelt. Grandes chambres simples mais correctes, avec ou sans sanitaires. Demander celles sur l'arrière, plus calmes. Possibilité de garer sa voiture dans la cour. Bon accueil. Pas d'alcool. Mais pourquoi

le petit déjeuner et la cuisine sont-ils aussi quelconques ? Piscine inutilisable.

🏠 *Hôtel M'daghra :* ☎ 57-40-47. Un nouvel établissement de 30 chambres avec douche individuelle et eau chaude. Téléphone dans les chambres. Restaurant avec deux menus. Salon de thé. L'ensemble est propre et pratique des tarifs très abordables.

Chic

🏠 *Hôtel Kenzi Rissani :* av. Moulay-Ali-Chérif, sur la route d'Erfoud. ☎ 57-25-84 et 57-21-86. Fax : 57-25-85. Cet établissement a été repris par la nouvelle chaîne *Kenzi* qui l'a transformé. Situé au milieu d'un jardin avec piscine, cet hôtel, entièrement climatisé, propose 60 chambres très confortables. Tout a été refait. Bon restaurant et snack. Une

étape agréable avec des prix spéciaux pour nos lecteurs. Compter l'équivalent de 240 FF la double avec petit déjeuner en haute saison et 180 FF en basse saison. La taxe locale est en plus (10 DH). Ceux qui en ont les moyens auraient tort de s'en priver. Cartes de crédit acceptées.

Camping

🏠 *Camping de la Source Bleue de Meski :* à 21 km, sur la route d'Erfoud. Vient d'être doté de sanitaires neufs avec 12 douches (eau tiède). Les anciens étaient sordides. Mais combien de temps cela durera-t-il ? Longtemps, osons-nous espérer, mais rien n'est moins sûr. Restaurant. Cadre très agréable. Bon accueil. Électrification prévue cette année.

Où manger ?

|O| *Restaurant Lipton :* av. Moulay-Ali-Chérif. Ouvert jour et nuit. Belle salle, bien décorée et propre. Cuisine correcte à des prix très raisonnables. Excellent accueil. Recommandé.

|O| *Restaurant Imilchil :* av. Moulay-Ali-Chérif. ☎ 57-21-23. Avec jardin, terrasse surélevée et salle agréable. Excellent

accueil. Bonne cuisine traditionnelle et patron sympa. On y sert également de bons petits déjeuners.

|O| *Restaurant de l'hôtel Oasis :* voir « Où dormir ? ». L'entrée est à l'angle. Correct et prix raisonnables. Ils servent de l'alcool.

A voir

Pas grand-chose à vrai dire.

★ *L'ancien ksar de Targa :* à 500 m du centre. Toujours habité. Possibilité de boire un thé chez l'habitant. Ce ksar, avec son enceinte en pisé, est caractéristique de l'architecture de la vallée du Ziz.

Dans les environs

★ *La source Bleue de Meski* (20 km vers le sud)

La source de Meski est juste à l'entrée du village. On l'appelle la « source Bleue » car c'était une escale des « hommes bleus ». L'oasis, havre de fraîcheur et de quiétude, était devenue une grande poubelle. Nos critiques ont incité les autorités locales à réagir. Des travaux d'aménagement sont en cours. L'accès à la source est payant ainsi que le parking, sauf si on laisse sa voiture, en haut, avant l'entrée. On est fier d'être français quand on sait que le bassin en ciment fut construit par... la légion. On peut même s'y baigner, l'eau étant renouvelée. N'allez pas cependant la boire. On n'est pas à Contrexéville !

Er Rachidia se situe au centre de la vallée du Ziz. La partie la plus intéressante se situe au nord sur la route de Midelt que l'on empruntera au retour. En descendant maintenant vers Erfoud, on arrive sur le Tafilalet, la plus vaste oasis du Maroc, empruntée jadis par toutes les caravanes du Sud. Avant d'atteindre le *ksar de Maadid,* très bien entretenu, quelques paysages méritent une halte : vue panoramique sur toute la vallée du Ziz à 12 km environ après la source Bleue, puis la source naturelle de Ain El Ati qui jaillit en plein désert, quelques kilomètres avant Maadid.

★ *Les gorges du Ziz* (30 km vers le nord)

Sortir d'Er Rachidia par la route de Midelt (P 21). Après 12 km, on longe le lac de retenue du barrage Hassan Addakhil, contenu par une imposante digue de terre rouge contrastant avec la belle couleur verte de l'eau. Le Ziz se faufile capricieusement entre les parois de gorges encaissées. Beaux villages fortifiés. La partie la plus intéressante se situe à proximité du tunnel du Légionnaire. Vous ne serez pas déçu, car ce site passe, à juste titre, pour être l'un des plus grandioses du Maroc. Savez-vous que les habitants de la région du Ziz sont des « Zizi » ? Nous n'inventons pas : c'est authentique.

A 42 km d'Er Rachidia, la *source de Moulay Ali Chérif* est réputée pour soigner les maladies rhumatismales et dermatologiques.

Quitter Er Rachidia

Par la route

🚌 *Gare routière :* place principale, sur la droite en venant de Tineghir.
Tous les départs (CTM et compagnies privées) se font de la gare routière où les horaires sont affichés.
– *Pour Fès et Meknès :* une dizaine de départs quotidiens.
– *Pour Rabat et Casablanca :* 6 départs quotidiens.
– *Pour Rissani et Erfoud :* 7 départs quotidiens.
– *Pour Tineghir :* 1 départ quotidien.
– *Pour Ouarzazate :* 2 départs quotidiens.
– *Pour Paris :* 1 départ hebdomadaire (le mercredi).

En avion

– Une ligne intérieure relie Er Rachidia à *Casablanca* avec une escale à Fès à l'aller comme au retour.

ERFOUD   IND. TÉL. : 05

Gros bourg de 10 000 âmes, sans aucun intérêt. Les bâtiments, peints en ocre, datent pour la plupart de l'époque où la garnison française, installée en 1917, gardait les portes du Tafilalet, l'une des dernières régions pacifiées. La résistance au protectorat devait se manifester par des actions sporadiques jusque dans les années 30. Quelques tamaris tentent bien d'égayer les trottoirs des rues, trop larges et taillées au cordeau, qui rappellent leur origine militaire.
Erfoud n'est connu que comme base de départ pour les dunes de Merzouga (erg Chebbi).
Ses guides et rabatteurs sont célèbres pour leur ténacité et leur quantité. Ils sont partout : à pied, à vélo, aux terrasses, dans la rue. On ne voit qu'eux. Ils n'hésitent pas à rendre illisibles les panneaux indicateurs et à donner de fausses informations.

– *Fête des dattes :* dans la seconde quinzaine d'octobre. La date – sans jeu de mots – varie avec la lune. Elle donne lieu à de grandes réjouissances auxquelles participent toutes les tribus berbères de la région. On y assiste aussi à l'élection de la reine.

Adresses utiles

✉ *Poste :* en face de la banque, angle opposé *(plan A1)*.
■ *Banque :* Banque Populaire, à l'angle des avenues Moulay-Ismaïl et Mohammed-V *(plan B1, 1)*. Change possible dans les grands hôtels.
■ *Alimentation et vente d'alcool :* à côté de l'*Hôtel Ziz*, 1, av. Mohammed-V *(plan B2)*. Ouvert de 8 h à 13 h et de 15 h à 19 h.
■ *Hammam :* réservé aux hommes *(plan B1)*. A côté de l'hôtel Sable d'Or, **20**.

■ *Stations d'essence : Total* et *Ziz*, toutes deux sur l'avenue Moulay-Ismail *(plan A-B1)*.
■ *Gendarmerie Royale :* av. Mohammed-V *(plan A1, 3)*.
– *Souk quotidien :* dans une vaste enceinte, à côté de la place des F.A.R. *(plan B2, 2)*.
– *Souk hebdomadaire :* le samedi. Mieux approvisionné. Même emplacement.

Transports

🚌 *Gare CTM :* av. Mohammed-V *(plan B1, 4)*. Plusieurs bus quotidiens en provenance d'Er Rachidia (à 77 km, en 2 h 30 de trajet) et de Rissani.

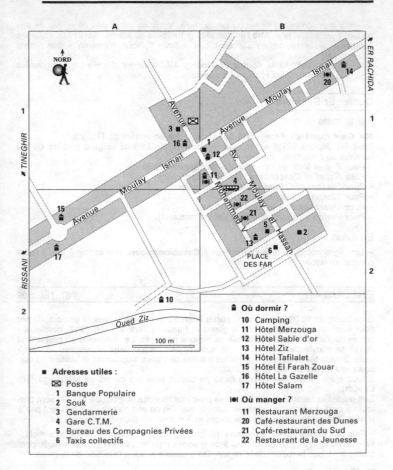

NORD

ER RACHIDA

TINEGHIR

RISSANI

Oued Ziz

100 m

■ **Adresses utiles :**

⊠ Poste
1 Banque Populaire
2 Souk
3 Gendarmerie
4 Gare C.T.M.
5 Bureau des Compagnies Privées
6 Taxis collectifs

🛏 **Où dormir ?**

10 Camping
11 Hôtel Merzouga
12 Hôtel Sable d'or
13 Hôtel Ziz
14 Hôtel Tafilalet
15 Hôtel El Farah Zouar
16 Hôtel La Gazelle
17 Hôtel Salam

I●I **Où manger ?**

11 Restaurant Merzouga
20 Café-restaurant des Dunes
21 Café-restaurant du Sud
22 Restaurant de la Jeunesse

PLACE
DES FAR

– **Bureau des compagnies privées :** place des F.A.R., à côté du souk *(plan B2, 5)*.
– **Taxis collectifs :** départs place des F.A.R. *(plan B2, 6)*. Ils assurent la plupart du trafic de la région. Tineghir est à 146 km par l'itinéraire direct ou à 216 km par Goulmima et Er Rachidia.

Où dormir ?

Ceux qui disposent d'un véhicule n'ont pas intérêt à séjourner à Erfoud. Il est préférable d'aller coucher au pied des dunes maintenant qu'il existe de bonnes adresses comme le *Ksar Sania* tenu par des Français. Ceux qui en ont les moyens peuvent s'installer à l'*auberge Kasba Derkaoua*, à 23 km d'Erfoud en direction des dunes. Les établissements d'Erfoud sont particulièrement bruyants avec les réveils en fanfare à 3 h pour ceux qui partent assister au lever du soleil sur les dunes de l'erg Chebbi.

Très bon marché

🛏 **Camping :** au bord de l'oued Ziz, un peu loin du centre *(hors plan par A2, 10)*. Agréable comme une cour de caserne (c'était d'ailleurs celle de la légion). Ceux qui ne disposent pas de tente peuvent

louer de minuscules bungalows, sans aucun équipement intérieur et pas bien entretenus. Nombreux racoleurs dans l'enceinte du camp. Le gardien n'a jamais de monnaie à rendre, en principe.
🛏 **Hôtel Merzouga :** 114, av. Moham-

med-V (plan B1, 11). ☎ 57-65-32. Les 14 chambres disposent d'une douche chaude individuelle. Tout est propre et l'accueil est vraiment sympa. Un excellent rapport qualité-prix. Idéal pour des petits budgets. Restaurant (voir « Où manger ? »).

Bon marché

♠ Hôtel Sable d'Or : 141, av. Mohammed-V (plan B1, 12). ☎ 57-63-48. Chambres avec douche chaude et w.-c. Celles du 3e étage bénéficient de la vue sur les dunes. Restaurant au 1er étage. On peut apporter son litron.

Prix moyens

♠ Hôtel Ziz : 3, av. Mohammed-V (plan B2, 13). ☎ 57-61-54. Fax : 57-68-11. Ils ont maintenant 40 chambres dont la moitié avec air conditionné. Elles disposent toutes d'une belle salle de bains. Deux restaurants : marocain et européen. Il y a aussi une terrasse panoramique et un bar où l'on peut boire son pastis bien frais. L'accueil est excellent et la cuisine copieuse et correcte. Ils ont un bon guide à recommander pour l'excursion des dunes. Cartes de crédit acceptées mais bien vérifier l'addition, parfois fantaisiste.
♠ Hôtel El Farah Zouar : en arrivant, sur la gauche avant l'Hôtel Salam (plan A2, 15). ☎ 57-61-46. Fax : 57-62-30. Un établissement de 30 chambres (très petites) avec salle de bains ou douche avec eau chaude capricieuse. Prendre de préférence une chambre avec la climatisation. Tout le personnel est plein de bonne volonté. Au resto, des menus marocains et européens. Bonne cuisine. Avec quelques dirhams de plus, possibilité de négocier un accès à la piscine du Salam.
♠ Hôtel la Gazelle : av. Mohammed-V, devant la brigade de gendarmerie (plan A1, 16). ☎ 57-60-28. Chambres avec w.-c. et douche parfois chaude ; canalisations très bruyantes. Leur entretien laisse vraiment à désirer. Éviter celles donnant sur la rue, bruyantes. Possibilité de dormir sur la terrasse, en été. En sous-sol, resto typique marocain servant une cuisine copieuse. Surtout fréquenté par des groupes. Accueil sympathique et livre d'or élogieux.

Où manger ?

|●| Café-restaurant des Dunes : av. Moulay-Ismaïl, près de la station Ziz (plan B1, 20). ☎ 57-67-93. Très simple mais délicieux. Essayez sa spécialité, la kalia (viande, ratatouille, œufs, persil et 44 épices). Pas cher et excellent accueil. Une excellente adresse. On peut réserver par téléphone. Dommage que ce soit

Chic

♠ Hôtel Tafilalet : av. Moulay-Ismaïl (plan B1, 14). ☎ 57-65-35. Fax : 57-60-36. S'est récemment agrandi mais, l'entretien n'est pas leur principale préoccupation malgré le prix : 200 F environ pour une double. Pour 100 F de plus on a une suite avec climatisation commandée du lit. Toujours très bruyant en raison de la présence de groupes qui passent des nuits blanches autour de la piscine. Accueil froid de certains membres du personnel envers les individuels. L'hôtel organise l'excursion de Merzouga, offrant la possibilité de dormir là-bas dans son annexe pour un prix raisonnable.

Très chic

♠ Hôtel Kenzi El Ati : route de Rissani (hors plan). ☎ 57-73-72- et 73. Fax : 57-70-86. Très bel établissement de 110 chambres climatisées. Superbe piscine avec solarium autour de laquelle on peut dîner. Deux restaurants dont un de cuisine marocaine. Le bar est agréable. Rien en manque pour l'agrément : tennis, galerie marchande. Une belle réalisation à la porte du désert. Prix spéciaux très intéressants pour nos lecteurs.
♠ Hôtel Salam : route de Rissani (plan A2, 17). ☎ 57-66-65 et 57-64-25. Fax : 57-64-26. Architecture en pisé, superbe et s'intégrant parfaitement au style de la région. Les 160 chambres, très fraîches, équipées de l'air conditionné, sont très confortables. Belle piscine dans le patio central envahi de bougainvillées. Sauna. Buffet au restaurant Oasis et à la carte pour les individuels au Riad. Bar agréable avec alcool. Compter 400 FF dans l'ancienne aile et 500 FF dans la nouvelle. Réduction de 15 % pour nos lecteurs sur place et prix spéciaux si vous avez réservé de Paris par Maroc Hotels. Voir chapitre « Hébergement » dans les Généralités. Organisation d'excursions et location de 4 × 4 avec chauffeur. Bon accueil. Beaucoup de faux guides sur le parking.

le lieu de rassemblement de prédilection de tous les faux guides.
|●| Café-restaurant du Sud : 19, av. Mohammed-V, près de la station des bus (plan B2, 21). Très bon marché, simple mais propre et sympathique. Et c'est bon ! Repas en terrasse, sur le trottoir. La cuisine est faite par le patron, M. Saïd, toujours aussi sympa avec nos lecteurs.

Il peut vous conseiller si vous avez un problème.

IOI *Restaurant de la Jeunesse :* 99, av. Mohammed-V *(plan B2, 22)*. La patronne est aux fourneaux. Vraiment très simple. Pour les fauchés.

IOI *Restaurant Merzouga :* 112, av. Mohammed-V *(plan B1, 11)*. ☎ 57-65-32. Servent un menu très bon marché bien affiché. Pas de surprises. Pas de licence d'alcool mais on peut apporter son vin. C'est aussi le rendez-vous des faux guides du coin.

A voir

★ *Le Bordj :* à 1 km, sur la route de Merzouga. Franchir le Ziz et tourner à gauche à 500 m. La piste monte jusqu'au parking. Le bordj est terrain militaire. Du haut de ses 937 m, on a une chouette vue sur toute la palmeraie et sur le désert, à condition qu'il n'y ait pas de vent de sable.

MERZOUGA ET LES DUNES DE L'ERG CHEBBI

Excursion au départ d'Erfoud d'une centaine de kilomètres aller-retour, possible avec n'importe quel type de véhicule. A faire de préférence au lever du soleil, mais il faut partir d'Erfoud entre 3 h et 4 h. Le coucher du soleil n'est pas mal non plus. L'idéal, bien entendu, serait d'assister aux deux, c'est pourquoi nous conseillons le *Ksar Sania* au pied des dunes ou la *casbah Derkaoua* qui est à mi-chemin entre Erfoud et Merzouga. Le premier est bon marché, la seconde chère.

Les dunes de l'erg Chebbi constituent la grande curiosité du coin. Ce sont de véritables sculptures mouvantes en forme de draperies dont les couleurs varient selon l'intensité de la lumière. Elles se dressent comme des murailles vivantes aux portes du désert. Les plus hautes atteignent 150 m.

Comment s'y rendre ?

D'abord, refusez les services des guides qui vous assaillent dès votre arrivée à Erfoud. Passez par les services de votre hôtel pour avoir une idée des prix pratiqués et de la durée de l'excursion. Si vous disposez d'un véhicule, les excursions à Merzouga et à Rissani peuvent être effectuées par vos propres moyens. La présence d'un guide n'est pas indispensable.

Pour sortir d'Erfoud, descendre l'avenue du Prince-Héritier Moulay el Hassan *(plan B2)* jusqu'à l'oued que l'on traverse, laissant sur la gauche le bordj. Il y a 50 km entre Erfoud et Merzouga, dont 17 km environ de route, le reste de piste. Celle-ci est praticable avec n'importe quel type de véhicule, même les camping-cars, contrairement à ce qui est dit au camping d'Erfoud. Faire très attention, à la fin du goudron, au km 17, surtout ne pas continuer (il y a un trou très profond) mais tourner à gauche pour suivre les plots blanc et vert jusqu'à *la casbah Derkaoua*. Les faux guides n'hésitent pas à vous induire en erreur à la fin du goudron au risque de provoquer un accident qui leur permettrait de venir à votre secours.

Après l'*auberge Derkaoua* et la fin des plots blanc et vert, suivre les poteaux téléphoniques parallèlement aux dunes. Aucun danger de vous égarer, en plein jour, si vous ne perdez jamais de vue (jusqu'à 1 km) les poteaux téléphoniques qui balisent l'ancienne piste et vont d'Erfoud au village de Merzouga.

Si vous voulez partir avant le lever du soleil, un tuyau : les 4×4 des hôtels quittent Erfoud entre 3 h et 4 h ; en suivre un pour être sûr d'être sur la bonne piste. Attention, toutefois, certains feront tout pour vous semer en passant là où une voiture de tourisme risque de ne pouvoir suivre.

Pour les routards non motorisés, demander Zaïd avec son taxi fourgon (Mercedes rouge). Départ d'Erfoud tous les jours à 14 h sur la route de l'oued, pour 15 DH. Attention aux chauffeurs qui chercheront à vous imposer leurs adresses préférées et prétendront que celle que vous avez retenue est fermée ou inaccessible.

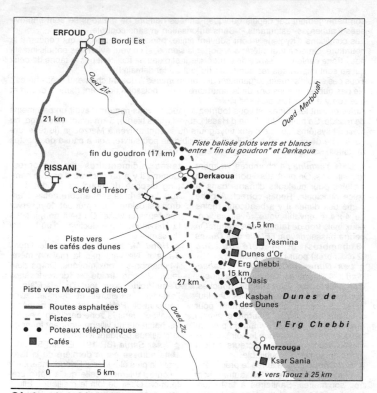

Où dormir ? Où manger ?

SUR LA PISTE DES DUNES

Très chic

🏨 *Auberge-casbah Derkaoua « Oasis » :* au km 23, sur la piste de Merzouga, B.P. 64, Erfoud. ☎ et fax : 57-71-40. Accessible à tous véhicules. Casbah pleine de charme, plantée dans le désert. Direction française. Fermée en janvier, juin et juillet. Prendre la direction de Merzouga. A la fin du goudron (17 km), tourner à gauche pour suivre les plots vert et blanc jusqu'à la casbah. 2 bungalows et 10 chambres dotés d'une climatisation humidifiée. Eau chaude. Sanitaires impeccables. Grand salon décoré de meubles rustiques avec cheminée pour les soirées d'hiver. Excel-

lente table. L'auberge dispose aussi d'une petite piscine, d'un campement nomade aménagé en salon de thé et d'une tente caïdale. 2 000 arbres viennent d'être plantés. Compter environ 210 FF par personne pour la demi-pension obligatoire.

Les premières dunes ne sont qu'à 10 km, ce qui permet de se lever un peu plus tard le matin et de gagner une heure par rapport à ceux qui dorment à Erfoud. Michel, un vieux Saharien passionné par cette région, pourra vous conseiller. Organise de petites méharées. Réservation vivement recommandée ou, à défaut, se présenter tôt le matin.

AU PIED DES DUNES ET A MERZOUGA

Nous vous indiquons les établissements dans leur ordre géographique (voir la carte). Il ne s'agit donc pas d'un classement par ordre décroissant. On a intérêt à bien choisir son hébergement car depuis quelques années nombre de maisons se sont improvisées « auberges-restaurants ». Sans autorisation et sans contrôle.

Les conditions d'hygiène y sont souvent limite, principalement en ce qui concerne la nourriture. On aura tout intérêt à apporter la sienne, si on veut éviter des ennuis intestinaux (forte chaleur, absence de réfrigérateur et d'eau ne facilitent pas la tâche de ceux qui se sont improvisés restaurateurs du jour au lendemain !).

Tous ces établissements organisent des promenades à dos de chameau (très chères). Ne pas oublier que les prix de la nourriture et des boissons doublent dans le désert et que l'on y a deux fois plus soif !

Arrivé devant les dunes, si vous tournez à gauche, vous risquez d'avoir un peu moins de monde. Se méfier du village d'Hassi Labyad (puits blanc), 5 km avant Merzouga, où il est dit systématiquement aux voyageurs qu'ils sont arrivés à Merzouga (je te le jure sur la tête de ma mère) et qu'il est impossible de poursuivre, soit à cause des postes militaires, soit le sable, soit l'Algérie, enfin le danger !

🛏 **Café Yasmina :** 4 chambres vraiment très simples. On peut aussi dormir sur un matelas pour quelques dirhams dans la pièce principale. Repas correct. A cette partie des dunes il y a beaucoup moins de 4 × 4 à envahir votre réveil sablonneux mais trop de faux guides autour. On pourra passer devant l'**Étoile des Dunes** (3 chambres) et le **café du Sud** (2 chambres) pour retenir plutôt :

🛏 **Les Dunes d'Or** (chez Aït Bahaddou) : 14 chambres identiques, équipées d'un petit lavabo. Eau chaude, douches. Bon marché. Belle terrasse avec des lauriers. Le patron fait le maximum pour satisfaire ses clients. Nourriture simple mais correcte. Accueil sympa du personnel qui joue de la musique le soir sous les étoiles. Nombre de nos lecteurs en ont gardé un souvenir inoubliable.

🛏 **Erg Chebbi :** juste après le précédent. 4 chambres correctes, les autres sont trop sommaires. Sanitaires à la turque. Douches chaudes à l'extérieur. Électricité. Le patron, Bouchadour, et son frère, Ibrahim, vous accueillent avec gentillesse à condition que vous vous arrêtiez chez eux. Ils ne supportent pas la concurrence. Cuisine vraiment très quelconque.

🛏 **Café-auberge l'Oasis, chez les frères Oubana :** à Hassi Bedi. Après avoir fait les travaux, ils disposent maintenant de 7 chambres avec une douche chaude et des w.-c. collectifs. Une douzaine de tables dans le restaurant propre et bien décoré. Dommage qu'ils soient aussi agressifs envers la concurrence qu'ils ne supportent pas.

🛏 **Kasbah des Dunes :** en plein centre du village de Hassi Labyad. 4 chambres propres. Électricité. Douche froide. Sanitaires quelconques. Ali a travaillé longtemps dans d'autres auberges avant de créer sa propre affaire. Il vous recevra bien.

🛏 **Auberge des Amis :** à Merzouga. Très simple. Hassan Bokbot réserve un bon accueil à nos lecteurs. L'auberge dispose de 4 chambres. C'est son frère qui dirige le camping Khayma.

🛏 **Camping Khayma :** à Merzouga, au pied de l'erg Chebbi. Bon accueil. Sanitaires rudimentaires mais propres. Comme il y a un château d'eau, le camping dispose de douches (froides bien sûr). Les arbres sont encore petits. L'endroit est calme. Il est prudent de réserver son repas la veille. On peut dormir sous la khayma (tente collective), d'où le nom du camping.

🛏 **Hôtel Merzouga :** annexe de l'hôtel Tafilalet. Ne vaut pas la maison mère. 14 chambres à prix moyens. Draps douteux, douche froide et deux lavabos d'eau froide pour tout l'hôtel. Mais, à l'extérieur, sanitaires et douches avec eau chaude. Préférez les tentes berbères installées dans la zone camping. Le soir, les habitants du village viennent jouer de la musique pendant le dîner.

🛏 **Ksar Sania** (BP 191. Erfoud 52200) : cette adresse est la dernière de la liste, étant la plus éloignée d'Erfoud, mais c'est incontestablement celle qui a notre préférence. C'est de loin la meilleure. Elle a été créée récemment par des Bretons, Gérard et Françoise, qui ont tout abandonné pour venir naviguer dans le désert. Il faut saluer leur courage étant donné l'hostilité permanente de leurs voisins. Les faux guides leur livrent une guerre sans merci où tous les coups sont permis. On vous dira que le ksar est fermé et bien d'autres méchancetés. N'en croyez rien. Il est au pied des dunes à 1,5 km après Merzouga, sur la piste de Taouz et de Zagora dans une oasis de palmiers et de tamaris. Derrière la belle architecture de pisé, 11 chambres simples avec un grand lit. Les plus petites, dans les tours, sont à moins de 50 F, les autres, plus grandes, à 60 F. Douche et w.-c. collectifs. Étonnant rapport qualité-prix car tout est impeccable. On peut dormir pour 15 F sous la tente nomade (literie fournie) ou même camper pour 10 F dans la verdure ; quelques places ombragées. Bloc sanitaire avec 5 w.-c. et salles de bains avec eau chaude (eh oui !).

Grand restaurant avec cuisine plutôt française. Menu touristique à moins de 50 F et carte variée avec du bœuf à l'orange, des crêpes bretonnes, une tarte maison et un plat du jour à moins de 30 F. C'est

Gérard qui est aux fourneaux. Il adapte les produits locaux sur des bases traditionnelles françaises. Ce qui n'exclut pas un excellent couscous et un méchoui (sur commande). Gros avantages de cette adresse : gentillesse des patrons, propreté et absence de faux guides. De plus vous êtes au pied des dunes et les pieds dans le sable juste à côté du lac Dayet Srji. Pour les levers de soleil vous pouvez rester au lit jusqu'à la dernière minute et vous recoucher immédiatement s'il est raté. On ne vous garantit rien. Les astres sont parfois capricieux.

Permanence téléphonique pour réserver ouverte uniquement le jeudi de 12 h à 14 h (attention au décalage horaire). ☎ (05) 57-72-30. Ils conseillent les 4 × 4 sur les environs, organisent des randonnées pédestres et à chameau. Tous renseignements possibles sur les minéraux, les fossiles et les vestiges préhistoriques du coin. Ils travaillent aussi avec un chamelier qui pratique des tarifs raisonnables.

Excursion à l'erg Chebbi et dans les environs

Toutes les agences organisent désormais une excursion aux dunes et certains soirs, en saison, des caravanes de 4×4 débarquent des centaines de touristes qui partent à l'assaut des dunes. Il devient de plus en plus difficile de s'isoler pour goûter au silence si puissant qu'on l'entend.

Arrivé devant les dunes, si vous tournez à gauche, vous risquez d'avoir un peu moins de monde.

Profitez de la fraîcheur matinale pour dépasser les cohortes de touristes photomaniaques des deux premières crêtes. Grimpez au moins sur la troisième, et même en haut de la grande dune. Vue sur les barres rocheuses algériennes et sur Taouz, au sud. Toute la région est riche en minéraux divers. On y voit des empreintes de mollusques fossilisés très curieux. Les quelques gravures rupestres, plutôt décevantes, n'intéresseront que les spécialistes.

Cet étonnant décor de sable dans lequel joue la lumière du soleil levant servit, entre autres, aux tournages de films comme *Marco Polo, Un thé au Sahara* et *le Petit Prince*, dont on voit encore l'avion miniature de l'Aéropostale près des *Dunes d'Or*.

★ *Merzouga :* ne pas se contenter de s'arrêter aux premières dunes comme les guides le conseillent trop souvent. Il faut aller au-delà, jusqu'au village de **Merzouga,** près du lac Dayet Srji. Surtout que certains jours l'excursion se révèle bien décevante. Dès 4 h 30 on assiste à l'arrivée d'un rallye de 4 × 4. Très vite, on se croirait dans un parking de supermarché où les clients seraient venus faire leurs emplettes annuelles en véhicules tout-terrain. Difficile de s'isoler : Anglais à gauche, Japonais à droite, Allemands devant. Les dunes se transforment en véritables tours de Babel et lorsque le soleil apparaît, il est salué par les déclics de centaines d'appareils photo, en batterie. Hormis la grande dune, la plus belle, le village de Merzouga, avec sa palmeraie typique des oasis sahariennes, mérite d'être visité. L'arrivée permanente de l'eau de source permet une agriculture des quatre saisons, sur trois niveaux. Chaque matin, c'est le rendez-vous des femmes dans les fours à pains, et aux heures fraîches la source est le rendez-vous des jeunes filles.

★ Le *lac Dayet Srji,* à 2,5 km du *Ksar Sania,* l'auberge la plus proche, qui était asséché depuis plus de 10 ans, a été à nouveau rempli par les pluies, en 1994 ; ce qui a fait revenir des centaines de flamants roses, cigognes, canards, etc., aux périodes de pluie. Il est impossible de les approcher mais on peut les observer à la jumelle. Nous ne vous garantissons rien : il s'agit d'oiseaux migrateurs. Renseignez-vous dans les auberges.

Pendant l'été, il devient un grand herbage pour les troupeaux de nomades qui s'y installent.

– *Bains de sable :* non, nous ne plaisantons pas, pendant la saison d'été qui se veut sèche et très chaude, les gens viennent à Merzouga faire des bains de sable pour lutter contre les rhumatismes. Cela vous rappellera vos jeux d'enfants quand vous vous amusez à vous faire enterrer vivant sur la plage des vacances. Le résultat des bains est, à ce qu'il paraît, très efficace si l'on reste enterré au moins une bonne heure. La cure n'est pas remboursée par la Sécurité sociale.

★ *Taouz :* il est maintenant possible de poursuivre jusqu'à Taouz (25 km) sans difficulté pour y voir des gravures rupestres et suivre la piste des mines. L'une d'elles peut être visitée et, en chemin, on pourra aussi s'arrêter dans la carrière des fossiles.

★ *La piste de Zagora :* pour les plus aventuriers déjà habitués au désert, en 4 × 4 et avec 2 véhicules minimum, il est possible de faire Erfoud-Merzouga-Taouz-Zagora par la piste. Mais cela devient une expédition. Se faire enregistrer à la gendarmerie de Taouz.

DE MERZOUGA A RISSANI

Piste de 40 km. Passer devant le bureau de poste de Merzouga, à 500 m quitter la piste principale vers la gauche. La piste est bien tracée ; en cas d'hésitation, prendre toujours sur la gauche. Le radier de l'oued Merbouah est cassé, choisir la piste de gauche en évitant toujours d'aller sur la droite, ce qui conduirait à Haroum, sans intérêt. Passer à travers les jardins. Au goudron, prendre à gauche. Comme vous le voyez, ce n'est pas évident et la piste comprend beaucoup de tôle ondulée et de *fech foch*. A côté de l'oued Merbouah, vous pouvez faire halte au *Café du Trésor,* perdu en plein désert. Mais vous n'y trouverez certainement pas votre marque de bière préférée. Ce café s'est agrémenté depuis peu d'une petite piscine. Demandez aux frères Youssef et Brahim Oudani de vous interpréter du folklore berbère ou andalou pendant que vous buvez votre thé. Prix affichés. Pas d'arnaque. Si l'on donne un petit peu plus pour la récréation musicale, il n'est pas rare de se voir offrir une petite pierre fossilisée. Accueil vraiment sympa.

Entre ce café et Rissani, on entre à nouveau dans la palmeraie de Tafilalet par un pittoresque village Dar-el-Baïda (Casablanca). De nombreux ksour jalonnent la piste qui pénètre dans Rissani après avoir laissé sur la gauche Moulay Ali Chérif et sa mosquée.

Cet itinéraire n'est pas évident et nombre de candidats ont tourné en rond. Alors, se faire accompagner ou prendre la Land Rover qui quitte Merzouga tous les matins entre 6 h 30 et 7 h 30. Compter environ 1 h de trajet pour Rissani.

★ LA PALMERAIE DE TAFILALET

Circuit complet de 70 km au départ d'Erfoud. C'est la plus grande du Maroc avec ses 130 ksour et ses 7 000 palmiers-dattiers. Un parcours très touristique, fléché, d'une vingtaine de kilomètres environ, traverse cette dernière tache verte avant le désert. Pour effectuer ce circuit dont les trois quarts sont asphaltés, il est préférable d'être accompagné afin de profiter pleinement de la visite.

Après Moulay Ali Chérif, on passe par le *ksar Oulad Abdelhalim,* l'un des plus beaux et des mieux conservés. Celui d'Akbar, à 500 m d'Ali Chérif, est très délabré mais il abritait autrefois le trésor royal des Alaouites. A Ouirhlane, prendre la piste à gauche pour Tinrheras, dont le ksar est perché sur un piton. On domine toute la palmeraie. Les ruines de *Sijilmassa*, rivale de Fès et de Marrakech, sont une étape sur la route de l'or. C'est de là que partaient les grandes caravanes qui exportaient vers le Soudan et la Guinée les métaux, les étoffes, les dattes et surtout le sel. De cette ancienne capitale du Tafilalet, peuplée autrefois de plus de 100 000 habitants, il ne reste que quelques pans de murs, au milieu des sables. Dans cette palmeraie, beaucoup de femmes entièrement voilées de noir où un seul œil apparaît. Dès que l'on quitte la région, peu après Jorf, la surface cachée par le voile s'agrandit.

D'ERFOUD A RISSANI

22 km par la P 21. La route asphaltée prolonge celle d'Er Rachidia et traverse une région couverte de petits monticules de terre appartenant à un ancien système d'irrigation souterraine, preuve que ce désert était autrefois prospère. Ces *feggaguir*, mis en place au temps de l'esclavage par des Noirs africains, et repris par les ingénieurs arabes d'un système phénicien, drainaient les eaux des nappes phréatiques. Ils n'ont pas résisté aux longues périodes de sécheresse alternant avec des crues dévastatrices. On voit encore, parfois, des puits à *delou* où l'eau est puisée dans de grandes outres en peau de chèvre et déversée dans un canal. Des animaux ou des hommes en assurent la traction.

RISSANI   IND. TÉL. : 05

C'est de Rissani qu'est originaire la famille royale actuelle. Ceci explique que la mosquée de Moulay Ali Chérif, fondateur de la dynastie des Alaouites, détruite par la crue du Ziz en 1955, ait été reconstruite illico par les partisans du roi. Elle se situe à 2 km du centre mais son accès est interdit aux roumis. Rissani sent déjà le désert avec les ruelles du ksar construit par Moulay Ismaïl recouvertes de bambous. Dommage que les enfants et les faux guides soient collants comme des mouches, insolents et, parfois, moralistes. Il est difficile de s'en défaire et leur insistance gâche le plaisir de la visite.

– **Souk :** mardi, jeudi et dimanche. Ce dernier est le plus important. Vous y verrez des centaines d'ânes. Choisir ces jours-là pour visiter Rissani et la palmeraie. Plusieurs artisans de bijoux en argent (souvent faux). On trouve aussi du safran à des prix intéressants.

Où dormir ? Où manger ?

Bon marché

🛏 **Hôtel-café-restaurant Sijilmassa :** place Massira Khadra. ☎ 57-50-42. Propre et correct quoique un peu délabré. Nettement mieux que le suivant.

🛏 **Hôtel El Filalia :** sur la place principale, juste à l'arrêt des bus. ☎ 57-50-96. Fait aussi café-restaurant. Magnifique terrasse sur le toit, dominant toute la vallée et la palmeraie. Vue jusqu'aux dunes de Merzouga. Dommage que ce soit mal entretenu.

Prix moyens

🛏 **Kasbah Asmaa :** à 5 km de Rissani et à 15 km d'Erfoud, au bord de la route dans la palmeraie. ☎ 57-54-94. Un établissement récent de 30 chambres avec tout le confort, réparties autour d'un patio central. 2 belles salles de restaurant (une rose et une bleue). On vous y propose un menu à prix moyen et une carte. Alcool. Bar et belle piscine. Location de 4 × 4. Organisation d'excursions. Ils vous conduisent à Merzouga pour voir le lever ou le coucher du soleil. Personnel accueillant. Cet établissement est avant tout destiné aux groupes mais les individuels y sont bien traités quand l'hôtel n'est pas pris d'assaut. Cartes de crédit acceptées. Bon rapport qualité-prix.

A voir

Pas grand-chose à vrai dire.

★ **Ksar de Moulay Ismaïl :** sur la droite en entrant dans Rissani.

★ Pour passer le temps, et peut-être vous laisserez-vous tenter, allez faire un tour à la **Maison bédouine** (prix raisonnables), à la **Maison touareg** (plus de choix mais plus cher) ou encore à la **Maison berbère**. Ce sont des boutiques tenues par des professionnels qui se font un plaisir de vous expliquer les origines et l'art de nombreux tapis, tout en vous offrant un thé à la menthe. Mais ils poussent à acheter. A vous de résister, si vous en avez la force. Vous y verrez de beaux tapis et quelques objets intéressants.

Quitter Rissani

– **Pour Merzouga :** 40 km de piste. Plusieurs taxis collectifs partent chaque jour entre 14 h et 14 h 30 pour moins de 15 DH. Ne pas écouter les chauffeurs et les faux guides qui essaient de vous déposer le long des dunes dans l'auberge où ils sont assurés de toucher leur commission. En venant jusqu'à Merzouga, il y a le libre choix des auberges et aussi du ravitaillement au village. Il est donc important d'insister pour aller jusqu'à Merzouga.

En allant vers le sud

– **Pour Zagora :** grands taxis collectifs qui empruntent la piste 3454.
– **Pour Goulimime :** emprunter la Land Rover ou le camion qui partent tous les jours du souk vers midi. On peut continuer vers Foum-Zguid et, avec un peu de chance, vers Tata. De là, prendre le bus ou un camion pour Goulimime avec changement à Inezgane. Nous avons décrit cet itinéraire dans le sens inverse, au départ de Zagora.

En allant vers le nord

Voir ci-dessous.

MIDELT

A 255 km de Rissani et à 125 km d'Azrou.

Bus d'Er Rachidia 5 fois par jour, en plus de 3 h pour 155 km ; bus de Meknès et de Fès quotidien en 5 h pour 193 km.

La ville (24 600 habitants), perchée à 1 488 m, au pied du djebel Ayachi (3 737 m), n'a rien d'extraordinaire mais peut constituer une étape reposante, surtout en été lorsque tout le monde est attablé aux terrasses de café.

Vous serez abordé par des gosses qui vous proposeront des pierres. Elles viennent de la mine, sont parfois très belles et, de toute façon, bon marché. Vu la concurrence entre les gamins, les prix dégringolent vite. Il y a, en face du *Rol de la Bière*, un magasin qui en vend de manière quasi officielle. La ville est réputée aussi pour ses tissages berbères. Début octobre, a lieu le moussem ou fête des pommes (ne vous sentez pas concerné).

– **Souk :** le dimanche. Rendez-vous des Berbères du coin, il est très intéressant.
– **Garage El Ayachi :** route de Fès, en face de la station Shell. ☎ 58-22-14. En cas de pépin, un des garages les plus sérieux et prix honnêtes. Le patron, Mustapha Es-Shâa, est non seulement compétent mais très sympa.

Où dormir ?

Bon marché

🛏 **Hôtel Mimlal :** à l'entrée de la ville quand on arrive d'Azrou par la P 21. ☎ 58-22-66. Excellent accueil de Brahim. Si vous êtes 3 ou 4 nous vous recommandons la suite qui est économique. Douches chaudes. Bonne cuisine marocaine. Une bonne adresse avec un excellent rapport qualité-prix.

🛏 **Hôtel Kasba Asma :** voir plus loin. Ils ont une formule économique.

🛏 **Hôtel Atlas :** près de la place centrale, derrière la gare routière. Une dizaine de chambres rudimentaires mais correctes et bon marché. Accueil chaleureux.

🛏 **Hôtel Toulouse :** en face de la station *Shell* et à côté du tailleur pour hommes. Très pittoresque et bon marché. Propreté moyenne.

🛏 **Hôtel Roi de la Bière :** à la sortie de la ville, lui aussi, sur la route d'Er Rachidia. Vieillot. Certaines chambres ont des douches. Vérifier leur fonctionnement ainsi que la propreté des draps ; literies défoncées. Malgré tout, bon accueil. On peut acheter de la bière fraîche à l'alimentation générale à côté.

Prix moyens

🛏 **Hôtel El Ayachi :** rue Agadir (c'est fléché). ☎ 58-21-61. Bon accueil de la patronne. 28 chambres avec douche et sanitaires très propres. Calme, avec jardin et bar. Un peu vieillot.

Chic

🛏 **Kasbah Asmaa :** sur la route d'Er Rachidia, à 800 m. ☎ 58-39-45. Magnifique architecture en pisé qu'on se remarque de loin. Un nouvel établissement de 20 chambres confortables avec salle de bains. Certaines disposent même d'une cheminée. Les 3 salons, de style marocain, pour les repas, sont disposés autour d'un patio où un jet d'eau jaillit d'une fontaine. L'hôtel est entouré d'un jardin rempli de fleurs. Piscine et tentes berbères sont à la disposition des clients. On peut dîner, en hiver, devant un bon feu de bois dans la cheminée. Un excellent rapport qualité-prix. Pour les petits budgets, la direction fournit des sacs de couchage et des couvertures pour dormir à l'intérieur ou à l'extérieur, suivant la saison. Excursions possibles avec des randonnées à cheval dans l'Atlas.

Campings

🛏 **Camping municipal :** à proximité de l'*Hôtel El Ayachi*. Accueil sympa et installations propres mais sanitaires douteux. Bon marché.

🛏 **Camping-restaurant Timnay :** à Aït Ayach. Il faut disposer d'un véhicule. C'est à 20 km de Midelt, en venant de Meknès, entre Zaïda et Midelt, dans une casbah traditionnelle en pisé. Le premier étage est réservé à la détente et à la restauration, et le rez-de-chaussée comprend une épicerie et un bazar qui affiche des prix très honnêtes. Tenu par des enseignants qui souhaitent faire découvrir les traditions berbères. Plusieurs formules : camping avec tentes personnelles ou collectives, chambres à la ferme (matériel de couchage non fourni), chez l'habitant ou chambres en bungalows. Tout est propre et bien entretenu. Eau chaude, grâce à un système solaire. Piscine. Restaurant tenu par Driss qui a fait l'école hôtelière. Organisation de bivouacs à des tarifs intéressants. Tout le matériel vous suit au cours de l'excursion. Il est préférable, dans ce cas, de réserver, car cette excellente adresse commence à être connue. Écrire à *Timnay*, Inter-cultures, BP 81, Midelt. ☎ 58-34-34. Une adresse idéale pour pénétrer la culture berbère et connaître un Maroc différent et authentique. Fournissent des indications, un guide ou, éventuellement, un véhicule pour l'excursion du cirque de Jaffar.

Où manger ?

l●l *Restaurant de Fès :* rue Lata-Aïcha, ou 2, bd Mohammed-V. Tenu par le fils de Fatima Tazi, une célébrité locale. Excellents couscous, tajines et brochettes. Les végétariens pourront essayer un mélange connu de toutes les familles marocaines : une salade de carottes avec un jus d'orange et une salade de concombres sucrée. Un peu surprenant, mais bon. L'accueil est à la hauteur de la cuisine.

l●l *Excelsior :* boulevard Mohammed-V, dans le centre. Pas mal, mais envahi quand il y a des cars de touristes.

l●l *Esaada :* à côté de la CTM. Tajines délicieux mijotés sur des braseros devant le restaurant.

l●l *Café-restaurant de l'Espoir :* 30, boulevard Mohammed-V, à côté de l'Excelsior. Très simple, mais la cuisine est bonne. Là aussi le tajine est préparé sur le brasero.

l●l *Café-restaurant Bougafer :* 7, rue du Marché-Municipal. ☎ 58-30-99. Bons tajines et couscous mais qu'il faut commander longtemps à l'avance. Accueil chaleureux.

A voir

★ *Atelier de tissage des sœurs franciscaines :* casbah Myriem, sur la route 3418, en direction de Jaffar et Tattiouine. ☎ 58-24-43. Les ouvrières travaillent tous les jours sauf le vendredi, le dimanche et pendant le mois d'août, période de vacances. Mais les religieuses assurent cependant une permanence. On réalise dans cet ouvroir des tapis, des tentures et des couvertures berbères ainsi que de belles broderies. Les prix sont à peine plus élevés qu'ailleurs mais le travail est nettement mieux fait. Préférable à la sempiternelle *maison du Tapis.* Les religieuses, très accueillantes, vous donneront des explications sur leur travail.

Dans les environs

★ *Le cirque de Jaffar :* constitue une belle balade de près de 80 km, nécessitant une journée car les trois quarts du parcours (53 km) s'effectuent sur de très mauvaises pistes qui ne sont d'ailleurs praticables que de mai à novembre et en 4×4 seulement. Il est vivement recommandé de se renseigner sur leur état avant de partir.
Emprunter la route de Meknès et, après une quinzaine de kilomètres, sur la gauche, la piste 3426, indiquée « Ait Oum Gam ». 14 km après, vous trouverez un panneau, « Miktane, 23 km ». Vous voilà à l'écart des sentiers touristiques, traversant des modestes villages avec des maisons à l'architecture traditionnelle. A la maison forestière de *Miktane,* prendre sur la gauche la piste 3424 qui est mauvaise. C'est alors la découverte de paysages splendides, extrêmement sauvages avec le cirque naturel qui s'ouvre au pied du djebel Ayachi (3 727 m), souvent enneigé. Continuer cette piste sinueuse et très détériorée pour regagner Midelt. La vue que l'on a du col justifie à elle seule cette excursion exceptionnelle.

36.15
LETUDIANT

■ **Des centaines d'offres de jobs**

■ **Des offres de logement**

■ **Le guide des études supérieures, le palmarès des BTS, des prépas...**

l'Etudiant

2,19 F/mn

G.H.

UNE CASSETTE DE 55 MINUTES + UN GUIDE PRATIQUE

Les vidéo guides Rive-Gauche donnent des explications, vidéo et de grandes cartes... et par correspondance. Renseignez-vous : tél. (1) 42.76.14.14.

RÉSERVÉ DES SÉJOURS ET DES VOYAGES SUR RIVE-GAUCHE VIDÉO GUIDE

ROUTARD ASSISTANCE

L'ASSURANCE VOYAGE INTEGRALE A L'ETRANGER

VOTRE ASSISTANCE "MONDE ENTIER" LA PLUS ETENDUE !

RAPATRIEMENT MEDICAL "VOIR MINITEL"   **1.000.000 FF.**
(au besoin par avion sanitaire)

VOS DEPENSES : MEDECINE, CHIRURGIE, HOPITAL   **2.000.000 FF.**
       GARANTIES A 100% SANS FRANCHISE

HOSPITALISE ! RIEN A PAYER... (ou entièrement remboursé)

BILLET GRATUIT DE RETOUR DANS VOTRE PAYS :   **BILLET GRATUIT**
En cas de décès (ou état de santé alarmant) d'un proche parent   **(de retour)**
       père, mère, conjoint, enfants
*BILLET DE VISITE POUR UNE PERSONNE DE VOTRE CHOIX **BILLET GRATUIT**
si vous êtes hospitalisé plus de 5 jours   **(aller retour)**
Rapatriement du corps - Frais réels   **Sans limitation**

avec CHUBB INSURANCE COMPANY OF EUROPE S.A.

RESPONSABILITE CIVILE "VIE PRIVEE " A L'ETRANGER

Dommages CORPORELS . garantie à 100 %   30 000 000 FF
Dommages MATERIELS ... garantie à 100 %   5.000.000 FF
(dommages causés aux tiers)   (AUCUNE FRANCHISE)
EXCLUSION RESPONSABILITE CIVILE AUTO : ne sont pas assurés les
dommages causés ou subis par votre véhicule à moteur : ils doivent être couverts
par un contrat spécial : ASSURANCE AUTO OU MOTO.
ASSISTANCE JURIDIQUE (Accident) ....   **3.000.000 FF.**
CAUTION PENALE ....   **50.000 FF.**
AVANCE DE FONDS en cas de perte ou vol d'argent .....   **5.000 FF.**

VOTRE ASSURANCE PERSONNELLE "ACCIDENTS" A L'ETRANGER

Infirmité totale et définitive ....   **500.000 FF.**
infirmité partielle - (SANS FRANCHISE) ...... **de 1.000 à 495.000 FF.**
Préjudice moral : dommage esthétique ....   **100.000 FF.**
Capital DECES ....   **20.000 FF.**

VOS BAGAGES ET BIENS PERSONNELS A L'ETRANGER

Vêtements, objets personnels pendant toute la durée de votre
voyage à l'étranger : vols, perte, accidents, incendie, :   **6.000 FF.**
dont APPAREILS PHOTO et objets de valeurs   **2.000 FF.**

COMBIEN ÇA COUTE ? **100 FF** par semaine

Amis belges : payez en BEF
Amis suisses : payez en CHF
Informations MINITEL **36.15 code ROUTARD**

VOIR
AU
DOS

LES CONSEILS NATURE DU ROUTARD
avec la collaboration du WWF

WWF®

Vous avez choisi le Guide du Routard pour partir à la découverte de pays, de régions, de populations dans le but d'enrichir vos connaissances et votre plaisir du voyage.

Vous allez fréquenter des milieux parfois fragiles, des sites et paysages uniques, peuplés d'espèces animales et végétales menacées et habités par des populations humaines qui sont chez elles.

Nous avons souhaité vous suggérer quelques comportements simples permettant de ne pas remettre en cause l'intégrité de notre patrimoine naturel et culturel et d'assurer la pérennité d'une nature que nous souhaitons tous transmettre aux générations à venir.

**Pour mieux découvrir et respecter
les milieux naturels et humains que vous visitez,
apprenez à mieux les connaître.**

Munissez-vous de bons guides sur la faune, la flore et les pays traversés.

1. Respectez la faune, la flore et les milieux. Ne faites pas de feu dans les endroits sensibles - Rapportez vos déchets et utilisez les poubelles - Ne cueillez plantes et fleurs qu'avec vos yeux - Ne collectionnez pas… Laissez minéraux, fossiles, vestiges archéologiques, coquillages, insectes et reptiles dans la nature.

2. Ne perturbez d'aucune façon la vie animale. Vous risquez de mettre en péril leur reproduction, de les éloigner de leurs petits ou de leur territoire - Si vous faites des photos ou des films, ne vous approchez pas trop près des animaux - Ne les effrayez pas, ne faites pas de bruit - Ne les nourrissez pas, vous les rendrez dépendants.

3. Appliquez la réglementation relative à la protection de la nature, en particulier lorsque vous êtes dans les parcs ou réserves naturelles. Renseignez-vous avant votre départ !

4. Consommez l'eau avec modération, spécialement dans les pays où elle est une denrée rare et précieuse. Dans le sud tunisien, un bédouin consomme en un an, l'équivalent de ce que consomme un touriste européen en moins de 3 mois !

5. Quand vous quittez votre chambre, pensez à éteindre les lumières, à couper le chauffage et la climatisation.

6. Choisissez des spécialités culinaires locales à base d'espèces non menacées. Évitez soupe de tortue, ailerons de requin, nids d'hirondelles. .../...

7. Faites profiter le commerce local de votre visite, mais pas aux dépens de la faune et de la flore sauvages ! N'achetez pas d'animaux menacés vivants ou de produits issus d'espèces protégées (ivoire, bois tropicaux, coquillages, coraux, carapaces, écailles, plumes…), faute de quoi vous contribuerez à la surexploitation et à la disparition d'espèces et vous risquez d'être en situation illégale : l'exportation et/ou l'importation de nombreuses espèces (animales et végétales) sont réglementées et parfois prohibées.

8. Entre deux moyens de transport équivalents, choisissez celui qui consomme le moins d'énergie. Utilisez le train, le bateau et les transports en commun plutôt que la voiture.

9. Ne participez pas aux activités dommageables pour l'environnement. Evitez le VTT hors-sentier, la 4x4 sur voies non autorisées, l'escalade sauvage dans les zones fragiles, le ski hors-piste, les sports nautiques bruyants et dangereux, la chasse sous-marine.

10. Informez-vous sur les usages et coutumes des pays dans lesquels vous voyagez, et sur le mode de vie de leurs habitants.

- Pour tout renseignement : 36 15 WWF (2,19F/min) -

Le WWF-Fonds Mondial pour la Nature est la plus grande organisation privée de protection de la nature dans le monde. Il comprend 30 organisations nationales et gère 10 000 projets dans plus de 100 pays. Son but est la conservation de l'environnement et des processus écologiques indispensables à la vie sur terre.

Ces 2 pages sont offertes par le Guide du Routard

BULLETIN D'INFORMATION ET DE SOUTIEN
à découper ou à photocopier et à retourner au
WWF-France,151 bd de la Reine, 78000 Versailles

Melle/Mme/M. ....

Prénom ....

Adresse ....

Code Postal .... Localité ....

☐ Je souhaite recevoir plus d'informations sur les actions du WWF
☐ Je souhaite soutenir les actions du WWF, et verse un don de :
☐ 100 F   ☐ 200 F   ☐ Autre

INDEX

les **Routards** *parlent aux* **Routards**

Faites-nous part de vos expériences, de vos découvertes, de vos tuyaux pour que d'autres routards ne tombent pas dans les mêmes erreurs.
Indiquez-nous les renseignements périmés. Aidez-nous à remettre l'ouvrage à jour. Faites profiter les autres de vos adresses nouvelles, combines géniales... On envoie un exemplaire gratuit de la prochaine édition à ceux dont on retient les suggestions. Quelques conseils cependant :
– N'oubliez pas de préciser sur votre lettre l'ouvrage que vous désirez recevoir. On n'est pas Madame Soleil !
– Vérifiez que vos remarques concernent l'édition en cours et notez les pages du guide concernées par vos observations.
– Quand vous indiquez des hôtels ou des restaurants, pensez à signaler leur adresse précise et, pour les grandes villes, les moyens de transport pour y aller. Si vous le pouvez, joignez la carte de visite de l'hôtel ou du resto décrit.
– N'écrivez si possible que d'un côté de la lettre (et non recto verso).
– Bien sûr, on s'arrache moins les yeux sur les lettres dactylographiées ou correctement écrites !

Le Guide du Routard : 5, rue de l'Arrivée.
92190 Meudon

36 15 *code* **Routard**

Les routards ont enfin leur banque de données sur Minitel : 36-15 code ROUTARD. Vols superdiscount, réduction, nouveautés, fêtes dans le monde entier, dates de parution des G.D.R., rancards insolites et... petites annonces.

Routard assistance 96

Vous, les voyageurs indépendants, vous êtes déjà des milliers entièrement satisfaits de « Routard Assistance », l'Assurance Voyage Intégrale sans franchise que nous avons négociée avec les meilleures Compagnies. Assistance complète avec rapatriement médical illimité. Dépenses de santé, frais d'hôpital, pris en charge directement sans franchise jusqu'à 2 000 000 F + caution pénale + défense juridique + responsabilité civile + tous risques bagages et photos + 500 000 F Assurance Personnelle accidents. Très complet ! Une grande première : vous ne payez que le prix correspondant à la durée réelle de votre voyage. Chaque guide comprend 2 pages : tableau des garanties et bulletin d'inscription. Pour en savoir plus, téléphonez : (1) 44.63.51.01 ou encore mieux, tapez 36.15 Code Routard.

Photos rigolotes

Envoyez-nous vos photos de voyages, les plus rigolotes. Nous publierons les meilleures dans le prochain « Agenda du Routard » à votre nom. Bien sûr, dans ce cas, vous recevrez la nouvelle édition de cet agenda.

Imprimé en France par Hérissey n° 71307
Dépôt légal n° 2204-03-1996
Collection n° 13 - Édition n° 01
24/2435/6
I.S.B.N. 2.01.242435.X
I.S.S.N. 0768.2034